KB185030

날개 위의 세계

날개 위의 세계

철새의 놀라운
지구 여행기

스콧 와이덴솔 지음 김병순 옮김

A WORLD ON THE WING
by SCOTT WEIDENSAUL

This Korean edition is published by agreement with Sterling Lord Literistic, Inc. and The Danny Hong Agency.

일러두기

- 이 책의 각주에서, 원주는 〈원주〉로 표시하고, 옮긴이주는 따로 표시하지 않았습니다.

늘 그렇듯이, 에이미를 위해

(평소보다 더 많이 에이미를 떠올리며)

차례

프롤로그

툰드라 지대는 세상에서 가장 눈부시게 아름답고 편안한 매트리스일지 모른다.

늘 습기가 많아 약간 축축한 곳이라, 이처럼 맑고 쌀쌀한 아침에도 아래위로 비옷을 갖춰 입는 것이 좋다. 연분홍 주황빛 햇살이 알래스카산맥의 봉우리들 위로 이제 막 번지기 시작하면서 서쪽으로 약 110킬로미터 길게 이어진 디날리 국립공원Denali National Park의 빙하로 덮인 하나의 거대한 장밋빛 돌기둥이 구름 한 점 없는 하늘 아래 무심하게 펼쳐져 있다.

나는 동료 세 명과 함께 물이끼와 키 작은 덩굴월귤 관목, 순록이끼를 비롯해서 극도로 작은 다양한 툰드라 초목이 부드러운 스펀지 방석처럼 깔려 있는 바닥에 털썩 주저앉아 안도의 한숨을 내쉬었다. 짧은 휴식이었지만 몸이 한결 가뿐해졌다. 우리는 북극에 가까운 알래스카 내륙의 한밤중을 밝히는 여명이 통과하는 새벽 두 시에 일어났다. 그로부터 한 시간쯤 지나서, 말코손바닥사슴moose이나 회색곰grizzly들을 조심스레 경계하면서 2만 4300제곱킬로미터에 이르는 광활한 황무지 디날리 국립공원 보전 지구를 가로지르는 약 140킬로미터의 자갈길을 따라 서쪽으로 향했다. 가는 도중에 무엇을 보게 될지는 아무도 몰랐다. 전날, 커다란 수컷 늑대 한 마리가 우리가 타고 있던 국립공원 관용 트럭 주위를 조심스레 종종걸음으로 다가오더니 뒤 범퍼에 코를 대고 미심쩍다는 듯이 킁킁거리며 냄새를 맡았던 것이다. 내 자리 옆의 열린 차창 밖으로 몇 미터 떨어지지 않은 위치였다.

오늘은 그렇게 갑자기 차량 통행을 방해하는 것들이 없었다. 새벽 네 시쯤, 공원 안쪽으로 약 48킬로미터 들어간 지점에서 우리는 배낭과 알루미늄 그물망 장대들을 어깨에 메고 1.6킬로미터쯤 마른 골짜기가 구불구불 이어진 버드나무 잡목 숲을 향해 길게 이어진 비탈길 아래로 천천히 내려갔다. 스펀지 같은 툰드라 지대는 그 위에 누우면 부드럽고 편안하지만, 걸어서 갈 때는 더부룩하게 낮게 깔린 초목 덤불에 발목이 빠지거나 말려들어 제대로 걷기가 힘들다. 게다가 정강이 높이까지 자라는 난쟁이자작나무와 난쟁이버드나무 가지들이 발과 다리를 할퀴기 일쑤다.

「훠이! 훠이!」 약 3미터 높이로 자란 잡목들이 빽빽하게 들어찬 덤불숲에 가려 보이지 않지만 그 안에 있을지도 모를 말코손바닥사슴이나 회색곰들에게 우리의 존재를 미리 알리기 위해 소리쳤다. 나는 아무 소리나 마구 질렀다. 무슨 소리를 지르건 그것은 중요하지 않다. 느닷없는 인간의 출현으로 새끼와 함께 있던 말코손바닥사슴 암컷이 기겁하여 방어 자세를 취하거나 화들짝 놀란 회색곰이 자기를 공격하려는 줄 알고 갑자기 돌진해 오지 않게 하려면 그렇게 해야 한다. 다행히도 우리는 그곳을 지나던 다른 많은 이가 외쳐야 했던 〈조심해, 곰이야!〉 하는 소리를 지르지 않아도 되었다. 노련한 알래스카 출신 일꾼들의 조언에 따르면, 그 외침은 갑자기 근거리에서 회색곰이 불쑥 나타났을 때 곰에게 던지는 강력한 경고의 메시지다. 하지만 그것은 그 소리를 들을 수 있는 주변의 다른 모든 이에게 극도로 조심할 것을 알린다는 의미에서 더 중요한 경보 수단이다.

그때 사할린뇌조* 가족 한 무리가 우리의 시선을 집중시켰다. 엄마 뇌조가 불만스러운 듯 꽥 소리를 내지르자 통통하게 살이 오른 갈색 깃털의 새끼 여섯 마리가 후다닥 사방으로 흩어졌다. 우리는 등짐을 모두 내려놓았다. 나는 알래스카 국립공원 조류생태학자인 로라 필립스Laura Phillips의 뒤를 따라갔다. 그녀는 버드나무들이 뒤엉켜 있어 통과할 수 없을 것처럼 보이는 덤불 사이로 기어 들어갔다. 아무튼, 말코손바닥사슴은 그곳을 이동하는 데 아무런 문제가 없었다. 젖은 땅바닥에는 그들이 남긴 접시 크기의 발자국들이 점점이 박혀 있었고 그 사이사이에 길쭉한 똥들이 간간이 무더기를 이루며 떨어져 있었다. 덤불 한가운데서 기껏해야 폭이 몇 미터 안 되는 마름모꼴의 목초지를 발견했다. 파란색의 투구꽃monkshood과 미나리아재비larkspur의 꽃봉오리들이 우아한 자태를 뽐내고, 그 주위를 둘러싸고 나선 모양으로 감아 올라간 자줏빛의 분홍바늘꽃fireweed들이 무리를 지어 피어 있었다.

그러나 우리가 찾고 있는 것은 뇌조나 야생화들이 아니라 지빠귀thrush였고, 그냥 관찰하는 게 아니라 잡는 것이 목적이었다. 디날리를 방문한 지 30년이 넘는 세월이 흐른 지금, 나는 해마다 지표면의 3분의 2를 가로지르며 지구 곳곳을 이동하는 이 공원의 철새들을 더 이해하기 위한 새로운 연구 프로젝트의 일원이 되어 있었다.

곧이어 우리는 길이가 약 12미터에 이르는 새그물 세 개를 덤불 숲 사이에 설치했다. 『알래스카 지오그래픽*Alaska Geographic*』의 데이비드 토미오David Tomeo와 바닷새 생태학자 이언 스텐하우스Iain Stenhouse 가 선홍색 낙하산 끈으로 만든 버팀줄로 그물 설치용 장대들을 단단히 고정시켰다. (이언 스텐하우스는 한때 오듀본 알래

* willow ptarmigan. 툰드라 지대 자작나무 숲과 침엽수림에 서식하는 텃새로 스칸디나비아반도, 독일, 러시아, 시베리아, 알래스카, 캐나다 북부, 뉴펀들랜드 지역에 넓게 분포되어 있다.

스카 조류 보호 단체의 책임자였으며, 현재 메인주에 살고 있는 스코틀랜드 출신 미국인이다.) 나는 새그물 한가운데의 땅바닥에 기다란 나무 막대기를 하나 꽂아 넣은 다음, 그 꼭대기에 지빠귀를 유인하기 위해 나무를 깎아 채색해 만든 실물 크기의 지빠귀 조각을 앉혀 놓았다. 그런 다음, 낡은 중고 MP3 플레이어의 재생 버튼을 눌러 회색뺨지빠귀*의 매우 청아하고 활기 넘치는 울음소리를 재생시켰다. 우리 네 사람은 이 모든 일을 순식간에 끝내고, 구릉지 위로 10~15미터쯤 걸어 올라갔다. 그러자 시야에서 버드나무들이 사라지고 탁 트인 툰드라 지대가 모습을 드러냈다. 우리는 거기서 몇 분 동안 주저앉아 휴식을 취했다. 우리가 바라는 것은, 지빠귀 수컷 한 녀석이 늘 빈틈없이 지키고 있는 자기 영역에 누군가 침입한 듯한 소리를 듣고 관목들 사이로 질주해 내려오다가 우리가 쳐놓은 정교한 새그물에 걸리는 것이었다. 그러면 우리는 그 새의 등에 지오로케이터**라고 부르는 무게가 0.5그램도 안 나가는 초소형 장치를 부착할 수 있을 테고, 그것은 이 지빠귀가 남아메리카 대륙으로 날아갔다 돌아올 때 그 경로를 기록했다가, 이듬해 지금까지 아무도 본 적이 없는 파란만장한 철새 이동의 대서사시를 처음으로 우리가 상세하게 엿볼 수 있게 해줄 것이다.

거의 지난 100년 동안, 철새들이 어디로 이동하는지 알아내기 위

* gray-cheeked thrush. 북미산 지빠귀로 겨울에 아마존 유역에 서식하다 봄에 카리브해와 멕시코만을 건너 5월부터 8월까지 북미 뉴펀들랜드에서 알래스카, 시베리아 동부의 북방림 지역 일대에서 번식하는 철새. 해마다 약 300킬로미터의 장거리를 이동한다. 학명이 카타루스 미니무스*Catharus minimus*로서 몸집은 중간 크기이고 등 깃털이 올리브색이며 뺨이 회색이다.

** geolocator. 조류의 위치를 추정하기 위해 개발된 일종의 초소형 광센서 기록계로서, 기록된 시간대별 광량 자료를 회수하여 분석함으로써 대략적인 위치를 추정한다. 소프트웨어적으로 낮과 밤의 길이를 이용하여 위도를 추정하고 일출몰 시간을 통해 경도를 추정할 수 있다.

해 과학자들이 취했던 유일한 수단은 고유번호를 적어 넣은 가벼운 가락지를 철새의 다리에 부착해서 날려 보낸 뒤, 어디선가 그 새를 보았다는 소식이 오기를 기다리는 것이었다. 그렇게 철새 다리에 가락지를 묶어 날려 보내는 방법은 지금도 여전히 철새의 이동 경로를 연구하는 데 필수 요소다. 예컨대, 지난 세기 과학자들은 청둥오리 약 700만 마리의 다리에 가락지를 부착했는데, 그중 120만 개의 가락지가 회수되었다. 대부분 사냥꾼들이 회수한 것들이었다. 그것은 우리가 물새 개체 수를 매우 성공적으로 관리하는 데 근거가 되는 중요한 데이터를 제공했다. 그러나 외딴 지역에 서식해서 발목에 띠를 거의 달 수 없는 새를 연구하는 경우, 그것에 필요한 자료를 얻는 작업은 매우 시간이 오래 걸리고 지난한 일이다. 그런 새는 대개 청둥오리와 달리 불법 사냥에 시달리기 일쑤다. 20세기에 북아메리카 대륙 전체에서 다리에 가락지를 부착한 회색빰지빠귀 약 8만 2000마리 중에서 알래스카에서 가락지를 부착한 새는 4312마리에 불과하며, 그 알래스카에서 붙인 가락지를 달고 다른 곳에서 다시 발견된 개체 수는 3마리밖에 안 되었다. 한 마리는 다리에 가락지를 부착한 곳에서 얼마 떨어지지 않은 가까운 곳에서 잡혔고, 다른 한 마리는 봄에 일리노이를 통과해서 북쪽으로 이동하다가 잡혔으며, 나머지 한 마리는 가을에 조지아에서 남쪽으로 향하다 잡혔다. 모두 그리 멀리 이동하지 못한 채 잡히고 말았다.

우리가 가지고 있는 철새 가락지 부착 조사 방식과 관련된 자료와 관찰 기록들은 회색빰지빠귀가 엄청난 장거리를 이동하는 철새라는 사실을 보여 준다. 그 철새는 비록 몸무게가 약 30그램밖에 안 되지만, 해마다 북알래스카와 캐나다의 아북극 지방에 있는 침엽수림과 잡목림에서 남아메리카 대륙으로 이동했다가 다시 원위치로 돌아온다. 적어도 그들 가운데 일부는 멕시코만을 가로질러 약 960킬로미터에 이르는 먼 거리를 한 번도 쉬지 않고 이동한다. 또 길게 이어진 플로리다반도를 따라 남진하다 카리브해 상공을 나는 새들도 있다. 겨울에 그들은 남아메리카 대륙 북부의 열대우림지역으로 몸을 숨기며 흩어지지만, 그들이 그 방대한 대륙에서 어디로 가는지에 대해서 우리는 그저 아주 어렴풋하게 추정만 할 뿐이다.

그러나 철새의 다리에 가락지를 부착해 날리는 방법으로 그러한 빈구석들을 채우기 위해 안간힘을 쓰고 있는 사이, 새로 개발된 초소형 기술이 철새 이동과 관련된 연구에 흥미진진한 새 지평을 열고 있다. 우리가 당시에 사용 중이던 지오로케이터는 오늘날 철새 이동과 관련된 연구를 혁신적으로 발전시키고 있는 상대적으로 값싼 초소형 장치들 가운데 한 예일 뿐이다. 기존에 위치 추적에 사용되던 위성 송신기는 어쨌든 자그마한 철새들에게는 너무 무겁고 대당 4000~5000달러에 달하는 비싼 장비인 데 반해, 이 지오로케이터는 무게가 1그램에 지나지 않고 가격도 몇백 달러에 불과하다. 국립공원 관리 공단 생태학자 캐롤 매킨타이어Carol McIntyre가 이끄는 우리 연구팀은 디날리 국립공원과 그 공원에 서식하는 철새들이 날아가는 지구 저편 사이의 이동을 통한 지리적 연결성을 추적하는, 다년간의 연구 프로젝트를 시작하고 있었다. 우리가 이 공원의 회색뺨지빠귀들에게 부착한 지오로케이터들은 아직까지 아무도 하지 못한 그 철새들이 비행한 실제 이동 경로와 목적지를 추적할 수 있는 기회를 최초로 우리에게 제공할 것이다.

그러나 그러기 위해서는 먼저 그 새를 잡아야 했다. 지난주 우리는 디날리의 가문비나무 숲에 많이 서식하는 스웬슨지빠귀*들에게 위치 추적기를 부착하는 데 쉽게 성공했다. 반면에 이들과 진화적으로 유연 관계가 가까운 회색뺨지빠귀들에게 위치 추적기를 부착

* Swainson's thrush. 학명이 카타루스 우스투라투스*Catharus ustulatus*인 중간 크기의 지빠귀로 등 깃털이 올리브색 또는 적갈색이다.

하는 일은 그보다 쉽지 않았다. 그래서 우리는 그날 아침에 추가로 새그물을 몇 개 더 설치해서 거기에 회색뺨지빠귀들이 걸리기만 기다리고 있었다.

툰드라 지대의 땅바닥은 매우 포근해서 새그물에 회색뺨지빠귀가 걸리기를 기다리다 잠깐 잠이 들었다. 15분쯤 지난 뒤, 나는 그물에 걸린 것이 없나 보기 위해 자리를 털고 일어나 버드나무 숲을 향해서 잰걸음으로 언덕배기를 내려갔다. 우리가 쳐놓은 새그물들 가운데 한 곳에 검은머리솔새* 수컷 한 마리가 흔들거리는 그물망에 머리를 처박고 걸려 있었다. 이 새 또한 알래스카에서 캐나다의 대서양 해안가와 미국 동북부 지역을 경유해서 남아메리카 대륙까지 대서양 서부 상공을 90시간 동안 쉬지 않고 비행하는 초장거리 이동 철새 가운데 하나다. 그 옆에 쳐놓은 또 다른 새그물에는 검은머리솔새보다 훨씬 더 작은, 몸무게가 9그램밖에 안 되는 윌슨아메리카솔새**가 걸려 있었다. 알래스카 중부 지방에서 알을 낳는 윌슨아메리카솔새는 (우리가 생각하기로는) 텍사스주의 멕시코만 연안 지역과 멕시코 동부 지역을 거쳐 남쪽으로 중앙아메리카 지역까지 이동한다. 그들 무리 가운데 다수는 멕시코만을 가로질러 유카탄반도까지 왕복할지도 모른다. 하지만 실제로는 그것을 정확하게 아는 사람은 아무도 없다. 지금까지 알래스카 내륙에서 다리에 가락지를 부착해 날린 윌슨아메리카솔새들 가운데 그들의 번식지에서 멀리 떨어진 지점에서 다시 발견된 새는 단 한 마리였는데, 발견 지점은 알래스카 남쪽 미국 북서부의 산악지대 아이다호였다.

검은머리솔새와 윌슨아메리카솔새 무리에 위치 추적기를 부착

* blackpoll warbler. 학명 덴드로이카 스트리아타*Dendroica striata*, 몸무게가 12그램에 불과한 작은 솔새로 성조의 머리에 검은 반점이 있고 곤충을 잡아먹는다.

** Wilson's warbler. 학명 윌소니아 푸실라*Wilsonia pusilla*, 솔새의 일종으로 황색 깃털과 머리 꼭대기에 검은 반점이 있다.

하는 일은 다음에 할 계획이었다. 당분간 그들의 이동 경로에 대한 수수께끼는 뒤로 미뤄야 했다. 그래서 나는 그들을 재빨리 풀어 주었다. 오늘 아침 우리가 목이 빠져라 기다리고 있는 것은 회색뺨지빠귀였다. 그런데 아쉽게도 우리가 쳐놓은 새그물에는 회색뺨지빠귀가 한 마리도 걸리지 않았다. 나는 다시 언덕배기 위로 터덜터덜 걸어 올라갔다. 그때 섬뜩한 비명 소리가 고요한 아침의 정적을 깨뜨리면서 주위를 아수라장으로 만들었다.

「조심해, 곰이야! 조심해, 곰이야!」 로라와 데이비드는 공포에 질린 목소리로 두 팔을 높이 들고 흐릿한 새벽하늘 위로 거칠게 흔들고 있었다. 나는 버드나무 숲에 가려져 이언을 볼 수 없었다.

씩씩거리면서 짧고 날카롭게 으르렁대는 소리와 누군가가 두께 5센티미터에 폭이 10센티미터 되는 두꺼운 목재를 여러 장 겹쳐서 빠갤 때처럼 나무가 우지끈하고 부러지는 소리가 들렸다. 나는 그것이 성난 회색곰이 있는 힘껏 털을 들썩이며 날카로운 이빨을 〈불쑥불쑥 드러내면서〉 격렬하게 울부짖는 것임을 깨달았다. 대개 극단적인 상황의 순간들에 일어나는 현상처럼, 시간은 더디게 흐르는 듯 보였다. 내게 달려들고 있는 곰을 눈으로 볼 수는 없었지만, 내 앞에 있는 버드나무들 바깥쪽에서 빠른 속도로 돌진해 오고 있는 것은 분명한 듯싶었다. 온몸이 얼어붙은 것처럼 한 발짝도 움직일 수 없었다.

「조심해, 곰이야!」 이빨을 드러내며 으르렁대는 소리는 이제 훨씬 더 가까워졌다. 버드나무 숲속은 아주 가까이에 있는 한 거대한 동물이 매우 빠르게 움직이며 여기저기 부딪치는 소리들로 가득 찼다. 데이비드가 큰 소리로 외쳤다.「스콧, 빨리 거기서 나와요!」

가까스로 버드나무 숲을 빠져나왔을 때, 내게서 불과 몇 미터 떨어지지 않은 곳에서 곰이 지나갔다. 너무 가까운 나머지 곰이 낮게 으르렁대며 거칠게 내뱉는 숨소리를 들을 수 있었고, 거대한 몸집에서 강렬하게 풍겨 나는 톡 쏘는 듯한 특유의 자극적인 냄새도 맡을 수 있었다. 하지만 덤불 뒤에 가려져 그 모습을 확인할 수는 없었다. 순식간에 나는 허둥지둥 언덕 위로 뛰어 올라가 친구들이 있는 곳으로 내뺐다. 우리는 몸을 돌려 곰을 보았다. 갈색의 한 살배기 새끼 곰 한 마리가 뒤따르는 거대한 어미 회색곰이었다. 어미 곰은 버드나무 숲 건너편을 향해 울부짖으며 마치 말이 달리는 것처럼 회색곰 특유의 엄청나게 빠른 속도로 우리가 있는 곳에서 멀어졌다. 어미 곰이 멀리 툰드라 지대의 비탈면을 어슬렁거리며 오를 때 담황색의 모피가 잔물결처럼 일렁이는 모습을 볼 수 있었다. 이내 어미 곰은 능선 너머로 자취를 감추었다.

매우 긴박했던 직전의 순간들이 숨 가쁘게 달리며 찍은 영상들처럼 심하게 흔들리며 순서 없이 조각조각 머릿속에 떠올랐다. 그들이 있는 곳에서 불과 15~18미터밖에 떨어지지 않은 능선 너머 골짜기에서 곰이 불쑥 다시 모습을 드러낼 때까지 모두 땅바닥에 그대로 누워 있었다. 〈이언에게 무슨 말을 하려고 고개를 돌렸는데〉라면서 로리는 말을 이어 갔다. 「그의 뒤편 너머로 회색곰이 보였이요. 〈오, 제기랄〉 하는 소리가 절로 나오더군요. 우리가 앉은 자리에서 일어서기 시작하자 그놈이 냅다 돌진해 왔죠.」

이언이 그 회색곰과 가장 가까이에 있었다. 「당신과 데이비드가 외치는 소리를 들었지만, 몸이 굳어져 움직일 수 없었죠.」 이언이 고개를 가로저으며 글래스고 특유의 억양으로 말했다. 「난 그냥, 그러니까 도대체 발이 떼어지지 않는 거예요.」 회색곰은 단숨에 이언이 있는 곳까지 건너왔다. 그런데 그 곰은 이언에게서 몇 미터 떨어지지 않은 곳까지 와서 무슨 일인지 마음이 바뀌었다. 로라와 이언은 그 어미 곰이 자신들을 공격하지 않기로 결정한 바로 그 순간을 똑똑히 떠올렸다. 두 사람의 말에 따르면, 회색곰은 갑자기 내가 있는 곳으로 방향을 틀어 곧바로 언덕 아래로 내달렸다고 했다.

데이비드는 〈곰이 다가오는 것을 알지 못했던 딱 한 사람이 어쩌면 가장 공격당할 위험이 컸을 사람이라는 사실은 역설적이 아닐 수 없네요〉라고 말했다. 나는 순간적으로 그가 말하는 의미를 알아챘다. 아무리 성난 회색곰일지라도 세 사람과 동시에 맞붙는 것은 무리다. 그러나 만일 그 곰이 버드나무 덤불 속에서 몇 미터 떨어지지 않은 지점에서 나를 발견하고 자신의 불만과 우려를 털어 버리고자 했다면, 버드나무 숲에 둘러싸여 홀로 남겨진 나는 무력하게 당할 수밖에 없었을 것이다.

로라는 떨리는 듯 한숨을 길게 몰아 내쉬며 주위를 둘러보았다.

「우리가 쳐놓은 그물들이 그대로 남아 있을까요?」

회색곰은 우리가 그물을 쳐놓은 지대의 중앙을 관통해 지나갔다. 다행히도 약 180킬로그램이나 나가는 어미 곰과 그 뒤를 따르는 새끼 곰은 그물을 쳐놓은 구역들을 비껴 지나갔다. 한바탕 큰 소동이 벌어진 탓이었는지, 아니면 그런 소란에도 불구하고 새를 유인하기 위해 녹음해 놓은 새 울음소리에 속아 넘어갔는지 모르지만, 그물에는 회색빰지빠귀 세 마리가 걸려 있었다. 곰들이 완전히 사라진 것을 확인하고, 그리고 안도감 속에 다시 생각을 가다듬을 여유가 생기자, 우리는 작업을 재개했다.

그물에 걸린 새들을 가벼운 천으로 만든 자루에 나눠 넣은 다음 습지에 작은 방수포를 펼쳤다. 그리고 그 위에 집게 세트와 클립보드, 용수철저울, 소형 카메라, 지오로케이터 같은 작업 도구들을 가지런히 내려놓았다. 지오로케이터는 길이가 8밀리미터쯤 되었는데, 광센서가 달린 짧은 플라스틱 자루가 끝부분에 쑥 삐져나와 있었다. 그리고 양 측면에는 고리 모양의 고무줄이 마치 토끼 귀처럼 달려 있었다. 로라는 회색빰지빠귀 한 마리를 자루에서 꺼내 엄지와 검지로 새의 목을 감싸며 부드럽게 손으로 안았다. 회색빰지빠귀는 몸집이 울새robin의 3분의 2에 불과한데, 묘한 매력이 느껴질 정도로 사랑스럽다. 등 부위는 옅은 올리브 회색이며, 황백색의 가슴 부위는 마치 두꺼운 종이에 부드럽게 스며든 수성물감 자국처럼 보이는 갈색 반점들로 덮여 있다. 지오로케이터를 다는 데 1분도 걸리지 않았다. 이언은 지오로케이터를 고정하기 위한 고무줄 하나를 새의 한쪽 다리 허벅지 위쪽에 걸었다. 로라는 이언이 새의 반대쪽 다리에 살그머니 또 다른 고무줄을 거는 동안, 엄지손가락으로 회색빰지빠귀의 자그마한 등을 지오로케이터가 흔들리지 않게 단단히 누르고 있었다. 그렇게 고정된 지오로케이터는 등의 깃털 아래 가려진 가벼운 깃털줄기를 제외하고 엉덩이 부위 바로 위에 안정되게 부착되었다.

로라는 숙련된 동작으로 회색빰지빠귀의 오른쪽 다리에 보통의 금속 가락지를 부착하고, 왼쪽 다리에는 색깔이 있는 플라스틱 유색 가락지 두 개를 노란색이 위쪽, 주황색이 아랫쪽에 오도록 붙였다. 그 유색 가락지는 이듬해 봄 디날리 국립공원의 철새들이 돌아왔을 때, 우리가 잡았다 날려 보낸 회색빰지빠귀들을 다른 새들과 쉽게 식별할 수 있도록 해줌으로써, 그 새들을 다시 포획해서 지오로케이터를 떼어 내고 거기에 담긴 정보를 내려받을 수 있게 도와줄 것이다. 우리는 나머지 회색빰지빠귀 두 마리에게도 차례로 똑같은 방식으로 위치 추적기를 장착시킨 뒤 날려 보냈다. 그들은 하나같이 〈찌-이르〉 하고 마치 귀찮다는 듯 콧소리 같은 울음소리를 내고는 황급히 호로록 날아 버드나무 숲 안식처로 되돌아갔다. 우리는 장비들을 챙겨 짐을 쌌다. 그런데 모두 자리를 털고 일어나 그곳을 떠나려고 할 때, 이언이 멀리 곰이 사라진 구릉지를 오랫동안 응시하고 있는 모습이 보였다.

「있잖아요.」 그는 무언가를 새롭게 발견한 것처럼 기분 좋은 환한 미소를 지으며 이렇게 말했다. 「내 괄약근이 그렇게 강한 줄 꿈에도 생각 못 했어요!」

1990년대에 나는 거의 6년 동안 『철새들의 삶*Living on the Wind*』이라는 책을 쓰기 위해 철새 이동 현장을 탐사하면서 서반구를 오가는 철새들을 쫓아다녔다. 십여 년 전 맹금류의 다리에 가락지를 다는 일에 몰두하면서 평생을 탐조 활동을 해온 사람으로서, 대체로 그 주제에 대해서 깊은 관심을 갖고 있었다. 사실 처음에 내가 맹금류의 다리에 가락지를 부착하는 일에 빠져든 것은 공중에 떠 있던 참매goshawk나 검독수리golden eagle가 미끼에 속아 지상에 쳐놓은 그물에 걸려드는 모습을 보고 온몸에서 아드레날린이 솟구치는 짜릿한 전율을 느끼고 나서임을 고백하지 않을 수 없다. 발가락 끝이 굽은 날카로운 발톱이 달렸고 당당하게 바람의 흐름을 통제할 줄 아는 맹금류를 잡기 위해 망망대해 같은 하늘에서 플라이 낚시*를 하는 것 같은 기분은 실로 경험해 보지 않은 사람은 이해할 수 없으리라. 그러나 말똥가리나 매falcon들의 발목에 직접 가락지를 부착해 주기 시작하면서, 그리고 그런 가락지를 단 새들이 멀리 떨어진 외딴 곳에서 그들이 다시 잡히거나 죽은 채로 발견될 때마다 그들의 이동 경로에 대해서 조금 더 알게 되면서, 나는 그런 강인한 맹금류뿐 아니라, 아주 작고 어쩌면 가장 연약해 보이는 솔새warbler조차도 인간의 상상력을 뛰어넘는 빠른 속도와 강인한 체력으로 끝없이 펼쳐진 창공을 가로질러 광대한 공간을 오가게 만드는 자연의 힘에 더욱 매료되었다.

지난 20년 동안, 철새 이동에 대한 과학적 지식, 즉 한 마리의 철새가 처음 떠난 단독 여정에서 맞바람과 폭풍, 탈진을 이겨 내고 지구 건너편으로 가로질러 가는 길을 찾게 만드는 자연 역학과 관련된 지식이 폭발적으로 증가했다. 그중에서 특히 깜짝 놀랄 예를 하

* fly fishing. 물이 흐르는 계곡 같은 곳에서 털바늘이라는 가짜 파리를 미끼로 써서 길고 무거운 낚싯줄을 던져 주로 연어나 송어를 낚는 방법.

나 든다면, 1950년대 이래로 우리는 새들이 자신들의 위치를 파악하기 위해 지구자기장을 이용한다는 사실을 알게 되었다. 조류학자들은 오래전부터 이러한 새의 능력이 일종의 생체 나침반이라고 추정했고, 많은 새의 머리 부분에 있는 자철석은 그것이 사실임을 입증하는 것처럼 보였다. 하지만 오늘날 이러한 자성 결정체는 방향과 위치 파악에 거의 역할을 하지 못하는 것으로 알려졌다. 정말 뜻밖에도 그런 역할을 하는 것은 시각이다. 자연의 백색광이 아닌 적색광 파장에 노출된 새는 머리 부분에 아주 미세한 자철석이 있더라도 지구자기장을 이용해서 위치를 파악하는 능력을 잃게 된다. 1970년대에 이르러 비로소 이런 사실을 이해한 조류학자들은 한동안 그런 현상이 어떻게 발생하는지 알아내지 못해 골머리를 썩었다.

이제 새들이 이른바 양자 얽힘quantum entanglement을 통해서 지구자기장을 시각화할 수 있다는 것은 명백한 사실로 인정되고 있다. 이게 도대체 무슨 말인가 하고 기이하게 생각할 수 있을 것이다. 양자역학에 따르면, 동시에 생성된 두 입자는 가장 근원적인 차원에서 서로 연결되어 있다. 본질적으로 그 두 입자는 〈하나〉이며, 서로 〈얽혀〉 있기 때문에 두 입자가 멀리 떨어져 있더라도 한 입자가 영향을 받으면 동시에 다른 한 입자도 동일한 영향을 받는다. 따라서 물리학에서 이러한 효과를 일컫는 전문용어로 〈귀신같은 행동〉* 이라는 표현을 쓴 것은 전혀 놀랄 일이 아니다. 아인슈타인조차도 그것이 어떤 결과를 초래할지 알지 못했다.

이론적으로 보면, 이 얽힘 현상은 수백만 광년 떨어진 공간을 사이에 두고도 일어날 수 있지만, 그에 비해 말도 안 되게 작은 공간인

* spooky action. 양자 얽힘 현상은 우리가 흔히 생각하는 〈순간 이동〉을 떠올리게 하는데, 최초로 이 용어를 쓴 아인슈타인은 양자의 순간 이동을 〈원거리에서의 귀신같은 행동spooky action at a distance〉이라고 불렀다.

새의 눈 안에서 일어나는 그 현상이 지구자기장을 이용할 줄 아는 신비한 능력을 갖게 한다는 사실이 더 경이롭다. 오늘날 과학자들은 청색광 파장이 철새의 눈에 부딪혀 크립토크롬*이라는 화학 물질 안에 서로 얽혀 있는 전자들을 자극한다고 믿는다. 유입되는 빛알(광자)로부터 발생하는 에너지는 서로 인접한 크립토크롬 분자들을 충돌시켜 서로 얽혀 있는 한 쌍의 전자들을 분리시킨다. 그러나 그 전자 입자들은 여전히 서로 얽혀 있는 상태를 유지한다. 두 입자 사이의 거리는 아무리 짧아도 전자들이 크립토크롬 분자들 안에서 조금씩 상이한 화학 작용들을 일으키게 함으로써, 저마다 미묘한 차이를 보이며 지구자기장에 반응하게 하는 결과를 초래한다. 100만 분의 1초마다 바뀌는 이 화학 신호들의 색조 변화는 셀 수 없이 많은 전자의 얽힌 쌍들 전체로 번져서 새들이 비행하는 동안 그들의 망막 안에 지구자기장의 지도를 생성한다.

놀랄 만한 발견은 단지 그것만이 아니다. 과학자들은 철새들이 비행을 시작하기 전에 일부러 운동을 하지 않고도 근육량을 늘릴 수 있다는 사실을 발견했다. 그것은 아마도 사람들이 가장 복제하고 싶어 하는 능력일지도 모른다. 새의 근육 조직은 인간의 것과 거의 동일하기 때문에, 그 비밀의 열쇠는 생화학적 작용에 있는 것이 분명했다. 하지만 그 신비한 작용은 우리의 속만 태울 뿐 아직까지 밝혀지지 않은 상태다. 철새들은 때마다 지방질이 지나치게 증가하는데, 대개의 경우 몇 주 동안 체중의 두 배 이상으로 극도의 비만 상태에 이르기 때문에, 그들의 혈액이 보여 주는 화학적 특성은 당뇨병과 관상동맥질환에 걸린 사람의 그것과 비슷하다. 다만 철새는 인간과 달리 지방의 축적 때문에 병에 걸리는 일은 없다. 또한 철새

* cryptochrome. 생물의 다양한 생체 기능을 조절하는 색소로, 외부로부터 도달한 빛에서 청색 빛을 흡수하고 그 신호로 복잡한 생체 작용을 통해 낮밤의 구분에 따른 동식물의 일주기성과 같은 다양한 생체 기능을 수행한다.

들은 며칠 동안 쉬지 않고 비행을 해도 수면 박탈의 영향을 전혀 받지 않는다. 철새는 1~2초 간격으로 대뇌의 한쪽 반구의 활동을 멈춘 채로, 해당 측면의 한쪽 눈을 쓰지 않고도 날 수 있기 때문에, 야간 비행을 하는 동안 좌우 반구를 번갈아 가며 휴식을 취한다. 낮에는 비행하는 도중에 몇 초 동안 지속되는 아주 짧은 낮잠을 수없이 반복하면서 날아간다. 과학자들은 이 밖에도 철새가 장거리 비행의 신체적 압박에 대처하고 극복하기 위해 쓰는 놀라운 방법이 수십 가지 있음을 발견했다.

철새 이동의 역학과 관련된 과학 연구가 크게 진전되면서, 이 여행자들이 갈수록 생사를 넘나드는 험난한 도전 상황을 더 자주 직면하게 된다는 것을 알게 되었고, 해마다 두 차례씩 목적지에 도달하는 위업을 달성하는 과정이나 방법이 우리가 상상하는 것을 훨씬 뛰어넘는다는 것을 더 깊이 이해하게 되었다. 지난 20년 동안, 우리는 새들의 단순한 신체적 능력을 우리가 얼마나 형편없이 과소평가했는지를 깨달았다.

최근까지 우리가 알기로 가장 먼 거리를 이동하는 철새는 비둘기만 한 몸집에 희미한 잿빛 깃털이 달린 바닷새인 북극제비갈매기 Arctic tern였다. 이 새는 북반구에서 가장 위도가 높은 곳에서 새끼를 낳고 아프리카와 남아메리카, 남극 대륙 사이에 있는 남빙양에서 겨울을 난다. 이 두 지점 사이를 지도 위에서 선으로 연결하고 대충 거리를 계산하면, 수많은 조류학자가 내렸던 결론, 즉 해마다 북극제비갈매기가 이동하는 거리가 약 3만 5000~4만 킬로미터에 이른다는 사실에 동의하게 될 것이다. 지금까지 그것은 추정에 불과했다. 북극제비갈매기처럼 연약한 생명체에게 달 수 있을 정도로 작은 위치 추적기를 개발하지 못했기 때문이다. 그러나 이제 송신기와 데이터 기록 장치의 크기가 점점 더 소형화하면서, 약간 큰 바닷새들에게도 위치 추적기를 장착할 수 있게 되었다. 곧이어 북극제비갈매기에게도 그것이 가능하게 되면서, 그 새가 그동안의 추정치보다 훨씬 더 먼 거리를 비행한다는 사실을 알게 되었다.

2006년, 과학자들은 지오로케이터를 이용해서 회색슴새sooty shearwater 19마리가 뉴질랜드의 번식지에서 이동하는 비행 경로를 추적하는 데 성공했다고 발표했다. 번식기에 새끼에게 먹이를 구해다 주기 위한 〈국지적〉인 먹이 활동 비행에도 이 토실토실한 짙은 갈색의 새는 뉴질랜드에서 수천 킬로미터 떨어진 남극 연안의 차가운 해양까지 갔다가 되돌아온다. 그러나 새끼들이 둥지에서 나와 날 수 있게 되면, 그들은 모두 〈월동기〉 먹이터를 찾기 위해 북쪽으로 비행을 시작해서 적도를 가로질러 일본이나 알래스카, 캘리포니아의 아한대 지역의 서식지로 향하는데, 그들이 도착했을 때 사실 그곳은 여름철이다. 회색슴새는 태평양을 소용돌이 모양으로 고리를 그리며 움직이는 풍류와 해류를 따라 이동하기 때문에 (과학자들의 말로) 〈끝없는 여름〉을 즐긴다. 일부 회색슴새는 한 해에 이동하는 거리가 약 7만 4000킬로미터를 넘는 경우도 있기 때문에, 그 여정은 실로 엄청난 장거리 비행이라고 말하지 않을 수 없다.

마침내 2007년, 나의 스코틀랜드 친구인 이언을 비롯한 그의 몇몇 동료가 그린란드와 아이슬란드에서 북극제비갈매기의 다리에 달아 줄 수 있을 정도로 충분히 작은 소형 지오로케이터가 개발되어 나왔다. 1년 뒤, 다시 돌아온 새들이 잡혔을 때, 그들에게 장착되었던 지오로케이터에 수록된 데이터로 밝혀진 대장정의 서사는 정말 놀라웠다.

처음에 북극제비갈매기들이 같은 장소에서 출발했음에도 놀랍게도 그들은 서로 다른 경로를 선택해서 두 무리로 나뉘어 이동했다. 일부는 동쪽으로 방향을 틀어 아프리카 대륙 북서쪽 돌출부로 날아간 뒤, 반대쪽 아래로 비스듬히 방향을 바꿔 대서양의 가장 좁은 부분을 가로질러 브라질 해안으로 향했다. 그리고 나서 남쪽으로 비행을 계속해서 남극반도를 따라 이어진 웨들해*에 도달했다. 그들은 봄이 되자 아프리카 대륙 남부 연안 해상으로 이동한 뒤, 다시 대서양을 횡단해서 남아메리카 대륙 북쪽으로 비행을 계속해 마침내 북대서양으로 날아갔다. 그 경로를 따라 끝없는 날갯짓을 창공에 새겨 넣은 북극제비갈매기 무리는 총 8마리였다. 동일 서식지에서 출발한 또 다른 무리의 북극제비갈매기들은 무슨 이유에서인지 그 경로 대신에 아프리카 해안을 따라 거의 희망봉까지 날아간 뒤, 남빙양을 건너서 남극 해안으로 비행하거나 그보다 동쪽으로 수천 킬로미터 더 떨어진 인도양의 남쪽을 향해 폭풍우가 쌩쌩 쉿소리를 내며 휘몰아치는 고위도의 강풍의 뒤를 쫓아 비행했다.

이언과 그의 동료들은 한 해에 거의 약 8만 2000킬로미터까지 비행하는 북극제비갈매기도 있다는 사실을 발견했다. 이는 과학자들이 여태껏 추정했던 북극제비갈매기의 한 해 최장 이동 거리를 두 배나 훌쩍 뛰어넘는 새로운 비행 기록이었다. 또한 대체로 아무리 패기 없는 녀석일지라도 한 해에 적어도 약 5만 9000킬로미터는 날아서 이동한다는 것도 알았다. 그리고 3년 뒤, 네덜란드에서 북극제비갈매기에 가락지를 부착해 날려 보낸 일군의 연구자들은 그 새들이 인도양(미국 북동부 메인 해안에서 날아온 제비갈매기들도 그곳에 모인다는 사실이 나중에 밝혀졌다)을 중간 집결지로 이용해서 한 해에 최대 약 9만 1000킬로미터까지 이동하고 있음을 발견하면서, 그 신기록을 또 깼다. 바닷새를 연구하는 생물학자라면 누구라도, 특히 맥주를 한두 잔 들이켠 뒤에는 제비갈매기가 도대체 실제로 얼마나 멀리까지 이동할 수 있는지 아는 사람은 아무도 없다고 시인할 것이다.

철새 이동에 대한 다른 많은 가설이 최근 몇 년 사이에 완전히 뒤

* Weddell Sea. 남위 70도 남극 대륙 만입부에 위치한 해협.

집혔다. 그것은 당연한 일이다. 생태학이란 거의 심술궂다고 할 정도로 매우 복잡한 주제다. 양파 껍질을 하나하나 벗기듯이 시간이 흐를수록 그것은 점점 더 복잡한 속내를 드러낸다.

20년 전, 명금류* 철새에게 가장 큰 문제는 열대우림의 벌채로 월동 서식지가 점점 사라지는 것이라고 생각했던 북미 대륙의 조류학자들은 그보다 훨씬 더 시급한 문제로 골머리를 앓고 있었다. 조사 연구 결과가 점점 쌓여 갈수록, 숲의 단편화**, 즉 거대한 원시림 지대가 끊임없는 도로와 공공설비 통로 건설, 산림 개발과 농지 개간 따위로 점점 더 작은 관목지대로 잘게 쪼개지는 현상이 풍금조***와 지빠귀처럼 아주 소중하고 사랑스러운 명금류 철새들을 심각한 위험에 빠뜨렸음을 보여 주었다. 그들은 대개 파괴되지 않은 원시림에 둥지를 틀고 생활하도록 진화했기 때문이다. 이러한 단편화는 결국 많은 재앙을 초래한다. 그렇게 단편화되어 나누어진 숲 가장자리****에서 번성하는 이른바 가장자리 포식동물, 즉 너구리raccoon, 스컹크skunk, 주머니쥐opossum, 긴꼬리검은찌르레기사촌grackle, 까마귀crow, 어치jay, 쥐잡이뱀rat snake 들도 그러한 재앙 가운데 하나다. 그들은 모두 새 둥지를 능숙하게 약탈하는 포식자들로, 깊은 숲에서는 거의 살지 않는다. 숲의 단편화는 또한 초원에 서식하면서 다른 명금류 새의 둥지에 자기 알을 낳아 기르는 새인 갈색머리탁란찌르레기brown-headed cowbird도 불러들이는데, 사실

* songbirds. 분류학적으로는 참새목 조류를 지칭하며, 일반적으로 다양한 울음소리를 낼 수 있는 작은 산새류를 의미함.

** forest fragmentation. 도로나 택지, 토목공사 따위로 생물의 서식지가 조각나서 연속성이 단절된다고 해서 서식지 단편화habitat fragmentation라고도 한다.

*** 風琴鳥, tanager. 몸길이 8~30센티미터. 부리가 짧고 화려하고 광택이 나는 깃털이 달린 참새목. 나무 위에서 생활하며 주로 열매를 따 먹지만 곤충도 잡아먹는다.

**** forest edge. 산림 개발을 위한 임도나 방화대, 통로 건설로 숲이 쪼개지면서 생기는 숲의 주변부.

이 새는 본디 미국의 대초원 지대인 그레이트플레인스Great Plains에서만 서식하던 종이었다. 게다가 이 단편화는 숲에 둥지를 틀고 서식하는 새들의 먹이가 되는 수많은 곤충을 사라지게 만들고 그 밖의 다양한 환경 문제를 야기하면서 숲 자체를 고갈시킨다.

과학자들은 숲지빠귀wood thrush같이 이른바 숲 안쪽에 서식하는 명금류의 둥지 부화 성공률을 추적하기 위해 그들의 둥지를 관찰했다. 어떤 새가 알을 가장 많이 낳고 그 가운데 얼마나 많은 새끼가 알을 깨고 나와 스스로 비행에 성공하여 다음 세대를 형성하는지 확인하기 위해서였다. 수십 년 동안 계속된 연구 결과, 거대한 산림지대가 작은 조각들로 쪼개지면, 새들의 둥지 부화 성공률도 숲의 단편화와 같은 비율로 하락한다는 사실이 확인되었다.

따라서 새를 구하려면 숲을 구해야 한다. 숲의 단편화를 막는 일은 실제로 매우 어려운 일이지만, 그 일은 단언컨대 반드시 이루어야 할 과제다. 1980년대 이후로 그 일은 조류 보호를 위해 중요한 요소로 인식되어 왔다. 그러나(생태학에서는 언제나 예상하지 못한 〈그러나〉와 같은 예외가 튀어나오기 바련이다) 최근의 연구에서 정말 놀라운 사실이 밝혀졌다. 이 놀라운 발견은 과학자들이 다음 단계인 숲 밖으로 한 걸음 더 나아가자 모습을 드러냈다. 연구자들은 사람의 손길이 아직 닿지 않은 안전한 자연림에서 새들이 번식에 성공하는 과정을 단순 관찰하는 것을 뛰어넘어, 어린 지빠귀들이 둥지를 떠나 사방으로 흩어진 뒤에도 그들의 행로를 추적하는 훨씬 더 고된 작업을 시작했다. 연구자들은 아직 성년으로 자라지 못한 청소년기의 어린 지빠귀들에게 무선송신기를 달아 그들이 계절 이동을 준비할 때까지 뒤쫓아 다니면서 그 지빠귀들 가운데 다수가 그들의 부모가 둥지를 튼 울창하고 드넓은 숲, 즉 그들의 생존에 둘도 없이 중요한 요소이기 때문에 철새 보호를 위해서는 무엇보다 관심을 갖고 보전해야 한다고 생각했던 바로 그 원시림을 버리고 떠난다는 사실을 발견했다.

한 달 넘게 계절 이동을 준비하는 동안, 어린 철새들은 앞으로 전개될 라틴아메리카 대륙이나 카리브해로의 고된 비행을 감당하기 위해 신속하게 체중을 늘려야 하는데, 그들이 모이는 장소는 산림 개발 과정에서 새로 생겨난 키 작은 관목들이 즐비하고 덤불이 우거진 잡목 숲이다. 이를테면 그곳은 숲 안쪽에 둥지를 튼 새들의 서식지를 파괴하는 것으로 간주될 수 있는 산림 벌목으로 형성된 개벌림(開伐林)이 다시 점차 복원되기 시작하면서 새롭게 조성되고 있는, 즉 식생의 초기 천이 단계seral stage에 있는 서식지 환경이라 말할 수 있다.

그렇다고 이 새들이 안전한 보금자리를 찾아 이동할 수 있는 인접한 숲이 필요하지 않다는 말은 아니다. 아니, 오히려 그들에게는 그런 숲이 필요하다. 다만 그것이 필요한 〈모든 것〉은 아니라는 것이다. 과학자들은 철새 생태의 복잡성을 번번이 과소평가했다.

물론 일부러 그렇게 무시한 것은 아니다. 해마다 수만 킬로미터를 이동하는 작고 활동적인 생명체를 연구하는 것이 극도로 어려운 일임은 당연하다. 그러나 과학계에서 일상적으로 나타나는 것처럼, 조류학도 늘 편협한 시각과 손쉬운 길을 찾으려는 관례에 휩쓸려 왔다. 거의 지난 200년 동안, 조류학 연구는 북아메리카나 유럽 학자들이 독점해 왔다. 누구나 자신이 살고 일하는 곳 가까이에 있는 것들을 연구하는 것이 가장 쉽기 때문에, 오랫동안 우리가 철새의 삶에 대해서 알고 있었던 대부분은 철새가 온대 지방 번식지에서 서식하는 몇 달 동안의 모습이었다. 그러다 1970년대와 1980년대 들어 변화의 바람이 불기 시작했는데, 열대 지방에서 겨울을 나는 철새에 대한 연구가 새롭게 조명을 받으면서 그동안 철새 생태에 대한 공인된 많은 가설이 뒤집혔다. 한때 열대 지방 어느 환경에서도 잘 적응하며 지낼 수 있는 존재라고 적당히 생각하고 넘어갔던 많은 철새가 사실은 그 지역 환경을 공유한 그곳의 텃새들처럼 고유한 존재이고, 대개 한정된 생태적 지위ecological niche에 단단히 고정된, 전적으로 특수하게 분화된 존재임이 확인되었다. 과학자들은 같은 종에 속하는 철새들이라도 성장 단계와 성별에 따른 요구 조건이 완전히 다르기 때문에 저마다 매우 다른 지역 또는 서식지를 찾는다는 사실을 발견했다. 예컨대, 다 자란 수컷 철새는 열대우림지역을 선호하고, 아직 미완의 암컷 철새는 관목이 우거진 건조한 잡목림 서식지를 선호한다.

철새에 대한 이런 새로운 이해는 열대 지방의 무분별한 산림 벌채에 경종을 울렸다. 그것은 곧 신열대구*의 명금류들의 생존을 가장 심각하게 위협하는 요소로 비춰졌기 때문이다. 거꾸로 말하면, 1980년대와 1990년대에 들어 솔새와 풍금조 같은 신열대구의 철새들은 미국의 뒤뜰과 가장 직접적이고 정서적 공감을 불러일으킬 수 있는 연결고리로서, 멀리 떨어져 있지만 위협받고 있는 열대우림의 보호 활동을 위한 상징물이 되었다.

열대 지방 동식물 서식지의 소실은 과거 이야기가 아니라 현재 진행형이지만, 그곳만 그렇게 위협받는 것은 아니었다. 번식을 위한 온대 지방 서식지도 마찬가지로 파괴되고 장거리 이동을 가능케 하는 중간 경유지도 점점 사라지고 있기 때문이다. 야생동물, 특히 그들 고유의 생존 방식에 따라 하늘을 날아 이동하는 철새들의 삶을 계절별이나 지리적으로 분할해서 조각조각 따로 살펴보는 것은 불가능한 일이다. 결국 우리는 철새들이 실제로 목격되는 방식, 즉 한 곳에 거주하는 존재가 아니라 그들이 이동하는 전체 지역을 대상으로 그들을 관찰해야 할 것이다. 그들이 해마다 이동하는 긴 여

* neotropic. 북회귀선 이남의 신대륙을 가리키는데, 남아메리카와 멕시코 남부, 중앙아메리카, 카리브 제도로 이루어진 생물지리구로 북부는 열대, 남부는 온대에 걸쳐 있다.

정의 순간순간 모든 단계에서 직면하는 맹렬한 공격으로부터 그들을 보호하고 싶은 간절한 마음이 우리에게 있다면, 우리는 그들의 삶을 하나의 전체적인 생애주기로 이해해야 한다.

우리는 아직도 모르는 것이 많다. 예컨대, 대다수 철새들이 이동하는 정확한 경로에 대해서 우리는 아는 것이 거의 없다. 철새들에게 대단히 중요한, 이동 중에 어디서 휴식하고 원기를 충전하는지 따위의 정보에 대해서 아주 개략적으로만 추측하고 있을 뿐이다. 우리는 번식지가 같은 동종의 철새, 심지어 서로 아주 밀접한 유사성이 있는 철새들조차 서로 이동 경로를 극적으로 달리하고 월동 지역도 서로 다르다는 사실을 뒤늦게 이해했다. 비록 전혀 충격적인 사실은 아니었지만 말이다. 예컨대, 뉴욕과 뉴잉글랜드 지역의 숲지빠귀는 대부분 겨울을 나기 위해 온두라스 동부와 니카라과 북부의 좁은 벨트 지역으로 향하는 반면, 미국 동부 연안의 숲지빠귀는 유카탄반도의 밀림 지대로 떼 지어 날아간다. 지오로케이터들을 통해 확인된 기록들에 따르면, 필라델피아 교외 지역에 서식하는 화덕새ovenbird는 대개 카리브 지역, 특히 히스파니올라* 섬으로 이동하는 반면, 피츠버그 인근 앨러게니산맥Alleghenies에 서식하는 화덕새는 멕시코만을 직선으로 가로질러 중앙아메리카 북부로 날아간다.

여기에는 학문적 관심을 넘어서는 중요한 의미가 담겨 있다. 만일 철새들이 겨울을 나기 위해 날아오는 지역 가운데 한 곳이나 아주 중요한 중간 기착지를 하나라도 잃게 된다면, 지역 생태계의 개체군 전체가 사라질 것이다. 숲지빠귀나 화덕새, 또는 그 밖의 수많은 다른 종의 철새들이 이동하는 모든 권역에서 건강하게 번성할

* Hispaniola. 쿠바 동쪽과 푸에르토리코 서쪽에 위치한 섬으로 아이티공화국과 도미니카공화국이 있다.

수 있도록 보호하고 싶다면, 지금까지 기울였던 것보다 훨씬 더 광범위한 산림 보호 노력이 필요할지도 모른다.

그 첫 번째 단계는 아는 것이다. 오늘날 신세대 연구자들은 철새가 1년 열두 달 동안 대개 수천 킬로미터에 이르는 먼 거리를 이동하며 전 세계 구석구석을 오가는 전체 생활사를 완벽하게 알아내기 위해 필요한 매우 어렵고 힘든 현장 연구를 진행하고 있다. 그것은 철새 이동의 지리적 연결성migratory connectivity이라고 알려진 분야다. 그것은 어떤 의미에서 200년 전, 아니 그보다 더 오래전, 즉 존 제임스 오듀본John James Audubon이 해마다 같은 새가 둥지로 돌아오는지 알기 위해 그의 펜실베이니아 저택에서 큰솔딱새phoebe의 다리에 은실을 묶었을 때, 이미 시작된 과정의 성숙된 결과물이라고 말할 수 있을 것이다. 다행히 지금 우리는 오듀본의 은실보다 더 정교한 도구들을 가지고 있다. 우리가 알래스카 내륙에서 회색곰의 위협을 무릅쓰고 철새 이동의 지리적 연결성과 관련된 지도를 그리는 까닭은 디날리 국립공원의 철새들이 〈정확하게〉 어디서 겨울을 나는지 더 잘 알기 위해서였다. 회색뺨지빠귀는 〈남아메리카 북부 지방〉으로 날아간다고 말하는 것만으로는 이제 충분하지 않다. 세상이 변화하고 지구 온난화가 가속화되면서, 철새들이 이동 중에 만나는 장애물들의 경사는 급격하게 가팔라지고 있다. 따라서 이미 점점 빠르게 좁아지며 병목 지대를 이루고 있는 철새들의 이동 경로를 그들이 안전하게 통과할 수 있도록 인도하고자 하는 환경 보호 활동가들에게 이러한 정보는 매우 필요하다.

이것은 철새를 연구하고 보호하는 수많은 남성과 여성에게 그런 것처럼, 이제 내게 매우 개인적인 성스러운 활동이 되었다. 한 편의 서사시 같은 철새들의 대이동을 볼 수 없는 세상을 상상한다는 것은 너무도 가련하고 슬픈 일이 아닐 수 없다. 수많은 철새와 마찬가지로, 그들의 이동은 평생토록 나를 사로잡았다. 어린 시절 시작된 그것에 대한 집착은 펜실베이니아의 바람 부는 한 산등성이 꼭대기에서 확고해졌고, 점점 성장하면서 나는 그저 수동적으로 새를 열심히 관찰하는 사람에서 탐조와 관련된 전반적인 활동에 적극 참여하는 사람으로, 그리고 여가의 일환으로 새를 관찰하며 즐기는 사람에서 철새 이동을 최전선에서 과학적으로 연구하는 사람으로 바뀌었다.

가까운 지인들 가운데 탐조 활동을 즐기는 사람들은 없었지만, 부모님은 야생동물을 좋아했기에 약간은 괴짜처럼 보이는 아들에게 (때로는 어정쩡한 태도를 취했지만) 격려를 보내 주었다. 특히 어머니는 계절의 변화를 눈여겨보았는데, 그중에서도 철새의 이동은 계절이 바뀌는 것을 알리는 중요한 풍경이었다. 어머니는 가을에 북미검은멧새junco와 흰목참새white-throated sparrow가 정원의 새 모이통으로 날아와 첫인사를 할 때, 그리고 어느 봄날 펜실베이니아 동부 산악지대에서 돌아온 철새가 우리 집 뜰에 처음 모습을 드러낼 때, 정원 일지에 그 내용을 적었다. 우리는 가을과 봄에 캐나다기러기Canada goose들이 이동하는 모습에 특별히 주의를 기울였다. 1960년대와 1970년대 초, (그 기러기 떼가 더 이상 이동하지 않고 동부 지역에 있는 교외의 상업지대와 도시 호수, 농업용 저수지를 온통 뒤덮기 전) 그들이 무리를 이루어 이동하는 풍경은 해마다 보는 이들에게 짜릿한 전율을 불러일으키며 새삼 계절의 변화를 깨닫게 하는 감동적인 표식이었다.

거의 해마다 1년에 딱 하루, 평소에는 전혀 경험하지 못하는 색다른 아침을 맞이했다. 정확히 말하자면, 그해 겨울 추위가 얼마나 혹독하냐에 따라 다르지만, 대개 3월 초의 아침, 우리는 기러기의 울음소리를 들으며 잠에서 깨어났다. 침대에서 나와 급히 외투를 걸치고 목이 긴 신발의 끈을 묶지도 못한 채, 그해 처음으로 맞는 따뜻한 아침 마당으로 달려 나가, 탈색한 청바지처럼 희뿌연 하늘 위로

V 자 대형을 이루며 북쪽으로 날아가는 기러기 떼 모습을 목이 빠져라 오랫동안 쳐다보았다. 그것은 내게 있어서 1년 중 가장 황홀한 순간들 가운데 하나였으며 지금도 마찬가지다. 겨울의 해가 길어지고 눈이 녹기 시작할 때마다, 우리는 계절의 순환이 한 바퀴 완료되는 중요한 전환점으로 〈위대한 기러기의 날Big Goose Day〉이 오기를 고대했다. 지금도 우리는 여전히 그런다. 해가 막 떠오르기 시작하는 이른 아침에 전화벨이 울리고, 아내가 모닝커피를 마시고 있을 때, 전화기 너머로 〈그 녀석들 울음소리를 들었니? 너희는 밖에 나갔어? 오늘이 위대한 기러기의 날이야!〉라고 말하는 어머니의 목소리가 들릴 것이다. 그러면 우리는 신발 끈이 바닥에 질질 끌리는 줄도 모르고 서둘러 밖으로 뛰쳐나가 그날의 장관을 다시 만끽한다. (몇 년 전 나는 지방의 한 야생동물 잡지에 우리 작은 가족의 기이한 연중행사 장면을 기고한 적이 있었다. 그 기사 내용을 읽은 어떤 이가 내 누이들 가운데 한 명—그 누이는 분명히 말하지만 탐조를 즐기는 사람이 아니다—에게 그게 정말 사실인지 물었다. 「당신 가족들이 정말로 그날 무슨 기념의식을 거행한 것은 아니죠?」 그러자 질은 짜증스러운 한숨을 내쉬며 대답했다. 「맞아요. 그런데 그건 무슨 〈케이크〉를 굽거나 하는 그런 게 아니에요.」)

그렇게 나는 여러모로 철새의 뒤를 쫓는 삶을 살아갈 준비를 하고 있었는데, 내게 그 결정적 순간이 온 것은 열두 살 때였다. 바람이 거세게 불고 조각구름들이 여기저기 흩어져 떠가는 스산했던 10월의 어느 날, 우리는 집에서 한 시간쯤 떨어진 애팔래치아산맥의 능선과 계곡이 굽이굽이 이어진 지역의 남쪽 끝자락 키타티니 능선Kittatinny Ridge의 산꼭대기로 올라갔다. 그 지역은 맹금류 철새들이 남쪽으로 이동하는 통로로, 그들은 그 일대 상공에 흐르는 상승 기류에 올라타서 비행하며 구불구불 길게 이어진 해안선을 따라 남하한다.

때마침 그날은 운 좋게도 철새들이 대규모로 이동하기에 아주 좋은 최적의 날씨였다. 전날 밤, 강력한 한랭전선이 주 전역에 걸쳐 세찬 북서풍을 끌고 가버렸기 때문이다. 호크마운틴 야생조류 보호구역Hawk Mountain Sanctuary의 노스룩아웃North Lookout 봉우리 상공의 하늘은 날렵한 몸매의 맹금류 철새들로 가득했다. 나는 함께 산꼭대기에 오른 가족들은 안중에도 없이 회색빛 바위들 사이에 틀어박혀 강풍에 날리는 것을 피하면서 가능한 한 눈을 크게 뜨고 그 장관을 바라보며 흥분을 가라앉히지 못하고 있었다. 드높은 상공에 드리워진 검은 윤곽들은 내가 전에 도감에서 보았던 작은 형상들과는 전혀 다른 모습처럼 보였다. 하지만 그것이 중요한 것은 아니었다. 그날 눈에 보이지 않는 기류에 올라탄 수백 마리의 맹금류들이 산등성이를 향해 강하했는데, 나는 싸구려 쌍안경을 들고 말똥가리가 한 마리 한 마리 지나갈 때마다 그들이 이동하는 모습을 열심히 따라가며 보았다.

주위에 있던 어른들은 〈5시 방향 산비탈에 멋진 녀석!〉, 〈왼편 헌터스 필드Hunter's Field 상공에 붉은꼬리 두 마리!〉 하며 자신이 발견한 것들과 그 위치를 알 수 있게 주변의 지형지물들을 큰 소리로 외쳤다. 그때 내가 앉은 곳 근처 바위에 박힌 가지 없는 어린 나무 위에 설치해 놓은 유인용 플라스틱 올빼미 모형을 향해 곤두박질치는 말똥가리 한 마리가 마치 내 쌍안경을 뚫고 날아갈 것처럼 나를 바라보았다. 몇 초 안 되는 짧은 순간이었지만 내겐 영원처럼 긴 시간이었고 가슴은 끊임없이 두근거렸다. 그 광경은 내가 그때까지 목격했던 그 어느 것보다 온통 정신을 빼앗게 만드는 최고의 장면으로, 지금까지도 내 기억 속에 극도로 강렬한 인상으로 남아 있다.

당시에는 내가 왜 그렇게 감동했는지, 그 광경에 왜 그렇게 매료되었는지 또렷하게 설명할 수 없었다. 말똥가리와 매의 자태가 본디 아름다운 것은 물론이고, 그들이 떼 지어 이동하는 모습은 장엄하기까지 했다. 양 날개와 꼬리의 미세한 조정을 통해 거세게 불어오는 바람에 맞서 균형을 잡으면서 에너지 소모를 최소화하는 그들의 비행 모습을 지켜보노라면 절로 마음을 빼앗기지 않고는 못 배길 것이다. 그러나 내 안에서 그보다 훨씬 더 강렬한 반응이 나타난 것은 그날 밤 집에 도착해서 가지고 있는 조류도감 몇 권과 오래된 『내셔널 지오그래픽』 지도 한 장을 꺼내 보고 나서였다. 지도 위에 펼쳐진 애팔래치아산맥의 구불구불한 능선을 따라 손가락으로 더듬어 내려가면서 나는 이 말똥가리들이 도대체 어디서 날아와서 어디로 날아가는지에 대해서 처음으로 곰곰이 생각해 보았다. 여태껏 그런 것들에 대해서 깊이 생각해 본 적이 없었다. 그러나 이제 도감을 보면서 이 새들의 일부, 즉 내가 그날 보았던 바로 그 새들이 그린란드와 래브라도 같은 멀리 떨어진 곳에서 왔을지도 모르며, 펜실베이니아 탄광촌 구석에서 자라고 있는 한 어린 소년에게는 이국적 정취를 느끼게 했을 멕시코나 콜롬비아, 파타고니아 같은 목적지를 향해 가고 있다는 사실을 알았다.

그날 밤 나는 거의 잠을 자지 못했다. 그 뒤로 꿈을 꿀 때마다 날갯짓하는 새들로 가득했다. 그로부터 반세기가 지난 지금도 내 마음은 여전히 철새의 이동에 사로잡혀 있다.

이후 내게 달라진 게 있다면 전보다 훨씬 더 새 관찰에 열중하게 되었다는 것이다. 그날 호크마운틴에서 느낀 전율은 나의 탐조, 특히 말똥가리 관찰에 대한 열정을 더욱 강화시켰다. 남들은 내가 십대임에도 새 관찰에 열중하는 괴짜 청소년으로 보였겠지만, 그때의 탐조 활동은 내게 즐거운 놀이였을 뿐이다. 그것은 일종의 취미였다. 그 뒤 대학에 들어가서 원래는 계획에 없었는데, 은퇴를 앞둔 현명하고 너그러운 한 교수가 마지막 학기 강의로 개설한 조류학 강좌 수강의 마지막 남은 빈자리를 운 좋게 낚아채면서 나는 새와 관련된 매혹적인 〈학문〉에 처음으로 눈을 뜨게 되었다.

인생은 그러한 요행과 예기치 않은 행운의 사건들에 좌우된다. 젊은 신문기자 시절에 나는 편집장에게 호크마운틴 야생조류 보호 구역에서 최초의 연구 책임자로 최근에 고용한 짐 베드날스Jim Bednarz를 취재하겠노라고 제안했다. 그는 갓 박사 학위를 받은 조류학자로 계절 이동을 하는 말똥가리들의 몸통에 초소형 무선송신기를 매달고 있었다. 편집장은 은근슬쩍 관심을 보였다. 나는 새들을 잡기 위해 그물을 쳐놓은 구역에 설치된 은신처에 공책만 들고 가서 짐과 함께 하루를 보낼 수 있게 허락하는 초대장을 어렵사리 받아냈다. 처음 하늘에서 붉은꼬리말똥가리 한 마리가 마치 이교도의 신이 보낸 전령인 양 날개를 접고 발톱을 웅크리며 우리가 쳐놓은 그물 위로 돌진하면서 툭 떨어졌을 때, 나는 열두 살 때 경험했던 번개가 번쩍하는 것 같은 느낌과 함께 내 인생에 또다시 새로운 전기가 찾아왔음을 알았다. 나는 몇 년 동안 짐에게 훈련을 받은 뒤, 마침내 새 다리에 가락지를 채워 이동 상황을 조사하는 일을 할 수 있는 연방 자격증을 받았다. 그가 호크마운틴 야생조류 보호 구역을 떠났을 때, 나는 임시로 그 단체에서 운영하는, 새 다리에 가락지를 부착하는 프로그램을 관리하다가 나중에 정식으로 그곳의 현장 가운데 한 자리를 차지했다. 곧이어 나는 새의 이동에 관해 거의 광적인 호기심에 이끌려 명금류의 다리에 가락지를 채우는 것에서 올빼미, 벌새까지 그 대상이 확대되었다.

나는 그것이 진정 무엇을 의미하는지 생각할 겨를도 없이, 탐조와 관련해서 단순 관찰자에서 적극 관여자로 점점 더 깊숙이 빠져들었다. 내 본업은 자연계에 대한 글을 쓰는 일이었지만(지금도 여전하다), 현장 연구는 내 삶을 훨씬 더 풍요롭게 하고 만족시켰다. 비록 관련 분야의 학위는 없지만, 다행히도 조류학은 나처럼 해당 분야의 학위가 없어도 현장 경험이 많은 일반인들도 기꺼이 받아들이는 오랜 전통이 있다.

『철새들의 삶』이라는 책을 썼을 때 나는 철새 이동과 관련된 과학적 연구와 보전 문제에 대해서는 여전히 밖에서 바라보는 방관자의 입장에 있었다. 그러나 몇 년 뒤, 나는 그러한 연구 활동에 훨씬 더 깊이 휘말려 든 상태가 되었다. 단순히 다른 사람들의 연구 내용을 이해하는 수준이 아니라, 스스로 그런 연구 성과에 조금이나마 기여하는 일을 하기 시작했다. 새의 이동과 관련된 연구가 내게 일상적이고 별로 흥미롭지 않았다면, 어쩌면 일찌감치 열정이 조금씩 식었을지도 모를 일이다. 하지만 그 일은 갈수록 내게 성취감을 안겨 주었다. 예컨대, 20년이 넘도록 나는 북방애기금눈올빼미 northern saw-whet owl—둥근 머리에 고혹적인 큰 눈으로 사람들의 눈길을 사로잡는, 울새 몸집만 한 작은 맹금류 철새—가 어디로 이동하는지 조사하는 일이 조류학에서 매우 큰 연구 가운데 하나로 성장하는 모습을 지켜보았다. 수년 동안 우리가 펜실베이니아 산악지대에서 약 100명 가까운 자원봉사자들과 함께 다리에 가락지를 부착해 날려 보낸 이런 요정 같은 새의 수는 1만 2000마리가 넘었다. 그들이 이동하는 경로를 추적하기 위해 우리는 지오로케이터, 무선송신기, 전방 관측 적외선 장비FLIR, 선박용 레이더 같은 첨단 장비를 이용하는 다양한 기술을 썼다. 또한 나는 현재 북미 대륙에서 같은 목적으로 올빼미의 다리에 가락지를 채워 날리고 있는 125개 이상의 조류 관측소들이 서로 협력 체계를 구축할 수 있도록 네트워크를 만드는 일을 지원하고 있다.

서부 지역의 벌새들이 멕시코 대신에 북미 대륙의 동부 지역으로 이동 경로를 점진적으로 변경하고 있다는 증거에 호기심이 발동하자, 나는 그들을 잡아 다리에 가락지를 채워 안전하게 날려 보내는 일을 배우는 데 여러 해를 바친 끝에, 마침내 벌새에 가락지를 달 수 있는 자격증을 소지한 전 세계에서 200명 남짓밖에 없는 사람 중 한 명이 되었다. 이제 가을철마다 나는 알래스카나 태평양 연안 북서부 지역에서 날아와서 쌀쌀한 바람이 부는 가을 동안 미국 동부 연안과 뉴잉글랜드 지역에 모습을 드러내는 내한성의 떠돌이 벌새들의 뒤를 쫓아다닌다. 그 벌새들은 대개 눈보라가 몰아치고 기온이 영하로 떨어지는 1월 내내 그곳을 떠나지 않는다. 이 작고 연약한 새들이 어떻게 그런 혹독한 날씨를 견뎌 낼 수 있는지는 우리의 상상을 완전히 뛰어넘는다.

그런 매서운 겨울바람은 흰올빼미snowy owl도 북극 지방에서 남쪽으로 내려오게 만든다. 몇 년 전, 동부 지역에 거의 100년 만에 그런 혹독한 추위가 엄습했을 때, 나는 몇몇 동료와 함께 우리가 〈눈보라 프로젝트Project SNOWstorm〉라고 명명한 연구를 시작했다. 우리는 살을 에는 듯한 추위와 눈보라 속에서 그 거대한 맹금류를 잡기 위한 그물을 치고 포획된 녀석들에게 위성항법시스템을 이용해 몇 분 단위로 아주 정확한 위치를 기록하는 무선송신기를 매달아 휴대전화망을 통해서 GPS 데이터를 수신한다. 두 가지 첨단 기술의 융합을 통해 우리는 놀랍게도 흰올빼미들의 상세한 이동 상황을 입체적으로 추적할 수 있다. 우리는 컴퓨터 자판을 몇 번 누르는 것만으로 올빼미들이 한밤중에 대서양 공해에서 물새들을 사냥하거나, 두더지나 토끼 등을 잡기 위해 미시간이나 온타리오의 농지 상공을 천천히 날아다니거나, 허드슨만의 바람과 조류에 떠다니는 여름 빙산에 올라타고 이동하는 모습을 우리가 달아 준 무선송신기를 통해서 추적할 수 있다. 또 나와 일부 동료들은 아주 작은 새, 그리고 심지어 철새처럼 이동하는 잠자리와 제왕나비monarch butterfly 같은 작은 곤충들도 추적할 수 있을 정도로 아주 작은 무선송신기에서 나오는 신호를 탐지하는 무인 수신 기지국을 북동 지역에 걸쳐 100군데 넘게 설치했다.

내가 디날리 국립공원을 찾아오게 된 것, 그리고 거기서 우리가 모골이 송연한 회색곰과 조우하게 된 것은 이전에 어떤 모임에서 우연히 성사된 또 다른 그 같은 공동 연구 프로젝트를 수행하기 위해서였다. 캐롤 매킨타이어는 지난 30년 동안 알래스카의 국립공원들에 서식하는 새들을 연구해 왔는데, 디날리에 서식하는 검독수리에 관한 획기적인 연구로 널리 알려진 인물이다. 그곳은 늘 내게 소중한 공간으로, 나는 30년이 넘도록 거의 해마다 그곳을 찾아갔다. 몇 년 전 우리가 한 맹금류 관련 학술회의에서 만나 의기투합하여 세운 계획은 기가 막히게 (어쩌면 약간 무모할 정도로) 대담한 것이었다. 우리는 디날리의 명금류, 맹금류, 도요물떼새*, 내륙에 둥지를 트는 바닷새 같은 새 무리들 가운데 철따라 이동하는 철새들의 끊임없이 바뀌는 서식지들 간의 연결성을 지도로 그리는 연구 계획을 어떤 제한도 두지 않고 진행하기로 결정했다. 디날리 철새들에 대한 연구가 성과를 보이기 시작하면서, 우리는 또 다른 동료들과 함께 다른 국립공원들로 그 계획을 확대하기로 했는데, 궁극적으로는 22만 제곱킬로미터에 이르는 알래스카의 국립공원 부지 대부분 지역을 모두 망라할 생각이다. 철새 이동과 같은 전 세계적인 현상을 연구하고자 한다면, 조사 범위를 가능한 한 넓게 생각하는 것이 좋기 때문이다.

같은 이유로 이 책은 오늘날 매우 흥미진진하게 전개되는 철새 이동의 양상과 관련된 조사와 보전 문제를 탐사하면서 그 범위를 폭넓게 조망한다. 따라서 우리는 이 탐사를 위해 철새들과 함께 먼 거리를 이동해야 했고, 그 과정을 견뎌 낼 수 있는 어느 정도의 강인

* shorebird. 주로 얕은 강가 모래톱이나 해안가 갯벌에 서식하는 도요목에 속하는 새들을 말하는데, 우리나라에서는 섭금류(涉禽類)라고도 표기한다. 북미에서는 〈shorebird〉, 유럽에서는 〈wader〉라는 용어를 주로 쓰는데, 북미에서 〈wader〉는 황새나 왜가리, 저어새, 백로, 홍학처럼 다리가 긴 섭금류를 의미하기도 한다. 이 책에서 저자는 〈shorebird〉를 주로 갯벌에 서식하는 철새인 도요새류와 물떼새류를 일괄해서 지칭하기에 〈도요물떼새〉로 표기한다.

한 체력도 필요했다. 나는 바닷새 전문가들과 함께 폭풍이 몰아치는 베링해 바닷물을 헤치고 노스캐롤라이나 앞바다의 방파제처럼 길게 이어진 아우터뱅크스Outer Banks섬의 건너편에 있는 대륙붕의 가장자리까지 배를 타고 갔다. 철새 도래지로 세상에 거의 알려져 있지 않은 변경 지역인 그곳에 대해서 더 많은 것을 알기 위해서였다. 나는 첨단 연구소나 실험실에서 일하는 흰 가운을 입은 과학자들, 즉 철새의 비행 역학을 밝혀내기 위해 원자보다 작은 소립자 차원에서 연구하는 사람들과도 이야기를 나누었고, 흙먼지 날리는 위험한 사하라 사막 남쪽 주변부에서 한쪽 눈으로는 그들이 연구하는 새들을 주시하면서 다른 한쪽 눈은 자신들을 죽이거나 납치할지도 모를 이슬람 반군에 대한 경계를 늦추지 않는 현장의 조류학자들과도 대화했다. 지중해 지역에서는 총을 쏘거나 덫을 놓아 새를 사냥하는 사람들을 피해 다녔다. 수백만 마리의 명금류 새들을 불법적으로 포획, 살육하는 행위를 막기 위한 비정규전이 은밀하게 진행 중이기 때문이었다. 중국도 방문했는데, 그 나라는 무지막지한 연안 개발과 야생조류 사냥을 즐기는 분위기 때문에 철새와 환경 보전의 재앙에 직면하고 있지만, 지금도 여전히 일말의 희망도 찾기 힘든 상황이다. 그리고 아시아의 매우 외딴 지역 가운데 한 곳, 우리의 기억에서 사라진 인도의 어느 구석진 땅까지도 다녀왔다. 그곳은 한때 밀렵꾼이었던 사람들이 가장 암울했던 철새 위기의 역사를 전례 없는 야생동물과 생태 보전의 성공 사례로 바꾼 산림지대다.

이 책에 등장하는 수많은 과학자와 환경 보호 활동가는 이제 내게 낯선 이방인들이 아니다. 그들 중 다수는 시간이 흐르면서 자연스레 나의 친구이자 동료, 철새의 이동을 연구하고 그것을 보전하려고 애쓰며 서로 긴밀한 유대 관계를 이어 가는 국제 공동체의 일원이 되었다. 일부는 나의 훌륭한 조언자이며 공동 연구자이기도 했다. 또 그들 가운데 일부는 뒤늦게 이 일에 뛰어들었지만, 혼자 힘으로 뛰어난 연구 성과를 올린 친구들도 있다. 그들과 함께 일하고 그들의 새로운 연구 성과와 통찰력을 공유할 수 있다는 사실은 내게 영광이다.

그래서 이 책을 쓰기 위해 또다시 철새가 이동하는 무수한 경로를 뒤따라가기로 했을 때, 지금까지와는 매우 다른, 20년 전보다 여러모로 훨씬 더 심도 깊은 관점으로 그 문제에 접근해야겠다는 생각에 이르렀다. 그것은 다시 말해서 철새 이동에 관심이 많은 외부의 일반 관찰자로서가 아니라, 그 새들이 계절에 맞춰 지구 반대편을 오가는 이유와 방식, 그리고 어떻게 그들이 항상 그런 행태를 보이는지를 알아내는 어렵지만 흥미진진한 연구에 직접 참여하는 전문 연구자로서의 역할을 고민하게 되었다는 의미다.

그러나 내가 아무리 그렇지 않다고 생각하려고 해도, 사실 나는 외부인일 수밖에 없다. 철새 이동이라는 현상이 내적으로 어떻게 작동하는지를 밝히고자 애쓰는 모든 이가 그러하듯이 말이다. 기껏해야 우리가 할 수 있는 최대치는 해마다 전 지구적으로 치러지는 이 장엄하고 화려한 야외 행사의 주변부만 얼씬거리다 우리가 살고 있는 여기저기서 진행되는 철새의 이동 방식에 대한 물리적 특성이나 그것을 좌우하는 자연계가 무엇인지나 이해하려고 애쓰는 정도가 될 것이다. 오늘날 우리를 둘러싼 세계는 우리가 거의 이해하지 못하고 거의 통제할 수 없는 다양한 방식으로 변화하고 있다. 새, 특히 해마다 이동하는 철새는 우리가 그러한 변화를 전망할 수 있는, 눈을 떼어서는 안 되는 아주 소중한 창이다. 세상에서 들려오는 소식들은 대개 암울하다. 한 예로, 내가 어릴 적 호크마운틴에서 철새에 대한 눈을 떴던 그날 이래로, 북아메리카에 서식하는 새의 3분의 1이 완전히 사라졌다. 개체 수로 약 30억 마리에 이르는 새가 없어진 것이다. 그것은 우리가 지구의 모든 생명체와 공유하는 세상을 얼마나 심각하게 훼손했는지를 섬뜩할 정도로 분명하게 보여 준다. 새는 파수꾼이자 전조를 보여 주는 생명체이며, 우리 인간의 어리석은 행동의 피해자다. 그러나 만일 그들이 필요로 하는 것에 우리가 귀를 기울인다면, 그들은 더욱 지속 가능한 미래로 우리를 인도할 수도 있을 것이다.

새들은 우리가 알든 모르든 세상 모든 곳에 있다. 지난밤 나는 잠자리에 들기 전에 북동부 지역의 도플러 레이더* 영상을 컴퓨터 화면에 띄웠다. 기상 관측 때문이 아니라 새들의 이동 상황을 보기 위해서였다. 컴퓨터 화면에는 그 지역 전체가 온통 옅은 청색과 녹색 반점들로 가득했다. 그것은 청명한 밤하늘 높이 날아 남쪽으로 가고 있는 수백만 마리의 명금류 철새 떼들을 가리키는 레이더 신호였다. 그들은 한창 후덥지근한 8월의 막바지 시기부터 추수감사절이 올 때까지 서리가 내리기 시작하는 몹시 추운 몇 주 동안 매일 밤마다 무리를 지어 남쪽으로 줄줄이 날아간다. 우리가 그들을 볼 수만 있다면, 소리 없이 지붕 위로 날아가는 그들의 모습을 보며 경외감마저 느낄 것이다.

그런 날 밤에는 (몇 년 전 펜실베이니아에서 전문화된 레이더 장비를 사용해서 했던 연구에서 알게 된 사실이지만) 철새들이 시간당 〈200만〉 마리씩 통과하기도 한다. 그 장면은 아마도 자연이 연출하는 세상에서 가장 멋진 광경일지도 모른다. 펭귄들이 뒤뚱뒤뚱 걸어서 이동하는 남극 대륙을 제외한 모든 대륙의 상공에서 연중행사처럼 해마다 그런 극적인 장면이 펼쳐지지만, 어둠의 익명성 속에서 진행되기에 대개 우리의 눈에는 보이지 않는다. 우리는 머리 위에서 경이로운 광경이 펼쳐지는 것도 모르고 잠만 자기 때문

* Doppler radar. 기류 파악을 통해 태풍이나 구름 물리를 연구하고 항공기의 안전 운항을 위한 기상 관측 기기.

이다.

이날 아침, 나는 동이 트자마자 에이미를 깨우지 않으려고 조심하면서 집 밖으로 슬그머니 빠져나갔다. 바깥 공기가 상쾌했다. 밤새 문득 가을이 왔음을 확연히 느낄 수 있었다. 따뜻한 양털 재킷 호주머니에 두 손을 깊숙이 찔러 넣었다. 나무와 덤불에 내려앉은 새들이 날개를 펄럭이며 이동하거나 움찔거리는 바람에 나뭇가지와 이파리들이 가볍게 흔들리며 떨고 있었다. 밤새도록 비행하느라 지친 새들은 재빨리 요기를 마친 뒤, 몇 시간 동안 낮잠을 잘 안전한 장소를 찾아 이동하고 있었다. 호리호리하고 거무스름한 회색 깃털의 고양이새catbird들이 층층나무dogwood의 짙은 남색 열매들을 게걸스럽게 먹었다. 굴뚝새wren처럼 작고 통통한 짧은 꼬리의 노랑목딱새common yellowthroat 한 마리가 털 색깔과 어울리는 양미역취goldenrod의 가지에 앉아 나를 보았다. 붉은눈신세계솔새red-eyed vireo 여러 마리가 질서 정연하게 잎이 무성한 돌능금crab apple 가지들 사이로 헤쳐 가며 아직 날씨가 추워 미동도 없이 은신처에 숨어 있는 곤충들을 찾아 부리로 쏘아 대고 있었다.

솔가지들로 드리워진 흐릿한 음영 때문에 아직 밤의 어둠이 가시지 않은 것처럼 보이는 곳에서 땅바닥 가까이 무언가 조심스레 움직이는 것을 포착하고 나는 쌍안경을 들었다. 회색뺨지빠귀의 수채화 그림물감을 덧칠한 듯한 빛깔의 가슴살과 암갈색 깃털이 시야에 들어왔다. 그 새는 몇 미터 떨어진 거리에 있는 나를 수상쩍은 눈빛으로 바라보며 침착하게 경계하는 모습을 보였지만, 당장 긴급히 해야 할 일이 있기 때문인지 이내 아무 일도 없다는 듯 나에 대한 경계를 풀었다. 그 회색뺨지빠귀는 나는 다음 문제라고 확정했는지, 내게 등을 돌리고 두 발로 솔잎들을 헤치며 12시간 동안의 진을 빼는 비행을 마친 뒤 처음으로 먹을거리를 찾고 있었다. 날개의 덮개깃털 끝부분의 색깔이 연하다는 것은 이 지빠귀가 아직 성조(成鳥)

가 되지 않은 어린 새이며 처음으로 계절 이동에 나선 것임을 알려 주는 증표였다. 그 새는 아마도 우리가 알래스카에서 가락지를 채워 날려 보낸 곳이 아닌, 뉴펀들랜드나 래브라도 북부 대륙의 가문비나무 숲에서 태어났을 것이다. 그러나 나는 우리가 그때 디날리의 회색빰지빠귀들을 알게 되었을 때와 마찬가지로 느닷없이 이 새에 대해서도 정말 알고 싶다는 마음이 들었다. 한순간의 기분 전환을 위한 짧은 소일거리, 즉 어느 분주한 아침에 하늘을 뒤덮은 수많은 철새 가운데 한 마리로서가 아닌, 자기만의 특별한 삶을 사는 세상에 둘도 없는 고유한 피조물로서 말이다.

그 새는 아주 평범한 새였지만, 다른 한편으로 특별한 새였다. 모든 철새가 그렇듯이 수백만 세대에 걸친 힘들고 혹독한 자연선택 과정을 통해 형성된 본능에 이끌려 허공으로 뛰어올라, 때로는 운좋게 때로는 역경에 맞서 엄청난 인내력으로 오로지 자기 자신의 근육과 날갯짓에 의지해서 우리로서는 전혀 이해할 수 없는 위험들을 뚫고 우주의 천장을 가로지르는 존재로서 말이다. 헤아릴 수 없는 영겁의 세월 동안 그런 풍경은 늘 변함이 없었다. 하지만 더는 아니다. 이제 그들의 미래는 좋든 나쁘든 우리의 손에 달려 있다.

1장
넓적부리도요의 여정

일직선의 길게 이어진 수평선은 세상을 딱 절반씩 두 개의 회색 공간으로 갈랐다. 수평선을 사이에 두고 위로는 자욱한 연기가 피어오르는 듯 은빛 구름으로 뒤덮인 하늘이 희뿌연 회색빛을 띠었고, 그 아래로는 하늘의 구름이 내려앉은 듯 미풍에 일렁이는 잔물결에 얇은 종잇장 같은 해수면을 따라 화강암에 숯검정이 여기저기 박힌 것 같은 짙은 회색빛 너른 갯벌이 사방으로 펼쳐져 있었다. 대기는 해풍에 실려 온 톡 쏘는 씁쓸한 소금기를 흠뻑 머금고 있었지만, 동쪽으로 수 킬로미터 멀리 떨어진 내륙에서는 바다가 보이지 않았다. 밀물 때가 되면, 바닷물은 사람이 걸어서 미처 빠져나오기 전에 빠른 속도로 밀고 들어와 이 평평한 갯벌을 뒤덮을 것이다. 여태껏 황해는 내게 축축하고 차가운 바람에 실려 온 풍문으로만 듣던 곳이었다.

나는 신고 있던 고무장화가 진창에 빠질 거라고 생각했다. 하지만 갯벌의 진흙은 콘크리트처럼 단단하게 느껴졌다. 중국 장쑤성(江蘇省)의 해안에 있는 이곳을 현지에서는 〈강판(鋼板)〉이라고 부른다. 침전 토사가 매우 단단하고 색조가 탁한 청회색을 띠는 것으로 미루어 볼 때 적절한 칭호라 할 수 있겠다. 우리를 태워서 방조제 너머로 간신히 빠져나온 수레 달린 커다란 트랙터도 갯벌 바닥에 움푹 들어간 바큇자국을 거의 남기지 않을 정도로 단단했다. 여기서는 아무것도 자라지 않았다. 물결에 출렁이는 유목 몇 조각과 이상하게 생긴 플라스틱 쓰레기들 말고, 바닷물이 들락날락거리며 해변을 따라 남긴 부드러운 잔물결 자국을 망가뜨릴 만한 것은 전혀 없었다. 생명체 하나 없는 풍경을 이보다 더 잘 그릴 수 있는 사람은 세상에 아무도 없을 것이다. 해풍과 자욱한 연무를 피하려고 비옷을 걸친 여섯 명 남짓의 우리 동료들을 빼고, 그곳에 어떤 생명체가 있음을 보여 주는 유일한 표시는 한 시간 전에 썰물이 빠르게 빠져나갔을 때 어떤 연체동물이나 벌레들이 구불구불 기어가며 남긴 몇몇 이동 흔적들이었다.

징리Jing Li는 어깨에 메고 있던 망원경spotting scope을 살그머니 내려서 삼각대를 잽싸게 펴고 훈련된 독특한 동작으로 바닥을 훑어보기 시작했다. 장린Zhang Lin도 자신의 망원경으로 방향을 달리해서 징리와 똑같이 행동했다. 그러는 사이에 나머지 사람들은 수평선을 바라보고 무작위로 아무 곳이나 골라서 쌍안경을 들고 관찰했다. 시야에 들어오는 것이 거의 없었다. 이제 팔을 내리고 왼쪽으로 천천히 시선을 옮기며 주위를 살피고 있을 때, 뒤에서 쨍하고 날카롭게 울리는 휘파람 같은 소리가 들렸다. 그리고 뒤를 돌아다보았을 때, 우리가 새들로 완전히 둘러싸여 있다는 것을 알았다.

그들은 남쪽에서 왔는데, 작은 몸뚱이들이 겹겹이 빽빽하게 무리를 이루어 대형을 펼쳤다 접었다 물결처럼 일렁이며 비행하는가 하면, 이내 덩굴손처럼 여러 갈래의 무리로 갈라져 서로 일정한 간격을 유지하며 나아가다, 강의 작은 지류들이 하나의 큰 강줄기로 합쳐지듯이 다시 한 무리로 모여 거대한 날개의 강을 형성하며 엄청난 속도로 날아 이곳으로 왔다. 첫 번째 무리는 몇 초 만에 우리 머리 위를 스쳐 지나갔다. 작은 선단을 형성한 수천 마리의 작은 몸뚱이들이 바람 소리와는 매우 다른, 매우 다급해 보이는 높은 음조의 가냘프게 속삭이는 울음소리를 내지르며 한바탕 휩쓸고 갔다. 갑작스러운 돌풍으로 획 돌아간 풍향계처럼 그들을 따라 팽그르르 몸을 돌렸지만, 그들은 이미 나를 지나쳐 사라졌고, 순식간에 오른편에서 물결치듯 두 번째 무리가 몰려오는가 싶더니 이내 멀리 떠나갔다. 이들의 대다수는 내 고향에서도 눈에 익은 아메리카도요semipalmated sandpiper와 크기나 형상이 매우 흡사한 〈핏핏〉거리며 울어대는 참새 크기의 좀도요red-necked stint였다. 그들은 태어날 때부터 머리와 목 부위의 깃털에 짙은 밤색의 얇은 막을 형성하고 있다. 이들 외에도 부리가 약간 굽어 있고 배 부위가 검은 민물도요dunlin도 있었고, 이탈리아 전통극에 나오는 어릿광대의 옷처럼 적갈색과 흑백 얼룩무늬의 깃털을 가진 꼬까도요ruddy turnstone도 있었다. 그들이 하늘을 날고 있을 때 그런 세세한 것까지 볼 수 있는 것은 물론 아니었다. 수천 마리의 새들이 질주하듯 날며 순간적으로 기이한 모양으로 합체되어 휙 하고 몸을 회전하는가 싶더니 다시 창백한 배 쪽을 내보이며 주위를 한 바퀴 빙 돌면서 금방 갈회색이던 거대한 형체가 다시 번쩍하는 순간 흰색으로 바뀌었다. 마치 희미한 수많은 형체와 날개가 하나의 거대한 덩어리로 움직이는 것처럼 보였다.

뒤를 흘낏 돌아보았을 때, 수 킬로미터 떨어진 곳에서 눈여겨보지 않으면 미처 알아채지 못할 정도로 미세하게 굴곡진 수평선 아래 몸을 숨기고 앉아 있던 새들이 마치 자욱한 구름이 하늘 위로 피어오르는 것처럼 후드득 솟구치는 풍경이 펼쳐졌다. 그들은 마치 아메바 무리들처럼 늘어났다 줄어들었다 하더니 이내 하나로 합친 뒤, 둥글납작한 장갑 손가락 모양으로 갈라지며 우리 쪽으로 뻗어 왔다. 선두에서 날던 무리들이 갑자기 방향을 바꿔 뒤로 선회하더니 남쪽에서 이어서 날아오던 무리들 아래로 직각으로 꺾어 지나치며 사방으로 수백 미터에 걸쳐 온통 주위에 양탄자를 깐 것처럼 갈색 깃털로 뒤덮으며 내려앉았다. 그 작은 도요새 무리들은 땅에 내려앉자마자 한순간도 여유가 없다는 듯이 갯벌 진창을 부리로 쪼아대며 정신없이 먹을 것을 찾고 있었다.

실제로 그들은 정말 시간이 없었다. 이 새들은 대부분 오스트레일리아 북서부 에이티 마일 비치Eighty Mile Beach와 뉴질랜드 템스만Firth of Thames과 같이 먼 남쪽에서 이미 수천 킬로미터를 날아왔다. 하지만 1~2주 안에 다시 러시아 극동 지역의 캄차카Kamchatka 반도나 알래스카 서부의 유콘 삼각주Yukon Delta 지역, 또는 시베리아 북극 지대의 안주 제도Ostrova Anzhu의 섬들로 떠나갈 것이다. 해마다 약 800만 마리의 도요물떼새들이 황해를 관통하는데, 그들은 둥링(東凌)Dongling에 위치한 이 같은 갯벌과 습지들 가운데 한 곳에서 잠시 휴식을 취하고 원기를 재충전한다. 내 눈엔 아무것도 없어 보이는 이 진흙 바닥 아래에는 갯지렁이와 조개, 고둥, 게나 가재 같은 다양한 작은 갑각류, 무수히 많은 해양 무척추동물 따위의 생물체들이 옹기종기 모여 살고 있었다. 배고픈 새들에게는 그야말로 진수성찬의 뷔페였다. 철새를 연구하는 과학자들은 이 중요한 간이역들을 가리켜 지치고 굶주린 철새가 잠시 체류하며 원기를 회복하는 중간 기착지*라고 부른다. 이러한 중간 기착지들을 보전하는 일이 환경 보호 활동가들에게 근본적으로 중요한 문제로 부각된 것은 불과 최근 몇십 년 사이였다. 국토 횡단 여행을 계획하는 사람이라면 누구나 중도에 언제 어디서 멈춰 물자를 공급받고 밥을 먹

* 일부 조류학자들, 특히 도요물떼새 전문가들은 〈중간 기착지stopover〉라는 용어를 철새들이 단순히 잠시 쉬었다 가는 장소나 기간에 대해서만 쓰고, 그들에게 휴식과 먹이를 함께 제공하는 그런 장소에 대해서는 〈체류지staging site〉라는 용어를 쓴다. 나는 편의상 (그리고 명금류 철새들을 연구하는 사람들은 굳이 이렇게 구별 짓지 않기 때문에) 이 두 가지 경우 모두 〈중간 기착지〉라는 용어를 쓴다. — 원주.

고 잠을 잘지 따져 보는 것이 당연한 일인데도 말이다.

중간 기착지는 그 규모와 환경이 다 다를 수 있다. 조류학자들은 재미삼아 그 장소들을 비상대피소, 편의점, 5성급 호텔 따위로 분류하지만, 철새들에게 그곳은 더없이 중요한 공간이다. 주차가 어려울 정도로 붐비는 화물차 휴게소는 그 자체로 그곳이 운전자들에게 매우 중요한 장소임을 알리는 것이듯, 대개 주요 중간 기착지, 즉 철새들이 이동하는 계절에 맞춰 특히 풍부한 먹이를 공급하고 위험으로부터 안전과 자유롭게 활동할 수 있는 넉넉한 공간을 제공하는 곳들은 철새들로 만원을 이룬다. 그들은 해마다 이동 경로를 따라 여기저기 널리 흩어져 있는 그런 장소들을 경유하도록 진화해 왔다. 그런 장소들은 대개 철새의 신체적 한계를 시험하는 가공할 지리적 장애물들의 양극단에 자리 잡고 있다. 예컨대, 사하라 사막 남부 주변부는 그 거대한 사막 지대를 지나 지중해를 건너 유럽 대륙으로, 남에서 북으로 이동하는 명금류 철새들이 도중에 쉬었다 가는 마지막 중간 기착지다. 또한 뉴잉글랜드의 잡목림과 습지들은 서대서양 방향으로 약 1600킬로미터를 날아갈 명금류 철새와 도요물떼새들의 중간 기착지로, 그들은 거기서 북동무역풍을 타고 또다시 약 1600킬로미터를 더 날아가 베네수엘라나 수리남의 해안 지역의 육지에 내려앉는다. 철새들이 이동하는 모든 비행 경로와 이동 경로에는 그런 좁다란 병목 지역이나 이동을 방해하는 지점들이 항상 있긴 하지만, 그중에서도 다양한 종의 수많은 철새에게 황해보다 더 기본적으로 중요한 중간 기착지는 이 세상에 없다는 것이 대다수 전문가들의 생각이다.

지도를 펴고 동반구에 위치한 뉴질랜드 인근에 연필로 좌표를 찍고, 서쪽으로 태즈메이니아Tasmania섬 아래로 선을 그은 뒤, 북서쪽으로 약 8000킬로미터 나아가 인도와 미얀마 사이에 있는 벵골만의 인도 연안을 따라 북쪽으로 선을 이어 간다. 그런 다음 이제 그

선을 동쪽으로 이동시켜 중국 남부를 가로질러 타이완까지 연결한 뒤, 남동쪽으로 필리핀, 인도네시아, 뉴기니섬, 그리고 솔로몬 제도와 피지 같은 남서태평양 군도까지 에워싼다. 이 지역은 황해의 도요물떼새들이 비수기를, 즉 북방 지역에서 말하는 〈겨울〉을 보내는 장소다. 조류학자들이 이때를 겨울 대신에 〈비번식non-breeding〉 계절이라고 부르기를 선호하는 것은 바로 이런 이유 때문이다. 이번에는 캐나다의 노스웨스트테리토리*의 보퍼트해Beaufort Sea와 맞닿은 매켄지강Mackenzie River 어귀에서 시작하는 또 다른 선을 그어 알래스카 노스슬로프**를 따라 서쪽으로 이동한 다음에 시베리아 전역을 포함해서 베링해를 건너 타이미르반도Taymyr Peninsula까지 간 뒤, 다시 남쪽으로 러시아, 몽고, 중국 서부를 가로질러 티베트 고원에서 멈춘다. 다시 이번에는 동쪽으로 방향을 틀어서 북한과 일본을 빙 둘러서 북동쪽으로 캄차카반도와 알루샨 열도의 화산호들, 알래스카 서부 지역 대부분을 포괄하는 선을 그린다. 이들 철새는 짝짓기와 번식을 위해 이 엄청나게 광대한 지역을 돌아 귀환한다.

지도상에 그려진 이 거대한 두 개의 구역은 약 4300만 제곱킬로미터에 이르는 방대한 지역을 둘러싸는데, 그 둘이 살짝 겹치는 곳에 있는 황해를 경계로 중국 동부 지역과 한반도 지역이 나뉜다. 그곳은 동아시아-대양주 철새 이동 경로East Asian-Australasian Flyway, EAAF로 알려진 모래시계 모양의 남반구와 북반구를 오가는 철새들의 비행길 한가운데 극도로 좁은 허리 부분에 해당된다. 그곳은 철새들에게 지리적 우연성 문제를 넘어서는 중요한 의미를 담고 있다. 황해, 특히 중국 쪽에서 보하이만Bohai Bay 또는 보하이

* Northwest Territories. 캐나다 북서부의 연방 직할지. 노스웨스트 준주라고도 한다.
** North Slope. 미국 알래스카 북부 해안 유전 지대.

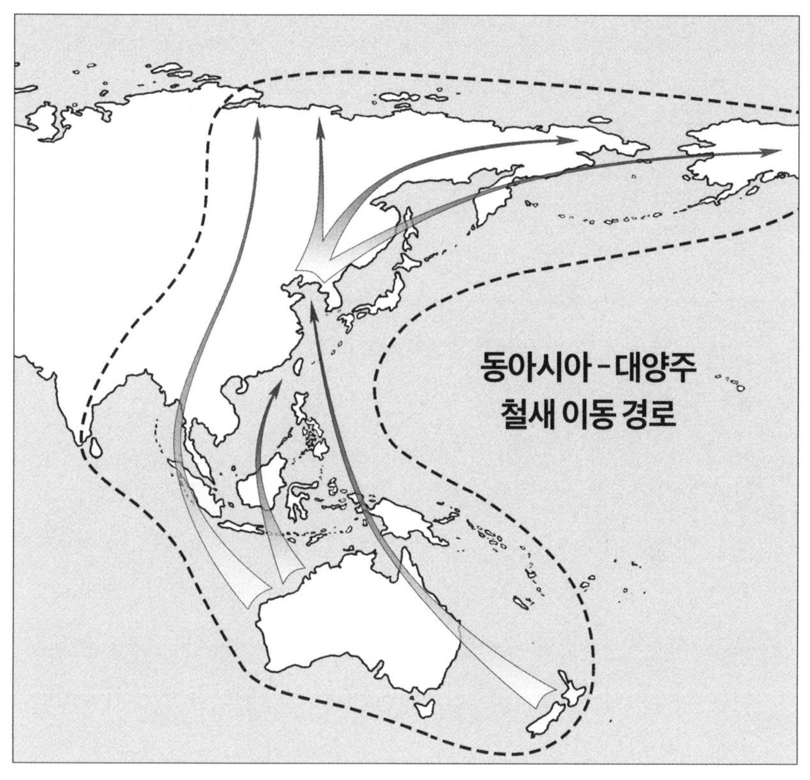

해마다 약 800만 마리의 도요물떼새와 수억 마리의 명금류, 맹금류 같은 다양한 종류의 철새들이 동아시아-대양주 철새 이동 경로를 이용한다.

해*로 알려진 북부 만 연안 지대는 수심이 매우 얕다. 지구의 해수면이 전체적으로 수백 미터에 불과했던 빙하 시대에 이 지역은 대부분이 마른 땅이었고, 그 한가운데를 양쯔강의 물길이 관통하고 있었다. 수심이 얕은 연안 지역인 데다 월령에 따라 7~9미터 이상의 조차가 발생하는 그 일대는 썰물이 되면 바닷물이 아주 멀리 빠져나가면서 그야말로 허허벌판으로 바뀐다. 수 킬로미터에 이르는 세상에서 가장 넓은 자연 갯벌이 형성되는 것이다. 그 갯벌은 양쯔강과 황허(黃河) 같은 중국 동부를 흐르는 큰 강들을 통해 황해—이

* Bohai Sea. 우리나라 쪽에서는 발해만(渤海灣).

름이 황해인 것도 이런 이유 때문이다—로 밀려드는 엄청난 퇴적물에 의해 영양분이 풍부한 기름진 토양이 되었다. 황허는 강물 1입방야드당 약 25킬로그램의 토사를 실어 날랐다. 그렇게 모래가 가득한 점토가 뒤범벅된 강물을 〈물〉이라고 표현하는 게 적절한지 모르겠지만 말이다.

역사적으로 황해 해안은 약 1만 제곱킬로미터의 드넓은 면적을 갯벌로 뒤덮으며, 도요물떼새 철새들에게 최고의 풍부한 먹이를 공급하는 5성급 숙박지 역할을 했다. 그러나 지난 50년 동안, 특히 최근 10년 사이에 더욱 빠른 속도로 이 연안습지의 3분의 2 이상이 흔히 〈간척〉이라는 완곡하게 표현된 매립 과정을 통해 파괴되었다. 그것은 바닷물이 들어오는 것을 막기 위해 거대한 진흙 제방을 쌓아 올리고, 수백만 톤에 이르는 해저퇴적물을 퍼 올리고 인공호수로 물을 빼낸 뒤, 복토와 매립을 통해 산업이나 농업용 마른 땅을 조성하는 과정이다. 강을 따라 흘러내리는 토사도 연안습지로 이제 더 이상 유입되지 않았다. 오늘날 양쯔강 한 곳만 하더라도 본류와 지류를 모두 합쳐 댐이 5만 개나 있다. 이 댐들은 2003년 논란이 많았던 삼협댐Three Gorges Dam이 본격적으로 가동되기 전에 이미 토사의 흐름을 70퍼센트 감소시켜 바다로 이동하는 퇴적물의 양을 90퍼센트 가까이 줄였다. 그 퇴적물은 오랜 시간 비행으로 지친 새들이 간절히 찾아 헤매는 더없이 소중한 먹이를 황해 갯벌에 남겼는데, 오늘날 그것은 어쩌면 지구상에 복잡하게 연결되어 있는 수많은 철새의 이동로에서 공통적으로 위협받고 있는 요소들 가운데 가장 핵심적인 것일지 모른다.

나는 몇 주에 걸쳐 중국과 유럽, 오스트레일리아, 미국의 환경 보호 활동가, 연구원들과 함께 황해를 따라 탐사를 진행하고 있었다. 그들은 모두 전 세계적 차원에서 그 지역의 연안습지가 철새들에게 매우 중요하다는 사실을 인지하고 있었고, 그럼에도 이러한 생태계가 현재 사라질 위기에 직면해 있음을 심각하게 우려하고 있었다. 며칠 전, 이전에 갯벌이었던 곳에 길이가 수 킬로미터에 이르고 폭이 2킬로미터인 대규모 공업단지가 들어서고 제철소 다섯 곳이 신규로 건설되고 있는 것을 목도하면서, 그들 가운데 한 사람이 이렇게 말했다. 「이제 더 이상 완충 지대는 없군요. 이 철새들을 위한 장소는 이제 〈그 어디〉에도 없습니다. 드넓은 (갯벌) 지대가 하나둘 사라질 때마다 새들도 따라서 사라집니다.」 세계 자연 보전 연맹 International Union for the Conservation of Nature, IUCN은 황해의 파괴와 그곳에 의존하는 도요물떼새의 급격한 감소(그러한 대재앙은 물고기를 잡고 조개류를 캐는 어부들처럼 건강한 바다에 삶을 의존하고 있는 수백만 명의 인간들에게도 마찬가지로 해당된다)는 오늘날 지구가 직면하고 있는 최악의 환경 위기 가운데 하나라고 말한다. 오늘날 지구상의 야생동물들이 처한 암울한 상황은 전 세계 어디를 가든 예외 없이 동일하다. 하지만 다소 우연일지는 몰라도, 내가 지금 서 있는 이 중국 해안이 어쩌면 이토록 위태로운 지경에 처한 새들과 그들의 파괴된 생태계를 변환시킬 수 있는 일대 전환점을 마련할 수 있는 곳이 될 수도 있을지 모른다는 생각이 문득 들었다. 내가 이곳을 방문하기 얼마 전에 중국 정부는 일반적으로 독재 정부들이 하는 방식으로 중대한 결정을 내렸다. 지난 수십 년 동안 지속된 황해 연안 파괴 행위를 일체 금지하는 전면적인 포고령을 지체 없이 만장일치로 채택하고 발표한 것이다. 한 여성 환경 보호 활동가는 이것에 대해서 〈정신이 아뜩할 정도의 환희〉[1]라고 묘사했다. 냉소적이지만 그래도 애써 희망의 불씨를 살리고 싶어 하는 사람들이 많았던 것은 사실이지만, 막판으로 치닫고 있는 이러한 암울한 시기에 그나마 조심스레 낙관적 희망을 충분히 기대할 만했다. 철새 이동에 무엇보다 중요한 필수 지역들이 줄줄이 국제적 보호 대상 명단에 오르고 있던 상황에서, 중국 정부의 포고령이 발표되기 바로 몇 달 전과 비교할 때, 그렇게 확고해 보였던 갯벌이 사라지는 속도가 뚜렷이 약화되고 있었다. 그리고 아주 기묘하게도 이렇게 갯벌이 되살아날 기회를 잡을 수 있었던 것은 상당 부분, 오래 살지 못할 것처럼 보였지만 강력한 카리스마를 번뜩이는 특이한 부리를 가진 땅딸막한 작은 도요새 한 마리 덕분이었다.

엷은 안개가 걷혔다. 바람이 거세지면서 하늘을 덮은 구름들이 길게 조각난 모양으로 흩어졌다. 징리는 망원경을 보느라 수그리고 있던 몸을 세우더니 어깨 위로 흘러내린 흐트러진 긴 머리카락을 모자 안으로 밀어 넣으며 말했다. 「좀도요가 대부분이에요.」 이 근방 수 킬로미터 안에서 밝은 색을 보여 주는 것은 징리가 메고 있는 연초록 배낭이 유일했다. 「아마 그들 가운데 3분의 1은 민물도요일 거예요. 개꿩grey plover도 일부 있고, 붉은가슴도요red knot나 흑꼬리도요black-tailed godwit도 몇 마리 있을 테지만, 거의 대부분은 좀도요와 민물도요일 겁니다.」 장린은 여전히 망원경에서 눈을 떼지 않고 등을 구부린 채 엄지손가락으로 리모컨의 버튼을 빠르게 누르면서 새의 숫자를 세었다. 인상적인 광경이었다. 그러나 징리는 특별한 새 한 마리를 지켜보고 있었다. 그 새는 황해 보전 포스터에 등장하는 철새 넓적부리도요spoon-billed sandpiper였다. 넓적부리도요는 거의 만화에 나오는 귀여운 용모를 가지고 있었다. 옆에서 보면, 좀도요와 똑같은 적갈색 머리를 가진 토실토실한 일반 도요새처럼 보였다. 그러나 정면에서 보면, 부리가 주걱 모양으로 끄트머리가 납작하게 생긴 것을 볼 수 있다. 마치 부리를 망치로 부드럽게 살살 두드려서 편 것 같았다. 넓적부리도요가 왜 그렇게 우스꽝스럽고 기이한 부리를 갖게 되었는지 아는 사람은 아무도 없었다. 그것은 분명 먹는 것과 관련이 있다. 하지만 그것의 정확한 기능은 이 새의 다른 많은 것과 마찬가지로 수수께끼다. 어쨌든 그 외양은 익살스러운 봉제 인형이다.

그리고 아슬아슬하게 멸종 위기에 처한 존재, 넓적부리도요의 또 다른 특징은 개체 수가 극도로 적다는 것이다. 결코 평범하지 않은 이 새들은 그들의 번식지 또한 베링 해협의 러시아 북동 해안과 동시베리아해East Siberian Sea를 따라 띠처럼 길게 뻗어 나간 일부 지역에 한정되어 있다. 해안에서 약 3킬로미터도 떨어지지 않은 그 일대는 차가운 바다로 돌출된 툰드라 지대의 곶 지형으로, 대개 나무는 찾아볼 수 없고 시로미crowberry 열매가 달린 나지막한 덤불로 뒤덮여 있다. 1977년, 소련 과학자들은 그들의 번식지 일대를 조사하고는 전 세계에 존재하는 넓적부리도요의 개체 수를 2000쌍에서 2800쌍으로 추산했다. 거의 지난 25년 동안 그곳을 다시 찾아본 사람은 아무도 없었는데, 그즈음 그 일대 넓적부리도요의 개체 수는 절반으로 줄었다. 이후 9년 동안 매우 긴급하게 집중적인 조사가 진행되었다. 연구원들이 처음에 65쌍까지 발견할 수 있을 것이라고 기대했던 지역에서 최종적으로 발견된 개체 수는 8쌍에 불과했다. 당시 전문가들은 전 세계 넓적부리도요의 개체 수를 300마리에서 600마리 사이라고 암울한 결론을 내렸고, IUCN은 〈그것마저 낙관적 예측으로 생각한다〉[2]고 받아들였다. 더 냉정하게 평가하는 측에서는 새끼를 함께 기르는 120쌍을 포함해서 최대로 잡아도 약 400마리에 불과하다고 본다. 넓적부리도요의 마지막 보루와도 같은 러시아 극동 지역 추코트카Chukotka 자치구에 위치한 메이니필기노Meinypil'gyno에서의 개체 수 변화 추이를 살펴보면, 2000년대 중반 90쌍에서 그 몇 년 뒤 10쌍 미만으로 급락하는 것을 알 수 있다.

넓적부리도요가 멸종할지도 모를 정도로 개체 수가 급락한 이유는 처음에 명확하지 않았다. 하지만 얼마 있지 않아 그 문제가 북극에 있는 것이 아님이 명백해졌다. 그 새들은 계속해서 어미처럼 넓적부리를 가지고 갈색 점박이 솜털로 뒤덮인 거의 동그란 솜뭉치처럼 생긴 새끼들을 기르고 있었지만, 비행할 수 있을 정도로 자란 그 새끼들은 해마다 러시아를 떠나 남쪽으로 이동한 뒤 다시 돌아오지 않았다. 그 넓적부리도요들이 어디로 갔는지 아는 사람은 아무도 없었다. 그래서 탐조가와 조류학자들은 동남아시아를 샅샅이 훑기 시작했고, 마침내 미얀마와 태국, 방글라데시, 베트남, 남중국 지역에 소규모로 무리를 지어 서식하고 있는 그들을 발견했다. 아직 번식할 나이에 이르지 못한 어린 새들이 생후 2년째의 시기를 보내는 곳이 바로 이들 지역이다. 그런데 여기서 그들은 아시아의 도요물떼새들이 직면하고 있는 두 가지 가장 큰 위험, 즉 몰래 덫을 놓거나 사냥을 하는 등의 심각한 불법 포획 행위와 특히 황해 지역과 같은 매우 중요한 중간 기착지의 감소 문제를 마주치게 된다.

징리와 장린은 넓적부리도요와 그들의 해안 서식지를 보호하는 우산 효과를 통해 황해에 의존하는 수백만 마리의 다른 새들도 구하는 매우 중요한 국제적 노력의 일환으로 중국에서 〈넓적부리도요〉라고 부르는 한 작은 비정부단체를 운영하고 있다. 넓적부리도요가 그런 무리들 가운데 가장 널리 알려져 있지만, 마찬가지로 머지않아 멸종될 위기에 처한 다른 새들도 많다. 전 세계에 남은 개체 수가 1000마리에 불과한 청다리도요사촌Nordmann's Greenshank은 가까스로 멸종 위기를 벗어난 상황이고, 붉은가슴도요와 붉은어깨도요great knot, 흑꼬리도요와 큰뒷부리도요bar-tailed godwit, 그리고 붉은갯도요curlew sandpiper와 뒷부리도요Terek sandpiper처럼 황해를 드나드는 수많은 다른 도요물떼새가 몇 년 사이에 25퍼센트까지 개체 수가 감소하고 있는 실정이다.

「뭘 신경 써서 봐야 하죠?」 나는 먹이를 찾아 먹느라 정신없는 새들을 보면서, 넓적부리도요에 대해 검색했을 때 기억해 두었던 어떤 이미지를 떠올려야 할지, 이전에 휴대용 도감에서 주의 깊게 본 삽화들 말고는 도무지 생각이 나지 않아서 주변에 도움을 구했다.

「좀도요보다 색깔이 더 연한 새를 찾아보세요.」 웬디 폴슨Wendy Paulson이 말했다. 웬디와 골드만삭스의 최고경영자이자 회장, 그리고 미 재무부 장관을 역임한 그녀의 남편 헨리 M. 폴슨 주니어Henry M. Paulson Jr.는 2011년에 폴슨 연구소Paulson Institute를 설립했다. 그들은 그것을 〈생각하고 행동하는 연구소think and do tank〉로서 자임하고 중국에서의 지속 가능한 개발과 환경 보호에 역점을 두고 있다고 설명한다. 나는 헨리가 수년 전 네이처 컨서번시the Nature Conservancy, TNC 회장을 맡고 있을 때 함께 활동하면서 폴슨 부부를 알게 되었다. 두 사람은 중국 내의 그들의 인맥과 연구소의 인력 자원들을 이용해서 중국 정부가 연안습지, 특히 황해 연안 지대를 보호하도록 독려했다. 2015년, 폴슨 연구소는 중국의 해안 보전에 강력한 영향을 끼칠 청사진을 발표했는데, 거기에는 연안습지 보호가 무엇보다 시급한 장소로서 이곳 둥링 지역을 포함해서 장쑤성 일대 해안을 따라 펼쳐진 갯벌이 특정되어 있었다. 또 한 가지 중요한 사항으로, 지구의 해수면 상승을 막을 완충 지대로서, 조개잡이로 생계를 이어 가는 지역민의 생활을 위해, 그리고 그 밖의 생태계 유지에 필요한 수질 정화를 위한 연안습지의 경제적 중요성을 주장하는 내용이 담겨 있었다.

「넓적부리도요는 좀도요보다 약간 더 크고 색깔이 더 연해요. 하지만 잘 보면 행동하는 것이 달라요.」 징리가 알려 주었다. 그녀의 말에 따르면, 좀도요는 빠른 속도로 바늘이 상하로 움직이는 작은 재봉틀처럼 부리를 쪼며 먹이를 찾지만, 넓적부리도요는 촘촘히 원을 그리며 탐색하는 경향이 있다고 했다. 「그리고 그들은 갯벌 진창에 부리를 박고 앞뒤로 휙휙 휘젓는 식으로 해요.」 웬디도 한마디 거들었다. 지난해에 그녀는 헨리와 함께 여기서 비바람이 세차게 몰아치는 가운데서도 넓적부리도요를 일곱 마리나 보았다.

「저기 색깔이 연한 새가 한 마리 있어요.」 징리가 말했다. 「제 생각엔 아마도…….」 그 순간, 우리 주변에 있던 모든 새, 적어도 5000마리 정도가 되는 새들이 크게 울부짖는 소리를 내며 하늘로 날아오르더니 빽빽하게 줄을 맞춘 하나의 비행 편대를 이루어 상공을 선회했다. 모세의 홍해가 갈라지듯이, 그들은 거대한 U 자 모양으로 갈라지며 무리의 한가운데를 뚫고 휙 지나가는 매peregrine falcon 한 마리에게 길을 내주었다. 매는 사냥하려던 것이 아니라 그냥 배회하고 있었을 뿐이다. 하지만 매가 해안을 따라 사라진 뒤에도, 그 작은 새들은 불안한 듯 잠시 내려앉았다가 화드득하고 날아오르기를 몇 번이고 반복했다. 그럴 때마다 징리의 입가에서는 실망스러운 한숨이 흘러나왔다.

지난 몇 년 사이에 넓적부리도요의 수는 증가세를 느낄 정도는 아니지만, 적어도 가슴이 철렁할 정도로 곤두박질치는 상황은 멈춘 상태다. 10년 전만 해도 대체로 앞을 예측하기 어려웠던 넓적부리도요의 미래가 이제 서서히 형태를 드러내기 시작했다. 장린과 징리 같은 환경 보호 활동가들은 이곳 장쑤성 해안에 넓적부리도요가 가장 많이 집결한다는 사실을 발견했다. 그들이 짝짓기를 끝낸 뒤 털갈이를 하는 가을철 두 달 동안 그곳에서 휴식을 취하며 배를 채우고 원기를 충전하는 넓적부리도요의 수가 100마리를 넘을 때도 있다. 또 다른 철새 전문가들과 일반 탐조가들도 지금까지 알려지지 않은 철새 월동 장소를 알아내기 위해, 그리고 보통 그런 지역들에서 만연하는 도요물떼새 불법 사냥을 막기 위해, 남아시아 일대의 해안 삼각주 지역들을 샅샅이 훑었다. 결국 과학자들은 야생에서의 멸종을 피하기 위해 아직은 작고 위태롭지만 인공사육 집단을 만들었고, 이를 통해 번식지에서 태어나는 새끼 새들의 수를 늘리기 위해 성공율이 매우 높은 마지막 〈신의 한 수〉를 두는 데 많은 노력을 기울였다.

중국 정부가 무제한적인 연안 개발을 금지하는 방안을 실천에 옮긴다면, 그것은 넓적부리도요를 비롯해서 다른 철새들에게 아주 시의적절한 조치가 될 수 있을 것이다. 그러나 아직까지 좋은 소식은 들려오지 않고 있다. 실제로 도요물떼새 철새들이 전 세계에서 직면하고 있는 위기의 심각성은 너무도 절망적이어서 아무리 강조해도 부족할 따름이다. 도요물떼새 수의 급감 현상은 100여 년 전 여행비둘기*가 갑자기 사라졌던 때와 흡사하다. 한때는 구름처럼 하늘을 뒤덮는 도요물떼새 무리들을 볼 때, 마치 하늘에 강물이 흐르는 것처럼 떼 지어 날아다니던 야생비둘기들에 자주 비유했다. 그러나 여행비둘기의 멸종이 한 대륙에 서식하던 단일종의 새와 관련된 것이라면, 이번에는 수십 종의 도요물떼새들이 동시에 깊은 구렁의 나락으로 떨어지는 가운데 도요물떼새 모든 종이 세상에서 완전히 사라질 위기에 처한 상황이라는 점에서 그 심각성은 비교할 바가 안 된다. 전 세계적으로 도요물떼새 종 대부분이 감소 추세인데, 일부 종의 경우는 감소하는 속도가 걷잡을 수 없을 정도로 빠르다. 북아메리카 대륙의 경우, 장기간에 걸쳐 진행된 다양한 조사 결과에 따르면, 1974년 이래로 도요물떼새의 수가 전체적으로 절반으로 급락했는데, 그 가운데 꼬까도요, 붉은가슴도요, 캐나다흑꼬리도요Hudsonian godwit 같은 북극 지방에 둥지를 트는 장거리 이동 철새들이 가장 급속도로 감소했다. 미국 동부 연안에 서식하는 중부리도요whimbrel의 수는 지난 35년 동안 해마다 4퍼센트씩 감소했다. 앞날을 우울하게 하는 감소 추세다. 2006년에 조사된 전 세계 도요물떼새의 개체 수는 1980년대와 비교할 때, 66개 조사 지역 가운데 12개 지역만이 안정이나 증가 추세를 보였는데, 그 이후로 상황은 점점 더 악화되어 왔다. 현재 환경 보호 활동가들이 손을 놓고

* passenger pigeon. 나그네비둘기라고도 하는데, 북아메리카 대륙 동해안에 서식하던 야생비둘기로 한때 개체 수가 50억 마리에 이를 정도로 많았으나 무분별한 남획으로 1914년 완전 멸종되었다.

있는 것은 아니다. 그들은 그동안 철새들 사이에 망처럼 연결되어 있는 주요 서식지들을 보호하기 위해 엄청난 노력을 기울였다. 예컨대, 서구 도요물떼새 보호 지역 네트워크Western Hemisphere Shorebird Reserve Network, WHSRN라는 단체는 오늘날 캐나다로부터 아르헨티나에 이르기까지 총 16개국 15만 제곱킬로미터에 달하는 100군데 이상의 서식지를 관할하고 있다. 그러나 어느 한 곳을 WHSRN의 보전지로 지정한다고 해서 그곳이 저절로 보호를 받는 것은 아니다. 그곳을 관리하고 통제하는 일은 해당 지방정부나 국가의 몫이기 때문이다. 하지만 대개 그들 정부는 그 새들을 최상으로 관리하는 결정을 내리지 않는다. 예를 들어, 해마다 전 세계 서부좀도요western sandpiper의 95퍼센트가 (10만 마리가 넘는 민물도요와 엄청난 개꿩 무리와 함께) 집결하는 캐나다 브리티시컬럼비아의 밴쿠버에 있는 프레이저강Fraser River 어귀는 세계적인 중요 조류 서식지Important Bird Area, IBA의 한 곳으로서 반구 차원의 WHSRN 보전지로 지정되어 있으며, 습지에 관한 람사르 협약 Ramsar Convention on Wetlands에서 인정하는 국제적으로 중요한 습지 명단에도 올라 있다. 하지만 그곳은 기존의 연안 항구와 방죽도로 복합시설 때문에 이미 강어귀의 생태계가 달라진 상태에서 다시 그 규모를 두 배로 확장하려는 주정부의 계획 때문에 큰 위협을 받고 있는 상황이다.

철새가 이동하는 때는 1년 중 그들 대부분에게 가장 위험한 시기이지만, 오늘날 수많은 도요물떼새에게 계절 이동은 과거보다 훨씬 더 필사적인 도전이 되었다. 그들은 아시아와 아프리카, 카리브 연안, 남아메리카 북부, 그리고 지중해 일부 지역들 같은 여러 곳에서 밀렵과 생계를 위한 사냥에 직면하고 있다. 연안습지들이 점점 사라지고 있는 가운데, 해수면 상승의 위험에 직면한 인류는 도요물떼새들이 먹이를 찾아 먹을 수 있는 부드러운 해안 간석지들을 거의 남기지 않으려는 듯, 그나마 얼마 남지 않은 갯벌들 가운데 많은 곳에 계속 바위와 콘크리트로 장벽을 쌓았다. 휴식을 취하고 원기를 충전하며 월동할 수 있는 안전하고 먹이가 풍부한 장소들을 잃는다는 것은 단순히 계절 이동 중에 살아남지 못하는 번식 연령기에 다다른 도요물떼새의 수가 점점 더 많아진다는 것을 의미하기도 하고, 번식지에 너무 늦게 도착하는 바람에 짝짓기할 시기를 놓치거나 여력을 잃고 만다는 것을 뜻하기도 한다. 그곳에 도착한 그들은 어쩌면 그곳의 집약적 농업 방식 탓에 그곳의 환경이 자기네 새끼들을 키우기에 적합하지 않다는 것을 알거나, 급변하는 기후로 알을 품을 둥지를 마련하기가 어려워 해마다 번식에 실패한다는 사실을 발견할 수 있을 것이다. 철새들 가운데 시간과 공간, 기후, 먹이, 그리고 정신력 사이의 정교한 균형을 이미 갖추고 가장 길고도 극적인 계절 이동을 감행하는 그들은 오늘날 가장 큰 위기 상황을 목전에 두고 있다. 그 위험은 전 세계적으로 상존하고 있지만, 황해만큼 도요물떼새의 생존을 위협하는 모든 위험 요소가 집결되어 나타나는 곳은 그 어디에도 없을 것이다.

한 주 전, 나는 베이징에서 남동쪽으로 약 160킬로미터 떨어진 난푸(南堡)에 있는 한 방조제 위에 서 있었다. 공업도시 탕산(唐山)에서 황해까지 남쪽으로 길게 뻗어 나간 방조제를 보면, 자연 풍광을 인위적으로 여기보다 더 완벽하게 바꿀 수 있을지 상상하기 어렵다. 면적이 약 250제곱킬로미터가 넘었던 예전의 갯벌은 난푸염전으로 알려진, 끝없이 펼쳐진 거대한 소금 산지로 바뀌었다. 염전은 아주 옛날 고대부터 있었던 산업이지만, 아시아 최대 염전이라는 명성에 어울릴 정도로 그렇게 규모가 방대해진 것은 최근의 일이다. 같은 면적의 또 다른 〈간척〉지에는 연기가 뿜어져 나오는 높은 굴뚝의 화학공장과 발전소 냉각탑, 제조 단지, 교도소 여섯 군데,

원유 시추와 저장 시설들이 무분별하게 들어서 있고, 카오페이디안(曹妃甸) 신도시라고 불리는 아직 완성되지 않은 거대한 산업 항만 복합단지 일대에는 여기저기 엄청나게 높게 쌓아 올린 희뿌연 소금 산들이 산재해 있다. 한편에 자갈들이 깔려 있고 아직 포장이 덜 된, 한창 건설 중인 6차선 고속도로는 그 지역의 한가운데를 통과해 달린다. 새벽 5시도 안 된 이른 아침이었지만, 주변은 벌써 웅웅거리며 중장비 돌아가는 소리로 소란스러웠다.

공장 굴뚝에서 내뿜는 연무와 분진이 낮게 깔린 하늘 위로 태양이 떠오르고 있었다. 나는 목구멍이 따끔거리고 매운 눈을 뜨기도 어려웠지만, 데니스 피어스마Theunis Piersma는 난푸에서 멀리 떨어진 보하이만을 바라보고 있었다. 만조였던 바닷물이 방조제 바깥쪽으로 밀려 나가기 시작했다. 바닷물이 빠져나가면서 회색빛 갯벌이 모습을 드러냈다. 그러자 도요물떼새들이 모여들기 시작했다. 처음에는 수백 마리 정도였는데, 이후 수천 마리로 불어나더니 곧이어 수만 마리가 북적였다. 만조 때 피어스마의 등 뒤에 있는 염전에 내려앉아 있었던 붉은가슴도요와 좀도요, 뒷부리도요와 붉은갯도요, 흑꼬리도요와 꼬까도요 무리가 연이어 물결치듯 날아올라 먹이를 찾아 먹고 깃털을 다듬기 위해 구름처럼 갯벌로 모여들었다.

이 갯벌들과 여기에 모이는 수많은 도요물떼새는 10년이 넘도록 피어스마를 사로잡았다. 어두침침한 회색의 곱슬곱슬한 머리카락이 산들바람에 날리는 예순 살의 조류학자는 도요물떼새와 관련해서 세계적으로 전설과 같은 인물로, 네덜란드 그로닝겐 대학교에서 학생들을 가르치고 있다. 실제로 우리가 내려다보고 있던 갯벌에서 먹이를 찾아 먹고 있는 붉은가슴도요들 가운데 일부는 다른 것들보다 색깔이 매우 짙고 선명한 아종(亞種)들이었는데, 그에게 경의를 표하는 의미로 그의 이름을 라틴어화한 아종명을 쓰기 위해 학명을 〈칼리드리스 카누투스 피에르스마이 *Calidris canutus piersmai*〉라고 지었다. 그들은 오스트레일리아에서 겨울을 나고 러시아 북극 지방에 있는 몇몇 섬에서 번식을 한다.

피어스마의 연구는 도요물떼새가 여러모로 철새들 사이에서뿐 아니라, 모든 부류의 척추동물들 가운데 최고의 운동선수임을 확인해 주는 데 기여했다. 알바트로스albatross와 바다제비 같은 바닷새들은 수만 킬로미터에 이르는 먼 공해상의 바다를 날아가지만, 그들에게 파도는 전혀 두려움의 대상이 아니다. 그들은 비행하다 지치면 해수면에 내려앉아 휴식을 취하거나 잠을 자고, 배가 고프면 오징어나 물고기를 잡아먹을 줄 알며, 목이 마르면 바닷물을 마신다(그들의 두 눈 사이에 있는 특별한 분비샘을 통해 염분을 걸러낸다). 몸길이가 15센티미터 정도인 좀도요는 바닷물 수면 위에서 쉴 수 없다. 인도네시아와 필리핀, 동중국해를 거쳐 북극의 가장자리까지 며칠 동안 연속적으로 이동해야 하기 때문에, 둥링이나 난푸 같은 해안 지대는 그들에게 잠시 쉬었다 갈 수 있는 대체 불가한 최적의 장소다.

도요물떼새의 계절 이동에서 볼 수 있는 전 지구적 이동 범위와 그들의 극단적 정신력은 거의 인간의 상상을 초월한다. 황해 갯벌에 있는 가장 작은 새들조차도 한 편의 서사시와 같은 장대한 여행을 감행한다. 만일 내가 본 좀도요들이 인도나 베트남 해안을 따라 올라가 그 인근의 북부 지역에서 짝짓기를 하지 않는 월동기를 보냈다면, 그들은 여기까지 거의 약 3200킬로미터를 날아왔을 것이다. 그러나 대개 태즈메이니아와 뉴질랜드 북부처럼 먼 남쪽에서 겨울을 나는 좀도요들은 이 중간 기착지에 도달하기 위해서 약 9600킬로미터 이상을 비행해야 한다. 그리고 그들은 중국 연안에서 그들이 둥지를 틀 번식지에 도달하기까지 수천 킬로미터를 더 날아가야 할 것이다. 그들 가운데 상당수의 최종 기착지인 시베리아 동부 지역까지는 약 5400킬로미터를 더 날아가야 한다. 몸무게

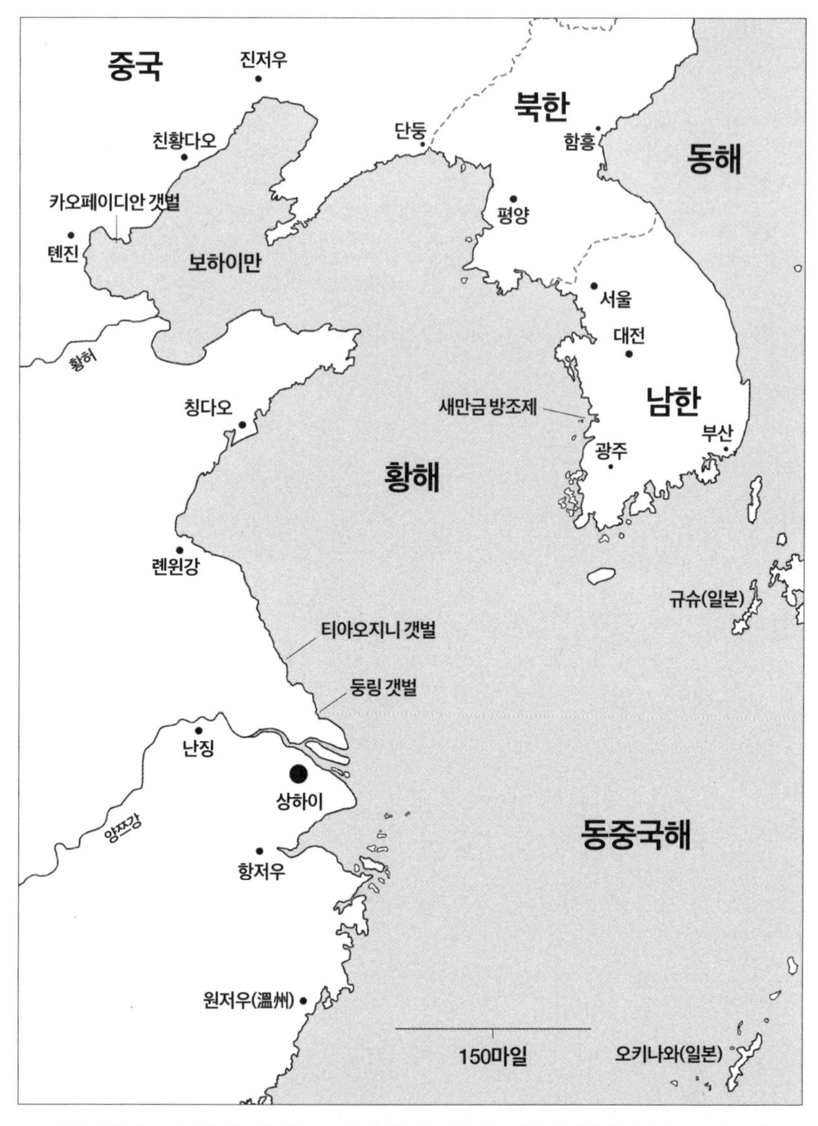

중국과 한반도 사이에 있는 황해는 도요물떼새들의 이동 경로 가운데 세계에서 가장 중요한 중간 기착지 가운데 하나다.

가 28그램도 안 나가는 작은 새가 이렇게 어마어마한 장거리를 비행한다는 것이다.

그러나 도요물떼새처럼 이렇게 초장거리를 이동하는 철새는 매우 희귀하고 그 생태를 세밀하게 관찰하기도 어렵기 때문에, 좀도요들이 무슨 목적으로 그런 장거리 여행을 감행하는지 특별히 아는 바가 전혀 없다. 도요물떼새는 전 세계에 320종이 넘게 존재하는데, 대부분이 장거리 계절 이동을 한다. 그중에 적어도 19종의 도요물떼새가 약 4800킬로미터 이상을 논스톱 비행을 하는 것으로 알려져 있다. 그것이 우리가 현재 도요물떼새에 대해 알고 있는 정보의 전부다. 과학자들은 오랜 세월 동안 원격 측정 기술의 한계로 인해, 큰뒷부리도요류처럼 위성 송신기를 몸에 짊어지고 이동할 수 있을 정도로 몸집이 크고 체력이 강한 종들만 추적할 수 있었다. 피어스마는 이 연구 분야의 선구자였다. 그러나 소형화된 장비의 출현은 이러한 상황을 바꾸었다. 아시아의 좀도요와 비슷하고 크기도 거의 정확하게 같은 신대륙의 아메리카도요는 캐나다 북극권 지역과 남아메리카 북부 지역을 오가는 것으로 알려져 있었는데, 그들의 상세한 이동 경로는 우리가 알래스카의 회색뺨지빠귀에 사용했던 것과 같은 지오로케이터를 통해서 마침내 밝혀낼 수 있었다. 캐나다 북극 지역에 있는 코츠섬Coats Island에서 지오로케이터를 장착한 아메리카도요 한 마리는 늦여름 제임스만James Bay으로 날아가서 몇 주 동안의 비행을 위해 영양분을 충전한 뒤, 베네수엘라 오리노코강Orinoco River 삼각주까지 약 5300킬로미터의 장거리를 쉬지 않고 단번에 날아갔다. 거기서 해안선을 따라 계속 비행하여 브라질의 아마존강 하구에 도착해서 북반구의 겨울철을 이곳에서 났다. 그런 장거리 여행을 감행하는 것은 도요물떼새의 거의 모든 신체 기관을 매우 힘들게 한다. 울새 크기의 붉은가슴도요와 근연 관계에 있지만 크기가 약간 더 작은 붉은어깨도요를 연구하고 있는 데니스와 몇몇 동료 학자는 그 도요새가 북쪽으로 이동하는 동안에 신진대사 활동을 통해 체력을 소진하게 되어 결국 가스 같은 물질만 속에 남게 된다는 사실을 발견했다. 붉은어깨도요는 오스트레일리아 북서부 지역을 출발해서 중국과 한반도까지 약 5400킬로미터 이상을 한 번도 쉬지 않고 비행한다. 그사이에 그들은 몸에 비축해 놓은 지방을 모두 태워 연소시키는데, 계속되는 날갯짓에 필요한 엄청난 에너지를 공급하기 위해 그들 자신의 근육과 기관 조직마저 희생시킨다. 따라서 그들이 황해에 도착할 때쯤이면, 자체적으로 에너지 공급을 위한 이화작용* 탓에 내장 기관의 거의 대부분이 약화된 상태에 이른다. 뇌와 허파는 그러한 마라톤 여정의 영향을 전혀 받지 않는 것처럼 보이지만, 엄청나게 오랜 비행 동안 쓰임새가 별로 없는 창자와 염선** 같은 장기들은 매우 크게 상하는 것처럼 보인다.

마라톤 여정으로 표현되는 붉은어깨도요의 장거리 비행은 실제로 그들에게 큰 피해를 준다. 데니스는 최선을 다해 노력을 기울이고 있는 엘리트 운동선수의 신진대사 속도는 평소보다 5배 정도 더 빠르다는 사실에 주목했다. (그의 말에 따르면, 투르 드 프랑스Tour de France 국제 사이클 도로 경기에 참가해 경주 중인 한 남자 사이클 선수가 좋은 예다.) 그것은 아주 건강한 신체에 고도의 훈련을 받은 사람들에게도 쉬지 않고 운동할 수 있는 최대 한계치로 보인다. 반면에 도요물떼새는 계절 이동을 할 때 기본적인 신진대사 속도보다 8~9배 더 빠른 대사율을 보이며, 게다가 며칠 동안 먹이도 먹지 않고 물도 마시지 않거나 단 한 차례 휴식도 없이 비행을 계속한다. 2019년 에티오피아 육상선수가 마라톤 완주를 2시간도 안 되는 신기록으로 마쳤을 때, 세상은 그를 〈슈퍼맨〉이라고 불렀다. 그럴만하다. 하지만 도요물떼새에 비하면 그것은 아무것도 아니다.

* 생물이 체내에서 고분자 유기물을 저분자 유기물이나 무기물로 분해시켜 에너지를 방출하는 과정.

** salt gland. 바다에 사는 조류, 파충류, 연골어류 따위의 눈이나 콧구멍 주변에 있는 염분 배설 기관.

캐나다의 아북극 지역에서 출발해서 오리노코강 삼각주의 밀림까지 비행하는 앞서 말한 아메리카도요는 마라톤을 126회 연속으로 달리는 것과 같은 셈이었다. 그것도 최고의 육상선수가 낼 수 있는 신진대사율보다 몇 배 더 빠른 속도로 말이다. 다시 말하지만, 그 새는 몸길이가 약 15센티미터이고 체중은 28그램도 안 나간다.

훨씬 더 많은 새가 난푸에 도착하고 있었다. 그 숫자를 가늠하기 어려울 정도였지만, 피어스마는 눈을 가늘게 뜨고 가시거리에 있는 가장 먼 곳까지 해안가를 촘촘히 내려다보았다. 그러고는 말했다. 「1만 5000~1만 6000마리 정도, 저건 붉은가슴도요예요.」 붉은가슴도요와 붉은어깨도요가 썰물로 물이 빠져나간 해변 끄트머리에 빽빽하게 줄을 지어 있었다. 앞줄의 새들은 색 바랜 주황빛으로 이어졌고, 뒷줄의 새들은 등에 적갈색 얼룩무늬가 있고 앞면은 검은색과 흰색이 체크무늬처럼 촘촘히 박혀 있었다. 피어스마는 왜가리처럼 발끝으로 급회전하며 빠르게 찌르듯 앞으로 나아가는 희뿌연 회색 깃털의 청다리도요사촌 한 마리를 가리켰다. 그야말로 전 세계에 현존하는 1000마리 중 한 마리였다. 얕은 물가에서 길고 가느다란 부리로 바닥을 쪼며 갯벌에 사는 무척추동물을 잡아먹고 있었다. 「모든 사람이 넓적부리도요에 대해서 열광하지만, 청다리도요사촌도 그에 못지않게 희귀한 새죠.」 그가 일깨워 주었다. 그때 한 무리의 큰뒷부리도요들이 내려앉았다. 키가 크고 다리가 길며 햇볕에 그을린 붉은 벽돌색 깃털을 가지고 있었다. 지난 가을, 이 비둘기만 한 새들 중 일부는 우리가 아는 육지 새들 가운데 논스톱으로 가장 멀리까지 날아갔을 것이다. 알래스카 서부의 번식지에서 뉴질랜드까지 약 1만 1500킬로미터에 이르는 태평양 상공에서 가장 드넓은 부분을 가로지르며 7~9일 동안 계속해서 쉬지 않고 고강도의 비행을 감행했다.

그들이 이루어 낸 위업이 놀라운 것은 분명하지만, 이 장거리 철새들은 그것을 위해 훨씬 더 위태로운 생리학적 칼날 위에 서서 균형을 잡아야 한다. 우리가 지켜본 붉은가슴도요는 다른 대부분의 도요물떼새와 마찬가지로 5월 말이나 6월 초에 북극 지방에 도착할 것이다. 그때 북극의 대지는 여전히 얼음과 눈에 갇혀 있기에, 그들은 중국에서 약 4800킬로미터 이상을 쉬지 않고 날아가는 데 필요한 영양분을 보충해야 할 뿐 아니라, 그곳에 도착해서 처음 몇 주 동안 자기 서식지 영역을 지키고, 짝짓기 상대를 찾고, 둥지를 트는 데(또한 암컷의 경우 알을 낳는 데) 필요한 지방과 단백질을 난포에서 충분히 체내에 축적해 두어야 한다. 이후 마침내 툰드라의 동토가 녹기 시작하면 그들은 서둘러 모습을 드러낸 벌레들과 지난 가을 마지막으로 시든 채 남아 있는 관목 열매들을 발견할 수 있다. 만약 중간 기착지가 파괴되어 그들이 최종 목적지까지 이동하는 중에 체력을 보강할 수 있는 기회를 점점 잃게 된다면, 도요물떼새들은 나중에 번식지에 도착했을 때 짝짓기를 하지 못할 가능성이 높을 뿐 아니라 목숨을 부지하기도 어려울 수 있다. 오늘날 황해 해안에서 일어나고 있는 일을 말할 때 흔히 쓰는 용어가 〈간척〉이다. 그 말에는 인류가 도난당했던 어떤 것을 되찾는다는 의미가 담겨 있는데, 사실은 그 반대다. 2006년, 한반도의 남한은 새만금에 길이가 약 33킬로미터에 이르는 거대한 방조제를 완성했다. 그 방조제는 한때 약 380제곱킬로미터가 넘는 면적의 비옥한 습지를 에워쌌던 두 개의 주요 강어귀가 조수와 만나는 것을 막았다. 그 습지는 그곳에서 조개류를 캐어 생계를 유지하는 2만 명의 어민들과 수십만 마리의 도요물떼새 철새들의 생존을 위해 없어서는 안 될 중요한 갯벌이었다. 그 결과, 전 세계에 서식하는 붉은어깨도요의 총 개체 수의 5분의 1에 해당하는 7만 마리 이상이 자취를 감추었다. 그 숫자가 해마다 새만금을 찾아왔던 붉은어깨도요의 개체 수와 정확하게 일치한다는 사실은 결코 우연이 아니었다.

데니스는 탐조용 망원경을 들여다보며 말했다.「저 정도면 여기 거의 1만 제곱미터의 면적에 꽉 찰 만큼의 규모예요.」그는 단순히 거기에 펼쳐졌을 멋진 장관을 상상하고 있는 것이 아니었다. 그는 기준이 되는 데이터들을 하나하나 촘촘히 살피면서 세계적 권위를 자랑하는 조류학자로서 냉정하게 분석하고 주장하고 있었다.「저기 한 마리, 〈ZHT〉라는 문자가 새겨진 노란색 깃발가락지가 달린 새 말이에요, 크리스. 당신이 사는 동네 새들 가운데 한 마리네요.」이 것은 크리스 하셀Chris Hassell에게 한 말이었다. 그는 수년 전 오스트레일리아로 이주해서 살고 있는 반백의 영국인으로, 도요물떼새 연구자들의 국제 공조 단체인 피어스마의 국제 철새 이동 경로 네트워크Global Flyway Network에 일찌감치 합류했다. 해마다 하셀이 이끄는 조사팀은 오스트레일리아 북서부 외딴 해변을 따라 월동 중인 도요물떼새 수천 마리를 찾아가서 그들의 발목에 독특한 조합 형태의 〈깃발〉처럼 길쭉한 판이 달린 플라스틱 유색 가락지를 달아 주는 일을 한다. 영문 이니셜과 숫자를 조합한 부호가 새겨진 식별표가 달린 깃발가락지다. 그 표시는 조사원들이 나중에 그 새들을 발견하고 철새 이동 경로의 어디서든 멀리서도 그들을 식별하게 함으로써, 그들의 이동 경로와 시점에 대한 우리의 지식을 체계화하는 데 도움을 준다. 그뿐만 아니라 더 중요한 것은 연구자들이 매우 정교한 통계적 분석을 통해서 개체군의 크기와 연간 생존율을 계산할 수 있게 해준다는 점이다. 이 특별한 도요새는 하셀의 조사팀이 그가 살고 있는 오스트레일리아 브룸Broome 인근에서 식별표를 달아 준 바로 그 새들 가운데 하나였다.

「저기 또 다른 깃발가락지가 보여요, 3번 지점에. 청색/황색, 적색/백색, 75 로그.」피어스마는 그 새의 왼쪽 다리에서 오른쪽으로, 위에서 아래로 색깔 표시를 차례로 읽어 나간 것으로, 그 새는 번식깃의 약 75퍼센트가 깃털갈이를 완료했음을 의미했다. 그 새는 붉은가슴도요의 아종인 〈칼리드리스 카누투스 로게르시 *Calidris canutus rogersi*〉로 시베리아 동부 지방에서 새끼를 낳는데, 그보다 더 서쪽에 있는 시베리아 섬들에 둥지를 트는 〈피에르스마이〉* 보다는 윗부분이 약간 더 회색빛이라는 것을 알 수 있었다.

마치 명령을 받은 것처럼, 우리 앞에 있던 모든 도요물떼새가 한 순간 폭발하듯 한숨을 몰아 내쉬는 듯한 소리를 내면서 동시에 날개를 퍼덕이며 하늘로 날아올랐다. 그러더니 오른쪽 해안선을 따라 무리 지어 아래쪽으로 멀리 날아가면서 서서히 소리가 잦아들더니 이내 점점 숨이 끊어지는 듯 침묵의 세계로 빠져들었다. 하셀과 피어스마는 각자 망원경을 꽉 움켜잡고 빠르게 앞으로 나아갔다. 그들은 내게 난푸에서는 썰물이 방조제에 비스듬하게 부딪히며 빠져나가기 때문에, 조사팀은 도중에 썰물을 만나면 요리조리 피해 가며 주의할 것을 부탁했다. 7~8킬로미터 떨어진 갯벌에서 먹이를 찾고 있는 그들 무리에 가능한 한 가까이 다가가서 그들의 다리에 달린 가락지를 확인하기 위해 그곳에 몇 시간을 머물러야 한다. 한 200미터쯤 갔을 때, 우리는 미리 그곳에 와서 이제 막 내려앉은 새들을 망원경으로 관찰하고 있던 캐서린 렁Katherine Leung, 매트 슬레이메이커Matt Slaymaker, 애드리언 보일Adrian Boyle을 만났다. 나는 그들이 있는 곳에 남았고, 피어스마와 하셀은 새들이 먹이를 먹고 있는 다음 장소로 계속해서 나아갔다.

이전에 홍콩에서 세계 야생생물 기금**의 일원으로 일했던 렁은 중국인인 반면에, 슬레이메이커는 영국, 보일은 오스트레일리아 사람이다. 그들은 하셀과 함께 국제 철새 이동 경로 네트워크 난푸 팀의 핵심을 이루고 있는데, 베이징 사범대학교 생명과학 학부 부학

* 붉은가슴도요의 또 다른 아종인 *Calidris canutus piersmai*를 말한다.

** World Wildlife Fund. 1961년에 설립된 세계 최대 민간 자연 보호 단체로 현재는 세계 자연 기금World Wide Fund for Nature으로 개명.

장과 중국 조류학회 부회장을 역임한 장정왕(張正旺)Zhengwang Zhang 교수가 지도하는 대규모 중국 대학원생 집단과 함께 조사 작업을 진행하고 있다. 슬레이메이커와 보일은 지난 10년 동안 해마다 4월 초에서 6월 말까지 이 조사 활동을 위해 계속해서 중국을 방문하고 있다. 반면에 렁은 델라웨어만에 있는 국제 도요물떼새 팀에 합류하기 위해 미국으로 떠나기 전 일주일 동안 이들 작업을 도와주고 있었다. 도요물떼새 전문가들은 자신들이 연구하는 새들과 마찬가지로 평생 엄청나게 먼 거리를 여행한다.

슬레이메이커는 키가 매우 크고 호리호리한 몸매에, 좁고 긴 얼굴에는 턱수염이 다듬어지지 않은 채로 나 있었고, 긴 머리카락은 땋아서 뒤로 둥글게 말아 묶고 있었다. 그가 공책에 새 발목에 부착된 유색 가락지의 조합들을 빠르게 메모하고 있는 사이에, 나는 망원경으로 대상을 조준하고 확대해 초점을 맞추려고 버튼을 만지작거리면서 가늘게 뜬 눈으로 렌즈를 자세히 들여다보았다. 하지만 결국 그놈의 빌어먹을 것을 찾아볼 수 없다는 사실을 어쩔 수 없이 받아들여야 했다. 「요령이 필요해요.」 보일이 말했다. 그의 동료보다 키가 작고 혈색이 좋은 보일은 짧게 자른 머리에 모자를 쓰고 있었다. 「새가 돌아서서 당신을 볼 때까지 기다리세요. 그러면 새의 두 다리를 모두 볼 수 있어요. 그리고 동시에 거기에 채워진 가락지들도 확인할 수 있지요.」 나는 그가 내 말을 오해했다는 것을 알았다. 연무가 깔려 시야가 흐릿한 가운데 아마 300미터쯤 떨어진 이 거리에서, 나는 아직 단 한 개의 가락지도 발견하지 못했다. 하지만 나는 계속해서 입을 다물고 있기로 했다. 그 세 사람이 가락지의 색깔과 거기 새겨진 부호들을 읽고 있던 그 거리는 분명 내 능력을 벗어나는 것이었고, 나 자신이 별로 그들에게 도움이 되지 않을 거라는 생각이 들었기 때문이다.

멀리 수평선에 연무 사이로 유조선 몇 척이 보였다. 하셀이 나중에 말해 주기를, 어떤 날에는 이곳 수평선의 상당 부분을 차지하는 지둥(冀東)-난푸 연안의 저유시설에 100척 이상의 유조선들이 줄지어 서 있을 때도 있다고 했다. 그곳은 2005년에 발견된 엄청나게 큰 유전의 일부로, 철새 이동 시기에 원유 유출 사고가 발생하면 대재앙을 초래할 것이므로 자연 보호 활동가들에게는 만성적인 걱정거리다. 이미 황해에서 발생한 중대한 원유 유출과 유정의 가스 분출 사고가 몇 차례 있었으며, 소규모로 기름이 새는 작은 사고는 일상적으로 일어나고 있다. 바람의 방향이 바뀌자, 유전에서 풍겨 오던 기름 냄새가 우리의 북쪽에 있는 간척지에 세워진 양돈 축사에서 흘러나오는 지독한 분뇨 냄새로 바뀌었다. 양돈 농장에서는 축사의 폐기물을 염전의 한구석에 펌프로 계속해서 퍼내고 있었다. 가끔 바다에서 산들바람이 불어올 때만 가까스로 신선하고 짭짤한 소금 내음을 느낄 수 있을 뿐이다. 우리는 앞으로 달려가서 물이 빠져나가고 거기에 내려앉는 새들을 놓치지 않고 포착해서 그들이 이동하기 전에 가능한 한 빨리 그들의 모습을 꼼꼼하게 살폈다. 그러고 나서 방조제 아래로 내려와 어부들 사이를 종종걸음으로 서둘러 지나쳤다. 어부들은 가슴까지 오는 긴 장화 옷을 입고 고무튜브에 바구니를 얹어 바닥에 질질 끌면서 갯벌을 철벅거리고 다니며 조개를 잡고 있었다. 아침나절쯤, 우리는 방조제 끄트머리에 도달했는데, 그곳에는 굳은 진흙을 약 3미터 높이로 쌓아 올린 두툼한 울타리 안에 그물을 쳐놓은 거대한 가두리 양식장이 여러 개 있었다. 그 안에는 식용으로 양식되고 있는 해파리들이 있었다. 새들은 이제 피어스마와 그의 조사팀이 그들의 다리에 부착한 가락지를 관찰할 수 있는 구역 밖으로 날아갔다. 우리도 점심을 먹기 위해 난푸로 되돌아가면서 염전과 운하들이 달 표면처럼 황량하게 펼쳐진 지역을 다시 통과해야 했다. 발동선 몇 척이 소금을 산더미처럼 쌓아 올린 소형 바지선들을 끌고 가는 모습은 마치 기차 차량이 길게 이어진

행렬처럼 보였다.

갯벌은 누구나 알 수 있듯이 철새들의 임시 서식처다. 밀물과 썰물은 하루에 두 차례씩 놀라울 정도로 빠른 속도로 갯벌을 가로지르며 들락날락하다가 마침내 그 일대를 바닷물로 채운다. 어떤 지점에 이르면 수심이 너무 깊어지는데, 처음에는 좀도요같이 다리가 짧은 작은 새들에게, 마침내는 뒷부리도요류와 마도요류처럼 다리가 긴 새들에게도 깊어진다. 한때 그 새들은 가까운 내륙의 기수 습지*와 해안에 바짝 붙어 있는 물에 잠긴 저지대로 날아가곤 했다. 하지만 그런 장소들은 오래전에 사라지기 시작하더니 완전히 자취를 감추었다. 따라서 역설적이지만, 한때 기름진 갯벌 진창이었던 곳에서 만들어진 염전은 만조가 되었을 때 도요물떼새들에게 없어서는 안 될 아주 중요한 장소가 되었다. 소금을 만드는 과정에서 점점 농도가 짙어지는 염수 용액은 최초의 증발지에서 마지막 결정화 단계로 옮겨진다. 그리고 이 과정에서 사용되는 수 제곱킬로미터에서 십여 제곱킬로미터 규모의 얕은 소금물 웅덩이들은 도요물떼새들이 잠시 쉬면서 깃을 다듬고 잠을 잘 수 있는 안전한 피난처를 제공한다. 그런 휴식처를 이용하는 도요물떼새의 숫자는 실로 놀라울 정도다. 크리스 하셀이 내게 말해 준 바에 따르면, 수년 전, 그들 조사팀은 단일 염전에서 휴식을 취하고 있는 새의 수가 9만 5000마리에 이른다는 사실을 알아냈다. 그중 6만 2000마리가 붉은갯도요였다. 그것은 동아시아-대양주 철새 이동 경로를 취하는 해당 종 전체의 3분의 1에 이르는 숫자였다. 그로부터 며칠 뒤, 이웃 염전에 내려앉은 붉은가슴도요의 수는 3만 4000마리에 이르렀는데, 그 숫자 또한 해당 경로를 이용하는 붉은가슴도요 종 전체 개체 수의 3분의 1에 이르는 규모였고, 붉은가슴도요 〈피에르스마이〉 아종 전체

* 바다와 육지가 만나는 강어귀에 있는, 수심이 얕고 습하며 염분을 함유하고 있는 땅.

개체 수로 따지면 그 절반을 넘는 숫자였다.

우리는 그렇게 많은 새를 전혀 보지 못했다. 내가 그곳을 방문하는 동안, 갯벌들은 하나같이 평소보다 훨씬 더 물에 깊이 잠겨 있었는데, 그 이유를 아는 사람은 아무도 없는 것 같았다. 가두리 양식장들 가운데 수익성이 좋은 수산물인 새우를 키우는 데가 많아 보였다. 중국인 대학원생들 중 한 명은 수 킬로미터 떨어진 지평선 위에 모습을 드러내고 있는 제철소 복합단지에서 끌어다 쓰기 위해 해수가 저장되고 있다는 소식을 들었다고 했다. 이유야 어찌 됐든 간에, 도요물떼새들은 수심이 얕은 소금물 웅덩이들에 대규모로 무리를 지어 모이는 대신에, 훨씬 더 넓은 지역에 흩어져 있는 갯벌 진흙으로 쌓아 올린 야트막한 울타리들의 가장자리로 몰려들 수밖에 없었다.

어느 날 오후, 데니스와 나는 흑꼬리도요를 전공으로 박사과정을 밟고 있는 주병윤(朱冰潤)Bingrun Zhu이라는 키가 훤칠하고 호리호리한 청년과 함께했다. 흑꼬리도요는 네덜란드 프리슬란트Friesland에 있는 그의 집 근처 목초지와 들판에 둥지를 트는 새이기 때문에, 피어스마에게 매우 소중하고 친근한 종이다. 데니스가 이끄는 조사팀에서는 드루Drew라는 영어식 애칭으로 통하는 주병윤은 몇 년 전 데니스와 함께 흑꼬리도요를 연구하기 위해 네덜란드에 갔다. 하지만 그가 여기서 살피고 있었던 흑꼬리도요 집단은 황해에 잠시 들렀다가 외몽고로 가서 그곳의 초원 지대에서 번식을 한다. 우리는 길을 따라 걷다 도중에 수 제곱킬로미터의 면적을 차지하고 있는 내륙의 양어장들을 지나쳤다. 그 위로 태양 전지판들이 지붕처럼 덮여 있었는데, 그것은 지표면에 사방으로 그늘을 드리우기는 하지만, 그 아래에서 물고기를 계속해서 양식할 수 있게 했다. 나는 그것이 토지 활용도를 두 배로 높이는 지혜로운 방식이라고 생각했지만, 데니스는 나와 상반된 반응을 보였다.

「정말 끔찍한 사태입니다.」 그가 말을 꺼냈다. 「그 방식은, 그래요. 물론 훌륭하고 현명하죠. 에너지 측면에서 보면 말이에요. 하지만 도요물떼새에게는 전혀 그렇지 않아요. 여기 담수 웅덩이들은 삑삑도요green sandpiper와 알락도요wood sandpiper, 목도리도요ruff, 메추라기도요sharp-tailed sandpiper, 흑꼬리도요 같은 많은 도요새가 이용합니다. 흑꼬리도요는 해안가 염전에서도 볼 수 있는데, 그런 해수 웅덩이들은 붉은가슴도요, 붉은갯도요가 이용합니다. 그런데 만일 만조 때 그런 웅덩이들, 특히 염전 같은 해수 웅덩이들이 물에 잠긴다면, 그 새들은 어떻게 해야 하나요? 그런 상황에서 그들이 먹이를 찾아 먹는 갯벌을 살리는 일 따위는 정말 문제도 되지 않을 겁니다.」

주병윤의 주된 연구 지역은 보하이만 북서쪽 끄트머리에 있는 한구(漢沽) 인근이었다. 그곳까지 가는 길은 모두를 기진맥진하게 만들었다. 우리는 교통 체증을 피하기 위해 복잡하게 얽혀 있는 혼잡한 유료 도로들을 일부러 우회해서, 밀밭과 주택단지, 그리고 한때 온통 갯벌이었던 염전 지대와 인접해서 촘촘하게 끝없이 이어진 상업지구들을 통과해야 했다. 도중에 다션탕(大神堂)Dashentang 마을을 지나갈 때는 5~6년 전 지방정부가 관광객 유치를 위한 도로 공사를 위해 철거 작업을 진행하다 예산 부족으로 공사가 중단되는 바람에 생겨난 잔해 더미들 사이를 차를 몰고 빠져나왔다. 이곳에서는 여기저기 산재해 있는 청록색 그물로 온통 뒤덮인 허물어진 건물의 돌무더기들 사이를 비집고 나오는 강인한 생명력의 잡초들 위로 폐기물과 벽돌을 얹어 누르고 있는 모습을 흔히 볼 수 있었다. 그것은 폭격으로 파괴된 교전 지역이나 심판의 날 이후 세상을 그린 영화 세트장의 모습과 다를 바 없어 보였다.

해안 도로를 달릴 때는 몇 미터 안 되는 간격을 두고 마구 달리고 있는 트럭들로 가득 찬 6차선 고속도로의 엄청난 소음 때문에 말을 하려면 고함을 질러야 했다. 그 위로 약 1.6킬로미터 떨어진 곳에 있는 거대한 화력발전소의 냉각탑들을 작동시키는 수십 대의 풍력 발전용 터빈들이 힘차게 돌아가고 있었다. 그리고 그 너머로 몇 킬로미터 떨어진 톈진의 교외 지역 상공에는 하늘과 맞닿은 스카이라인이 선명했다. 썰물과 밀물은 흑꼬리도요처럼 다리가 긴 도요물떼새들에게는 좋은 환경이 아니었다. 그래서 주병윤은 수많은 작은 염전 사이를 거슬러 내륙 쪽을 탐색했고, 우리는 마침내 바람이 부는 방향으로 해안선을 따라 모여 있는 새 무리들을 발견했다. 깃털을 손질하거나 잠을 자고 있는 새들도 많았지만, 대개는 해수면을 콕콕 찌르며 깨작이고 있었다. 주병윤은 〈갯파리*예요. 엄청나게 큰 무리죠〉라고 알려 주었다. 나는 염전 가장자리의 바닷물이 쌀알 크기의 작고 거무튀튀한 파리 떼와 함께 거칠게 일렁이는 것을 볼 수 있었다. 우리가 발걸음을 옮기자, 바람을 피해 우리 팔과 다리 뒤쪽에 달라붙어서 한가로이 윙윙거렸다. 갯파리는 일부 웅덩이에서 양식되고 있는 아주 작은 염수새우**와 함께 도요물떼새의 주요 먹이다. 여기서 도요물떼새의 종류는 갯벌에서와는 매우 달랐다. 붉은가슴도요는 보이지 않았지만, 흑꼬리도요, 꼬까도요, 청다리도요 common greenshank, 학도요spotted redshank, 쇠청다리도요marsh sandpiper 같은 종들이 눈에 띄었다. 청회색 다리로 물속을 헤치며 걷고 있던 뒷부리장다리물떼새pied avocet는 머리가 새까맣고 날개에 검정 사선이 그어져 있는 우아하고 사랑스러운 흰 새로, 부리는 점점 가늘어지다 끝이 바늘처럼 뾰족해졌는데, 전체적으로 모나리자의 미소처럼 부드럽게 구부러진 모양을 하고 있었다.

* brine fly. 해변이나 내륙의 작은 연못에 서식하는 파리목의 작은 곤충으로 〈shore fly〉라고도 한다.

** brine shrimp. 성체의 길이가 10~15밀리미터에 불과한 소형 갑각류 동물 플랑크톤으로, 치어들의 먹이로 양식되기도 한다.

그러나 데니스는 흑꼬리도요를 뚫어지게 바라보고 있었다. 학자들은 항상 동아시아-대양주 철새 이동 경로를 이용하는 흑꼬리도요를 유일한 범아시아 아종인 〈리모사 리모사 멜라누로이데스 *Limosa limosa melanuroides*〉로 분류했다. 그러나 나 같은 아마추어도 이 염전 한 곳에도 모양과 크기, 색채가 매우 다양하다는 것을 한눈에 알아볼 수 있었다. 그것은 부분적으로 성별이 다르기 때문에 그렇기도 한데, 암컷은 수컷보다 더 크고, 수컷은 색깔이 더 짙기 때문이다. 하지만 그것보다 대부분의 흑꼬리도요는 키도 크고 덩치도 큰데, 눈에 띄게 부리가 길고 깃털 색깔이 매우 연하다. 그때 데니스가 수컷 한 마리를 가리켰다. 그것은 다른 녀석들에 비해 크기가 3분의 2밖에 안 되었고, 색깔이 매우 짙었다. 머리와 가슴 부위가 짙은 밤색으로, 갯파리를 조심스레 집어먹는 모습을 보니, 부리가 다른 흑꼬리도요들보다 더 짧고 곧게 뻗어 있었다. 「저놈이 멜라누로이데스에 속하는 녀석이에요.」 데니스는 자신이 주목하고 있던 깃털 색깔이 짙고 왜소한 흑꼬리도요에 대해 말했다. 그런데 그 녀석보다 더 큰 다른 흑꼬리도요들이 이곳에 있는 것에 대해서는 주병윤과 데니스도 설명하지 못했다. 그들은 아마도 황해를 경유하여 우리가 모르는 특정한 월동과 번식 지역으로 향하는, 아직 학계에 보고되지 않은 흑꼬리도요의 아종 가운데 하나일 공산이 크다. 이것은 우리가 이 철새들의 복잡한 이동 경로들에 대해 얼마나 아는 것이 없는지를 보여 주는 또 다른 증거다. 예컨대, 크리스 하셀이 이끄는 조사팀이 오스트레일리아 북서부에서 식별표를 달아 준 흑꼬리도요들은 몸집이 작고 깃털이 밝은 색상이며 유전적 특성이 전형적인 멜라누로이데스였다. 그럼에도 불구하고 그들은 10년 동안 난푸 일대에서 관찰한 흑꼬리도요 가운데 자신들이 식별표를 달아 준 새를 발견한 적이 단 한 번도 없었다. 그 새들은 현재 별개의 다른 이동 경로를 이용하는 것으로 보인다. 이 또한 아직까지 확인하지 못한 수수께끼 가운데 하나다. 주병윤이 그들의 사례를 확인하기 위해 필요한 자료들을 수집하고 축적하려고 흑꼬리도요를 잡아 측정하고 표시하는 일은 지독히 힘든 일이었다. 그러나 그들이 추정하는 것이 사실이라면, 그것이 환경 보전과 관련해서 암시하는 내용은 매우 심각하다. 전문가들은 EAAF를 이용하는 흑꼬리도요의 개체 수가 약 16만 마리인데, 앞으로 더 감소할 것으로 추정한다. 황해 해안을 따라 이동하는 흑꼬리도요가 절반까지 줄어들 것으로 예상한다. 만일 그 새들이 실제로 복수의 특정한 집단을 형성하면서, 저마다 다른 경로를 통해 이동함으로써 그에 따른 특수한 환경적 위협과 위험에 처한다면, 그들은 모두 아무도 깨닫지 못하는 사이에 갑자기 멸종될 위기에 처할 수 있다.

우리가 흑꼬리도요의 분류 체계에 대해 이야기를 나누고 있을 때, 반들반들 광택이 나는 검정색 아우디 승용차 한 대가 염전 사이로 난 바퀴자국이 깊게 파인 도로를 덜컹거리며 달려오더니 우리에게서 멀지 않은 곳에 차를 세웠다. 차에서 폴로셔츠를 입고 색안경을 쓴 근육질의 건장한 젊은 남성이 내리고, 마찬가지로 잘 차려입은 젊은 여성이 따라 내렸다. 둘 다 이런 곳과는 전혀 어울리지 않는 모습이었다. 그녀가 승용차 근처에서 기다리는 동안, 그는 가두리 양식장의 울타리 한쪽을 이루고 있는 울퉁불퉁한 마른 진흙 바닥을 조심조심 걸어갔다. 양식장 안에서 새들이 후다닥 쏟아져 나오자 그는 해안 기슭에서 솟아나는 해수의 수량을 조절하는 장치에 달린 취수 밸브를 조정했다. 그가 주차된 곳으로 돌아가자, 그녀는 그와 함께 자세를 취하고 셀카를 두 장 찍었다. 그러고는 다시 차에 올라타서 우리를 지나쳐 지나갔다. 주병윤은 미소를 지으며 그들에게 손을 흔들었고, 선팅을 한 차창 안에서 그에 화답하며 손을 흔드는 모습을 확인할 수 있었다.

「저 친구는 양식장 주인의 부하들 가운데 한 명입니다. 그들은 오늘 늦게 이 양식장에 새우를 채울 예정이죠. 주인은 깡패입니다. 하지만 저는 그와 매우 잘 지냅니다.」 주병윤이 말했다.

「〈깡패〉라고 하는 게 정확하게 무엇을 의미하는 거죠?」 내가 물었다.

「말 그대로 〈깡패〉입니다. 사람을 죽이고 패는 깡패 말이에요. 해마다 이 새우 양식장의 주도권을 놓고 싸우다 사람들이 죽어 나갑니다. 양식장 돈벌이가 엄청나거든요. 그래서 누가 양식장을 차지하느냐를 두고 싸움이 많이 벌어집니다.」 주병윤이 대답했다. 「그러나 전 아까 그 사람을 좋아해요. 그는 새와 동물을 정말 좋아하거든요. 그는 새들을 쫓기 위해 많은 새우 양식장에서 하는 것처럼 폭죽을 쓰지 않아요. 그리고 그도 저를 좋아해요.」

「계속 그렇게 지내세요.」 데니스가 걱정스럽다는 듯 약간 눈을 휘둥그레 뜨고 말했다. 「우리는 당신이 깡패에게 얻어맞는 것을 바라지 않아요.」

다음 날 아침, 평소처럼 나는 난푸에서 동트기 전 서늘한 새벽바람을 너무 깊이 들이마시지 않으려고 애쓰면서 조사팀이 차를 몰고 와서 나를 태워 가기를 기다렸다. 대기 오염 때문에 하늘에는 온통 모래 색깔 같은 희뿌연 안개가 걷힐 줄 모르고 드리워져 있었다. 나는 중국에 도착한 뒤 얼마 안 돼서부터 목이 계속해서 아팠다. 새벽 4시 반, 거리는 날이 새면서 희미하게 밝아졌다. 일찌감치 출근하는 노동자들은 헬멧의 얼굴 가리개를 내리고 오토바이와 스쿠터를 타고 붕붕거리며 일터로 달렸다. 어떤 여성들은 도로에서 자동차가 내뿜는 매연으로부터 자신들의 작업복을 보호하기 위해서 섹시한 여성 바이커들처럼 팔목까지 오는 긴 장갑을 끼고 전신을 천으로 감쌌다. 지나가던 중국인들 가운데 적지 않은 사람들이 배낭을 메고 탐조용 망원경을 옆에 끼고 서 있는 덩치 큰 서양인을 호기심 어린 눈초리로 빤히 쳐다보며 갔다. 난푸는 관광 코스에 있는 도시가 아니다. 그들에게 미국인은 보기 드문 희귀한 존재인 것이다. 사실 그 지역에서 외국인을 받는 호텔은 내가 방문하는 동안 건물 개보수를 위해 문을 닫은 상태였다. 하지만 장정왕 교수가 인맥을 통해 힘을 썼다. 일주일 전에 그곳에 도착했을 때, 아무렇게나 널브러진 채 텅 비어 있는 그 숙박 시설의 유일한 손님이 나라는 것을 알았다. 숙박 첫날 아침, 나는 소리가 울리는 넓은 연회장에서 혼자 아침 식사를 제공받았다. 식탁용 거대한 원탁들은 대부분이 먼지막이 커버로 덮여 있었다. 그날 이후로 나는 일직 당번이 일어나기 전에 아침마다 일찌감치 방을 나와 빈집털이 도둑이 도망치는 것처럼 호텔 외벽을 넘어가서 밖으로 나갔다. 앞마당이 너무 넓어서 정문을 통해 거리로 나가는 길이 멀기도 하고 야간에는 호텔 문을 꽁꽁 닫아걸기 때문이었다.

빵빵 자동차 경적이 울리는 소리가 들렸다. 나는 국제 철새 이동 경로 네트워크 조사팀이 타고 온 소형 승합차의 한구석에 끼여 탔다. 캐서린이 돼지고기 만두 한 봉지를 내게 넘겼다. 손가락에 약간 질척질척 달라붙는 뜨끈뜨끈한 밀가루 반죽 덩어리였다. 차는 보하이만을 향해 남쪽으로 달렸다. 우리는 늦지 않게 도착하려고 서둘렀는데, 그곳을 찾아오는 방문객들이 있었기 때문이다. 우리가 방조제에 도착한 직후, 바다 수면 위로 주황빛 햇살이 낮게 번져 오르자, 한 무리의 차량들이 자갈길을 터덜거리며 내려오더니 그 안에서 스무 명 정도의 사람들이 쏟아져 나왔다. 장정왕 교수와 그의 문하에서 공부하는 대학원생들, 웬디와 행크 폴슨 부부와 폴슨 연구소 직원 몇 사람, 그리고 현재 베이징에 거주하면서 중국의 환경 보호 활동가들과 긴밀하게 협력해서 일하고 있는 영국인 탐조가이자 환경 전문 변호사인 테리 타운센드Terry Townsend가 그들이었다. 서로를 소개하고 악수를 나누며 인사하기를 마쳤을 때, 바닷물이 방조제로부터 빠져나가기 시작하면서 먼저 갯벌이 모습을 드러냈다. 애드리언이 우리 뒤를 가리키며 소리쳤다. 아침 햇살에 짙은 구릿빛으로 빛나는 붉은가슴도요떼와 창백한 하늘과 대비되어 더욱 검게 보이는 붉은어깨도요떼 등 수천 마리의 새들이 만조 때를 피해 휴식을 취하고 있던 곳에서 쏟아져 나와 염전으로 날아들었다. 그들이 먹이를 찾으러 미끄러지듯이 내려앉을 때는 방조제를 따라 일직선으로 서 있던 전신주들이 보이지 않을 정도로 엄청난 무리를 지으며 하강했다.

캐서린과 애드리언, 매트는 신중하게 어깨에 탐조용 망원경을 걸치고 해안선 쪽으로 천천히 달려갔다. 귀하신 몸들이 있든 말든, 그들은 해야 할 일이 있었다. 눈앞에서 펼쳐지는 철새 이동의 절정의 순간을 놓치지 않고, 다리에 가락지가 찬 새들을 가능한 한 모두 기록하는 그들의 작업은 대단히 중요한 일이었다. 하지만 장정왕 교수와 데니스는 폴슨 연구소가 해안 보전을 위해 벌이는 로비 활동에 대해서 폴슨 부부에게 감사의 인사를 표하면서 그들과 함께 있었다. 그 두 교수는 최근에 중국 정부가 갯벌 매립을 금지하는 포고령을 내리는 데 중요한 역할을 한 사람이 바로 폴슨 부부라고 생각하고 있었다. 남편보다 더 진지한 탐조가인 웬디는 바닷가 새들 가운데 가장 급속하게 숫자가 줄어들고 있는 것으로 넓적부리도요 같은 최근에 보기 힘든 희귀종의 새들을 들었다. 비행사들이 끼는 선글라스와 녹색 야구 모자를 쓴 키가 크고 호리호리한 행크는 데니스와 테리, 그리고 장정왕 교수와 함께 정부 정책과 관련해서 진지하게 토론을 이어 가고 있었다. 하지만 웬디는 간간이 계속해서 그를 망원경 쪽으로 잡아당겼다. 자신들이 보러 온 것이 새들임을 잊지 않도록 확인시켜 주면서 말이다. 그녀는 〈행크, 이것 좀 봐요. 청다리도요사촌이에요〉라고 말하며 그를 잠시 토론에서 빠져나오게 하려고 했다.

2016년, 국제 철새 이동 경로 네트워크와 장정왕 교수의 대학원생 조사팀이 수집한 10년 치 데이터를 가지고, 폴슨 연구소와 세계자연 기금은 허베이(河北)성 임업부와 란난(欒南)현 지방정부와 이 난푸 갯벌을 보호하기 위해 그곳을 자연 보호 구역으로 지정하는 5개년 계획을 협의했다. 그러나 제안된 보호 구역의 최근 지도를 살펴보고 그 주변의 바람에 휘날리는 황량한 경관과 비교한 결과, 폴슨 부부와 데니스, 장정왕은 모두 좌절감을 표시했다. 갯벌을 이루는 중요한 부분들이 해당 자연 보호 구역의 중심 밖에 있었고, 그곳의 염전 대부분이 전혀 보호 구역에 속하지 않는 것으로 되어 있었기 때문이다. 매순간 엄청 많은 새가 휴식을 취했다 날아가는 곳인데 말이다. 그 지역들은 지방정부의 통제 아래 있는데, 그곳에 산업단지를 위한 저수공간이나 어민들을 위한 가두리 양식장을 만들 수 없게 하는 것에 반대하는 것이 그동안 지방정부의 입장이었다. 행크는 중국 국가임업초원국(國家林業和草原局)National Forestry and Grassland Administration 국장과 만나기로 약속된 회의에서 주목할 만한 상황 진전이 일어날 수 있기를 바라고 있었다.

한동안, 황해의 도요물떼새와 관련해서 희소식은 실제로 일어난 일이기보다는 머릿속으로 상상했던 일이 더 많았다. 2017년 초, 중국 정부는 황해와 보하이만에 있는 14개 장소를 유네스코 세계문화유산에 등재시키기 위한 잠정 목록에 추가했다. 여기에는 난푸 인근 갯벌과 내가 앞으로 며칠 동안 넓적부리도요를 조사하게 될 장쑤성 해안의 일부 지역들이 포함되었다. 그것은 환경 보호 활동가들에게는 그동안의 노력이 허사가 아니었음을 알리는 하나의 강력한 상징이었다. 하지만 거기까지는 어떠한 강제력도 없다. 반면에, 어느 장소가 세계문화유산에 등재되면, 국제협약에 따라 해당되는 나라는 그곳에 대해서 매우 엄격한 보호 조치를 취해야 한다. 등재되기 이전의 중간 단계에서는 국가가 보호 조치를 취해야 할 아무런 의무가 없는 것이다. 하지만 어찌 됐든 그것이 앞으로 나아가기 위한 중요한 단계인 것은 분명했다. 내가 중국을 방문하기 몇 달 전에 중국 국가해양국(國家海洋局)State Oceanic Administration에서 황해 연안에서 거의 모든 간척지 개발을 금지하는 매우 충격적인 포고령을 내린 것은 매우 중대한 희소식이 아닐 수 없었다.

「열두 달 전만 해도 이 정도의 거대한 진전이 이루어지리라고는 상상조차 하기 힘들었어요.」 이 서늘한 봄날 아침에 방조제를 따라 허리 높이로 자란 풀밭에서 휙휙 지나치며 날고 있는 멧새류와 밭종다리류pipit, 검은딱새류를 포함하여 해안선을 따라 이동하고 있는 수많은 산새류의 모질고 힘든 비행을 지켜보며 바닷가 후미에 가만히 서 있을 때, 테리 타운센드가 내게 말했다. 「그러나 그러한 조치가 어떻게 진행되는지 눈을 크게 뜨고 지켜봐야 합니다. 중국 국가해양국의 포고령은 〈사업 관련〉 개발이라고 부르는 것을 금지하고, 지방정부 차원이 아닌 국가 차원에서 간척지 개발에 대한 의사결정을 내립니다. 따라서 그 규모는 엄청나다고 볼 수 있죠. 그동안 거의 모든 해안 간척지 개발은 대개 정식 허가 없이 지방 관료들의 승인 아래 추진된 상업용 프로젝트들이었어요. 옌청(塩城)에서는 일부 불법 간척지들이 원상태로 복구 중에 있지요. 그곳들은 제방으로 둘러싸여 침전물들이 쌓이지 않는 곳들입니다. 그래서 방조제를 열어서 조수가 들락날락하도록 하고 있어요.」 또 한편, 그 금지령은 〈국가 경제와 인민의 생계〉와 긴밀한 관련이 있는 사업들에 대해서는 예외 규정을 두고 있다. 그날 아침, 그것이 무엇을 의미하는지 정확하게 말할 수 있는 사람은 아무도 없었다. 몇 주 뒤, 그들은 난푸에서 주병윤의 흑꼬리도요 연구 지역인 한구로 가는 길에 그 의미를 알게 되었다. 일찌감치 개간된 간척지 위에 이미 건설 중인 제철소 다섯 곳이 들어서는 복합단지를 지원하기 위해 진행하고 있는 대규모 항만 확장 공사가 바로 그런 종류의 사업이라는 것을 말이다. 그 항만은 아마도 〈국가 경제와 인민의 생계〉를 위한 목적에 부응하기 때문에, 그나마 남아 있던 또 다른 약 54제곱킬로미터의 갯벌을 집어삼킬 것이다.

그럼에도 불구하고, 그날 아침 전해 들은 희소식은 금방 수만 마리로 불어난 도요물떼새들이 우리 방문객들을 맞아 장관을 연출하고 있는 멋진 모습과 함께, 그곳에 모인 모든 이를 매우 상쾌한 기분에 흠뻑 빠지게 했다. 철새가 이동하는 모습을 황해에서 지켜보는 것만으로도 하나의 작은 기적을 경험하는 느낌이었다.

난푸는 황해 연안에서 마땅히 엄격한 보호를 받아야 할 곳이지만 그보다 훨씬 못한 수준으로 관리되고 있는 매우 중요한 철새들의 중간 기착지들 가운데 한 곳에 불과하다. 사흘 뒤, 나는 남쪽으로 거의 약 800킬로미터 떨어진, 황해의 남쪽 끄트머리 양쯔강 어귀 바로 위에 있었다. 행크 폴슨이 중국 당국과의 회의를 위해 베이징에 남아 있는 동안, 웬디와 나는 넓적부리도요 전문가인 징리와 그녀의 동료 몇 명과 합류해서 티아오지니(条子泥) 갯벌을 방문했다. 그 갯벌은 종종 동아시아-대양주 철새 이동 경로 가운데 가장 중요한 지역 중 하나로 언급되는 곳으로, 장쑤성 해안을 따라 펼쳐진 대규모 갯벌 지대의 일부였다.

「이곳은 황해 연안에 현존하는 갯벌 가운데 가장 큰 규모의 갯벌입니다.」 징리는 우리와 함께 방조제 위의 가파르게 경사진 길을 조심스럽게 내려가면서 설명했다. 콘크리트 바닥에 내려앉아 쉬고 있던 갈색제비sand martin와 귀제비red-rumped swallow들이 사방으로 흩어졌다. 「썰물 때는 바다까지 일직선으로 20킬로미터까지 갯벌로 바뀌지요.」

나는 내가 말을 잘못 알아들은 것이 아닌가 의심했다. 「저기, 잠깐만요. 어디까지라고요?」

「네, 20킬로미터요.」 그녀가 대답했다. 사람들은 보통 그 정도로 방대한 갯벌이라면 수많은 도요물떼새가 머물 수 있는 충분한 공간과 먹이를 제공하고도 남을 것이라고 생각할 수 있겠지만, 모든 뻘밭의 환경이 동일한 것은 아니라고 징리가 설명했다. 육지에서와 마찬가지로, 해양 자원도 모든 곳에 균등하게 분포되어 있지는 않다. 따라서 그 갯벌 지대도 굶주린 새들에게 필요한 먹이를 제공하지 못하는 곳이 많을 수 있다. 또한 갯벌의 환경 조건도 계절에 따라 바뀐다. 봄철에 비옥했던 지대가 가을철에는 덜 비옥할 수 있고, 그 반대도 마찬가지다. 서로 종이 다른 도요물떼새들은 서로 다른 먹이를 먹고, 서로 다른 서식지에서 서로 다른 방식으로 먹이를 구한다. 긴 다리에 부리가 거의 10센티미터에 가까운 흑꼬리도요는 다소 깊은 물속으로 걸어 들어가 수면 꽤 아래까지 닿을 수 있어서 촉각을 이용해 연체동물과 벌레들의 위치를 찾을 수 있다. 반면에 다리가 짤막하고 아주 작은 부리를 가진 좀도요는 썰물로 물이 빠져나간 갯벌 표면에서 서둘러 구멍을 뚫고 채 숨지 못한 먹잇감들을 눈으로 찾아내 잡아먹어야 한다. 붉은가슴도요는 몇 년 전 데니스와 그의 동료들이 발견했듯이, 지금까지 알려진 바로, 그 어느 동물보다도 독특한 육감을 이용해서 수면 아래 꽤 깊은 곳에 있는 조개들을 찾아낸다. 붉은가슴도요의 재빠른 부리 놀림은 모래 알갱이 사이로 수중에 압축파compression wave를 발생시킨다. 그것이 연체동물의 단단한 껍데기에 부딪혀 〈공명〉을 일으키면, 붉은가슴도요의 부리 끝에 조밀하게 밀집된 감각기관들이 종합적으로 그 울림을 감지해 낸다. 따라서 갯벌에서 도요물떼새는 종마다 자기에게 맞는 자리가 따로 있다. 날이 밝아 오면 우리는 학자들이 이 현상을 일컬어 부르는 이른바 〈자원 분할〉의 현장을 목격하게 될 것이다. 해안에서 약 1~2킬로미터 안팎의 구역, 즉 우리가 걸어서 도달할 수 있는 거리 안에는 좀도요 같은 작은 도요물떼새들로 붐비는 반면에,

난푸에서 단연 우세를 보였던 붉은가슴도요와 흑꼬리도요 같은 몸집이 더 큰 종들은 간간이 눈에 띄거나 날아다니는 모습만 볼 수 있을 뿐이었다. 티아오지니 갯벌에서 그들은 해안에서 훨씬 더 멀리 수 킬로미터 떨어진 곳에서 먹이를 찾아 먹는다. 강어귀의 환경이 그들의 먹잇감들이 서식하기 좋기 때문이다.

방 크기만 한 마름모꼴의, 학명이 〈스파르티나 알테르니플로라 *Spartina alterniflora*〉인 갯쥐꼬리풀* 군락이 해안 가까이에 수십 군데나 있었다. 북아메리카 갯벌 식물로 중국 당국이 자연 갯벌을 〈안정화〉하기 위해 이식한 것이다. 지금도 여전히 일부 갯벌에 이식 중인데, 오히려 황해 연안에서 커다란 골칫거리가 되었다. 메릴랜드나 조지아 같은 곳에서는 비옥하고 생물 다양성이 풍부한 염습지의 토대를 형성하는 데 갯쥐꼬리풀이 기여했지만, 중국의 여기서는 무익한 단일 재배로 이식한 탓에 자연 갯벌이 거꾸로 황폐화됨으로써 갯벌에 서식하는 다른 생명체들의 생존을 크게 위협하는 상황에 이르렀다. 폴슨 연구소는 중국인들이 아직 가능성이 있는 티아오지니와 난푸 같은 곳에서 갯쥐꼬리풀을 제거하는 조치를 취하는 것을 지지하는 활동을 해왔는데, 현재 중국 정부의 과학자들에게 미국 서해안 지역에서 마찬가지로 심각하게 급속히 퍼지고 있는 스파르티나의 침습에 맞서 악전고투하고 있는 미국인들을 연결시켜 주는 일을 하고 있다.

근처에서 고음의 호루라기 소리가 길게 이어지다 잦아지기를 반복했다. 첸텐지Chen Tengyi라는 갈색 위장복을 입은 다부진 체격의 한 청년이 목걸이처럼 매단 작은 대나무 호루라기들 가운데 하나를 불고 있었다. 그의 두 눈은 막 도착하고 있는 한 무리의 좀도요들에게 고정되어 있었다. 그가 다시 호루라기를 불자 그들은 곧바로 비

* smooth cordgrass. 갯줄풀, 갯끈풀이라고도 부른다.

행 경로를 바꾸더니 우리 쪽으로 쏜살같이 돌진하며 지나쳤다. 텡텡*은 이 해안 바로 아래쪽에 있는 충밍도(崇明島)Chongming Island에서 태어나고 자랐는데, 지역의 사냥꾼들이 도요물떼새 무리를 새그물로 유인해서 잡기 위해 도요물떼새 울음소리를 흉내 내는 수제 호루라기 사용법을 익힌 것으로 알려져 있었다. 환경 보호 활동에도 열정적으로 참여하는 사진작가 텡텡은 그런 전통 기술을 이용해서 이곳에 모이는 수만 마리의 철새들을 보기 위해 오는 조류학자들 같은 방문객들이 새들을 잘 관찰할 수 있도록 돕는다. 이제 그가 굴러가듯 빠르게 떨리는 짧은 고음으로 호루라기 소리를 바꾸자, 훨씬 더 많은 새가 중국의 전통 리본 춤을 추듯 이리저리 갈라졌다 둥글게 말았다 하면서 부드럽게 휩쓸고 지나갔다. 그렇게 무리 지어 날아다니는 새들의 모습은 마치 보이지 않는 막대기의 끝에서 빙빙 돌며 흘러가는 개울 같았다.

엄청나게 많은 좀도요 사이로 메추라기도요, 송곳부리도요broad-billed sandpiper, 민물도요, 기이하게 부리가 위로 올라간 소수의 뒷부리도요, 그리고 왕눈물떼새lesser sand plover 같은 작은 도요물떼새들이 다양하게 뒤섞여 있었다. 도요물떼새들은 갯벌에서 볼 수 있는 단연코 가장 맵시 있는 새들이었다. 몸길이가 약 15센티미터로 작고 정수리는 짙은 황갈색이며 등으로 가면서 점점 옅은 갈색으로 바뀐다. 눈 주변은 검정색 가면으로 두른 것 같고 흰색 목덜미를 돌아가며 아주 가느다란 검은 선이 그어져 있는데, 이마에는 자동차 전조등 같은 흰 반점이 두 개 있다. 거기서 내가 본 그나마 큰 유일한 도요물떼새는 노랑발도요gray-tailed tattler 몇 마리였다. 그들은 동아시아-대양주 철새 이동 경로에서만 볼 수 있는데, 빠르게 개체 수가 감소하고 있는 종이다. 조수가 들락거리는 하천의 물이

* Tengteng. 첸텐지의 별칭.

만나는 갯골에 바짝 붙어 가끔씩 부유물이 많아 혼탁한 바닷물에서 먹이를 낚아채고 있었다. 바닷물이 빠져나가며 생긴 잔물결 자국의 갯벌 바닥에는 눈길이 가는 곳마다 도요물떼새들이 남긴 연약한 발자국과 서로 엇갈리고 갈라져 나간 매우 가는 줄들이 수놓아져 있었고, 그들이 먹잇감을 찾는 간절한 마음으로 끝없이 반복해서 갯벌 표면에 뚫어 놓은 작은 구멍 흔적들이 나타났다. 난푸에서 도요물떼새들은 대부분 작은 조개류들을 잡아먹었다. 징리는 여기서 그 새들이 대부분 갯지렁이나 속이 다 들여다보이는 아주 작은 게들을 먹고 있다고 생각하지만 그것에 대해 확신하는 사람은 아무도 없다고 말했다.

우리는 해안에서 약 800미터쯤 떨어진 곳에서 모세혈관처럼 뻗어 나간 갯골들 사이를 누비고 나아갔다. 버려진 커다란 폐선 한 척의 선체 대부분이 갯벌 진창에 처박힌 채, 썰물이 빠져나간 텅 빈 바다로 뱃머리를 돌리고 누워 있었다. 해안가로 조심스럽게 더 멀리 나아갈수록, 갯벌 바닥이 점점 더 연해지고 질척해졌기 때문에 발을 디딜 때마다 진창에 빠지지 않도록 더 조심해야 했다. 나는 두 번이나 장화를 진창에 빠뜨릴 뻔했다. 그럼에도 우리는 징리의 친구인 동밍리Dongming Li의 뒤를 따라가고 있었다. 그는 이 갯벌에 자주 와서 현지의 새 사진을 열심히 찍는 사진작가였기에 이곳 갯벌 지형을 잘 알고 있었다. 하지만 그도 얼마 안 가서 갯벌 바닥의 파인 큰 구멍에 허리까지 빠지고 말았는데, 다행히도 그의 카메라는 진창에 떨어지지 않아 무사했다. 그는 결국 양말만 신은 채로 거기서 빠져나왔는데, 장화는 한참 뒤에야 꺼낼 수 있었다.

「여기 어디쯤에 넓적부리도요가 틀림없이 있을 거예요.」 웬디가 등을 구부리고 망원경을 들여다보며 중얼거렸다. 우리는 주변을 온통 둘러싼 도요물떼새 무리들을 꼼꼼하게 두루 살펴보았다. 티아오지니는 황해 연안에서 넓적부리도요를 발견할 수 있는 최적의 장소

가운데 한 곳이다. 징리와 그녀의 조사팀은 가을이 한창일 때 여기서 그 멸종 위기에 처한 철새를 100마리 가까이 발견했다. 지구상에 존재하는 총 개체 수의 4분의 1에 해당하는 수였다. 이런 상황을 감안할 때, 이곳 갯벌의 보호가 시급하다는 주장은 당연하다 할 것이다. 티아오지니 습지의 상당 부분은 이미 간척지 개발로 그 기능을 상실했지만, 이 해안 지역은 그나마 자연 보호 구역으로 지정된 상태였다. 하지만 나중에 지방정부의 관리들은 그 장소를 사용하는 새들이 없다는 전혀 터무니없는 주장을 하면서 외따로 떨어진 한 섬을 제외하고 남은 갯벌들을 모두 그 보호 구역에서 빼버렸다. 「그 관리들은 8월에 자체 조사를 실시했는데, 조수 간만을 참작하지 않았어요. 그리고 그들의 일부 보고서는 철새들이 여기에 없는 때인 겨울철 기록을 담았죠. 그들은 현장을 가지 않고 사무실에 앉아서 작업을 한 거예요.」 그녀는 명백한 혐오감을 표시했다. 「그들은 내게 우선순위(살려야 할 것)를 대라고 요구했어요. 그래서 거기 있는 모든 것이 다 중요하다고 했죠. 왜냐하면 현재 남아 있는 구역 안에 이미 새들이 빽빽이 들어차 있기 때문에, 더 이상 갯벌이 줄어들면 그들에게 압박이 가중될 것이라고 말이죠. 장쑤성 해안 전체가 자연 보호 구역이 되어야 해요.」

그 해안을 살리는 일은 새들뿐 아니라 인간들을 위한 일이다. 아시아에 자연 갯벌이 남아 있는 거의 모든 곳에서 도요물떼새는 그 갯벌을 인간과 공유한다. 중국에서만 수백만 명의 사람들이 갯벌에서 게나 조개를 잡아 생계를 유지하고 있으며, 치어들을 먼 바다로 내보내기 위해 보살피며 키우는 장소로서 갯벌을 중요하게 생각하고 있다. 티아오지니에 현존하는 갯벌들은 한때 간척지 후보지였는데, 통제 권한이 지방정부로 이양된 뒤, 현지 마을의 어민들이 봄마다 대합조개의 종자를 갯벌에 뿌린다. (그들 가운데 한 사람이 자기가 조개 종자를 뿌려 놓은 구역 근처에 갑자기 우리가 나타나 걸어

다니는 모습을 보고 마뜩잖게 생각했다. 그러다가 그는 화가 난 나머지 호통을 치며 우리 쪽으로 달려오더니 작대기를 휘둘렀다. 동밍리가 그를 붙잡고 사정을 설명할 때까지 그런 풍경이 지속되었다.) 인간의 그러한 갯벌 활용이 북반구에 있는 철새들의 중간 기착지로서 갯벌의 역할과 완전히 상반되는 모습은 아니다. 비록 황해 연안에서 상업적인 조개 양식이 조개류의 다양성을 저하시키기는 했지만, 〈간척지〉 개발 사업을 벌이는 것보다는 훨씬 더 좋은 일이 아닐 수 없다. 티아오지니는 자연 보호 구역에서 제외되었을지도 모르지만, 중국의 유네스코 세계문화유산에 등재될 예정인 14개 장소 가운데 한 곳이었다. 예정대로 그렇게 된다면, 그곳은 새들뿐 아니라 조개잡이 어민들을 위한 구역으로 안전하게 보호될 것이다.

넓적부리도요에게 티아오지니처럼 생존에 결정적인 역할을 하는 장소는 어디에도 없다. 그렇게 많은 수의 넓적부리도요가 몇 주 또는 몇 달 동안 계속해서 함께 모여 지내는 곳은 지금까지 알려진 바로는 그곳 말고 그 어디에도 없기 때문이다. 10년 전까지만 해도, 넓적부리도요는 세상에서 사라질 것처럼 보였지만, 엄청난 노력 끝에 멸종 위기에 있던 넓적부리도요를 간신히 되살려 냈다. 그것은 이 작고 특이한 새가 풍기는 독특한 매력이 사람들 마음속에 열정과 사랑을 불러일으켜서 그런 기적 같은 일이 일어나게 되었다고 말하는 편이 오히려 맞을 것이다. 전반적으로 남아시아 지역에서의 강력한 법적 보호 조치의 증가는 넓적부리도요의 비번식지에서 불법적인 밀렵의 위험을 줄였다. 예컨대, 방글라데시 소나디아섬 Sonadia Island에서는 밀렵을 감시하는 순찰대 활동을 늘리는 노력뿐 아니라, 환경 보호 활동가들이 과거 사냥꾼이었던 사람들에게 소액 대출을 제공하여 그들이 어업이나 소매업 같은 다른 직종으로 전환할 수 있도록 도와주었다. 그 결과 모든 종류의 도요물떼새 사냥을 완전히 중단시키는 성과를 거두었다. 2017년, 전 세계에 현존

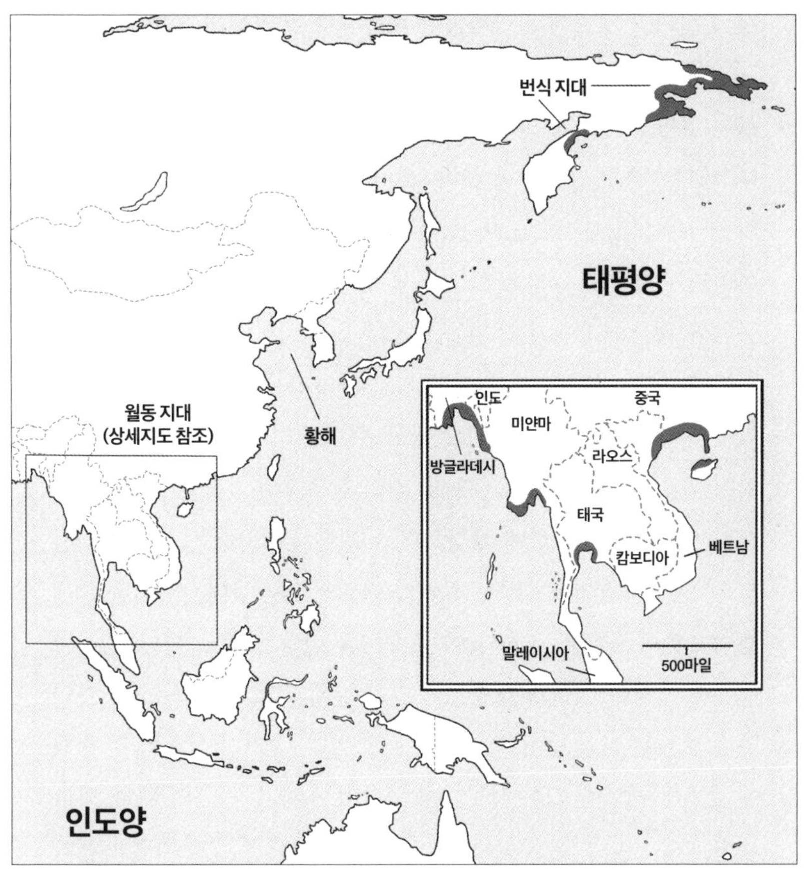

멸종 위험이 아주 높은 넓적부리도요의 월동 지역 일부가 남아시아에서 발견된 것은 아주 최근의 일이다. 철새 이동 관련 조사들은 아직까지 발견되지 않은 다른 중요한 월동 지역들이 여전히 남아 있음을 보여 준다.

하는 넓적부리도요의 절반 정도가 비번식기를 보내는 미얀마의 모타마만Gulf of Mottama 일대는 람사르Ramsar 습지 보전지로 선포되었고, 나머지 지역도 그와 유사한 방식으로 지정될 예정이다. 넓적부리도요 대부분이 둥지를 트는 러시아의 추코트카 자치구 당국은 새로운 〈넓적부리도요의 땅〉 자연공원에 해안 동토대를 약 320킬로미터 가까이 따로 확보해 둘 것이라고 발표했다. 몸무게가 28그램 정도밖에 안 되는 이 새에 충분히 부착할 수 있는 작고 가벼운 위성 송신기의 개발은 과학자들이 처음으로 여러 나라의 넓적부리도요 프로젝트팀과 함께 공동으로 그 새들의 이동 경로들을 더 멀리까지 조명하고 아직 밝혀지지 않은 그들의 방문지들을 찾아내면서 추적하는 것을 가능하게 했다. 해마다 기존에 알려진 월동지에서 합산되는 넓적부리도요의 수는 추정치의 절반에 불과한데, 이것은 아마도 보호받고 있지 못할 가능성이 큰, 우리가 모르는 또 다른 월동지와 중간 기착지가 더 있을 수 있음을 암시한다.

동아시아-대양주 철새 이동 경로를 따라서 넓적부리도요의 다리에 색깔 있는 깃발가락지를 달아 주고 여러 곳에서 반복해서 관찰이 이루어지는 덕분에, 오늘날 징리 같은 전문가들은 넓적부리도요의 총 개체 수가 한때 생각하던 80쌍에서 120쌍 사이보다 약간 더 많은, 220쌍에서 340쌍 사이가 아닐까 생각한다. 더 나은 통계 방법으로 추출하여 실제 늘어난 숫자를 반영한 것은 아니지만, 그럼에도 불구하고 현재 상황은 우리가 한때 믿었던 넓적부리도요의 멸종 위기는 약간 벗어난 것으로 보고 있다. 그러나 여전히 전 세계에 수백 마리밖에 없는 상황에서 파멸적 개체 수 감소의 위험, 말하자면, 태풍이나 기름 유출 등에 의한 감소 위험은 결코 가볍게 생각할 수 없는 문제다. 그런 이유 때문에, 넓적부리도요 프로젝트팀과 그 협력자들은 영국에 넓적부리도요 일부를 사로잡아 인공 사육을 시도했다. 성공보다는 실패가 더 많았지만, 2019년 마침내 새끼 두 마리가 둥지를 떠나 날아갔다. 또 한편, 추코트카의 프로젝트팀 생물학자들은 〈갓 태어난 새끼〉 넓적부리도요에 대한 혁신적인 조치를 취했다. 매년 여름마다 잡아먹히거나 악천후로 죽을 위험이 큰 야생의 둥지들에서 30개의 넓적부리도요 알을 꺼내서, 대형 야외 새장에서 날 수 있을 때까지 키운 뒤, 늦여름에 그들을 야생의 넓적부리도요 무리에 합류할 수 있도록 방생하여 무리를 따라 모두 이동하게 했다. (도요물떼새는 알을 깨고 나오자마자 바로 달리고 스스로 먹이를 먹을 수 있기 때문에, 이런 방식은 아주 잘 통한다. 또한 알을 빼앗긴 새들은 또 다른 알을 낳기 때문에 해마다 새끼 새의 총수는 늘어난다.) 이 기법은 빠르게 큰 성공을 안겨 주었다. 단 몇 년 사이에 140마리 이상의 넓적부리도요 새끼 새들이 태어났고, 그들 가운데 일부는 이후 다시 돌아와서 새끼를 낳아 길렀다.

우리는 티아오지니를 온통 다 뒤지고 다녔지만, 넓적부리도요를 한 마리도 발견하지 못했다. 다음 날 예정된 티아오지니 아래쪽을 따라 펼쳐진 둥링 해안의 〈철판처럼 바닥이 단단한〉 잿빛 갯벌이 내게는 넓적부리도요를 볼 수 있는 마지막 기회였다. 거기서 우리는 징리의 동료 장린과 합류했는데, 그는 중국에서 가장 유명한 철새 안내인 가운데 한 명이자 넓적부리도요에게 루둥(如東)Rudong이 얼마나 중요한지를 세상에 처음으로 알린 사람이었다. 티아오지니의 평온하고 고적한 분위기와 달리, 북적거리는 조개 양식장이 있는 둥링은 수레를 거칠게 밀고 다니는 수백 명의 일꾼들이 분주하게 움직이는 벌집 같았다. 거대한 갯벌 자리는 최근 몇 년 동안 간척지로 꾸준히 매립되어 왔다. 우리는 8000제곱미터 크기의 양식장들이 천편일률적으로 펼쳐진 지대를 지나서 11킬로미터 넘게 차를 몰고 통과했다. 「이곳은 과거에 도요물떼새들이 가장 좋아하던 보금자리였어요.」 징리가 2012년에 같은 장소에서 찍은 사진 한 장을 내게 보여 주며 슬프게 말했다. 수천 마리의 새들이 넓게 트인 천해에서 조용하게 쉬고 있는 모습이었다. 제방에 가까워지자 태양 전지판을 지붕처럼 덮고 있는 양어장들이 모습을 드러냈다. 앞서 데니스가 우려했던 바로 그 〈끔찍한 사태〉였다. 그것은 이 구석진 곳에 있는 서식지조차 만조를 피해 새들이 쉴 수 있는 장소로서 쓸 수 없게 만들고 있기 때문이다. (중국 정부가 더 이상 나의 구글어스 접속을 차단하지 않았기 때문에, 집에 왔을 때, 나는 위성사진으로 그 양식장 일대의 넓이를 측량할 수 있었다. 사진 속 양어장들은 현미경 속의 촘촘히 붙어 있는 세포들처럼 보였다. 48제곱킬로미터가 넘는 면적이 수천 개의 가두리 양식장들로 분할되어 있었다. 징리의 말에 따르면, 4제곱킬로미터 규모의 저수지가 따로 있는데, 수상 스포츠 용도로 사용될 거라고 했다.)

둥링에 남아 있는 갯벌은 엄밀히 말하면, 조개 양식을 위해 지역민들에 의해 자체적으로 자연 보호 구역으로서 보호되고 있다. 현지의 마을이 관리하는 업체 한 곳이 그곳을 운영하고 있다. 썰물이 빠져나가기 시작하자, 골프공만 한 씨조개가 가득한 툭 불거져 나온 그물망을 높이 쌓아 올린 커다란 화차를 끄는 트랙터들이 앞바다의 조개 양식장을 향해 갔다. 우리는 조개만 실어 나르기 위해 실용적으로 어설프게 용접된 빈 화차들 가운데 하나의 뒷자리에 올라타서 양옆으로 길게 놓인 딱딱한 의자에 힘들게 끼어 앉았다. 트랙터는 털털거리며 시동이 걸리더니 제방 아래로 요동치며 내려갔다. 마침내 평지에 닿자 트랙터는 바닥에 파인 깊은 수렁들을 미끄러지듯 통과해야 했다. 가는 내내 우리는 철제 의자에 고통스럽게 엉덩방아를 찧어 가며 온몸이 위아래로 요동을 치고 좌우로 돌아가는 한바탕 소동을 치렀다. 제방에 인접한 십여 제곱킬로미터의 땅에는 갯쥐꼬리풀이 빽빽이 들어차 군락을 이루었다. 이런 상황은 새와 사람에게 모두 큰 손실이었는데, 그렇게 무성한 군락 형성은 조개도 생존할 수 없게 만들기 때문이다.

흰색 골판지로 된 선적화물 상자에 내 정강이를 세게 부딪혔다. 그것을 옆으로 치우다가 표면에 매사추세츠의 한 해산물 회사의 이름과 로고가 선명하게 새겨져 있는 것을 보았다. 여기서 생산된 조개를 수입해 가는 업체였다. 장린은 그 상자를 발로 툭 차며 못마땅하다는 듯이 바라보았다. 「해안을 따라 위로 올라가면 대규모 화학 공장들이 모여 있는데, 여기서 30킬로미터밖에 떨어져 있지 않아요. 그 공장들은 모두 황해 바다에 오염물질을 쏟아냅니다. 하지만 여기 사람들은 전혀 개의치 않아요. 그들은 여기 조개들을 먹지 않을 겁니다. 하지만 미국 사람들은 먹어도 된다고 생각하는 거죠.」

제방에서 1~2킬로미터도 채 떨어지지 않은 지점에 마침내 트랙터가 천천히 멈춰 섰다. 우리는 자리에서 일어나 탐조용 망원경 삼각대를 풀고 흔들거리는 금속사다리를 조심스레 기어 내려왔다. 조개 담는 그물망 더미 위에 걸터앉은 헐렁한 비옷과 고무장화를 신은 일꾼들을 태운 트랙터들이 우리 앞을 지나갔다. 조개 양식장을 표시한 플라스틱 깃발이 달린 나무 말뚝들이 줄지어 서 있는 곳으로 향했다. 우리 등 뒤로 내륙 쪽에는 바다에서 불어오는 미풍에 천천히 돌아가는 높이 솟은 풍력발전용 터빈들이 늘어서 있었다. 그러나 반대로 바다 쪽을 바라보면, 하늘과 갯벌을 가르는 선명한 잿빛 수평선과 그런 흑백 화면 같은 빈 하늘을 배경으로 수만 마리의 새들이 가로질러 날아오르는 장관 말고는 아무것도 없었다. 징리와 웬디는 내게 넓적부리도요를 보여 주려고 온 신경을 곤두세웠다. 그사이에 장린은 자그마한 접이식 의자를 펴고 앉아서 휴대용 수동 계수기로 눈에 보이는 새들을 하나하나 세기 시작했다. 내가 그에게 말을 걸려고 했을 때, 그의 표정은 무뚝뚝하고 매우 시무룩해 보였다. 무슨 이유가 있나 보다 하고 생각했다. 그와 징리는 2006년 중국에 〈넓적부리도요〉라는 비정부단체를 결성하고, 특히 루둥 해안이 넓적부리도요를 비롯해서 많은 도요물떼새에게 왜 중요한지를 보여 주면서 큰 발걸음을 내디뎠다. 그러나 지금까지는 실망스럽게도 별다른 진전을 보지 못했다. 그들이 할 수 있는 것은 기껏해야 자신들이 구하고자 했던 것이 이미 얼마나 많이 사라졌는지 주변을 돌아보고, 그들에게 가해지는 날것 그대로의 무자비한 자본의 압박을 직접 몸으로 절감하는 것일 뿐이다. 루둥 해안이 유네스코 잠정 목록에 올랐다거나 중국 정부가 황해의 많은 지역에서 간척지 개발의 중단을 약속하는 포고령을 발표했다는 희소식이 들려올 때도, 그들은 회의적인 태도를 취하게 되었다. 그러나 내가 알고 싶은 것은 장린이 왜 그렇게 표정이 좋지 않은가가 아니라, 징리는 그런 상황에서도 도대체 어떻게 그렇게 계속 쾌활한 성격을 유지하는가 하는 것이었다. 하지만 그녀도 황해를 파괴하고 있었던 엄청난 물리력 앞에서는 중압감을 느끼지 않을 수 없었다.

「두 달에 한 번 꼴로 내가 이 일을 계속해야 하나 하고 자문해 봐요.」 징리는 지금의 상황을 인정했다. 「진전된 성과가 나오지 않으면, 매우 우울합니다. 하지만 늘 기운을 북돋우는 해법들이 나오죠. 그리고 무엇보다 새들이 여전히 여기에 있어요. 그러나 힘든 상황입니다.」

우리는 몇 시간 동안 둥링 갯벌을 샅샅이 뒤졌다. 그리고 우리 주변을 쉴 새 없이 움직이는 엄청나게 많은 도요물떼새 무리들에 열중했다. 그러나 건초 속의 바늘 같은 것은 찾아볼 수 없었다. 결국 그들을 더 이상 하나하나 눈으로 확인하기 어려울 정도로 해안에서 멀리 떨어진 썰물 지점에 눈길이 닿고서야 비로소 나는 무엇보다 더 내가 찾고 싶었던 새를 보지 못한 채 중국을 떠날 것임을 깨달았다. 그러나 그것은 어쩌면 당연한 일이었는지도 모른다. 넓적부리도요가 (실제로는 이 이동 경로를 통과하는 모든 철새가) 지금도 여전히 과거 멸종 위기의 흔적과 막 싹트기 시작한 희망 사이에 매달려 아슬아슬하게 존재하는 긴박한 상황을 이보다 더 잘 보여 주는 광경이 있을까?

그 전날, 우리는 루둥시 외곽에 머물렀는데, 수년 전에 바다를 매립하여 형성된 그곳에는 밀밭과 습지들을 밀어내면서 두꺼운 벽을 쌓고 있는, 중국 어디서나 볼 수 있는 건설용 기중기들과 아파트 건물들이 즐비했다. 장린은 밀렵꾼들이 주변에 있는지 알고 싶어 했다. 여기서는 대개 현지 주민들 가운데 일부가 식용으로 팔기 위해 밭종다리류와 멧새류를 잡는다. 우리는 오히려 거기서 요란하고 거칠게 울음소리를 내며 날고 있는 민댕기물떼새gray-headed lapwing 들을 발견했다. 그들은 우리가 자기네 둥지 근처에 나타난 것에 항의하는 표시로 짜증스럽다는 듯이 우리 주위를 빙빙 돌고 있었다. 게다가 나이가 열에서 열한 살쯤 되어 보이는 초등학생 수십 명이 조류 관찰 현장 학습을 위해 교장선생님의 인솔 아래 그곳에 함께 와 있었다. 남학생들은 남색 콤비 상의에 넥타이를 맸고, 여학생들은 같은 상의에 빨강과 검정 체크무늬 치마를 받쳐 입었다. 목에는 모두 쌍안경을 메고 있었다. 아이들 가운데 몇몇은 근처에 있는 미국인 한 쌍에 눈이 팔려 새 관찰에 무심했지만, 대다수 아이들은 소란스럽게 재잘대는 민댕기물떼새, 우리가 망원경으로 봤을 때 그들을 위해 포즈를 취해 주는 듯했던 협동심이 강한 긴꼬리때까치long-tailed shrike, 그리고 작은 매만큼 커다란 제비처럼 보이는 제비물떼새Oriental pratincole들을 관찰하기에 여념이 없어 보였다. 다음 날 우리는 전날 현장 학습에 왔던 아이들을 포함해서 전 학년 학생들이 야외 운동장에서 약 15미터 길이의 흰 두루마리 아마포에 매우 창의적으로 다채로운 넓적부리도요를 그리는 행사를 보기 위해 그들의 학교를 방문했다. 실내에서는 판화반 학생들이 자체 도안한 넓적부리도요를 새겨 넣은 목판을 깎고 있었다. 이 행사는 징리와 장린이 이끄는 비정부단체가 넓적부리도요 보호를 위해 지역사회에서 함께 지혜를 모아 진행하고 있는 캠페인의 일부로서 지역 주민의 긍지와 자부심을 높이려는 의도도 숨어 있었다.

그것은 이 작은 새 한 마리가 일으킨 대중적 이목과 국가적 관심의 잔물결이 어떻게 단지 수년 전에 모든 사람이 예상했던 것보다 훨씬 더 큰 파급 효과를, 어쩌면 때맞춰 결정적 변화를 초래했을지 모를 영향력을 가져왔는지 깨닫게 하면서, 넓적부리도요를 보호하기 위해 열심히 활동하는 과학자들 가운데 일부가 제기한 질문을 새삼 머리에 떠오르게 했다. 〈넓적부리도요는 환경 보호 운동을 벌이는 비정부단체, 과학기구, 공익연구단체, 재단법인……, 그리고 전 세계 곳곳에서 열정적으로 환경 보호 활동을 하고 있는 자원봉사자들이 공동의 목적으로 조화롭게 협력할 수 있도록 그들을 하나로 묶는 동식물 종 가운데 가장 훌륭한 사례 중 하나다〉[3]라고 그들은 주장했다. 〈한 종의 철새가 과연 철새 이동 경로 전체를 구할 수 있을까? 아직 알 수는 없지만, 머지않아 곧 그 결과를 알게 될 것이다.〉

그러나 아주 최근에 황해를 통과하는 철새 이동 경로가 앞으로 사라질 것이라고 결론을 내리는 것 같았던 사람들조차 그들에게 익숙하지 않은 새로운 감정을 받아들이기 시작하고 있다. 그것은 바로 희망이다. 중국 국가임업초원국의 국장은 난푸 갯벌에서 아침에 우리와 함께 만난 직후 행크 폴슨과 회의를 마치고 나서, 그 갯벌을 중국 정부의 보호 대상 중 하나인 습지 공원으로 지정하는 데 지방정부와 합의했다. 그리고 2019년 7월, 유네스코는 황해 연안을 1차로 세계문화유산으로 지정했다. 따라서 중국은 해안의 철새 서식지 18만 8000헥타르(1880제곱킬로미터) 이상을 도요물떼새 보호 구역으로 묶는 조약에 가입하게 된다. 나중에 중국은 그 과정에서 매우 중요하지만 취약한 상태에 있던 티아오지니 갯벌도 그 지명 대상 목록에 추가했다. 둥링과 난푸 갯벌 인근의 조개류 양식장 구역을 포함해 2600제곱킬로미터가 넘는 또 다른 중요한 황해 연안 지역은 당시 유네스코로부터 세계문화유산 지정의 2단계 심사를 밟고 있는 중이었다.

난푸에서 얼마 남지 않은 나날을 보내던 중 어느 하루, 나는 데니스 피어스마와 함께 방조제 길을 따라 걸었다. 하늘 높이 떠 있는 새털구름 사이로 햇살이 비치고 바다에서 불어오는 바람이 연무를 걷어 내는 시원한 날씨였다. 데니스는 바위들 사이에 자리를 잡고 그의 탐조용 망원경을 조작하면서 잠시 유심히 살펴보더니 자신이 본 인식표를 부착한 새들에 대해서 빠르게 메모를 작성했다. 그러고 나서 얼마 후, 그는 몸을 곧추세우고 만족스러운 듯 한숨을 내쉬었다. 「아, 정말 멋지군요.」 매우 흡족해하는 목소리였다. 「몇 년 전보다 훨씬 더 평온해졌어요. 예전에 이 해안은 정말 아수라장이었죠. 2년 전에는 가는 곳마다 준설선들이 즐비했어요. 방조제 안쪽에서 퍼 올려 거대한 기둥을 이루고 있는 퇴적물 더미들, 대기에 퍼져 있던 기름 냄새. 지금은 아무것도 없군요. 고속도로를 따라 산업 개발을 홍보하는 커다란 현수막들이 나부꼈죠. 물론 지금도 현수막들을 볼 수 있어요. 하지만 거기엔 모두 새들이 그려져 있죠. 정말 엄청난 변화입니다. 그러나 그 당시에 오히려 갯벌에 새들이 더 많이 있었죠.」

새 무리들이 수백 미터 멀리 떨어져 있었다. 하지만 그 먼 거리를 가로질러 〈푸우-위이〉 하고 길게 내빼는 두 가지 음색의 울음소리가 몇 초 간격으로 선명하게 들려왔다. 그동안 아침마다 우리가 들었던 먹이를 먹으며 재잘대던 소리와는 완전히 달랐다. 「저 소리 들려요?」 데니스가 들뜬 목소리로 물었다. 『저건 붉은가슴도요가 북극에서 왔다는 것을 알리는 노랫소리예요. 몇 년 전, 네덜란드와 아이슬란드의 붉은가슴도요들이 이동을 하면서 가끔 어떻게 노래를 부르기 시작하는지에 대해서 쓴 「온대 해안에서 들리는 북극의 노래Acrtic Songs on Temperate Shores」라는 논문을 발표한 적이 있어요. 그들이 여기서도 그렇게 노래를 부르네요.』 해변이나 갯벌 등지에서 조용히 먹이를 찾아 먹는 것에 집중하고 있는 도요물떼새에 익숙한 사람들에게 도요새가 노래를 부른다는 생각은 언뜻 상상이 안 되는 모습이다. 그것은 마치 평소 조용하던 직장 동료가 갑자기 노래방에서 흥이 올라 마구 떠들어 대는 모습을 보는 것 같다. 그러나 도요물떼새에 속하는 많은 종은 북극에 도착했을 때 노래를 부른다. 붉은가슴도요 수컷은 빠르게 하늘로 수 킬로미터를 솟아오른 뒤, 자기 영역 주변을 커다랗게 8자 모양으로 그리며 왔다 갔다 날아다닌다. 그러는 동안에 두 가지 또는 세 가지 음색의 기이한 울음소리를 구슬프게 쏟아 낸다. 우리가 방파제를 따라 걸으며 듣고 있는 바로 그 울음소리였다. 「푸우--위이, 푸어-오-위이, 푸어-오-위이.」 한 마리가 그런 과시 비행을 시작하면, 옆에 있던 수컷들도 따라서 그런 행동을 하게 된다. 새들이 무리 지어 그렇게 하늘을 엇갈리며 날면, 그곳 툰드라 일대에는 마침내 이런 구슬픈, 거의 가슴을 저미는 노래들이 울려 퍼지기 시작한다.

아까 울던 그 붉은가슴도요가 다시 울자, 또 다른 붉은가슴도요가 그에 응답했다. 북극은 그들을 잡아당기고 있었다. 그들의 노랫소리는 이곳이 그들에게는 단순히 중간 기착지임을 내게 일깨워 주었다. 그들의 생사를 판가름할 여행의 종착지, 다시 말해서 그들의 생존에 있어서 가장 중요한 번식의 기회는 아직도 수천 킬로미터나 더 멀리 떨어져 있었다. 「푸어-오-위이, 푸어-오-위이.」 내 귀에 그 불분명한 음절들은 비애와 기대를 동시에 전해 주는 소리로 들려왔다.

데니스가 다시 한숨을 쉬었다. 「알다시피, 처음 두 해는 정말 어려운 상황이었어요. 매우 비관적이었죠. 여기서 우리가 할 일은 이 새들의 멸종을 기록하는 것뿐이라고 생각했거든요. 그것도 가치 있고 중요한 일이었을 겁니다. 그러나 지금은…….」 그는 잠시 이야기를 멈추더니 붉은가슴도요의 노랫소리에 귀를 기울였다. 「이제는 얼마라도 회복되는 모습을 지켜볼 수 있을 만큼 더 살았으면 하는 바람입니다.」

2장

철새의 나침반, 양자 도약

데니스와 내가 황해 연안을 따라 노래 부르는 소리를 들었던 붉은가슴도요는 수컷들이었다. 그들의 노랫소리는 자신들의 몸 안에서 일어나는 변화를 외부에 알리는 것이었다. 그들이 오스트레일리아에 있었을 때는 북반구의 겨울로, 그동안 고환이 쪼그라들기 때문에 그들은 거의 생식 기능을 상실한 상태가 되어 있었다. 그러나 이제 그들은 번식지가 있는 북쪽으로 치고 올라가면서, 고환이 다시 부풀어 오르기 시작했다. 수컷 붉은가슴도요가 시베리아에 도달할 즈음, 그의 고환은 남성 호르몬인 테스토스테론이 혈류를 따라 솟구치면서 크기가 가장 작아지는 겨울철보다 1000배 가까이 더 커질 것이다. 중국에서는 간간이 감질나게 들렸던 노랫소리가 북극에서는 그런 호르몬을 끊임없이 분출하려는 강렬한 생식 욕구로 바뀌게 될 것이다.

암컷 붉은가슴도요의 몸 안에서도 비슷한 일이 일어나고 있었다. 짝짓기를 준비하기 위해 한 개밖에 없는 난소가 (대개 왼쪽에 있는데) 수컷의 고환만큼 극적이지는 않지만 점점 커지고 있었다. 계절에 따라 난소나 고환의 크기가 팽창과 수축을 반복하는 것은 체중을 줄이기 위한 현명한 진화 방식으로, 이는 모든 새에게 공통적으로 나타나는 특징이다. 그러나 과학자들은 철새, 특히 도요물떼새처럼 극단적인 장거리 비행을 하는 철새들을 연구하면 할수록, 그들이 비행 속도와 인내력을 비롯해서 기억력, 두뇌 기능, 신진대사, 질병에 대한 면역력, 혈액의 화학적 특성에 이르기까지 이동과 관련된 모든 신체적 능력에서 매우 놀라운 진화를 이루었음을 거듭 확인할 수 있었다. 이러한 발견들 가운데 일부는 그 자체로 우리의 마음을 사로잡을 뿐 아니라, 인체 건강과 관련해서 미래의 돌파구로서 가능성을 보여 준다.

철새들은 필요에 따라 자신들의 체내 장기들을 일부러 배양하기도 하고, 반대로 도태시키기도 한다. 또한 운동 능력 향상에 도움이 되도록 자발적으로 생성되는 체액으로 비행 능력을 강화하기도 하고, 계절에 따라 병적인 비만증과 당뇨병, 그리고 심장병이 곧 닥칠 것 같은 징후들이 눈에 띄게 나타남에도 불구하고 완벽한 건강 상태를 유지할 수도 있다. 어떤 철새는 며칠이나 몇 주, 심지어 몇 달 동안 쉬지 않고 비행하기도 하는데, 그동안 수면 문제를 해결하기 위해 뇌를 반으로 나누어 반쪽씩 번갈아 가며 잠을 자기도 한다. 둘 다 깨어 있을 수밖에 없는 상황에서도 수면 부족으로 발생하는 문제들에 대응할 수 있도록 진화했다. 실제로 새들은 그런 조건 아래서 정신을 더 바짝 차리는 것 같아 보인다. 하룻밤만 잠을 설쳐도 다음 날 내내 기운을 차리지 못하는 인간들에게는 정말 부러운 능력이다. 만일 이 모든 것이 공상과학 소설에 나오는 이야기가 아니라면, 그들은 아인슈타인조차 초조하게 만든 양자역학의 한 형태를 이용해서 비행을 하고 있는 셈이다.

장거리 이동인가 단거리 이동인가, 주행성이냐 야행성이냐, 내륙을 통과할 것인지 해상을 지나갈것인지 등 철새들이 이동할 때 쓰는 전략이 종에 따라 다양한 것처럼, 연구자들도 새들처럼 얼핏 보면 모순되어 보일 정도로 다채롭고 변화무쌍한 접근법을 구사한다. 예컨대, 황해를 경유하는 철새들 가운데 다리가 길고 호리호리한 몸매에 약간 부리가 위로 올라간 비둘기만 한 크기의 도요물떼새인 큰뒷부리도요가 있다. 주병윤이 어느 깡패 소유의 새우 양식장에서 연구 중에 있는 흑꼬리도요의 가까운 친척뻘이다. 이 종은 대체로 구대륙의 조류에 속하는 새인데, 스칸디나비아 북부에서 아시아 대륙 북쪽 끄트머리 상공을 가로질러 러시아 극동 지역과 알래스카 서부와 북부 지방으로 날아가서 툰드라 습지에 둥지를 튼다. 이 지역의 유럽과 유라시아 중앙 부분에서 둥지를 튼 큰뒷부리도요들은 아프리카와 중동 지역, 그리고 인도양과 동남아시아 전역의 갯벌 해안과 맹그로브 늪지대에서 겨울을 난다. 이들이 이동하는 거리도 결코 만만치 않다. 하지만 아시아 동부 지역, 특히 알래스카 지방에서 짝짓기를 마친 큰뒷부리도요들이 월동을 위해 시도하는 여행은 솔직히 곧이곧대로 믿기 어려울 정도다. 그것은 정신 나간 천재의 머릿속에서나 나올 법한 생리학적 변화가 그 새의 체내에서 일어나지 않고는 불가능한 일이기 때문이다.

20년 전, 철새에 최초로 초소형 위성 송신기를 부착한 과학자들은 많은 큰뒷부리도요가 매년 가을에 알래스카 서부에서 뉴질랜드까지 약 1만 1500킬로미터를 쉬지 않고 단번에 비행한다는 사실을 알고는 깜짝 놀랐다. 도중에 한 번도 쉬지 않고 8~9일을 꼬박 날아가는 여행이었다. 인간이 1.6킬로미터를 4분에 주파하는 것과 같은 신진대사율로 끝까지 계속 달리는 셈인데, 그때까지 알려진 논스톱 철새 이동으로는 가장 긴 거리였다. 그들은 우선 체내에 두꺼운 지방층이 형성되어 있는데, 알래스카반도의 비옥한 갯벌에서 갯지렁이류나 다른 무척추동물들을 미친 듯이 먹어 체력을 보강한다. 그들은 약 2주 동안 체중을 두 배 이상으로 불린다. 그리하여 체중이 약 680그램 정도밖에 안 나가는 큰뒷부리도요가 피하의 체벽과 내장 사이의 빈 공간인 체강(體腔)에 280그램이 넘는 지방을 담고 다닌다. 그래서 걸을 때 몸이 출렁일 정도로 비만 상태인 큰뒷부리도요는 체내 구조가 급격하게 재구성되는 과정을 겪는다. 이제 더 이상 필요 없게 된 모래주머니와 창자 같은 소화기관들은 줄어들어 위축되는 반면, 길고 연약한 날개에 동력을 공급하는 가슴 근육은 질량이 두 배로 증가한다. 심장 근육도 마찬가지로 커지고 허파의 용량도 그만큼 증가한다. (도요물떼새와 관련된 많은 새로운 발견과 마찬가지로, 이것 또한 데니스 피어스마가 미국 지질 조사국US Geological Survey 소속 미국 과학자 로버트 길 주니어Robert Gill Jr.와 함께 작업하여 발견한 사실들 가운데 하나였다.) 큰뒷부리도요는 알래스카에 가을 강풍이 불어닥칠 때에 맞춰 이동을 시작한다. 태평양을 가로질러 최초 800~1600킬로미터에 이르는 거리를 빠르게 통과할 수 있도록 해주는 강력한 순풍에 올라타고 목적지까지 갈 수 있기 때문이다. 그 과정에서 그들은 극도의 탈수 증세와 수면 부족 문제를 극복해야만 한다. 더군다나 단 한시도 쉬지 않고 수백만 번의 날갯짓을 해야만 하는 체력 고갈의 상황 또한 이겨 내야 하는 것은 두말할 필요도 없다. 그러나 머지않아 그들은 또 남반구의 서쪽에서 불어오는 순풍에 여러 차례 올라타게 되는 영역 안으로 들어가는데, 그 덕분에 종착지까지 나머지 960킬로미터 정도 거리를 신속하게 이동할 수 있다.

큰뒷부리도요들은 대양주* 지역에 도착하자마자 재빠르게 위축된 소화기관들을 다시 정상으로 되돌리고 먹이 섭취를 재개하면서 남반구에서의 여름을 순조롭게 보낸다. 하지만 낮이 짧아지면서 체내 호르몬의 변화가 또 다른 이상 식욕 항진으로 알려진 폭식과 폭발적인 체중 증가 상황을 유발한다. 그 뒤를 이어 소화기관들의 크기가 이전과 비슷하게 극단적이지는 않지만 다시 줄어든다. 이번에는 북서쪽으로 방향을 잡아 떠난다. 4월 초에 뉴질랜드를 출발한 큰

* Australasia. 오스트레일리아, 뉴질랜드, 서남태평양 제도 일대를 포함함.

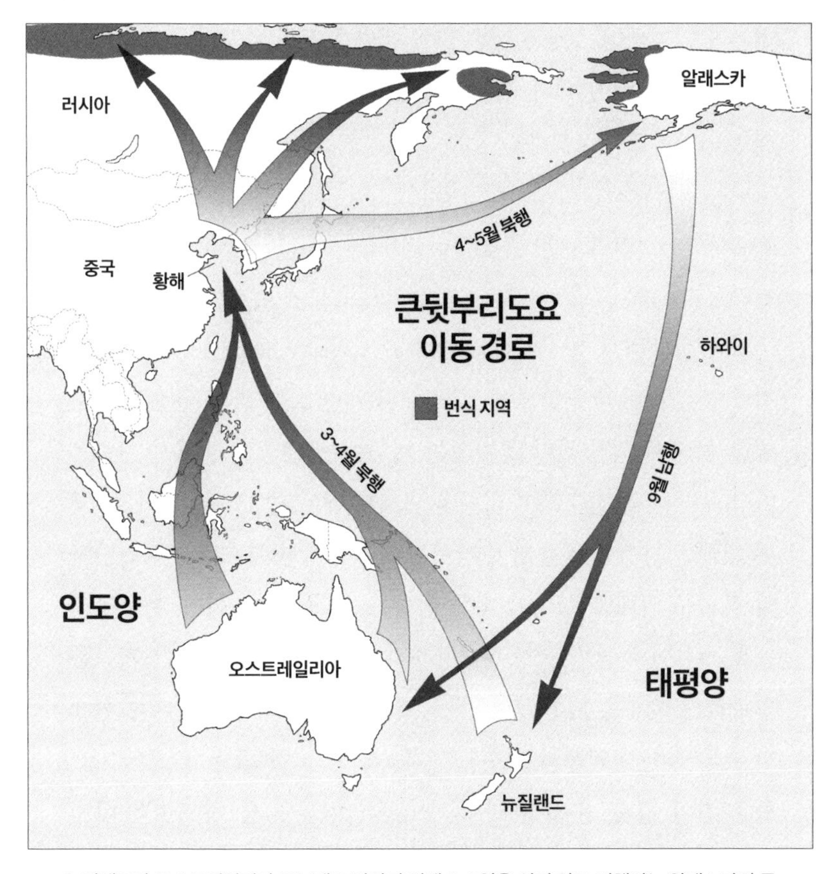

뉴질랜드와 오스트레일리아 동부에 도달하기 위해 7~9일을 쉬지 않고 비행하는 알래스카의 큰뒷부리도요의 태평양 종단 여정은 어떤 육지새보다 가장 긴 거리를 논스톱으로 이동하는 것이다. 오스트레일리아 서부에서 겨울을 나고 러시아 북부에서 번식을 하는 아시아의 큰뒷부리도요도 가공할 만한 비행을 감수해야 하는 것은 마찬가지다.

뒷부리도요는 서태평양 상공을 9600킬로미터 이상 가로질러 중국과 한반도까지 또다시 쉬지 않고 8~9일을 계속해서 비행한다. 목적지에 도착한 뒤, 그들은 세 번째로 다시 소화기관들을 정상 크기로 복원시키고 폭식을 재개한다. 알래스카로 되돌아가기 위해 거의 닷새 동안 단지 6400킬로미터에 〈불과한!〉 대양을 횡단하는 마지막 여정을 준비해야 하기 때문이다. 철새 생리학의 한 권위자는 이와 같은 여행을 설명하면서 〈철새의 장거리 이동 비행을 인간의 마라톤 달리기에 비유하는 것은 그 위대함을 정확히 담아내기에 적절치 못하다. 어떤 면에서, 달나라로 가는 우주여행이 오히려 더 적절해 보인다〉[4]고 주장했다.

나는 알래스카 서부 끄트머리에 있는 키오클레빅강Keoklevik River을 따라 막 도착한 큰뒷부리도요들이 내려앉는 모습을 지켜보았다. 그 일대는 7만 7000제곱킬로미터 규모에 이르는 유콘 삼각주 국립 야생동물 보호 구역Yukon Delta National Wildlife Refuge에 속한 지역으로, 베링해에 맞닿아 있으며, 나무 한 그루 없는 물에 잠긴 평평한 지대다. 끊임없이 몰아치는 바람이 구불구불 이어진 수로를 따라 무성한 풀밭과 사초 군락을 거세게 때리고, 그보다 좀 높은 곳에 피어난 자잘한 꽃들로 반짝이는 푹신푹신한 툰드라의 해안단구와 물마루 일대를 샅샅이 훑듯이 쓸고 지나가는 곳이다. 큰뒷부리도요들은 이제 금방 장장 약 2만 9000킬로미터에 이르는 장거리를 왕복하는 여정을 마쳤고, 그들은 평생 그런 여행을 스물다섯 번에서 서른 번까지 되풀이할 수도 있다. 그러나 그 새들은 조금도 지체할 시간이 없다. 수컷 한 마리가 생물학자들이 〈느릿느릿한 비행limping flight〉이라고 부르는, 암컷에게 구애를 표시하는 행위를 하느라 하늘 높이 날아올라 빙빙 돈다. 그는 끊임없이 〈아-위크, 아-위크, 아-위크, 아-위크〉 하는 날카로운 새된 울음소리로 계속해서 노래 부르면서, 적갈색 몸통 깃털과 대비되는 날개 안쪽의 은백색이 햇빛에 반사되어 번쩍거리는 날개를 펄럭이며 순간적으로 멈칫거리는 행동을 반복하며 난다. 짝짓기를 마친 암컷은 지의류들이 뒤섞여 있는 물가를 따라 늘어선 물이끼에 움푹 들어간 작고 포근한 둥지를 튼다. 보통 알을 4개 낳는데, 그 알들을 철저하게 위장, 은폐하기 위한 전략이다. 여우나 도둑갈매기jaeger, 족제비weasel, 큰까마귀raven 따위의 포식자들에게 잡아먹히지 않았을 경우, 새끼 새들은 알에서 깨어나자마자 걸을 줄 알고 거의 스스로 먹이를 찾아 먹는다. 새끼 새들이 날 수 있을 정도로 충분히 자라기까지 거의 알에서 나와 한 달 정도 되면, 부모 새들은 뉴질랜드로 가장 먼저 돌아가는 철새 무리들에 합류하여 새끼 새들을 더 이상 돌보지 않는다. 오로지 유전자에 의해서만 인도되는 어린 새들은 무리를 지어 해안가로 이동한다. 거기서 그들은 본능적으로 먹이를 끊임없이 먹는다. 그러고는 그들에게 어떤 위협을 가할지 전혀 알 수 없는 드넓은 미지의 대양 위로 날아오른다.

키오클레빅강을 따라 펼쳐진 습지에 앉아서 해마다 반복되는 이 광경을 지켜보았다. 어린 큰뒷부리도요가 태어나서 처음으로 땅을 박차고 날아올라 점점 멀어져 가는 육지를 보면서, 그리고 고된 날갯짓이 며칠 동안 계속되는 가운데 그 아래서 일렁이는 거대하고 무시무시한 태평양의 물결을 내려다보면서 과연 무엇을 느낄지, 나는 그의 입장에서 생각해 보려고 애썼다. 남반구의 낯선 별들이 머리 위를 선회할 때, 그 길고 긴 밤들을 보내며 자신들이 제대로 가고 있는지 강한 의구심이 솟구치지는 않을까? 또 두려운 마음은 없을까? 지금 자신이 완전히 탈진해서 기진맥진한 상태라고 생각할 수밖에 없는 그런 감정에 사로잡히지는 않을까? 아니면, 그 어린 큰뒷부리도요는 어떤 생물학적 자력에 의해 전에 한 번도 가본 적이 없는 곳으로 이끌려 가는 그 순간 자신이 당연히 해야 할 일을 하고 있을 뿐이라고 확신하고 있는 것은 아닐까? 지금 둥지에 평온하게 앉아 있는 암컷의 짙은 갈색의 두 눈 속에서는 아무 대답도 찾을 수 없다.

알래스카의 큰뒷부리도요는 자신의 신체 내부를 재정비하는 철새들 가운데 가장 극단적인 예에 불과하다. 그런 내적 유연성은 실제로 수많은 종류의 철새 사이에 일반적인 특징이다. 뒤뜰 한구석에 있는 층층나무 열매를 따 먹는 지빠귀나 고양이새도 늦은 여름에 과즙이 많은 그 과일에서 가능한 모든 열량을 짜내기 위해 창자를 팽창시켰다. 단일 종 내에서도 폭식과 관련해서 소화기관을 늘리고 줄이는 형태는 매우 다양한 차이가 있을 수 있다. 예컨대, 유럽 북서부에서 겨울을 나고 그린란드와 캐나다 동부 북극 지방에서 번식을 하는 붉은가슴도요는 북쪽으로 이동할 때, 약 3주 반 동안 아이슬란드에 잠시 들른다. 첫 한 주 동안 그들은 거의 체중을 늘리지 않는다. 그러나 심장과 위, 간은 전체적으로 커진다. 이후 10일 동안 창자와 신장, 다리 근육도 자란다. 이때쯤, 붉은가슴도요들은 작은 연체동물들을 잔뜩 먹으면서 지방을 듬뿍 축적하기 시작하지만, 이상하게도 그들이 먹이를 먹는 양과 반대로 그들의 위는 다시 줄어들기 시작한다. 그러다 마침내 떠날 때가 되면 위의 무게는 4분의 1로 감소하게 될 것이다. 반면에, 그들의 간은 출발을 앞두고 무게가 두 배 이상으로 급속하게 커진다.

데니스(그가 아이슬란드의 붉은가슴도요를 연구하는 팀의 일원이라는 사실은 놀랍지 않다)는 중국인 동료들과 함께 그의 이름을 따서 붙인 붉은가슴도요 아종 〈칼리드리스 카누투스 피에르스마이〉가 중간 기착지인 황해에서 러시아 북극 지방으로 날아갈 준비를 하고 있을 때는 생리적으로 어떤 변화가 일어나는지도 살펴보았다. 그런데 기이하게도 그들은 그 붉은가슴도요가 황해에서는 아이슬란드에서 이동할 때 반응했던 방식과 매우 다르게 반응한다는 사실을 발견했다. 먼저, 예상했던 것처럼, 오스트레일리아에서 약 6400킬로미터를 날아서 황해에 막 도착한 기진맥진한 야윈 새들은 자신의 내장 기관과 세포 조직들을 복원했다. 여기에는 이륙 전에 위축된 소화관들뿐 아니라, 오랜 비행 동안 에너지로 소비된 근육량도 포함되었다. 초기의 이런 단백질 구성 과정이 끝난 뒤, 붉은가슴도요는 신진대사를 다시 급속하게 재개하는 것처럼 보였다. 그리고 엄청난 양의 지방 침적을 시작했다. 지방 저장량이 거의 17배쯤 증가했다. 마침내 처음 황해에 도착했을 때보다 두 배 이상으로 체중이 늘어났는데, 그것은 그들이 북극 지방까지 비행하는 데 실제로 필요한 것을 넘어서는 수준이었다. 이쯤에서 신진대사는 다시 속도를 높였다. 그들의 소화기관들은 위축되는 대신에, 비행을 위한 근육들이 빠르게 강화되었다. 황해에 있는 붉은가슴도요의 내장기관들은 큰뒷부리도요와 심지어 아이슬란드에 있는 그것의 친척뻘 되는 종에게 일어나는 것처럼, 가슴 근육과 함께 실제로 몸통이 커졌다. 이러한 변화는 특히 암컷에게서 두드러지게 나타났다.

그 이유는 무엇일까? 데니스와 그의 동료들은 그 새들이 북극에 도착할 경우, 그곳의 환경 조건 때문에 수일 또는 수 주 동안 제대로 먹지 못할 것을 감안해서, 그들의 체내에 미리 여분의 지방과 단백질을 저장해 두고 있는 것이라고 믿는다. 그들은 한 가지 일에 너무 많은 시간을 쓰지 못한다. 만일 그들이 겨울이 돌아오기 전에 짝을 만나고 자기 영역과 둥지를 마련하고 새끼를 기르고자 한다면, 북쪽 지방에서 번식할 수 있는 시간은 너무 짧아서 휴식을 취하고 에너지를 재비축할 여유가 없을 수 있다. 설상가상으로 그들이 막상 도착하면, 북극 지방은 지난겨울에 언 빙하와 눈에 여전히 갇혀 있을 것이다. 따라서 먹을 것이 거의 없다. 이런 상황에서 번식에 성공할 수 있는 유일한 방법은 멀리 떨어진 황해로부터 지방과 단백질을 충분히 비축해서 가지고 와야 한다. 그렇게 비축한 에너지를 가지고 알을 낳아야 하는 암컷의 경우는 특히 더 그렇다.

그들이 근육과 체내 장기에 여분의 에너지를 비축하는 것에는 또 다른 이점이 있다. 그리고 그것은 새들이 효과적으로 지방을 태워 에너지를 만드는 복잡한 화학적 경로와 관련이 있는데, 포유류의 생리학을 기준으로 생각하면 거의 불가능해 보이는 일이다. 바로 수분 흡수다. 장거리 이동을 하는 철새들이 하나같이 가장 힘들어 하는 난관 가운데 하나가 탈수 현상이다. 비록 새들은 땀을 흘리지 않지만, 호흡을 통해 많은 수분을 유출한다. 아마도 많은 철새가 대기가 서늘하고 습기가 많은 밤중에 이동하는 것도 그런 까닭에서일 것이다. 그들은 또한 배설물을 체내에서 내보내야 하는데, 아무리 배설물을 농축해서 내보낸다고 해도, 배설된 수분의 양만큼 추가로 수분을 보충해야 한다. 특히 며칠 동안 날아서 대양이나 사막 같은 드넓은 지리적 경계를 가로지르는 새들에게 탈수 현상은 생명을 위협하는 심각한 문제임에 틀림없다. 하지만 실제로는 전혀 그렇지 않은 것처럼 보인다. 확인해 본 결과, 아프리카에서 사하라 사막을 가로질러 날아온 연노랑솔새willow warbler는 체내 수분 평형water balance이 정상이었다. 심지어 비축된 에너지마저 다 써버린 나머지 굶주림으로 죽어 가던 새에서도 수분 평형은 정상이었다. 데니스는 아프리카 서부와 네덜란드 간의 약 4300킬로미터를 논스톱으로 날아서 이동하는 큰뒷부리도요의 수화율(水和率)*을 조사하는 팀의 일원이었다. 데니스가 속한 조사팀은 최근에 도착한 큰뒷부리도요들을 포획용 그물로 유인해서 잡은 뒤, 체내 수분의 총량을 계산하기 위해서 오래전부터 사용되어 온 비방사성 형태의 물인 중수deuterium oxide를 극소량으로 주입했다. 그 결과, 그들은 며칠 동안 쉬지 않고 비행해서 막 도착한 큰뒷부리도요들과 비슷한 시기에 먼저 날아와서 휴식을 취하고 먹이를 먹고 있던 녀석들 사이에 수분 평형의 차이가 전혀 없다는 사실을 밝혀냈다.

지방은 단백질이나 탄수화물보다 저장 에너지를 8배 더 많이 제공하는 엄청난 고밀도의 매우 강력한 연료이지만, 연소가 어렵다. 우리 포유류가 대부분 탄수화물에 의존하는 이유가 바로 이것 때문이다. 새들은 인간보다 10배 정도 더 효율적으로 지방을 태울 수 있는 적응력이 있다. 하지만 지방은 분해될 때 방출되는 자유수**가

* hydration rate. 수분 흡수율.

** free water. 생체 조직의 구성 분자와 결합되어 있지 않아서 자유롭게 이동할 수 있는 체내에 있는 물.

거의 없다. 그러나 근육과 체내 기관 조직은 자유수를 방출할 수 있고, 새가 신진대사를 할 때, 이들 단백질은 지방보다 5배까지 더 많이 물을 방출한다. 붉은가슴도요가 황해에 체류하는 동안 불려진 몸집은 그들을 북극 지방까지 갈 수 있게 하는 에너지 저장소일 뿐 아니라, 거기까지 가는 중에 그들의 세포 조직에 수분을 공급하는 저수지 역할을 하기도 한다. 매사추세츠 대학에서 철새 생리학을 연구하는 알렉스 저슨Alex Gerson은 스웬슨지빠귀를 냉난방이 되는 거대한 풍동*에 넣고 실험함으로써 철새 이동의 이러한 측면들을 탐구해 왔다. 그는 스웬슨지빠귀가 운동 전후로 제지방(除脂肪)**과 체지방, 체수분량이 어떻게 변하는지 체내에 손상을 입히지 않고 신속하게 계산하기 위해 정량적 분석이 가능한 휴대용 자기공명영상MRI 장치를 이용했다. 그는 새들이 지방을 태우는 것 말고도 자기 근육과 체내 기관의 크기를 줄임으로써 호흡과 배설로 인한 수분 손실을 보충하기 위해 끊임없이 대사수(代謝水)*** 생산량을 조절할 줄 안다는 것을 발견했다. 그 과정에서 체중이 28그램을 약간 넘는 스웬슨지빠귀는 지방에만 의존해서 날 수 있는 거리를 넘어서 약 3200킬로미터 이상까지 비행 범위를 거의 30퍼센트 정도 확장할 수 있다. 이것은 스웬슨지빠귀처럼 오랫동안 바다 위를 가로질러 비행하는 새들에게는 대단히 중요한 완충 장치인 셈이다.

과학자들은 철새들에게 가해지는 이동 경로 선택에 대한 강력한 압박이 그들의 생리 활동을 어떤 식으로 치밀하게 조정했는지를 이

* wind tunnel. 비행기 등에 공기의 흐름이 미치는 영향을 시험하기 위한 터널형 인공 장치.

** lean mass. 체중에서 체지방을 뺀 수분, 근육의 단백질, 당질, 뼈 등을 측정한 수치.

*** metabolic water. 체내에서 물질대사를 통해 당분, 지방, 단백질이 연소하면서 생기는 물.

제 막 본격적으로 탐구하기 시작했다. 그들은 세포 조직 차원에서 중요한 적응 형태들을 발견했다. 새들은 지방질을 빠르게 운반하는 단백질 양을 늘리고 그것을 글리세롤과 지방산으로 분해하는 세포 작용을 촉진해서 지방질을 신속하게 가공 처리할 수 있는 방법을 찾아냈다. 철새들은 선천적으로 지방산을 산화시키는 고농도의 미토콘드리아 효소를 가지고 있다. 이동할 계절이 다가오면, 그들이 중간 기착지에서 휴식을 취하고 있을 때, 그 농도는 훨씬 더 높아진다.

새들은 또한 적절한 먹이를 취함으로써 근육 효율과 성능을 향상시킬 수 있다. 남아메리카 북동 해안으로 약 3200킬로미터의 논스톱 비행을 감행하기 전, 가을에 펀디만Bay of Fundy에 모여드는 아메리카도요는 썰물로 드러난 엄청나게 넓은 갯벌에 수없이 많은 구멍을 파는 〈코로피움〉*이라고 부르는 아주 작은 해양 단각류 절지동물을 골라 먹으며 몇 주를 보낸다. 코로피움은 사람들의 건강에 아주 좋다고 널리 알려진 오메가 3 같은 고도불포화지방산이 매우 많은 것으로 밝혀졌다. 실제로 다른 어떤 해양 무척추동물도 코로피움의 오메가 3 농도에 버금가는 것은 없다. 새들에게 오메가 3는 동력 에너지원 역할을 할 뿐 아니라, 비상근을 최상의 상태로 만들고 유산소 능력을 증대시킨다. 일부 조류 생리학자들은 그것을 〈천연 도핑〉**이라고 부른다. 흰목참새같이 오메가 3가 풍부한 해산물에 접근할 수 없는 육지새들은 포획되어 갇힌 상태에서 급식을 받을 때도, 근육 기능을 강화하는 또 다른 지방산인 오메가 6를 스스로 만들어 낼 수 있다.***

* Corophium. 옆새우류.

** natural doping. 일시적으로 근육을 강화시키는 자연 발생적인 약물 복용이라는 의미.

*** 흥미롭게도, 새가 스스로 천연 근육 기능 강화제를 복용하는 이런 사례는 비교적

물론, 사람들은 체중을 급격하게 늘리고 줄이고 늘리기를 주기적으로 반복하는 식습관에 대해서 오래전부터 경계의 목소리를 높여 왔다. 그러나 큰뒷부리도요 같은 새들은 인간이 전혀 시도조차 하지 않는 엄청난 비만 상태와 굶어 죽을 정도로 야윈 상태의 극단을 오간다. 게다가 그들은 그런 행동을 1년에 여러 차례 반복하고, 때로는 수십 년에 걸쳐 그렇게 하는 경우도 있다. 하지만 그들은 인간이라면 고혈압이나 심장병, 뇌졸중 따위에 걸릴까 봐 전전긍긍할 그런 위험은 없어 보인다. 철새 이동기 동안 그들의 혈액 화학 검사 수치는 당뇨병이나 관상동맥 심장질환에 걸린 사람에게 나타나는 것과 동일한 적신호들을 많이 보여 주지만, 그 때문에 초래되는 부정적인 결과는 없다. 일반적인 검사 수치상으로 따져 볼 때, 이동 준비를 끝낸 철새는 하늘을 날 상태가 아니라 오히려 응급실로 달려가야 할 상태임에 틀림없다. 이 현상을 연구하는 사람 두 명의 말에 따르면, 〈인간을 기준으로 할 때, 이동 직전의 철새들은 비만에 당뇨병 환자이므로 언제라도 심장마비로 급사할 수 있다〉고 한다.[5] 새들이 어떻게 그런 증세로부터 자신을 보호하는지는 여전히 수수께끼다. 하지만 연구자들은 조류생리학을 통해 얻은 통찰이 인간에게 새로운 치료와 예방법을 제공하는 데 기여할 수 있기를 바란다.

오랜 비행 중에 체내에 충분한 에너지와 물을 실어 나르는 일은

최근에 밝혀진 사실일지도 모른다. 오늘날 유전학적 증거는 북서대서양의 코로피움이 유럽에서 거기로 전파되었음을 강하게 암시한다. 아마도 17~18세기에 유럽 선박들이 배의 안정을 위해 화물칸 바닥에 실은 갯가 진창의 돌들에 묻어서 들어온 것으로 보인다. 이 작은 해양 단각류 절지동물은 먹이를 찾아서 두 개의 긴 다리처럼 생긴 더듬이를 이용해서 갯벌 바닥에 구멍을 뚫고 효과적으로 갈퀴질을 하기 때문에, 그리고 그렇게 뚫린 구멍이 수없이 많기 때문에, 인간과 비버처럼 환경을 근본적으로 개조하는 종이라고 해서 〈생태계 수리공ecosystem engineer〉이라는 명칭이 주어지기도 한다. 아메리카도요 무리가 한때 먹이로 삼았던 다른 해양 무척추동물들을 코로피움이 대체했는지, 또는 그들이 이런 새로운 환경에 편승하기 위해 그들의 이동 전략과 이동에 적합한 체내 생리 활동을 바꾸었는지에 대해서 아는 사람은 현재 없다. — 원주.

장거리 철새들이 반드시 해결해야 하는 두 가지 난제다. 날개를 펄럭이며 비행하는 것 또한 엄청난 산소량을 요구한다. 속도를 최대한 빠르게 있는 힘껏 날 경우, 철새들은 최대 산소 소비율의 거의 90퍼센트 수준으로 난다. 비슷한 크기의 포유류와 비교할 때 두 배가 넘는다. 큰뒷부리도요는 이동하기 전에 순환계의 적혈구 수를 증가시켜 숨 쉴 때마다 산소를 더 많이 추출할 수 있게 한다. (육상 선수가 이와 같은 결과를 얻기 위해 고도가 높은 곳에서 달리기 훈련을 하는 반면에, 큰뒷부리도요는 해수면에서 아무 운동도 하지 않으면서도 이런 변화를 일으킨다.) 이것은 또한 큰뒷부리도요가 일반적으로 날아오르는 해발 2700~3000미터 상공의 희박한 대기를 상쇄하는 데 도움을 주고, 그 높은 곳에서 서늘한 기온 탓에 수분을 덜 배출하는 장점도 얻는다. 그러나 그보다 훨씬 더 높이 나는 새들은 어떠한가? 줄기러기bar-headed goose와 황오리ruddy shelduck는 둘 다 해발 약 7200미터에 이르는 히말라야 상공을 나는 것으로 알려져 있다. 그곳의 실질적인 산소 농도는 해수면에서의 절반이나 3분의 1 수준에 불과하다. (대기 중 산소 비율은 실제로 고도에 상관없이 일정하다. 하지만 높이 올라갈수록 기압이 낮아지기 때문에 숨쉬기가 점점 더 어려워진다.) 따라서 인간은 산소를 보충하지 않고는 저산소증으로 정신이 혼미해질 수 있다. 그리고 고도가 낮은 곳으로 되돌아온 뒤에도 오랫동안 기억 상실의 고통을 겪을 수 있다. 더 심한 경우에는 뇌가 부어오르는 뇌부종에 걸릴 수도 있고, 허파에 물이 차는 폐부종 증상이 올 수도 있다. 둘 다 인체에 치명적인 영향을 끼칠 수 있다. 에베레스트 측면을 기어오르고 있는 베테랑 산악인들조차 한 걸음 내딛는 데도 기진맥진해서 비틀거리며 악전고투하는 모습을 보인다. 그러나 하늘을 쳐다보면 그들의 머리 위로 기러기나 왜가리, 오리 떼가 지나가는 모습을 볼 수 있을지도 모른다.

지금까지 가장 면밀하게 연구된 히말라야 철새인 줄기러기는 잇단 여러 힘겨운 도전에 직면한다. 그들은 비록 가능한 한 낮은 계곡을 찾아 누비며 날아가려고 애쓰지만, 그들이 이동하는 경로는 세상 어디든 터무니없이 높은 고도로 여겨질 그런 곳들에 있다. 기압이 낮다는 것은 단순히 가용 산소량이 희박하다는 사실을 의미할 뿐 아니라, 그들이 체공을 위한 날갯짓을 더욱 힘들게 해야 한다는 것을 의미한다. 그리고 세상에서 가장 높은 산맥을 가로지르는 이 종은 우리가 아는 어떤 새보다 강력한 추진력으로 가장 오래 위로 상승하는 비행을 감행한다. 봄에 그 무리들이 인도의 저지대에서 날아올라 히말라야산맥을 만날 때, 그들은 평균 한 시간에 900미터가 넘는 높이에 오르는 속도로 세 시간 이상 날갯짓을 하며 날아오른다. (어떤 경우는 시간당 2100미터 이상 높이로 날아오른다.) 전문 산악인들도 그런 높은 고도에 적응하기 위해서는 적어도 서너 달이 걸린다는 사실을 감안할 때, 그것이 얼마나 놀랄 일인지 알 수 있을 것이다.

일반적으로 새들은 그중에서도 특히 줄기러기는 전문 산악인들에게도 없는 강점들이 있다. 조류의 호흡기관은 인간의 허파보다 훨씬 더 효율적이다. 인간의 허파는 공기가 들어오고 나가는 경로가 하나뿐으로서 반대편 끝이 막힌 구조이기 때문에 내부의 공기를 신선한 공기로 바꾸는 기체 교환율이 5퍼센트에 불과하다. 하지만 새는 체강에 다리와 날개로까지 뻗어 있는 일련의 공기주머니(기낭)들이 허파와 연결되어 있어서, 숨을 들이쉴 때 신선한 공기가 기도를 통해 허파가 아닌, 꼬리 쪽에 있는 공기주머니로 먼저 들어온다. 이어서 숨을 내쉬면 비로소 공기가 허파로 이동한다. 새의 허파는 포유류의 허파보다 훨씬 더 밀도가 높아서 기체 교환을 위한 표면적이 더 크다. 이어서 다시 숨을 들이쉬면 마찬가지로 꼬리 쪽 공기주머니로 새로운 신선한 공기가 들어오는데, 이 과정에서 앞서 허파에 남아 있던 공기는 목덜미 쪽에 있는 공기주머니로 이동한다. 마지막 네 번째 절차로 숨을 내쉬면 허파로 신선한 공기가 들어오면서 목덜미 쪽 공기주머니에 남아 있던 공기를 밖으로 밀어낸다. 이러한 일방향 호흡 구조는 포유류보다 산소를 처리하는 데 훨씬 더 효율적일 뿐 아니라, 고도가 높은 곳에서 활동할 때 직면하는 위험 중 하나인 폐부종에 근본적으로 훨씬 저항력이 강하다. 또한 새의 심장은 비교적 큰 편이고, 근육은 인간보다 모세혈관 밀도가 더 높으며 세포 단계에서 더 효율적으로 산소를 교환한다. 그래서 그들의 뇌세포는 포유류보다 산소 부족을 더 잘 견뎌 내는 것처럼 보인다. 하지만 그들의 뇌부종에 대한 저항력이 포유류에 비해 더 강한지에 대해서는 아직 확인된 바가 없다.

과학자들은 최근에 줄기러기가 이러한 조류의 일반적인 강점 외에도 이렇게 공기가 희박한 상공을 비행하는 여행에 도움을 주는 특별한 능력을 개발하며 진화했음을 밝혀냈다. 인도기러기는 다른 새들과 비교할 때, 극도로 낮은 혈중 산소 농도에서도 잘 견뎌 낼 수 있다. 그들은 휴식을 취하는 동안 거의 1만 2000미터 상공의 대기압에 상응하는 혈중 산소 농도에서도 정상적으로 신체 기능을 한다. 그들의 허파는 비슷한 크기의 다른 물새들에 비해 훨씬 더 커서, 숨을 쉴 때 더 깊이 덜 자주 쉬며, 이것은 기체 교환을 증대하고 향상시킨다. 그리고 그들의 혈색소는 산소를 더 잘 전달한다. 이 모든 것은 이동 중인 인도기러기의 몸이 세포 에너지의 원천인 미토콘드리아를 위해 혈액에 용존 산소*를 더 많이 공급할 수 있다는 것을 의미한다.

이것을 보고 철새가 일관되게 텃새보다 더 혹독한 환경 속에서도

* dissolved oxygen. 물 또는 용액 속에 녹아 있는 분자 상태의 산소의 양으로 기압이 높을수록 용존 산소량이 많아진다.

강인하게 살아남을 수 있도록 진화했다고 생각하는 것도 무리가 아니다. 하지만 놀랍게도 사실은 그 반대다. 먼 거리를 가로질러 수많은 서식지를 통과해 이동하는 장거리 철새는 매우 특이하고 다양한 많은 질병에 직면할 것이므로, (특히, 열대 지방에 머무는 동안) 그들이 특별히 강력한 면역체계를 갖췄을 거라고 예상하기 쉽다. 그러나 스웨덴의 룬드 대학교의 에밀리 오코너Emily O'Connor가 이끄는 연구팀은 서로 밀접한 연관 관계에 있는 명금류 새들—그중 일부는 갈색등밭종다리plain-backed pipit와 같은 아프리카 열대 지방 텃새들이고, 또 다른 일부는 풀밭종다리meadow pipit 같은 북유럽 텃새, 그리고 나머지는 나무밭종다리tree pipit처럼 두 지역을 오가는 철새들—사이의 병원체들을 인지하는 다양한 유전자를 비교 분석한 결과, 실제로는 그 반대임을 발견했다. 면역반응유전자의 다양성은 철새들에게서 매우 낮게 나타났다. 1년 내내 북유럽에 상주하는 텃새들만큼 낮은 수준은 아니었지만 말이다. 과학자들은 만성 염증 같은 자기 면역 질환에 걸릴 위험을 높이는 것을 포함해서 강력한 면역체계를 갖추는 대신에 치러야 할 대가가 철새들이 그것으로부터 얻는 이익보다 더 클지 모르기 때문이라고 추측한다. 그들의 연구는 또한 〈병원체 탈출pathogen escape〉 가설*이라고 알려진 것에 신빙성을 부여한다. 그 가설은 철새의 이동이 부분적으로 발병률이 높은 열대 지방을 떠나서 질병에 취약한 새끼들이 병에 걸릴 위험을 낮추고자 하는 압박감에서 진화했음을 암시한다. 오코너와 그의 동료들은 유라시아와 아프리카의 명금류 1300종 이상의 새들의 유전적 특징을 비교하고, 다시 서로 밀접하게 연관 관계가 있는 종의 집단을 자세히 검토함으로써 그런 추론 입장을 강화했

* 바이러스의 기원에 관한 가설 가운데 하나로 원래 숙주 세포의 유전자였다가 세포에서 탈출해 스스로 자가 복제와 증식에 필요한 효소와 구조단백질 유전자를 추가로 획득해 바이러스가 되었다는 〈탈출 가설escape hypothesis〉을 말하는 것으로 보인다.

다. 그들은 아프리카 태생인 종의 유전적 특징이 그렇지 않은 종보다 16배 더 일치하고, 현재 아프리카 텃새 가운데 소수 종만이 유라시아 북부 태생임을 발견했다. (이 이른바 북방서식지설northern home theory은 서반구에서도 마찬가지로 오랫동안 정설로 받아들여져 왔다. 그러나 새로 작성된 신대륙 명금류 800종 이상의 상세 유전자 가계도를 기반으로 한 최근의 모형화 작업 결과에 따르면, 아메리카 대륙에서의 장거리 이동은 북방 서식지의 새들이 월동 지역을 점점 더 남쪽으로 넓혀 가면서 시작되었을 가능성이 그렇지 않을 경우보다 두 배나 더 높았다. 이 추론에 따르면, 북방에서 이동해 온 새들이 열대 지역에 머물 때 오늘날 열대에서 발견되는 다양한 종의 텃새들로 분화되어 나갔다.

제노베사섬Isla Genovesa은 에콰도르 앞바다에서 태평양 쪽으로 약 960킬로미터 떨어진 곳에 위치한 갈라파고스 제도의 북동부 극단에 있다. 그 섬은 그 지역 다도해의 모든 섬처럼 화산 작용으로 만들어진 섬이며, 대부분이 그런 것처럼 자연환경이 매우 척박해서 드문드문 보이는 초목은 키가 작고 주름진 모양의 화산암 표면의 틈새에 달라붙어 있다. 또한 섬의 가장자리는 가파른 벼랑으로 둘러싸여 있고 말굽 모양의 둘레는 옛날 용암 분출로 파인 흔적인 칼데라 지형을 제외하고 온통 거센 파도가 끊임없이 들이친다. 한쪽 측면 해변이 함몰되어 갈라진 칼데라가 다윈만Darwin Bay을 형성하고 있다. 그곳은 바다 쪽을 향해 툭 튀어나와 자연 방파제 역할을 하는 검은 바위 뒤편에 끼여 있는 작은 해변과 약 1.6킬로미터 정도 간격을 두고 있어서 비바람이 들이치지 않기 때문에 배가 안전하게 정박할 수 있는 지형이다.

제노베사는 〈새의 섬〉으로 알려져 있는데, 갈라파고스 바닷새들의 가장 큰 집단 서식지 가운데 하나이기 때문이다. 수십 만 마리의 붉은발부비새red-footed booby와 푸른발부비새blue-footed booby, 나즈카부비새Nazca booby, 길고 날씬한 꼬리 깃털을 공중에서 돌리며 흔들고 있는 우아한 붉은 부리를 가진 수많은 붉은부리열대새red-billed tropicbird들, 그리고 통통한 제비 크기인 쐐기허리바다제비wedge-rumped storm petrel의 어마어마한 집단 서식지가 있는데, 그들은 화산암의 갈라진 틈새에 둥지를 짓는다. 이곳의 바다제비들은 다른 지역의 대다수 바다제비들과 달리 낮에 활동한다. 이 섬에서 그들을 주로 잡아먹는 포식자가 야행성인 쇠부엉이short-eared owl이기 때문이다. 그들은 그들이 걸터앉아 있는 불쑥 튀어나온 바위만큼이나 짙은 검정 깃털로 덮여 있다. 우리를 태운 작은 보트가 만의 파도를 가르며 해안에 다가가면서, 섬에 도착하기도 전에 벌써 우리는 제노베사의 매력에 흠뻑 빠졌다. 붉은발부비새 한 마리가 우리를 맞으러 날아와서 머리 위를 한 바퀴 빙 돌더니 길게 펼쳐진 검은 날개를 접고 우리와 동행한 여성들 가운데 한 명의 머리에 쓴 모자 위로 진홍색 두 발을 벌리며 착지하듯 내려앉았다. 몸통 깃털이 하얀 그 새는 그 여성 관광객과 달리 태평한 표정으로 바다에서 불어오는 산들바람을 마주하고 앉아 있었다. 그녀는 충격과 기쁨이 뒤범벅이 되어 눈을 휘둥그레 뜨고 입을 벌린 채 말도 못 하고 있었다. 그들 일행이 갈라파고스에서 보낸 첫날 풍경이었다. 그들은 야생동물의 에덴동산이라는 이 열도의 명성이 결코 판촉 광고 문구가 아님을 금방 깨달았다.

그 뒤 두 시간 동안 사람들은 모두 행복에 겨워 멍하니 이리저리 돌아다니며 고질라를 축소해 놓은 모형처럼 생긴 짙은 잿빛 흑색의 바다이구아나marine iguana가 파도를 헤치고 절벽을 기어오르고, 어미 부비새가 솜털이 보송보송한 새끼들에게 먹이를 먹이는 모습을 구경했다. 유명한 다윈핀치Darwin finch 13종 가운데 하나인 토착 선인장핀치cactus finch는 배처럼 생긴 선인장 열매들에서 먹이를 찾고 있었다. 그러나 그중에서도 그날 아침 나를 가장 매료시킨 것은 큰군함조great frigatebird였다. 키 작은 나무와 덤불에 나뭇가지로 지은 둥지에서 새끼들이 보이지 않게 가리고 앉아 있거나, 섬 안쪽으로 휘몰아치는 거센 해풍에 둥지가 날아가지 않도록 든든하게 버티고 있었다.

군함조는 모든 것이 길다. 마치 누군가가 정상적인 크기의 바닷새를 상식적인 비율을 훨씬 뛰어넘는 크기로 길게 늘려 놓은 것 같았다. 군함조가 하늘을 날 때 가장 눈길을 사로잡는 부분은 펼치면 길이가 약 2.2미터에 이르는데 가로 폭은 손바닥 너비에 불과하여, 활모양으로 휘어진 믿기 어려울 정도로 매우 가느다란 날개다. 꽁지는 길고 깊숙이 갈라져 있으며, 목은 비록 비행할 때 대개 어깨 아래로 집어넣고 다니지만, 먹이를 향해 돌진할 때는 왜가리의 목만큼이나 길게 내뻗는다. 그러고는 머리보다 반쯤 더 긴 가느다란 갈고리 끝처럼 생긴 부리로 먹이를 잽싸게 낚아챈다. 수컷은 번들번들 매끈한 초록빛 광택이 나는 검정색 깃털로 덮여 있는데, 구애 행동을 할 때면 목 중간 아래 진홍색 피부 부위에 있는 공기주머니를 축구공만 하게 부풀린다. 암컷은 목과 가슴이 희고, 어린 새는 머리까지 온통 하얗다. 그러나 군함조는 나이에 상관없이 조류 가운데 체질량 대비 날개 표면적의 크기, 즉 날개 하중*이 가장 작다. 그들은 비행을 위해 체중을 매우 적게 유지하기 때문에 뼈대가 날개보다 무게가 덜 나간다. 그들은 상승 기류에 올라타서 날갯짓을 하지 않고도 하늘 높이 날아오를 줄 아는 능력 면에서 타의 추종을 불허할 정도로 뛰어난 공중곡예사로 진화했다.

수컷 군함조는 암컷을 대신해서 새끼를 돌보기 위해 미끄러지듯

* wing-loading. 비행체의 중량을 날개 표면적으로 나눈 값으로, 수치가 클수록 착륙 속도가 빨라진다.

둥지로 내려앉았다. 이어서 암컷은 날개를 크게 펄럭이며 공중으로 날아오른 뒤, 산들거리는 해풍을 타고 선회하는가 싶더니 순식간에 시야에서 사라졌다. 둥지 안의 새끼는 먹이를 달라는 몸짓을 했다. 듬성듬성 자란 하얀 깃털 사이로 보이는 검정 어깨깃으로 미루어 볼 때, 태어난 지 약 3주 정도 되어 보였다. 수컷이 새끼 앞으로 다가가 입을 벌리면, 새끼는 아버지의 목구멍 속에 머리를 처박고 그가 배 속에 넣고 와서 몇 차례에 걸쳐 토해 내는 먹이를 꿀꺽꿀꺽 삼켰다. 마침내 정신없이 먹이를 주고받는 과정이 끝나면, 새끼와 아버지는 모두 축 늘어진 채로 서로 기대어 있다가 이내 잠에 빠졌다.

잠을 자고 있는 새는 흥미진진하게 들리지 않을지 모르지만, 바로 몇 주 전에 한 국제 과학자 집단이 바로 이 새들, 제노베사에 둥지를 틀고 있는 군함조에 대한 훌륭한 논문을 발표하여 전 세계 언론에 대서특필이 되었다. 비록 군함조는 철새가 아니지만, 수컷이 이제 막 돌아온 (그리고 그의 짝이 방금 떠난) 것 같은 먹이를 찾아 떠나는 여행은 일주일 이상 걸리기도 하고 텅 빈 바다 너머 수천 킬로미터를 날아가기도 한다. 군함조는 깃털에 방수 기능이 없기 때문에 비행하는 동안 해수면에 내려앉을 수 없다. 오늘날 확인된 것처럼, 군함조가 어떻게 수면 문제를 해결하는지는 그 자체로 멋진 과학적 주제일 뿐 아니라, 장거리 철새와 관련된 가장 큰 의문점 가운데 하나다. 그것은 아주 먼 거리를 논스톱으로 비행해야 하는 새들이 잠을 자지 않고 수면 방식을 조정하거나 그 결과 생기는 부작용을 피할 수 있는 조류의 능력을 밝히는 데 매우 흥미로운 시사점을 던져 준다.

군함조 연구는 독일 막스 플랑크 연구소Max Planck Institute에서 조류 연구를 통해 수면을 이해하는 데 몰두하고 있는 한 연구팀을 이끄는 미국인 과학자 닐스 라튼보그Niels Rattenborg가 선도했다. 라튼보그 연구팀은 제노베사섬에서 군함조 암컷 15마리를 잡아서 마취시킨 뒤, 두뇌 활동을 추적 관찰하는 뇌파감지기를 달았다. 데이터를 수집하기 위해 새들의 머리에는 초소형 가속도계가 내장된 작은 기록 장치, 등에는 GPS 추적 장치가 각각 임시로 부착되었다. 암컷이 수컷보다 몸집이 크기 때문에 선택된 것이기는 하지만, 그 장치들은 모두 합해서 새의 체중의 1퍼센트도 안 되는 무게였다. 포획 후 회복 기간이 지난 뒤(그동안 새끼들은 따뜻하고 안전한 보살핌을 받았다), 추적 장치와 식별표를 부착한 암컷들은 그들의 둥지로 되돌려 보내졌다. 둥지로 돌아온 군함조 암컷들은 그들의 짝이 바다에서 돌아오면, 이번에는 자신이 먹이를 찾아 떠나는 여행을 다시 재개했다.

그 군함조 암컷들이 여행을 마치고 돌아오자마자 그들의 몸에 부착한 장치들을 회수한 연구팀은 그러한 먹이 사냥 비행에 평균 약 6일이 걸리는데, 최대 10일까지 지속되는 경우도 있음을 발견했다. 그들의 비행거리는 2900킬로미터 이상으로 갈라파고스 북동쪽까지 시계방향으로 선회하는 것으로 확인되었다. 군함조는 제노베사 섬을 떠나 비행하는 동안, 24시간 기준으로 단 42분밖에 잠을 자지 않았다. 대개 일몰 직후 깜빡 잠에 들었다가 바다 위 상공에 흐르는 상승 온난 기류를 잡아타고 훨씬 더 높이 날아올랐다. 군함조의 이러한 비행 중 수면 방식은 한 번에 평균 12초 남짓의 짧은 숙면을 말하는 〈기력 회복을 위한 낮잠power nap〉에 해당한다. 그리고 뇌파감지기의 기록에 따르면, 군함조는 잠을 잘 때 뇌 전체가 잠에 빠질 때도 간혹 있었지만, 뇌의 절반만 잠을 자는 경우가 더 많았다. 나머지 절반은 깨어 있었는데, 대개 조심스레 선회하며 날아가는 방향을 바라보고 있는 눈과 연결된 쪽의 뇌였다. 라튼보그는 그것이 자신의 박사 학위 논문에 기록된 청둥오리mallard의 특징과 매우 비슷하다는 사실을 알았다. 무리의 가장자리에 있는 청둥오리들은 한쪽 눈을 항상 뜨고 있었는데, 그 눈과 연관된 뇌의 반구도 활성화된 채로 깨어 있었다. 혹시 모를 위험에 대비해서 무리를 보호하기 위해 그 주변을 감시하는 행동이었다. 군함조의 경우는 아마도 포식자의 위험이나 다른 새와 충돌할 가능성 때문에 그런 행동이 필요하지는 않았을 것이다. 큰군함조는 조심스럽게 해수면에 둥글게 파장이 그려지는 지점 뒤를 따라간다. 그곳은 날치와 오징어 사냥을 하기에 가장 좋은 장소이기 때문이다. 라튼보그 연구팀은 큰군함조가 그렇게 짧은 숙면을 취할 수 있는 능력 덕분에 밤새도록 해수면에 그려지는 파장을 뒤따라가다가 아침이 오면 최적의 상황에서 사냥을 할 수 있는 거라고 추측한다.

반쪽의 뇌만으로 잠을 잘 수 있는 능력은 이미 알려진 것처럼, 돌고래dolphin와 바다소manatee 같은 해양 포유류들에게도 있다. 그런데 이들 해양 포유동물은 의식적으로 숨을 들이마시고 내쉬어야 한다. 최근에 이와 다소 유사한 조건이 인간에게서도 발견되었다. 우리 대다수는 낯선 곳에 머물 때면 처음에는 밤에 잠을 잘 자지 못한다. 수면을 연구하는 과학자들은 그것을 〈첫날밤 효과first-night effect〉라고 부르는데, 그것은 아주 흔히 볼 수 있는 일이다. 브라운 대학교와 조지아 공과대학의 과학자들은 그런 환경 아래서 인간의 뇌의 한쪽 반구는 정확하게 깨어 있는 상태는 아닐지라도 그들의 표현에 따르면 적어도 〈선잠less-sleeping〉 상태인데도 외부 자극에 더 민감하게 반응한다는 사실을 발견했다. 조류에게서 볼 수 있는 것처럼 완벽한 단일 반구수면 상태는 아니지만, 우리가 알고 있었던 것보다 그것에 아주 가까운 상태다.

군함조는 비행하는 동안 잠을 잘 때 대개 서파(徐波)수면* 또는 깊은 잠이라는 숙면 상태의 짧은 수면 상태를 보여 주었다. 그러나

* slow-wave sleep. 잠이 깊이 들면 대뇌피질에 1헤르츠 정도의 느린 뇌파가 흐른다고 해서 붙여진 이름.

때때로 그들은 급속안구운동rapid-eye movement수면이라는 렘REM 수면 상태에 들어가기도 한다. 인간이 꿈을 꾸면서 잠을 잘 때의 상태로, 육상 포유동물은 그동안 근육 긴장과 조절 기능을 수행하지 못한다. 따라서 렘수면 상태는 비행 중인 새에게는 치명적일 수 있다. 그런데 앞서 관찰된 바에 따르면, 군함조들은 렘수면 상태에서도 어느 정도 관제비행이 가능했다. 인간은 렘수면 상태가 20분 이상을 지속하는 반면에, 조류는 몇 초에 불과하기 때문인 것으로 보인다. 그들이 어떻게 하든 간에, 이 시스템은 군함조를 위해 작동한다. 일주일 동안 먹이 사냥을 떠나는 여행에서만 그런 것이 아니다. 마다가스카르 앞바다의 큰군함조는 위성 송신기를 달아 날려 보내 관찰한 결과, 두 달 동안 쉬지 않고 비행을 계속했다. 그들은 뭉게구름 속 거센 상승 기류를 잡아타고 약 4킬로미터 상공으로 하늘 높이 올라가 날갯짓 없이 몇 시간을 날면서 다시 올라탈 상승 기류를 찾는다. 라튼보그의 연구 대상이었던 큰군함조 암컷들은 제노베사섬으로 돌아오자마자, 하루에 13시간까지 잠을 잤다. 그동안 못 잔 잠을 만회하기 위한 행동이 틀림없었다. 군함조가 두 달 동안 비행하면서 부족했던 수면에서 회복되는 데 얼마나 시간이 걸리는지, 또는 회복에 필요한 시간이 어느 정도인지는 아직까지 밝혀내지 못했다.

군함조는 데이터 기록 장치를 부착하기에 충분할 정도로 몸집이 크다. 대부분의 철새는 그렇지 못하다. 따라서 우리는 군함조 아닌 다른 새들이 비행 중에 수면 문제를 어떻게 처리하는지 아는 바가 거의 없다. 하지만 그들이 부족한 잠 때문에 발생하는 문제들을 놀라울 정도로 잘 이겨 내는 것처럼 보인다는 사실은 분명하다. 남아메리카 남부와 서부에서 캐나다 서부와 러시아에 걸친 북극해 연안 지역까지 이동하는 아메리카메추라기도요pectoral sandpiper는 그들의 번식지에 도착할 때 이미 수면 부족 상태에 있다. 그러나 수컷은 그때부터 한시도 쉬지 않고 암컷에게 구애하고 자기 영역을 지키는 활동을 하며, 시간과 정력이 허락하는 한 많은 암컷과 짝짓기를 한다. 닐스 라튼보그가 포함된 한 연구팀은 특별히 야심만만한 아메리카메추라기도요 수컷 한 마리가 19일 동안 내리 95퍼센트를 잠을 자지 않고 깬 상태로 있는 것을 발견했다. 수컷의 번식 성공률은 힘들이지 않고 잠을 이겨 낼 수 있는 능력을 거의 정확하게 반영한다. 잠을 적게 잘수록 새끼들이 많다. 흰목참새와 붉은꼬리지빠귀 hermit thrush 같은 명금류 철새들은 이동 시기가 다가오면 독일어로 〈주군루어zugunruhe〉[*]로 알려진 것처럼 새들이 안절부절못하는 불안 상태에 빠지게 되고, 심지어 사육 상태에서도 이동 시기의 한참 전부터 수면 시간을 3분의 2쯤 줄인다. 그들은 낮에 잠깐씩 낮잠을 잠으로써 수면 부족을 보충할 수 있다. 그리고 육지 위를 날아 이동하는 새들은 대양과 사막 같은 장애물을 건너는 새들보다 날고 먹고 자고 싶은 욕구 문제의 균형을 맞추는 일이 더 쉬울 수 있다. 그러나 그런 새들도 실험적으로 일부러 잠을 못 자게 해도 수면 박탈의 전형적 징후인 인지 기능 상실과 같은 일이 일어나지 않는다. 다만 항상 그런 것은 아니고, 철새의 이동 시기에 한해서만 그렇다. 흰머리참새white-crowned sparrow에게 조명이 들어오는 건반을 부리로 쪼면 먹이를 주는 훈련을 시키면서, 철새 이동 시기가 아닌 때에 잠을 자지 못하게 하자, 밤샘 공부를 한 보통 사람과 마찬가지로 멍한 상태로 키보드 위를 갈팡질팡했다. 그러나 철새의 이동 시기인 봄과 가을에 똑같은 상황에서 훈련을 시킬 경우 정확하게 건반을 쪼았을 뿐 아니라, 그 반응 시간도 엄청나게 빨라졌다. 철새가 이동하면서 보여 주는 다양한 생리적 변화와 마찬가지로, 이것은 인간에게 나타나는 조병(躁病)과도 매우 유사한 측면이 있다. 따라서 인

* 철새들의 이동 충동.

간의 생리를 연구하는 학자들에게도 이 현상은 새로운 연구를 위한 단서가 된다.

과학자들은 적어도 해마다 특정 시기 동안 수면 부족 때문에 새들이 쇠약해지는 것을 막기 위해 작동하는 생물학적 기제에 대해서 아직 충분히 이해하지 못하고 있다. 그러나 새들이 이동하기 전에 뇌가 더 커지는 것, 적어도 공간 정보를 저장하는 신경세포들을 더 많아지게 하는 것은 도움이 될 수 있을 것이다. 뇌가 커지는 것은 새들에게 실제로 매우 흔한 일이다. 명금류 수컷들은 봄이 오면 그들의 고환이 부풀어 오르는 것처럼, 서로에게 지저귀고 그것에 화답하는 기능을 담당하는 뇌의 부분도 부풀어 오른다. 먹이를 어딘가에 저장했다가 나중에 겨울 내내 그것을 찾아내 먹을 줄 아는 능력에 의존해 사는 북미쇠박새chickadee는 가을에 뇌에서 공간 정보와 기억력을 관장하는 부분인 해마의 크기가 30퍼센트 정도 늘어난다. 철새가 엄청나게 먼 거리를 비행해야 한다는 점을 고려할 때, 뇌가 크면 유리해 보일 것이다. 그런데 실제로는 겨울 내내 추운 날씨에 다른 곳으로 이동하지 않고 남아 있는 텃새보다 철새가 몸통 크기에 비해 뇌의 크기가 더 작다는 사실은 놀라운 일이 아닐 수 없다. 크고 무거운 뇌를 지니고 수천 킬로미터를 비행하는 것은 너무 힘든 일일 수도 있고, 신진대사 작용 측면에서 하늘을 날 때 쓰는 비상근에 더 많은 에너지를 공급해야 한다는 차원에서 뇌에 많은 에너지를 소비하는 것은 낭비가 될 수 있기 때문일 수도 있다. 그러나 조사 결과에 따르면, 텃새와 철새의 뇌의 크기가 달라진 이유는 뇌의 크기가 더 작게 진화한 철새보다는 더 크게 진화한 텃새와 더 관련이 크다. 해마다 철이 바뀌어도 한곳에 상주하는 텃새들은 계절의 변화에 따라 급격하게 바뀌는 서식 환경에 잘 적응해야 하기 때문이다.

그러나 비록 철새의 뇌가 텃새에 비해 더 작다고 해도, 아주 중요한 부분인 공간 인지 기능을 담당하는 해마에서 더 탁월한 능력을 보여 준다. 캐나다 남부에서 미국 남동부로 이동하는 검은눈멧새dark-eyed junco의 해마는 애팔래치아산맥 남부의 한 봉우리에서 상주하며 일생을 보내는 검은눈멧새의 해마보다 신경세포들이 더 빽빽하게 차 있다. 검은눈멧새의 공간 기억력을 시험하는 자리에서 철새는 텃새보다 더 탁월한 능력을 보여 준다. 철새들은 가을에 이동하기 전에 신경세포의 수를 늘린다. 과학자들이 철새인 유럽개개비reed warbler의 뇌와 텃새인 큰울음개개비clamorous reed warbler의 뇌를 비교했을 때, 전자가 훨씬 더 많은 새로운 신경세포를 생성해 냈다. (그런데 신경세포의 증가는 조류에 한정된 일이 아니다. 고등학교 생물 시간에 배웠을지 모르지만, 인간도 신경세포가 새로 자랄 수 있다.) 이스라엘 텔아비브 대학교의 쉐이 발칸Shay Barkan이 이끄는 국제 연구팀은 또한 신경세포의 밀집도가 철새의 이동 거리와 밀접한 연관성이 있다는 사실을 발견했다. 그들은 다수의 개개비류와 멧비둘기류의 깃털에 포함된 미세한 화학적 동위원소 신호를 통해 이동 거리를 추정하여 가장 멀리까지 이동한 개체들은 신경세포도 가장 많이 증가했음을 확인했다. 그러나 신경세포가 새로 생겨나는 부위는 달랐다. 대개 야간에 홀로 이동하는 개개비류들은 새로운 뇌세포 대부분이 예상대로 해마에서 생겨났다. 하지만 멧비둘기류는 〈니도폴리움 카도래터럴nidopallium caudolateral〉*이라고 부르는 뇌의 다른 부위에서 생성되었다. 그 부위는 고차원적 사고 기능을 담당하는데, 주로 낮에 무리 지어 이동하는 멧비둘기 같은 철새는 동료들의 행동을 주시하고 이해해야 하기 때문에 그것이 더 중요할 수 있을 것이다.

이것을 이렇게 생각해 볼 수 있다. 개개비는 비행과 공간 관련 정

* 조류의 뇌 뒤쪽에 있는 부위로 포유류의 대뇌피질 역할을 한다.

보를 처리하기 위해 더 많은 신경세포가 필요할 수 있지만, 비둘기들에게는 그런 정보를 공유할 많은 동료가 있다. 그런 의미에서, 무리를 지어 함께 나는 비둘기 수십, 수백 마리는 뇌에서 비행 정보를 처리하는 신경세포 하나하나라고 볼 수 있다. 각각의 비둘기들은 저마다 방향을 가리키는 나침반을 내장하고 있고, 그들의 방향 감각은 저마다 다소 차이가 있지만 대체로 부정확하다. 그렇지만 누구도 완벽하지는 않아도, 그들은 함께 날면서 그들의 부정확한 방향 감각을 완화시키는 동시에 저마다 각자 결정했을 때보다 더 합리적이고 정확한 집단 의사결정에 도달한다. 이것은 여러 번의 시행착오 끝에 정답이 나오는 것처럼, 〈다중 시행착오many wrong〉설이라고 알려진 것으로, 〈대중의 지혜wisdom-of-crowds〉 효과와 같은 것이다. 대중의 지혜라는 말은 1906년 처음 언급되었는데, 영국의 어느 박람회에서 수백 명의 참가자에게 황소 한 마리의 무게를 추정해 써내라고 하고 그것을 모아 평균을 냈더니 실제 무게와 1퍼센트도 차이가 나지 않을 정도로 정확한 결과가 나온 데서 유래되었다.

그것은 단언컨대, 철새의 이동과 관련해서 유일하게 가장 놀라운 발견이라고 할 수 있는 항법에 관한 새로운 과학으로 우리를 인도한다. 아인슈타인이 탐조를 즐기는 사람이 아니었다는 사실은 어쩌면 다행인지도 모른다. 이런 발견은 그의 마음에 들지 않았을 것이기 때문이다.

수천 킬로미터를 횡단할 수 있는 철새의 비행 솜씨는 아마도 그들이 지닌 가장 뛰어난 생리적 능력일 것이다. 특히 거의 모든 철새가 부모나 다른 어른 새의 도움을 받지 않고 본능적으로 완벽하게 그렇게 행동한다는 점에서 그렇다. 물새와 두루미를 포함한 일부 철새 무리만이 여러 세대가 함께 무리를 지어 이동할 뿐이다. 나머지 철새들은 천성적으로 해마다 특정한 시점에 정해진 시간 동안 특정 방향으로 날아가도록 지정된 유전자 도로 지도를 가지고 태어난다. 우리는 그들이 다양한 단서를 이용한다는 것을 안다. 산등성이 능선과 해안선 같은 지형, 별 같은 야간 지표(밤하늘에 뜬 별의 위치와 형태가 아닌, 북쪽을 가리키는 북극성 주변에 고정된 별자리들), 하늘을 가로지르는 태양의 움직임, 우리는 볼 수 없지만 새들에게는 보이는 편광* 파장대의 변화, 심지어 바람이나 날씨에 상관없이 수백 킬로미터를 가로질러도 매우 안정된 상태를 유지하고 계절이 바뀌어도 그대로 남아 있는 휘발성 화학 물질의 〈냄새 지형〉, 즉 냄새로 이동 경로를 확인할 수 있는 지표 따위가 바로 그런 단서들이다.

아마도 이러한 이동 단서들 가운데 가장 중요하면서도 수십 년 동안 가장 신비에 싸여 있었던 것은 자기장 기반의 방향 탐지 magnetic orientation일 것이다. 조류 연구자들은 1850년대부터 새들이 자기장을 감지할 줄 아는 능력이 있을지 모른다고 생각했고, 1960년대 들어 그것은 사실로 확인되었다. 이것을 확인해 보고 싶다면, 전서구(傳書鳩)의 머리에 원추형 종이모자와 흡사한 간단한 장치인 아주 작은 전자기 코일을 붙이고, 지구자기장보다 더 강력한 영향을 끼치는 자기장을 발생시키면, 비둘기가 방향 감각을 잃고 갈팡질팡하는 모습을 볼 수 있다. (만일 이런 작은 헬름홀츠 코일Helmholtz coil을 구할 수 없을 경우, 평범한 막대자석을 비둘기 등에 부착하면, 똑같은 현상이 발생할 것이다.) 이런 자기장을 감지하는 부위는 다양한 새의 윗부리에서 발견된 자성을 띤 산화철 결정체인 초소형 자철석이 내장된 부분이라고 오랫동안 생각해 왔다.

* Polarization. 자연광은 모든 방향으로 진동하며 진행하는데, 대기 속의 작은 입자들과 부딪히면 산란되어 특정 방향으로만 진동하며 나아가는 편광으로 바뀐다.

40년 전, 나는 대학 학부 시절에 조류학 강의실에 앉아 미식조 bobolink의 부리에 자철석이 있다는 내용을 읽은 적이 있는데, 그것은 그 새의 코를 북쪽으로 끌어당기는, 비행기 나침반 같은 역할을 하는 철 결정체를 쉽게 떠올리게 했다. 깔끔하게 정리가 되는 느낌이었다. 하지만 그 설명에는 두 가지 중요한 문제가 있었다. 그 한 가지는 나침반 바늘이 극성, 즉 지구자기장의 남북 정렬에 반응할 때, 새들은 반응하지 않는 것을 여러 실험들이 보여 주었다. 오히려 새들은 지구의 핵에서 발산되는 자기장선(磁氣場線)들이 지구의 양극이나 적도에 가까워지면서 계속 바뀌어 가는 지표면과 서로 교차하는 경사각을 감지하는 것처럼 보였다. 1990년대, 과학자들은 이러한 자철석 설명으로는 앞서 나온 문제보다 훨씬 더 설명하기 어려운 난제가 하나 더 있다는 것을 깨달았다. 무엇 때문인지는 몰라도, 새의 자기나침반은 노란색 불빛이나 특히 빨간색 불빛에 노출될 경우를 〈제외하고는〉 잘 작동했다. 그런데 그것은 새만 그런 게 아니었다. 도롱뇽 같은 유미양서류나 초파리 따위를 포함해서 자기장 감지 능력을 가진 거의 모든 동물은 빨간색 불빛을 쐬면 방향 감각을 잃어버렸다.

이 현상을 아무도 설명할 수 없었다고 하는 건 사실은 전적으로 맞는 말이 아니다. 다만 그 설명이 너무 특이해 보였기 때문에 그런 주장이 처음 나왔을 때, 기본적으로 아무도 그것을 진지하게 생각하지 않았을 뿐이다. (우연히도 같은 해에 나는 조류학을 공부하고 있었다.) 그러한 설명이 담긴 소논문이 한 유명 저널에 제출되었을 때, 저널 편집자들은 저자에게 그 원고를 쓰레기통에 버리라고 제언했다. 그는 그러지 않았다. 그러나 많은 사람이 클라우스 슐텐 Klaus Schulten의 생각에 주의를 기울이기까지 40년의 세월이 더 흘러야 했다.

1975년, 슐텐은 독일 괴팅겐에 있는 막스 플랑크 생물리화학 연구소Max Planck Institute for Biophysical Chemistry에서 박사후 과정을 밟고 있던 청년 물리학자였다. 그는 거기서 자기장의 영향을 받았을 때 일어나는 화학 반응을 주제로 연구 중이었다. 그는 자기 시험관에서 목격하고 있는 반응, 즉 양자 준위*로 연결된 두 개의 분자, 이른바 라디칼 쌍radical pairs이 평범한 막대자석의 영향을 받은 모습이 당시 여전히 미지의 영역이었던, 자기장을 감지하여 방향을 찾아가는 새의 신비한 능력의 원천일 수 있다고 생각했다. 새의 몸통 적절한 부위에 있는 적절한 분자가 빛이나 어둠에 의해 활성화되어 매우 약한 지구자기장에도 민감하게 반응하는 화학적 나침반을 형성할 수 있을 거라고 말이다. 그래서 슐텐은 두 명의 동료 연구원과 함께 그 가설을 설명하는 수학적으로 복잡한 소논문을 작성했다. 그리고 1978년, 그 논문을 권위 있는 과학 저널인 『사이언스 *Science*』에 제출했다.

「〈배짱 두둑한 과학자가 아니라면 이런 생각은 벌써 휴지통에 버렸을 겁니다〉라는 게재 거부 의사가 담긴 메모와 함께 논문을 돌려받았습니다.」[6] 슐텐은 2010년 한 인터뷰에서 말했다. 「저는 머리를 긁적이며 〈이건 위대한 발상이 아니면 완전히 엉터리인 거야〉라고 생각했어요. 결국 위대한 발상이라고 결론을 내렸죠. 그러고는 재빠르게 한 독일 저널에 그 논문을 발표했습니다!」

그의 논문 발표는 점잖게 말해서 큰 파장을 일으키지 못했다. 오늘날 그 분야의 전문가들 가운데 일부는 당시 그 논문이 받은 일반적인 무시는 슐텐과 그의 동료들이 수학적으로 풀어 놓은 복잡한 방정식들 때문이라고 말한다. 당시 생물학자들은 그들의 복잡한 수식 때문에 거기에 담긴 핵심적인 생각에 접근조차 하지 못했을 수

* quantum level. 양자역학의 지배를 받는 원자, 분자 내의 전자, 양성자, 중성자 같은 입자들이 가질 수 있는 일련의 불연속적인 에너지의 값으로 에너지 준위라고도 한다.

있다. 또한 당시에 슐텐을 포함해서 그 누구도 이런 종류의 광유도 자기장 인지에 필요한 특성들을 담은 분자에 대해서 알지 못했다는 사실도 부분적으로 이유가 되었을 수 있다. 그래서 슐텐은 다시 시작한다는 마음으로 다양한 학문을 컴퓨터생물리학과 연계시키면서 놀랄 정도도 풍부하고 다양한 경력을 연마했다. 예컨대, 슈퍼컴퓨터를 이용해서 에이즈HIV 바이러스의 단백질 껍질에 있는 6400만 개의 원자를 모의 실험하는 반면, 자기장 방향성에 대한 자신의 발상과 관련해서는 손을 떼었다. 일리노이 대학교에서 수많은 주요 연구 그룹을 이끌고 있었던 때인 2000년에, 슐텐은 다시 그 문제로 돌아왔다. 당시 누군가가 크립토크롬이라고 하는 광수용체 단백질*이 그가 말한 신비로운 분자일지 모른다는 말을 했기 때문이다. 슐텐은 자신의 주장을 물리학자가 아닌 사람들도 이해할 수 있도록 더욱 쉽고 자세하게 펼친 논문을 공동으로 집필했다. 이번에는 과학계가 그의 논문에 주목했다. 그리고 최근에 급진전된 연구로 발표된 한 논문은 슐텐이 정말로 자기수용(磁氣受容)**의 성배를 발견한 사람임을 대다수 전문가들이 확실히 인정하게 만든다.

그것은 정말 기묘한 성배다. 하지만 또 양자의 세계에서는 대부분의 것들이 그렇게 기묘하다. 현재까지 이해된 것으로 볼 때 철새의 이동은 이렇게 이루어진다. 밤하늘을 날개를 퍼덕이며 날고 있는 철새는 별들을 흘깃 쳐다본다. 수백 또는 수십억 년 전에 그 별들 가운데 하나에서 떠난 빛알 하나가 그 새의 눈에 들어와서 크립토크롬의 한 형태, 크립토크롬 1a 또는 Cry 1a라는 특정 변이체의 분자와 충돌한다. 이러한 만남은 망막에서 일어나는데, 이전에는 어떤

* photoreceptor protein. 생물이 빛을 검사하여 알아내기 위해 특정파장대역의 빛을 흡수하는 단백질군.

** magnetoreception. 생물이 자기장을 탐지하여 방향, 고도나 위치를 인식할 수 있는 감각.

기능을 하는지 신비에 싸여 있었던 이중원추세포double-cone cell라는 분화된 시세포군에서 발생한다. 그 빛알은 Cry 1a의 전자들 가운데 자유전자와 부딪히고, 그 전자가 옆에 있는 Cry 1a를 찬다. 그 두 분자는 이제 저마다 홀수 개인 전자들을 갖기 때문에, 그 둘은 이른바 라디칼 쌍이 되면서 서로 연결된다. 이것을 양자역학의 전문 용어로 말하면 얽힌다고 표현한다. 그것들은 또한 자성(磁性)이 있다. 전자는 자전 운동을 하는 속성이 있는데, 그것을 전자스핀electron spin이라고 부른다. 그것은 당신이 머릿속으로 생각하는 팽이처럼 그렇게 도는 것이 아니다. 그것은 실제로 스핀 각운동량(角運動量)* 이라는 상태를 말한다. (하지만 신경 쓰지 마라. 머리를 복잡하게 만드는 양자역학의 토끼굴로 너무 깊이 들어가지 말자.) 그렇게 서로 얽힌 입자들은 고전물리학과 상식을 무시하고 거리에 상관없이 서로 결합된다. 그들은 사실상 하나가 되었다. 만일 둘 중 하나의 속성을 측정할 수 있다면, 서로 수백만 광년 떨어져 있다고 해도, 나머지 다른 하나의 속성도 유추할 수 있다.

자신의 연구가 그 개념을 낳는 데 기여한 아인슈타인은 이 〈양자 얽힘〉이라는 발상에 반기를 든 것으로 유명했다. 그는 1930년대에 그 생각을 〈멀리서 일어나는 유령 같은 작용spooky action at a distance〉이라고 일축했다. 그러나 많은 실험이 그것이 사실임을 입증했다. 철새의 눈에서는 무수히 많은 라디칼 쌍이 작용하여 지구로부터 호를 그리며 형성되는 자기장선의 기울기와 지면에 대한 새의 위치에 따라 바뀌는 희미한 형체나 얼룩을 만들어 낸다. 새가 머리를 움직이면서 그것을 볼 수 있는데, 정상적으로 보는 것을 방해할 정도로 불투명하지는 않다. 그러나 보통 〈얽힘〉에 대해 들어본

* spin angular momentum. 전자의 자전 운동으로 생기는 운동량. 실제로는 원자핵 주변을 전자가 도는데, 이로 인해 전자 주위에 자기장이 형성된 상태를 말한다.

적이 있다면, 그것은 그 용어의 사용이 매우 낯설게 느껴졌기 때문에 기억에 남았을 가능성이 높다. 예컨대, 2017년 중국 과학자들은 두 개의 얽힌 빛알, 또는 적어도 그 빛알들에 담긴 정보를 궤도를 돌고 있는 위성에서 1100킬로미터 이상 떨어진 지상관제소로 〈순간 이동〉시키기 위해 얽힘을 사용했다. 이것은 영화 「스타트랙Star Trek」의 등장인물을 순간 이동으로 보내는 장면과는 거리가 멀다. 하지만 그 실험은 해킹이 불가능한 초광속 통신망인 양자 인터넷으로 가는 시발점으로 각광을 받았다. (역설적이지만, 〈얽힘〉 그 자체는 새들이 자기장을 볼 수 있게 하는 과정에 꼭 필요한 것은 아닐지도 모른다. 양자 이론에서 이 낯선 갈래는 두 명의 가장 중요한 연구자들의 말을 빌리면, 자기나침반 역할을 하는 분자에 필수 요소는 아니지만 크립토크롬에서 〈공짜로〉 얻는 것[7]일 수 있다.)

나는 일리노이 대학교 어바나-샴페인 캠퍼스의 베크먼 고등 과학기술 연구소Beckman Institute for Advanced Science and Technology에 있는 클라우스 슐텐의 연구실 방문을 간절히 원했다. 이전에 그와 연락을 취한 적이 있었기에, 2016년 말쯤 그에게 언제 방문이 가능한지 묻는 이메일을 보냈다. 따라서 슐텐 박사가 69세 나이로 몇 주 전에 세상을 떠났다는 사망 소식을 자동응답 이메일로 받으리라고는 전혀 예상하지 못했다. 그의 부고에는 당연히도 그가 엄청나게 복잡한 동식물의 생체 조직들을 과학자들이 모의실험 할 수 있게 하는 새로운 기술들을 선도한 컴퓨터생물학 발전에 지대한 공헌을 했다고 칭송하는 내용이 담겨 있었다. 그러나 나 같은 탐조가 입장에서 볼 때, 그의 가장 위대한 발견은 해마다 두 차례씩 밤하늘을 관통하며 날아간다.

이제 라디칼 쌍과 크립토크롬 1a, 양자 얽힘이 날아가는 새에게 자기나침반 감각을 제공한다는 것은 거의 확실한 사실처럼 보인다. 그러나 새들에게는 자기장을 이용해서 방향을 찾는 능력 말고도 경로를 따라 비행할 줄 아는 두 번째 능력이 있다. 그런데 이 능력은 라디칼 쌍으로 설명이 되지 않는다. 내가 한때 조류학 교재를 읽으며 코에 달린 나침반으로 상상했던, 새의 부리에 있는 아주 작은 자철석이 함유된 구조체들은 어떠한가? 한 연구팀은 그것들이 실제로는 전혀 자철석이 아니라고 결론지었다. 그들은 그 구조체들이 철분이 풍부한 대식세포*로, 조류의 면역체계를 구성하는 한 요소인 백혈구의 일종이며, 실험실에서 검체 슬라이드를 준비하기 위해 사용된 염색 과정에서 자철석처럼 보인 거라고 주장한다. 대식세포는 방향성과 관련해서는 알려진 역할이 없다. 그 결론에 반대하는 과학자들도 있다. 그들은 새의 윗부리에 뻗어 나간 삼차(三叉)신경**이 있는데, 그것이 새가 경로를 따라 비행할 수 있게 하는 감각을 제공하는 것처럼 보인다고 말한다. 칼리닌그라드Kaliningrad에서 포획된 개개비를 동쪽으로 1000킬로미터 떨어진 곳의 자기장에 노출시키면, 이 개개비들은 그 순간 바로 자기 위치가 옮겨진 것으로 확인하고 스칸디나비아의 그들의 번식지로 돌아가기 위한 방향으로 수정해서 이동하려고 한다. 그러나 만일 그들의 삼차신경 일부를 마취 수술로 절단하면, 그 새들은 이동을 하지 못하고 마치 계속 발트해 해변에 있었던 것처럼 행동하며 거기에 적응한다. 꺼림칙하게 철새의 몸에 칼을 대는 외과적 방법까지 동원한 실험들을 해야 한다는 사실은 새의 방향성에 대해 우리가 기본적으로 알고 있는 내용이 얼마나 미미한지를 역으로 보여 준다. 러시아에서 개개비 연구를 수행한 과학자들이 내린 결론에 따르면, 철새는 〈생물학적으로 어떻게 기능하는지 아직 밝혀내지 못한 제2의 자기장 감지 능력〉[8]을 가지고 있다. 모든 수수께끼는 저마다 내부에 늘 또 다른 새

* macrophage. 혈액, 림프, 결합 조직에 있는 백혈구의 한 종류로, 침입한 병원균이나 손상된 세포를 포식하여 면역 기능 유지에 중요한 역할을 하는 세포.

** trigeminal nerve. 얼굴의 감각과 일부 근육 운동을 담당하는 제5뇌신경.

로운 수수께끼가 발견되기를 기다리고 있다.

때때로, 어쩌면 거의 대부분, 사람들이 가장 깜짝 놀라는 발견은 전혀 기대하지 않았던 새로운 것이 발견되었을 때다. 일군의 조류학자들이 스위스의 바덴에 있는 한 번식지에서 흰배칼새alpine swift에 초소형 데이터 기록 장치를 부착해서 날려 보낸 2011년에 그런 일이 일어났다. 칼새는 공중에서 생활하는 시간이 가장 긴 새다. 뭉툭한 시거 담배에 초승달 모양의 날개가 달린 것 같은 모습이다. 다리는 거의 흔적기관처럼 아주 작아서 그것으로 할 수 있는 것이라고는 절벽이나 동굴, 속이 빈 나무의 내부 같은 수직 벽 표면에 찰싹 달라붙어 있는 것이다. 그들은 나뭇가지 위에 앉지도 못하고, 걸을 수도 없다. 그들은 심지어 짝짓기도 날면서 한다. 흰배칼새는 대개 아랫면이 희고 날개 길이가 약 55센티미터에 이르는 몸집이 큰 종이기 때문에 1그램 조금 넘는 무게의 관찰 장치들을 달고 날 수 있다. 흰배칼새에게 장착된 장치는 두 가지였는데, 하나는 이듬해 회수했을 때 과학자들이 지난 몇 달 동안 그 새가 아프리카까지 이동한 경로를 재구성할 수 있게 도와주는 지오로케이터였고, 다른 하나는 새의 날갯짓과 몸통의 비행 각도를 기록하는 가속도 센서였다. 그렇게 해서 그 연구팀은 흰배칼새들의 일주 행동, 즉 몇 시간을 날고, 몇 시간을 먹이 사냥을 하는지, 그리고 몇 시간을 쉬거나 잠을 자는지 밝혀낼 수 있었다.

이듬해 봄, 장치들을 부착해 날려 보낸 흰배칼새들 가운데 세 마리가 바덴으로 돌아왔다. 그리고 그들에게서 회수한 데이터 기록 장치들에 담긴 데이터는 과학자들의 입을 떡 벌어지게 만들었다. 그 새들은 스위스에 머무는 동안 낮에는 비행하고 밤에는 휴식을 취하는 밤낮 구분이 명확한 행동 패턴을 보였다. 그러나 그들이 지중해를 건너고 사하라 사막을 지나 서아프리카 쪽으로 남하하기 시작하자, 그 패턴은 사라졌다. 그 새들은 200일 동안, 즉 6개월 이상을 낮이든 밤이든 전혀 어디에도 내려앉지 않은 것처럼 보였다. 이것은 확실히 자연계 생물에서 가장 보기 드문 예상 밖의 신체적 능력 가운데 하나로 평가받을 만했다. 그러나 흰배칼새는 얼마 안 있어 곧바로 그 자리에서 밀려났다. 3년 뒤, 일군의 과학자들은 스웨덴에서 비슷한 관찰 대상이었던 유럽칼새common swift가 월동지인 서아프리카에서 아무 데도 내려앉지 않고 무려 10개월을 하늘을 비행했다고 발표했다. 일부 박물학자들이 거의 한 세기 전에 표명했던 그 종에 대한 주장이 사실로 확인된 것이다. 더 최근 들어서는 또 다른 연구팀이 지중해 지역에서 번식하는 흰목칼새pallid swift 사이에서도 똑같은 행태가 발생한 사실을 확인했다. (미국 동부의 굴뚝칼새chimney swift와 서부의 복스칼새Vaux's swift와 미국검은칼새black swift 같은 북미산 종은 비번식기에는 비행을 멈추고 내려앉아 휴식을 취한다.)

그들은 어떻게 그렇게 할 수 있을까? 기생식충동물들처럼, 공중에서 먹잇감을 발견하는 일은 칼새들에게 전혀 문제가 되지 않는다. 그리고 이미 군함조에 대해서 아는 것처럼, 칼새들도 뇌의 반은 깨어 있고 반은 잠을 자는 단일 반구수면을 한다. 더 나아가, 그들은 공중에서 극도로 에너지를 보존하면서 탁월한 활공과 높이 치솟아 오르는 실력을 보여 주는 군함조를 훨씬 더 능가한다. 유럽칼새에 대한 최근 연구 결과에 따르면, 그들은 하늘을 나는 동안 활공 시간이 거의 4분의 3을 차지했는데, 상승 기류 같은 공기의 흐름 변화에 능수능란하게 대응할 줄 아는 능력 덕분에 비행에 들어가는 전반적인 에너지 소모는 〈거의 제로〉에 가까웠다.[9] 저녁 식사 자리에서 조용히 밥을 먹고 있는 인간이 순전히 식사에 소모하는 에너지가 칼새가 아프리카 평원의 300미터 상공 주변에서 급강하하는 데 소모하는 에너지보다 더 많다는 말이다.

일상적으로 우리의 예상을 산산이 깨뜨리는 철새에 대해서도, 그런 새로운 발견들은 그동안 완전히 불가사의했던 내용들에 대한 새로운 기준을 정해 준다. 대부분의 유럽칼새들은 5~6년을 산다. 하지만 가락지를 달아 날리고 관찰한 어떤 유럽칼새는 18년 동안 생존했다. 이는 그 새가 일생 동안 약 600만 킬로미터를 거의 착지도 하지 않고 비행했음을 의미한다. 이전에는 상상할 수 없었던 그런 사실들 가운데 오늘날 우리가 밝혀내지 못할 것이 있다고 생각하는 조류학자들은 거의 없다. 앞으로 빅 데이터가 점점 더 커지면서, 새를 추적하는 기술은 점점 더 소형화할 것이다. 빅 데이터와 추적 기술의 결합은 시너지 효과를 내면서 철새의 이동을 연구하는 우리의 능력에 지대한 영향을 끼칠 것이다. 그리고 경외감 속에서 끊임없이 이어지는 새로운 발견들을 바라보게 될 것이다.

3장
옛날엔 그렇게 생각하곤 했다

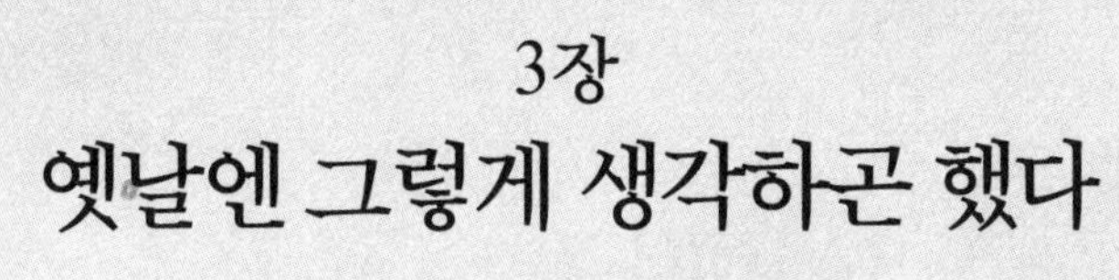

유럽칼새가 논스톱으로 최대 10개월까지 비행한다는 발견은 로널드 로클리Ronald Lockley에게는 그리 놀라운 일이 아니었을 것이다. (오늘날 어쩌면 소설 『워터십 다운*Watership Down*』* 저술에 영감을 제공한 야생 토끼에 대한 연구로 세상에 널리 알려진) 이 웨일스인 조류학자는 1969년에 이미 그런 주장을 했다. 그의 주장은 어느 날 데번Devon에 있는 그의 집에서 해 질 무렵 칼새들이 거대한 무리들을 이루어 수직으로 하늘 높이 오르는가 싶더니 마침내 그들이 시야에서 사라지는 모습을 관찰하기 시작한 데서 촉발되었다고 볼 수 있을 것이다. 로클리는 제1차 세계 대전 때 한 프랑스인 조종사가 한밤중에 비행기 엔진을 끈 채 지상에서 거의 3000미터 상공을 활공하다가 문득 자신이 칼새들에 둘러싸여 있음을 발견했다는 사실을 알고 있었다. 그리고 18세기 길버트 화이트에게까지 거슬러 올라가서 옛날의 박물학자들이 어째서 칼새는 땅에 내려앉는 모습을 거의 볼 수 없는지에 대해 줄곧 의심했다는 사실도 알고 있었다. 로클리는 남아프리카공화국에서 열린 한 조류학 회의에서 거기에

* 영국 작가 리처드 애덤스Richard Adams가 쓴 판타지 문학의 고전으로, 번역서 제목은 『워터십 다운의 열한 마리』.

모인 청중들을 대상으로 이렇게 말했다. 「칼새들이 항상 공중에 떠 있다는 것을 의심하는 다른 분들은, 어쩌면 내가 지금 만들어 내고 있는 것처럼 보일 수 있는, 전면적인 일반화의 위험성을 무릅쓸 생각이 없었을 겁니다.」[10] 로클리는 한 치의 거리낌도 없이 자신의 입장을 당당하게 표명했다.

물론 어떤 것을 의심하는 것과 그것을 확인하는 것은 서로 다른 일이다. 로클리는 2000년에 96세의 나이로 세상을 떠났는데, 자신이 예견한 것이 진실임이 판명되는 것을 살아서 보지 못했다. 1969년에는 체중이 약 36그램인 칼새처럼 작은 새를 추적 관찰할 수 있는 현실적인 방법이 전혀 없었다. 당시에도 무선송신기들이 있었고, 그런 작업을 겨우 수행하기에 알맞은 정도의 작은 것들이 일부 있었지만, 그것들도 휴대용 수신기를 사용해서 일정하게 가시거리를 유지하며 신호를 받는 사람이 있어야 했다. 잘 움직이지 않는 대상과 그런 접촉을 유지하는 것도 매우 힘든 일인데, 그 대상이 이동하는 철새라면, 그것을 관찰하기 위해서는 비행기가 필요하다. 좀 더 현실적으로 말하면, 그것도 여러 대가 있어야 한다. 게다가 끊임없이 움직이는 대상과 신호를 주고받으며 접촉을 유지하는 것은 더더욱 엄청나게 어려운 일이다.

전자 장치의 소형화, 특히 배터리와 태양광 패널 등의 전력장치 소형화는 철새 이동 연구의 판도를 바꿔 놓는 중대 사건이었지만, 이는 오늘날 철새 연구 분야를 재편하고 있는 많은 진전 가운데 하나일 뿐이다. 요행히도 나는 이러한 혁신 기술들이 철새 이동에 대한 우리의 이해를 얼마나 많이 바꿔 놓았는지 직접 현장을 보았고, 이런 새로운 기술들 가운데 일부를 획기적으로 사용하는 데 직접 참여할 수 있는 기회도 가질 정도로 운이 좋았다. 이제 몸집이 너무 작아서 기존의 어떤 전통적인 송신장치도 적합하지 않았던 새들의 움직임을 연구하는 사람들을 들뜨게 하는 시간이다. 우리는 처음으로 비로소 새들을 개별적으로 추적할 수 있게 되었고, 크기가 아주 작은 종의 새들을 대상으로도 그들이 번식을 하고 이동하고 겨울을 나는 한 해 동안의 주기를 관찰할 수 있게 되었다. 이 새로운 능력은 철새들이 과거에 알지 못했던 위협들에 직면해 있음을 밝혀 주었다. 그것은 오랫동안 수수께끼로 남아 있었던 철새의 감소 원인을 설명해 주고, 환경 보호 활동가들에게 손상된 생태 환경을 복구할 수 있는 지침을 제공했다. 우리는 수천 킬로미터 떨어져 있는 장소들이 매우 구체적이고 매우 지역적으로 고유한 이동의 연계성 때문에 서로 긴밀하게 불가분의 관계로 묶여 있다는 사실을 알았다. 그것은 지금까지 우리가 알고 있었던 내용이 그들의 중요한 생애주기에서 얼마나 단편적인 일부에 불과했는지, 그리고 그들을 보호하기 위한 우리의 노력이 기껏해야 얼마나 불완전하고, 잘못될 경우 얼마나 심각한 부작용을 낳는지 깨닫게 했다. 그러나 우리가 여전히 모르는 이유로 백척간두에 매달려 있는 많은 철새 종에게 이런 새로운 정보의 물결이 너무 늦지 않게 도래할지는 더 지켜봐야 할 것이다.

「준비됐어, 토드?」 데이브 브링커Dave Brinker는 따가운 햇살을 손바닥으로 가리고 위를 쳐다보며 외쳤다. 그의 흰 턱수염 사이로 햇살이 언뜻언뜻 비쳤다. 우리 머리 위로 약 12미터 높이에 있는 기중기 버킷에 올라탄 이는 엄지손가락을 위로 올리며 준비가 완료되었다는 신호로 화답했다.

「좋아, 침착하고 조심해서 해.」 데이브가 말했다. 나는 그와 함께 기중기에서 땅바닥으로 비스듬하게 내려진 긴 밧줄을 팽팽하게 잡아당기기 시작했다. 약 1.6센티미터 간격으로 십자형 짧은 금속 연결 피스가 달려 있는 길이 약 3미터짜리 금속 안테나가 8월의 뜨거운 바람에 흔들거리며 낡은 전신주 꼭대기를 향해 조금씩 점점 더 높이 올라가기 시작했다. 거기서 토드 앨러거Todd Alleger는 손을 뻗어 안테나를 잡아서 전봇대에 조심스레 결합시켰다. 그 청년은 전문가의 솜씨로 안테나의 중앙 브래킷을 풍화된 전신주의 꼭대기에서 약 2미터 더 올라간 금속 안테나 기둥에 밀어 넣었다. 그런 다음 안테나가 정북을 가리키게 방향을 잡은 뒤, 볼트로 조여 단단히 고정시켰다.

이후 한 시간 동안 우리는 전신주 꼭대기로 기다란 안테나를 세 개 더 올려 보냈다. 그 전신주가 서 있는 곳은 필라델피아에서 북서쪽으로 2시간 정도 달려 도달하는 옥수수밭과 미개간지들로 둘러싸인 펜실베이니아 수렵동물 관리 위원회Pennsylvania Game Commission 건물 뒤편이었다. 차들로 분주한 주간 고속도로를 빠른 속도로 달리던 운전자가 돌을 던지면 닿을 수 있는 가까운 거리에서 작업하고 있는 우리를 본다면 의아해할 것이다. 인터넷으로 고화질 동영상을 볼 수 있는 지금과 같은 시대에 왜 구식 텔레비전 안테나를 세우느라 저렇게 땀을 뻘뻘 흘리고 있나 하고 말이다. 그렇게 생각하는 것은 당연하다. 그러나 이렇게 늘어세워 놓은, 햇빛에 반짝이는 금속 안테나는 과학자들이 처음으로 엄청나게 먼 거리를 가로지르는 아주 작은 철새들도 추적, 관찰할 수 있게 해주기 위해 꽤 오래된 구식 기술을 혁신적인 방식으로 이용한 획기적인 노력의 일환이었다.

무선 전파 원격 측정은 오래전에 나온 기술이다. 동물의 몸에 초단파VHF 무선송신기를 부착하는 것은 야생동물의 이동을 연구하기 위해 사용된 최초의 무선 추적 기술이었다. 자연 다큐멘터리를 본 적이 있는 사람들이라면 누구나 그 원리를 잘 이해한다. 작은 무선주파수 발신 장치가 신호를 방출하면, 수신기와 야기yagi안테나로 알려진 휴대용 지향성안테나를 가진 생물학자는 그 신호를 포착한다. (과거에 교외 지역의 모든 집을 불안하게 감싸고 있었던 그

구식 TV 안테나들은 특대형 야기안테나들의 일종일 뿐이다.) 야기 안테나는 무선송신기가 있는 쪽으로 다가가면 갈수록, 삐 하는 소리가 점점 더 커지고, 그 반대로 갈수록 소리가 점점 잦아든다. 그럼 작업은 끝난 것이다. 신호를 보내는 송신기가 어느 방향에 있는지 이제 당신은 안다. 이것은 그런대로 잘 작동하지만, 손이 엄청나게 많이 가는 노동 집약적 시스템이다. 산이나 건물, 울창한 숲 같은 것이 있으면 신호를 차단하기 때문에 수신기/안테나와 무선송신기는 반드시 서로 가시거리 안에 있어야 한다. 게다가 관찰 대상을 추적하기 위해서는 숙련된 연구자가 잠시도 방심하지 않고 주시해야 한다.

사슴이나 곰을 추적 관찰하는 일은 매우 힘든 일이다. 하지만 넓은 지역을 가로지르며 이동하는 철새의 뒤를 쫓는 일은 더더욱 힘든 일이며, 언제라도 출동 가능한 항공 인력을 갖추고 있지 않다면 상황은 훨씬 더 복잡하게 꼬이기 마련이다. 설령 그렇다고 하더라도, 그 일은 해볼 만하다. 1980년대 말, 나는 붉은꼬리말똥가리의 가을철 이동을 추적하는 연구팀의 일원이었다. 내가 맡은 임무는 그 새를 잡아서 가운데 꼬리깃에 송신기를 부착하는 일이었다. 붉은꼬리말똥가리 무리의 뒤를 쫓는 일은 전혀 부러워할 일이 아니었다. 그들은 대개 열흘 내지 열하루를 꼬박 노상에서 패스트푸드를 먹고 토끼잠을 자면서 보냈다. 지상에서 교통 혼잡으로 시간이 늦거나 낯선 도로에서 헤매기라도 한다면, 인간보다 훨씬 더 빠르게 이동하는 그들의 항공표적들을 다시 찾는 데 오랜 시간이 걸릴 것이다. 추적팀은 며칠이 지나도 무선송신기를 부착해서 날려 보낸 붉은꼬리말똥가리의 신호를 포착하는 데 실패할 경우, 우리 연구팀 자체 소속 조종사에게 연락을 취할 것이다. 그러면 은퇴한 기술자인 프랭크 마스터스Frank Masters라는 민간 조종사가 펜실베이니아 중부에서 거의 즉각적으로 자신의 단발비행기에 올라타서 예를 들면, 버지니아 서부나 노스캐롤라이나 동부 지역을 비행할 것이다. 프랭크는 그의 비행기 날개버팀대에 장착된 야기안테나를 사용해서 공중과 지상에서 방출되는 신호의 위치를 다시 찾아서 좌표와 함께 추적팀에 통보하고 동트기 전에 집으로 복귀할 것이다. 그럼 바로 그다음 날 밤부터는 추적팀이 그 일을 재개할 수 있었다.

무선 전파 원격 측정 기술은 야생동물 연구에서 아직도 많이 쓰인다. 내가 이끄는 올빼미 연구팀도 애팔래치아산맥 중부 지역에서 북방애기금눈올빼미의 중간 기착지 생태를 수년 동안 연구하면서 그 기술을 통해 큰 효과를 보았다. 음료수 깡통만 한 크기의 북방애기금눈올빼미가 주간에 쉬는 장소들을 찾아내기도 했고, 일정하게 한정된 구역에서 그들의 야간 이동을 관찰하기 위해 삼각대형으로 좁혀 접근할 때도 그 기술을 이용했다. 그러나 과학자들은 철새의 이동을 추적하기 위해 인공위성을 이용한 아르고스 시스템*과 통신하는 위성 송신기를 사용하는 방식을 점점 더 많이 쓰기 시작했다. 그 기술은 전 세계 어디에 송신기가 있든 이용자들에게 그 위치를 정확하게 알려 준다. 하지만 그런 기술들은 모두 장단점이 있기 마련이다. VHF 무선송신기는 가격이 싸고 크기도 작은 반면에, 노동력이 많이 들어간다. 이에 비해 위성 송신기는 무게도 무겁고 가격도 비싸다. 지난 몇 년 동안, 위성 송신기는 중간 크기의 맹금류보다 더 작은 새들에게 부착하기에는 너무 무거워 사용할 수가 없었다. 오늘날에도 가장 가벼운 위성 송신기의 무게는 대략 5그램이나 되며, 이는 체중이 약 155그램—물떼새나 몸집이 큰 도요새의 체중—보다 가벼운 새에게는 사용할 수 없다는 것을 의미한다. 수천 종의 작은 새들, 전 세계 대부분의 철새들에게는 그 기술이 전혀 소

* Argos system. 해상의 부표나 기구, 동물 등에 부착시킨 발신기에서 발사된 전파를 인공위성이 수신하여 위치 정보와 같은 여러 가지 데이터를 수집하기 위해 프랑스와 미국이 공동 운영하고 있는 시스템.

용없다는 말이다. 또한 위성 송신기를 이용하는 비용은 매우 비싸다. 장비 가격만 대당 수천 달러이고, 게다가 위성 사용료도 해마다 수천 달러 넘게 나간다.

그래서 최근에 소형화와 자동화 기술이 결합함으로써 VHF 무선 전파 원격 추적 기술에 새로운 활로를 열어 주었다. 고효율의 전지들이 개발되면서, 명금류 새에게도 충분히 장착 가능함은 물론 심지어 제왕나비나 일부 잠자리 같은 큰 곤충들에게도 부착할 수 있는 무게가 1그램밖에 안 나가는 아주 작은 전파송신기를 만드는 것이 이제 가능하다. 자동화된 여러 개의 수신 기지국들과 결합되면, 전 세계적인 추적 네트워크도 구축할 수 있어서 남반구와 북반구를 오가는 아주 작은 철새들도 관찰할 수 있다. 그것은 모투스Motus(라틴어로 〈이동〉이라는 뜻) 야생동물 추적 시스템으로 알려져 있는데, 캐나다에서 가장 큰 조류 보호 단체인 버즈 캐나다Birds Canada(이전 명칭은 캐나다 조류 연구회Bird Studies Canada)가 구축한 시스템이었다. 2012년, 생물학자 스투 맥킨지Stu Mackenzie와 그의 동료들은 나노태그로 알려진 초소형 송신기와 자동수신기를 가지고 실험을 시작했다. 나와 데이브 브링커, 그리고 메릴랜드주 천연자원부 소속 생물학자 한 명이 올빼미 이동을 추적하기 위해 펜실베이니아 산악지대에서 그 장비들을 서툴게 조작하고 있었던 때가 우연히도 바로 같은 해였다. 당시 캐나다 조류 연구회는 이 신기술이 동물의 이동 연구를 획기적으로 뒤바꿀 수 있는 무한한 가능성이 있음을 재빠르게 눈치챘다. 송신기 가격은 이전의 수천 달러에 비하면 이제는 수백 달러에 불과해서 저렴하고, 송신기마다 고유한 인식 코드를 전송하면서 동일한 주파수로 모두에게 보내기 때문에 어떤 수신기로도 신호를 받을 수 있다. 우리가 앞서 설치하고 있었던 것 같은 지향성안테나들과 거기에 연결된 아주 기본적인 컴퓨터, GPS 수신기와 몇몇 소소한 장치, 그리고 외딴 지역이라면 태양 에너지원으로 구성된 수신 기지국을 운영하는 비용은 5000달러 미만으로 자체적으로 운영이 가능하다. 과학자들도 그 가능성을 알았기 때문에 10년도 지나지 않아 모투스는 북극에서 남아메리카 남부까지, 그리고 점차 유럽과 아프리카, 아시아와 오스트레일리아를 포괄하면서 거의 1000개의 수신 기지국을 거느린 네트워크로 급성장했다. 그동안 아무도 상상할 수 없었던 수준으로 상세하게 수많은 새와 박쥐, 작은 곤충들의 이동을 추적할 수 있게 되었다.

저마다 특정 연구 프로젝트를 지역에서 수행하는 과학자들이 그런 수신 기지국들을 계속해서 구축해 나갔다. 예컨대, 뉴잉글랜드 해안을 따라 먹이 사냥을 하는 제비갈매기의 이동을 추적한다거나, 온타리오 서부의 갈색제비의 둥지에서의 행동을 연구하는 따위가 그런 경우들이다. 그러나 수신기들이 일정 지역 내, 즉 지형과 날씨에 따라 25~30킬로미터 내를 통과하는 송신기를 부착한 동물들의 신호를 포착하기 때문에, 새로 세워진 기지국들은 그 직접적인 목적이 무엇이든 간에 전체적으로 보면 해당 동물의 이동을 추적하는 데 도움을 준다. 만일 캐나다 북극 지방에서 송신기를 부착한 아메리카도요가 온타리오를 관통해서 날면, 갈색제비 이동을 추적하기 위해 세워진 기지국 수신탑이 아메리카도요의 송신기에서 발송한 신호를 포착할 수 있다. 마찬가지로 유럽개개비의 이동을 추적하기 위해 조지아 해안에 특별히 세워진 기지국 탑에서도 다른 철새의 신호를 포착할 수 있다.

데이브와 토드, 그리고 나는 북동부 모투스 공동 연구팀Northeast Motus Collaboration이라고 하는 연구 집단의 일원이다. 우리는 서로 다른 각도에서 이 모임에 접근하고 있다. 비록 우리는 각자의 연구 목적, 예컨대 올빼미 이동 연구를 비롯해서 명금류의 중간 기착지 생태 연구에서 창문에 충돌했다 살아난 새들이 길을 제대로 찾아 비행할 수 있는지 장애 여부를 연구하는 것에 이르기까지 다양한 연구를 위해 모투스 네트워크를 이용하기를 바라지만, 우리가 하는 작업이 동물의 이동을 연구하는 과학계 전체에 기여하는 네트워크 구축에 중요한 역할을 한다는 것도 알고 있다. 따라서 우리는 2015년부터 미국 북동부 내륙 지역에 지역 수신 기지국 수를 점점 더 늘리기 위해 주정부와 연방정부의 보조금 요청은 물론 사비도 털고 재단 기금도 모금했다. 우리가 앞서 낡은 전신주 꼭대기에 설치하고 있었던 그 수신탑은 2017년 1단계로 필라델피아 인근에서 이리호Lake Erie까지 약 50킬로미터 간격으로 펜실베이니아를 대각선으로 가로지르는 기지국 20개를 세우는 작업의 일환이었다. 그 이후, 우리는 미국 동부 연안 지역과 뉴욕을 가로지르고, 더 최근에는 뉴잉글랜드 지역을 관통하며 범위를 넓혀 왔다.

나는 축적된 데이터를 다운로드하기 위해 그 기지국들 가운데 한 곳을 방문할 때마다 마치 크리스마스를 맞는 어린 소년 같은 기분에 젖는다. 12월 초, 나는 그때 새로 설치한 수신기가 있는 기지국에 가서 녹색 방수 플라스틱 상자를 열어 내 노트북을 그 안에 있는 소형 컴퓨터에 연결하고 상태를 점검했다. 모두 정상이었다. 그런 다음, 소형 컴퓨터 메모리카드에 저장된 데이터를 빼냈다. 그리고 그 데이터를 모투스 웹사이트에 올렸다. 잠시 후, 정보 처리된 데이터를 받았다. 지난가을 철새가 이동하는 동안 사람들이 잠에 취해 있을 때 하늘 위로 무엇이 지나갔는지를 어렴풋이 알 수 있는 데이터였다.

무엇보다 수많은 지빠귀가 그곳을 지나갔다. 캐나다 동부에 있는 과학자들 가운데는 모투스 기술을 이용해서 그 철새 집단을 연구하는 사람들이 여럿 있었다. 그중 한 팀은 노마스코샤에서 스웬슨지빠귀들에게 송신기를 부착하고 있었는데, 그 새들이 번식을 끝내고 남아메리카로 이동하기 전에 지역 내에서 대규모로 이동하는 것에 대해 더 많은 정보를 알아내기 위해서였다. 내가 방문한 그 기지국의 수신기는 그들 십여 마리가 수 주일 동안 그곳을 통과하면서 발사한 신호를 포착했다. 이때 퀘벡에 있는 또 다른 연구자는 여러 종의 지빠귀들이 번식을 끝낸 뒤, 이동을 대비해서 살을 찌우려고 열매가 많이 달린 관목 지역으로 이동하는지를 알기 위해 모투스 네트워크를 사용하고 있었다. 우리는 회색뺨지빠귀 세 마리가 그곳을 통과하는 것을 탐지했다. 또한 몬트리올에서 도시에 드문드문 존재하는 작은 서식지들의 중요성에 대해서 조사하고 있는 다른 연구팀이 송신기를 부착한 스웬슨지빠귀 여섯 마리와 테네시솔새 Tennessee warbler 한 마리도 함께 발견했다. 이 사례들은 모두 지극히 지역에 초점을 맞추고 있는 연구들이었다. 그러나 그들이 사용하는 네트워크는 북반구만 커버하고 있기 때문에, 이렇게 송신기를 부착한 새들은 대부분 남쪽으로 이동했을 때 다른 기지국들에서 그들이 발송하는 신호를 탐지하게 될 것이다. 그리고 그들의 전지가 충분히 오랫동안 지속된다면, 이듬해 봄에 북쪽으로 돌아올 때 다시 그 신호를 탐지할 수 있을 것이다.

그 밖에도…… 온타리오 남부의 서식지에서 날아온 여러 마리의 헛간제비barn swallow와 삼색제비cliff swallow들과 캐나다 아북극 지대인 제임스만에서 도요물떼새를 연구하는 한 팀이 송신기를 부착해 날려 보낸 흰허리도요white-rumped sandpiper와 작은도요least sandpiper, 그리고 작은노랑발도요lesser yellowlegs 들, 이리호의 북쪽 기슭에서 송신기를 달아 준 은색털박쥐silver-haired bat들과 제왕나비 한 마리, 그리고 버지니아 동부 연안에서 작년 겨울에 송신기를 달아 주었는데, 캐나다 동부에서 여름을 보내고 월동지인 남쪽으로 되돌아가고 있던 미국멧도요American woodcock 한 마리도 기지국 데이터에 잡혔다. 또한 작년 봄 북쪽으로 향해 가다가 오하이오 서부에서 송신기를 단 버지니아흰눈썹뜸부기Virginia rail 한 마리가 이제는 북행 때와는 전혀 다른 동부 경로를 따라 남하하고 있는 모습도 포착되었다. 그 새는 믿기 어려울 정도로 알려진 것이 거의 없는 비밀에 싸인 종이다. 또 캐나다 남부에서 송신기를 단 아메리카쏙독새common nighthawk 두 마리도 플로리다를 거쳐 남아메리카 북부로 남하하다 우리 머리 위를 통과한 뒤 이어지는 기지국들의 수신탑에 연달아 포착되었다. 이렇게 많은 다른 철새의 움직임을 포착하고 계속되는 그들의 이동 상황에 대해서 내가 알 수 있었던 것은 모투스가 수집하는 데이터가 홈페이지 www.motus.org에 대부분 공개되어 누구나 이용할 수 있기 때문이다. 누구든 나처럼 개별 수신 지역을 클릭해서 거기서 탐지된 내용을 찾아볼 수 있고, 목록에 있는 동물들의 이동 경로를 모두 확인할 수 있다.

아주 짧은 시간 안에 모투스가 끼친 영향력은 믿기 어려울 정도로 강력했다. 현재 우리가 철새의 이동에 대해서 알고 있는 많은 것은 새의 다리에 가락지를 채워 날려 보내는 조류 표식 조사 또는 조류 가락지 부착 조사로 얻었다. 35년 동안 그런 일을 해봐서 아는데, 그 일은 그만한 대가가 있지만 품이 많이 들어간다. 1960년 이래로, 북아메리카에서 다리에 가락지를 부착해서 날려 보낸 새는 6400만 마리가 넘는다. 그중에 다시 돌아와 재회한 새는 아주 일부에 불과했다. 물새의 경우는 그 비율이 높다. 예컨대, 1960년부터 청둥오리의 다리에 금속 가락지를 채우기 시작했는데, 그 가운데 거의 4분의 1을 다시 발견했으며 대부분은 사냥꾼들에 의해 회수되었다. 스웬슨지빠귀의 경우는 50만 마리 이상에게 가락지를 채워 주었는데, 다시 돌아와 만난 비율은 0.4퍼센트에 불과하다. 북부 산림지대에서 가장 흔한 새 가운데 하나인 검은턱푸른솔새black-throated green warbler의 경우는 훨씬 더 적은 0.08퍼센트다. 이에 비해서 모투스는 단지 몇 년 사이에 송신기를 부착한 1만 7000마리 이상의 대부분 철새인 동물들로부터 발사되는 신호를 15억 회 이상 포착했다. 그것은 기존의 조류 표식 조사로는 얻을 수 없었던 시간과 공간 정보를 보완하는 놀랄 정도로 풍부하고 상세한 기록을 제공함으로써, 이전에 인지하지 못했던 이동 경로와 중간 기착지 같은 오랫동안 무시하고 넘어갔던 것들에 주목하지 않을 수 없게 했다. 예컨대, 펜실베이니아에서 습지 지대가 별로 없는 내륙 지역을 가로지르며 뻗어 나가고 있는 우리의 기지국들은 5월에서 6월 초마다 수많은 도요물떼새 철새가 대서양 해안을 떠나 펜실베이니아 하늘로 쏟아져 날아오는 것을 보여 주었다. 연방의 멸종 위기종에 속한 수많은 붉은가슴도요도 함께 날아오는데, 그중에는 델라웨어만Delaware Bay에서 송신기를 부착해서 날려 보낸 새들도 끼여 있었다. 지금까지 어떤 정책 결정을 할 때 이런 사실을 고려의 대상으로 삼은 사람은 한 명도 없었다. 한 예를 들자면, 풍력발전을 위해 고지대 능선을 따라서 설치되는 산업용 풍차의 위치를 정할 때 철새들이 얼마나 위험에 빠질 수 있는지에 대한 평가는 전혀 이루어지지 않았다.

모투스는 또한 이전에 숨겨져 있었던 새의 다양한 삶의 모습을 들여다볼 수 있는 창을 열고 그들을 가장 크게 위협하는 장소가 어디에 있는지에 대한 단서를 제공한다. 과학자들이 특히 걱정하는 것은 전 세계적으로 개체 수가 급감하고 있는 제비와 칼새처럼 공중을 날아다니며 작은 벌레를 잡아먹는 새들이다. 버즈 캐나다가 6만 제곱킬로미터의 땅을 바둑판처럼 격자무늬로 모투스 수신기들을 빽빽하게 설치해 놓은 온타리오 남부에서는, 과학자들이 200마리가 넘는 어린 제비들에게 0.2그램짜리 송신기를 부착한 뒤, 그들이 둥지를 떠난 후 몇 달 동안 그 뒤를 추적했다. 모투스 네트워크가 없을 때는 단 한 마리의 제비도 그런 식으로 추적하기가 어려웠다. 그것은 거의 불가능했기 때문에, 어린 제비들이 둥지를 떠나면 이후 어떻게 지내는지 알려고 하는 사람은 정말로 한 명도 없었다. 따라서 이 생물학자들이 확인한 것처럼, 어린 제비가 독립하는 것은 극도로 치명적인 일이라는 사실을 아는 사람은 아무도 없었다. 그 어린 제비들은 아르헨티나로의 생명을 건 이동을 시작하기도 전에 이미 약 70퍼센트가 생명을 잃었다. 이는 지속 가능하지 않은 감소율이다. 제비의 개체 수가 놀랄 정도로 급격하게 감소하는 이유 중의 하나다. 마찬가지로 중요한 또 한 가지 사실은 그 종이 처한 위기의 근본적인 문제들 가운데 적어도 일부가 멀리 떨어진 외부 세계에 있는 것이 아니라, 바로 가까이 그들이 태어난 곳 번식지에 있다는 것이다. 따라서 가까이에 있는 그 문제가 무엇인지 빨리 찾아서 해결하기 위한 노력을 더욱 경주할 필요가 있다.

제비 연구는 또한 과거에는 거의 할 수 없었던 철새의 생활사 전체를 이해하는 일이 얼마나 중요한지 보여 준다. 우리가 철새에 대해서 아는 것의 대부분은 제한된 아주 짤막한 정보로부터 온다. 그들의 여행이 인간 세상과 교차하는 공간은 극히 일부분이고 만난다고 하더라도 인간이 그들을 볼 수 있는 시간은 극히 한정되어 있다. 그래서 철새가 살아가는 드넓은 세상을 인간은 여기저기 흩어져 있는 아주 작은 구멍을 통해 보면서 머릿속으로 상상할 수밖에 없다. 우리가 그들의 한 해 삶의 주기, 즉 이동 경로와 시기, 서식지, 그리고 그런 지구를 가로지르는 여행을 가능하게 하는 기본적인 자질과 원천 등을 완벽하게 실감할 수 있는 종은 극히 일부에 불과하다. 그것은 우리가 직접 눈으로 보지 못할 때에도 그들을 지탱해 주는 것들이다. 따라서 더 자세히 그들을 관찰할 때마다 우리는 기존에 가정했던 생각들이 뒤집히는 새로운 발견을 한 것처럼 느낀다. 심지어 우리가 도움을 주고자 했던 것들이 상황을 더 악화시키는 것일 수도 있음을 깨달을 때도 있다.

「내가 과학자들에 대해서 짜증나는 게 뭔지 아니?」 몇 년 전 어머니가 내게 던진 질문이었다. 「그들은 늘 이렇게 말하지. 〈옛날엔 그렇게 생각하곤 했다. 하지만 지금은 이렇다〉라고.」 내 기억이 맞다면, 어머니는 음식과 건강에 대한 이러쿵저러쿵하는 연구 결과, 아마도 달걀이 건강에 좋으니 나쁘니 하는 논쟁에 대해 신물이 난 상태였다. 하지만 나는 어머니의 말이 일리가 있음을 인정하지 않을 수 없다. 과학은 과정이다. 많은 생각이 제시되고 검증되는 과정, 그러다 새로운 증거가 필요하면 그 생각을 폐기하는 과정인 것이다. 훌륭한 연구자라면, (그들이 과학적 방법을 신뢰하고 있는 사람이라면) 이렇게 말해야 할 것이다. 〈옛날엔 그렇게 생각하곤 했다. 하지만 지금도 여전히 생각하고 있다〉라고. 물론 인간은 본성적으로 그렇게 하지 않는다. 과학자들도 확실성을 추구하지만, 대개는 가장 최근에 발표된, 가장 도발적인 연구 결과를 신뢰하는 경향이 있어서, 그것이 그 문제와 관련된 최종 결론인 것처럼 슬그머니 묵인하고 넘기려고 한다.

지난 40년 동안, 철새 보호와 관련된 분야는 〈옛날엔 그렇게 생각하곤 했다〉식의 통찰의 순간을 확인할 수 있었던 사건들이 여러 차례 있었다. 100년이 넘는 동안, 조류학은 과학으로서 그것의 뿌리는 유럽과 북아메리카 북부의 도심지들에 있었다. 조류학은 확실히 온대 지방의 번식기에 초점이 맞춰져 있었다. 새들은 둥지에 붙매여 있을 때 가장 연구하기가 쉽다. 그리고 번식기는 그들의 깃털 색깔이 가장 화려하고, 가장 많이 지저귀고, 눈에 가장 잘 띄는 때이기도 하다. 1977년, 스미스소니언 연구소가 후원하는 열대 지방의 철새에 관한 학술 토론회가 열린 뒤, 비로소 서반구에서 주된 관심이 그동안 번식지 위주로 치우쳤던 것에 대한 반성과 함께 처음으로 변화의 조짐이 비쳤다. 그러면서 철새들이 중간 기착지나 월동지에서 그들의 삶의 대부분을 보낸다는 사실에 많은 사람이 주목하기 시작했다. 이 시기는 또한 열대우림의 산림 벌채가 심각한 경고 수준에 이른 때이기도 했다. 1980년대 말과 1990년대 초, 북아메리카의 환경 보호 활동가들 사이에서도 일부 철새 무리들, 특히 북부 지방에서 번식을 하고 라틴아메리카와 카리브 연안 지역에서 겨울을 나는, 신열대구 철새들의 개체 수가 급감하는 것에 대해 우려의 목소리가 높아지고 있었다. 많은 환경 보호 활동가는 당연히 그 원인이 새들의 월동 지역인 열대 지방을 둘러싸고 있는 문제들에 있다고 추정했다. 신열대구는 (알려진 것처럼) 집 뒤뜰에 둥지를 트는 사랑스러운 새들을 구하기 위해 일반 대중들에게 정글을 살릴 것을 호소하는 데 사용된 〈열대우림을 구하자!〉 운동의 상징으로서 일상적으로 사람들의 입에 오르내렸다. (실제로, 저지대 우림 지역을 제외한 많은 종류의 열대 서식지들, 즉 맹그로브 습지, 운무림, 사바나 초원 지대, 풀이 우거진 습지대, 그리고 특히 신열대구 철새 대부분이 겨울을 나는 고지대 참나무와 소나무 숲 등의 감소는 새들에게 영향을 끼치고 있었다.)

그사이에, 1990년대 들어 적어도 일부 문제는 번식지에 더 많은 책임이 있다는 연구 결과들이 조용히 힘을 얻어 가기 시작했다. 신열대구에서 개체 수 감소가 가장 심각한 새들은 산림 내부에 서식하는 종으로 알려진 것들로 보였다. 포식자들이 주위에 있다면 위험한 장소인 숲속 깊은 곳에 위치한 널따란 산림 인접 구역의 지상에 둥지를 틀고 번식하는 숲지빠귀, 붉은풍금조scarlet tanager, 그리고 수많은 솔새 같은 새들이 그들이었다. 그러나 그런 숲 내부에는 상대적으로 포식자들이 별로 없다. 문제는 온전하게 보전된 숲이 거의 없다는 것이었다. 특히 북아메리카 동부 산림 지역이 심했다. 가장 울창한 숲을 자랑했던 지역들도 도로와 전력선, 중소도시 건설, 개벌작업과 각종 개발 사업으로 조각조각 쪼개졌고, 산림지대는 좀먹은 담요처럼 너덜너덜한 누더기 꼴이 되었다. 그렇게 조각난 작은 숲들에는 산림 인접 구역에서는 좀처럼 찾아볼 수 없는 미국너구리, 스컹크, 주머니쥐, 집고양이, 까마귀, 검정뱀black snake, 푸른어치blue jay, 긴꼬리검은찌르레기사촌 같은 이른바 주변부 포식자들이 넘쳐났다. 그리고 그런 조각난 숲에 있는 다른 새의 둥지를 찾아가서 주인 새의 알을 밖으로 던져 버리고 그 안에 자기 알을 낳는, 넓은 대초원 지대에 서식하는 갈색머리탁란찌르레기도 어떤 면에서 그런 종류의 포식자에 속한다고 할 수 있었다.

〈옛날엔 그렇게 생각하곤 했다. 하지만 지금은 이렇다〉라는 식의 뒤늦은 깨달음의 순간을 확인할 수 있었던 또 다른 사건이 있다. 수백 편의 논문과 신문 기사가 10여 년에 걸쳐 숲의 단편화 문제에 대한 다양한 측면을 분석했다. 그 가운데는 화덕새나 지빠귀가 조각난 작은 숲에 둥지를 지었을 경우와 더 커다란 숲에 지었을 경우 번식 성공률이 어디가 더 높은지를 비교하거나, 더 건조하고 따뜻한 공기가 어떻게 단편화된 숲으로 스며들어 일부 새들의 먹이가 되는 낙엽 속 벌레들의 수와 다양성을 감소시키는지 조사하는 내용들도 있었다. 또한 숲에 비포장도로를 내는 것 같은 아주 작은 개발 행위로도 갈색머리탁란찌르레기가 산림 인접 지대를 관통해서 조각난 작은 숲에 있는 다른 새의 둥지에 자기 알을 낳게 하는 것과 같은 환경 변화를 초래할 수 있음을 보여 주었다. 연구자들은 어떤 종류의 포식자가 새 둥지에서 가장 심하게 먹이 사냥을 하는지 알기 위해 메추라기 알들을 넣어 둔 가짜 둥지를 만들어 놓고 거기에 자동카메라를 몇 군데 설치했다. (놀랍게도 동부에서는 작고 귀여운 얼룩다람쥐chipmunk가 가장 적극적인 둥지 포식자로 밝혀졌다.) 과학자들은 산림지대의 단편화가 미국 동부 지역의 새들에게 끼친 영향을 넘어서 전 세계적으로 어떤 영향을 끼쳤는지 파고들었는데, 그들이 발견한 결과는 경악할 정도였다. 전 세계에 남아 있는 숲의 70퍼센트가 위기 상황에 처해 있으며, 동식물 서식지의 단편화는 생물 다양성을 전체적으로 4분의 3까지 감소시킨다. 이 연구 결과로 현존하는 온전히 보전된 숲들을 보호하기 위해 산림 관리 방안에 대한 수많은 권고가 나왔다. 아직 성숙 상태에 이르지 못한 숲들이 인간의 간섭 없이 충분히 안정된 천연림으로 번성할 수 있도록 천연림 복원 지대를 설정하는 것에서부터 다 자란 나무를 벌채하는 것을 제한 또는 금지하는 제도를 만들거나 적어도 숲 전체에 영향을 끼치지 않는 한도 내에서 일정한 구역에서만 벌채를 허용하는 방안까지 다양했다.

열대 지방의 서식지 감소가 철새 개체 수 감소에 중요한 영향을 끼치지 않는다고 주장하는 사람은 아무도 없었다. 다만 그것이 유일한 원인은 아니라는 것이었다. 이 지식은 어렵게 얻은 것이었다. 내가 1990년대 중반에 『철새들의 삶』을 쓰고 있었을 때, 그때가 숲의 단편화에 대한 관심이 최고조에 달했을 시점이었다. 당시 나는 펜실베이니아 산악지대에서 친구인 로리 굿리치Laurie Goodrich 박사가 이끄는 한 조사팀과 함께 시간을 보냈다. 거기서 우리는 숲의 단편화가 화덕새의 번식에 어떤 영향을 끼치는지 알아내려고 애쓰고 있었다. 화덕새는 솔새의 일종으로, 대개 나무 꼭대기가 아닌 숲 바닥에 둥지를 틀었다. 올리브빛 갈색 등과 줄무늬가 있는 배 덕분에 그늘에 가리면 잘 보이지 않았다. 눈에 잘 띄지는 않지만 〈티-처, 티치-처, 티-처, 티-처!〉 하고 격정적으로 울기 때문에 화덕새의 울음소리는 미국 동부의 활엽수림 지대를 대표하는 소리로 유명하다. 로리를 비롯해서 그녀의 연구팀은 4월 말부터 7월 중순까지 날마다 동트기 오래전에 현장에 나가 있었다. 그들은 벽두 새벽부터 자동차로 수 킬로미터 떨어진 드넓은 산등성이 꼭대기 숲에서 풀밭 개울을 따라 이어진 벌레 많은 작은 조림지까지 무거운 장비를 들고 날라야 했다. 단편화된 다양한 크기의 숲들을 포함해서 11곳이 그들의 조사 대상 지역이었다. 그들은 각각의 현장에 그물을 치고 녹음된 화덕새 울음소리를 틀고, 그물에 걸린 새들의 다리에 유색 가락지를 채웠다. 그리고 지난 몇 년 동안 가락지를 채워 날려 보낸 새들이 있는지 찾았는데, 그들이 나타나면 뒤를 쫓아가서 둥지가 어디에 있는지 확인했다. 이것은 쉬운 일이 아니었다. 화덕새는 둥지를 교묘하게 위장하는 새로 유명했다. 솥처럼 생긴 오래된 벌집 모양으로 숲 바닥에 깔린 낙엽들 사이와 아래에 둥지를 짓는다. (어느 해, 로리의 팀은 값비싼 새 사냥개를 사서 냄새로 화덕새 둥지를 찾아내는 훈련을 시킬 지원자를 뽑았는데, 그 개는 오히려 거북이를 찾는 데 귀신같이 능숙한 것으로 판명이 났다.) 그들이 발견한 화덕새의 영역 수십 곳 하나하나를 나흘에 한 번씩 방문해야 했는데, 둥지의 정확한 위치를 찾고 상태를 확인하기 위해서였다. 그것은 극도로 힘든 고난의 행군이었다. 각각의 둥지에서 얼마나 많은 새끼가 성공적으로 날아갔는지 확인하는 것이 목적이었다. 그것은 새끼가 마침내 둥지를 떠나 독립할 때까지 살아남았다는 것을 의미하는데, 철새의 번식 성공 여부를 가늠하는 일반적인 척도다.

마지막으로 남은 새끼 새들이 둥지를 떠나 날아오르면, 로리와 그의 동료들은 안도의 한숨을 내쉬고 벌레 물린 자국을 긁으면서 그동안 모은 데이터를 분석하기 시작한다. 비록 부모 화덕새들이 날 수 있게 된 어린 새들을 몇 주 더 돌보겠지만, 생물학자들이 그들의 삶에 시끄럽게 끼어들지 않으면 그들은 그렇게 할 것이다. 실제로, 숲의 단편화가 산림지대 명금류 새들에게 끼치는 영향과 번식 성공에 대해서 연구하는 소수의 생물학자들 사이에서 거의 모든 이가 똑같이 그렇게 했다. 그들은 어린 새 단계를 연구하는 데 엄청난 노력을 기울였는데, 어린 새가 둥지를 날아오르는 데 성공하는 통계치를 집계한 뒤, 그 어린 새들이 점점 더 할 일이 많아진 부모 새들의 보살핌을 받기 위해 사방으로 흩어지면, 그것으로 현장 조사 활동을 종료했다. 그러나 결국 우리는 새의 생물학적 생활사 전체를 파악하는 쪽으로 가야 한다. 새가 필요로 하는 것이 무엇인지 이해하고, 그 종을 위협하는 것들이 어디에 있는지 확인하고, 그것을 보호하기 위해서 조치를 취하려면 새의 삶에서 중요한 모든 측면에 대해서 알아야 하기 때문이다. 옛날엔 그렇게 생각하곤 했다. 하지만 지금은 어린 새들이 둥지를 떠난 이후 그들에게 과연 무슨 일이 일어나는지에 대해 또 한 번의 새로운 진실이 곧 밝혀지게 될 것이다.

번식기를 끝내고 철새가 이동을 시작하기 전까지 두 달 동안에 대해서 깊이 생각한 생물학자들은 별로 없었다. 우리는 그것을 준비의 시간이라고 알고 있었다. 그 시기에 많은 명금류 새는 살을 찌우고, 깃털을 새 것으로 교체하는 장시간의 수고로운 깃털갈이 과정을 시작한다. (명금류 새들은 대부분 늦여름에 날개와 꼬리는 물론이고 몸통 전체의 깃털을 새 것으로 바꾼다.) 그것은 매우 따분하고 무미건조한 시간처럼 보였다. 하지만 거기에는 몇 가지 중요한 사실을 암시하는 징후들이 있었다. 예컨대, 조류학자들은 많은 물새 종이 번식기가 끝난 후, 안전한 은신처를 찾아 수백 킬로미터 이상을 날아가는 〈깃털갈이 이동〉을 감행한다고 오래전부터 알고 있었다. 그 과정에서 오리와 기러기, 고니류와 같은 물새들은 주요 날개 깃털들을 동시에 모두 교체하는 고유의 독특한 깃털갈이 습성이 있는데, 이로 인해 이들은 새로운 깃털이 자랄 때까지 몇 주 동안 날 수 없었다. 그러나 북아메리카 서부의 많은 새, 이를테면 불록꾀꼬리Bullock's oriole, 푸른머리멧새lazuli bunting와 알락멧새painted bunting, 미국초록개고마리warbling vireo, 삼색풍금조western tanager 등이 남아메리카 서부와 멕시코 북부 지방으로 먼 거리를 이동한다는 연구 결과가 발표된 1990년 이전까지는 그런 깃털갈이 이동이 작은 명금류의 산새들에게도 일어난다는 사실은 대체로 세상에 알려지지 않았다. 그들은 오리기러기류처럼 날지 못하게 되지는 않지만, 그 지역을 휩쓸고 가는 늦여름 장마는 곤충 먹이를 잔뜩 제공하여 그들의 깃털갈이를 위한 영양을 공급한다. 훨씬 더 놀랍게도, 노랑부리뻐꾸기yellow-billed cuckoo, 카신신세계솔새Cassin's vireo, 노란가슴솔새yellow-breasted chat, 두건꾀꼬리hooded oriole, 과수원꾀꼬리orchard oriole 같은 일부 새들은 늦여름에 남쪽으로 이동하여 멕시코 서부의 계절풍 지대로 이동할 뿐 아니라, 여름이 가기 전에 북쪽에서 새끼를 키워 냈던 것 처럼 거기서 두 번째 번식을 한다는 사실이 2005년에 밝혀졌다. 본격적인 이동이 시작되기 전, 이른바 비수기라고 부를 수 있는 이런 중간 시기에 새들의 세상에서는 그 누가 상상했던 것보다 훨씬 더 많은 일이 일어나고 있는 게 분명했다.

그러나 최근까지 새끼 새들이 둥지를 날아오른 뒤에 그들에게 무슨 일이 일어나고 있는지는 정확히 잘 모르는 상태로 있었다. 한여름 울창한 숲과 늪지대로 사방으로 흩어진 어린 새들을 추적하는 일은 극도로 힘든 일이었기 때문이기도 하다. (한마디 꼭 해야 할 말이 있다면, 거의 무시해도 좋을 만큼 가벼운 초소형 송신기를 어린 새에게 부착하는 것은 적어도 이미 생존 가능성이 낮은 자그마한 어린 새의 생존을 더욱 위협할 수 있기 때문에, 많은 연구자는 그런 위험을 굳이 감수하려고 하지 않았다.) 대다수 사람들은 어린 새들이 이동을 시작할 때가 오기 전까지는 그들이 태어난 곳 근처에 머무른다고 추정했지만, 일부 전문가들은 새끼 새들이 부모 새들보다 훨씬 앞서 천천히 이동하기 시작한다고 주장했다. 1990년대 중반에 몇몇 연구자는 어린 새들 가운데 대개 숲의 단편화 연구를 위한 대표적인 종으로 초소형 송신기를 부착하기에 충분히 몸집이 크고 강한 숲지빠귀들에게 무선송신기를 부착하는 까다로운 문제를 해결하고 그들이 둥지를 떠날 때 그 뒤를 추적했다.

그 결과 놀랍게도, 깊은 숲속으로 날아갈 줄 알았던 숲지빠귀 어린 새들은 그것과 정반대의 서식지인 오래된 개벌지, 들판 가장자리, 버려진 농장, 도로변 같은 곳에 있는 빽빽한 잡목림과 복잡하게 뒤얽힌 덤불로 이동하고 있었다. 그 어린 새들은 거기서 잘 익은 블랙베리를 잔뜩 먹고 있었다. 블랙베리 덤불이 너무 빽빽하게 들어차 있어서 아무리 날랜 매도 그 사이를 헤치고 나아갈 수 없을 것처럼 보였다. 그들은 또 덩굴옻나무 숲과 야생머루 덩굴이 복잡하게 얽혀 있는 곳, 그리고 붉나무 군락에 자주 출몰했는데, 덤불이 너무 우거져서 그 안을 거의 들여다볼 수 없었다. 연구자들은 자신들의 연구 대상인 어린 숲지빠귀들의 뒤를 쫓다가 그 덤불 안에서 붉은눈신세계솔새, 화덕새, 켄터키솔새Kentucky warbler, 두건솔새hooded warbler, 노랑머리눈썹솔새worm-eating warbler 같은 깊은 숲에 서식하는 것으로 알려진 다른 종류의 어린 새들을 발견하고는 깜짝 놀랐다. 이게 무슨 일이란 말인가? 조각조각 단편화되지 않은 큰 숲이 이 종들의 생명 유지에 필수적으로 중요하다면, 왜 그들의 어린 새들은 천연림과 정반대인 잡목 덤불만 무성한 이 개벌지로 몰려들었을까? 그것은 마치 새들의 세상에서 벌어지는, 부모들의 서식지를 외면하는 십 대들의 반란처럼 보였다.

먹이와 몸을 숨길 수 있는 은신처가 그 해답인 것 같았다. 어린 새들이 둥지를 떠나 마련한 천이 서식지early successional habitat, 즉 덩굴이 복잡하게 뒤엉킨 덤불, 관목들이 빽빽하게 들어선 잡목림, 그리고 최근에 벌목으로 새로 숲이 조성되어 관목과 덤불만 무성한 어린 숲들은 그들이 이동을 준비하는 동안 영양을 공급받을 수 있는 이상적인 장소다. 즉, 엄청나게 많은 양의 곤충과 영양가 높은 늦여름 과일과 열매를 제공하는, 식물로 말하면 광합성 세포 조직인 셈이다. 그곳은 또 가시에 긁히고 진드기나 벼룩에게 물리고 덩굴옻나무에 옻이 오른 연구자들이 입증하듯이, 수풀 속을 통과하기 힘들기 때문에 어린 새들의 생명이 가장 위태로운 시기에 그들을 포식자들로부터 보호해 주는 은신처 구실도 한다. 한발 더 나아간 연구를 통해 우리가 한때 절대 안 된다고 생각했던 그런 어린 숲과 관목지들이 이런 종의 새들에게 얼마나 중요한지 확인했다. 게다가 생물학자들은 그들 사이에 서식지를 서로 교체하는 상호 호혜적 관계가 있다는 훨씬 더 놀라운 사실을 발견했다. 즉, 깊은 숲에서 서식하는 종의 어린 새들은 늦여름에 덤불 지역으로 이동하는 반면, 어린 숲에서 둥지를 트는 노란날개솔새golden-winged warbler 같은 새들의 새끼 새들은 어린 숲을 떠나 천연림으로 이동한다.

오늘날 일부 명금류 생물학자들은 숲에 서식하는 철새에게 좋은 서식처의 구성 요소에 대해서 그동안 자신들이 세웠던 가설들을 재평가하기 시작했다. 그들 가운데 한 명이 코넬대 조류학 연구소Cornell Lab of Ornithology에서 오랫동안 연구 활동을 했고, 지금은 오듀본 펜실베이니아Audubon Pennsylvania의 숲 프로그램 관리자로 있는 론 롤바우Ron Rohrbaugh이다. 그는 숲지빠귀 보호에 매진하는 국제연맹의 의장을 맡고 있는데, 점점 희귀종이 되고 있는, 눈 주위가 검고 이마와 날갯죽지가 레몬빛 노란색을 띤 노란날개솔새를 둘러싼 여러 사안들과 관련해서 수년 동안 연구를 진행해 왔다. 그러나 그도 이 잡목 덤불과 노란날개솔새의 관계에 대해서 알게 되기까지는 꽤 시간이 걸렸다.

「어린 숲이 쓸모가 있는 곳에서는 숲지빠귀 같은 새들이 그곳을 이용하고 있다는 것을 알고 있어요.」 론이 내게 말했다. 「어른 새들은 어린 새들이 본격적으로 이동을 시작하기 전 대기하는 동안에 체력을 강화시킬 먹이와 영양분을 제공하는 그런 지역으로 어린 새들을 이동시킵니다.」 문제는 그런 잡목림들 가운데 서식지로 쓸 만한 곳이 많이 없다는 것이다. 대부분은 숲에 둥지를 트는 명금류 새들에게 전혀 도움이 되지 않는 곳이다. 미국 동부의 일부 지역의 경우는 산림지대에서 새들이 몸을 숨길 수 있는 어린 숲은 1~2퍼센트에 불과한데, 대개 들판으로 바뀌고 있는 상태거나 공공사업을 위해 조성된 것들이었다. 어린 새를 비롯한 새끼 동물들이 이동하기 전에 머무는 임시 서식지가 필요한 종, 예컨대 갈색지빠귀사촌

brown thrasher, 상자거북box turtle, 초원솔새prairie warbler, 노란날개솔새, 붉은옆구리검은멧새eastern towhee 같은 것들은 개체 수가 급감했다. 그러한 불균형의 원인을 찾아가 보면 그 뿌리가 깊다. 미국인들은 수천 년에 걸쳐 완성된 거대한 구조적 복잡성*의 결정체인 동부와 오대호 주변의 숲을 차지하고는 그곳을 모조리 파괴했다. 19세기 말과 20세기 초에 미국에서 목재 수요가 폭발적으로 늘어나면서 실제로 그 지역의 나무 한 그루까지 모조리 베어 버리며 숲을 완전히 파괴했다. (그런 파괴 행위는 지난 세기 내내 서부 지역에서 끊이지 않고 계속되었다. 지금도 미국 서부에서는 값을 매길 수 없을 정도로 소중한 천연림의 노거수들을 계속해서 베어 내고 있다.) 아주 어린 묘목에서 아주 오래된 노거수에 이르기까지, 서로 다른 수령(樹齡)의 수목 군집들이 변화하는 양태를 의미하는 이른바 숲의 천이 단계가 사라졌다. 숲에서 큰 나무가 쓰러지면서 그 사이의 좁은 공간으로 햇빛이 들어와 어린 묘목이 자랄 수 있게 만드는 숲틈, 물이 말라 버려진 비버 연못에서 자라는 관목 초원 지대, 하늘을 가리는 거목들 아래 다층화된 식물 군락과 하층 식생 지대, 그리고 화재로 소실되었다 회복되는 지역, 병충해로 말라 죽은 고사목 지대 같은 것이 모두 없어졌다. 이 모든 것은 숲의 대지에 복잡하고 끊임없이 변화하는 다양한 식생 군집을 만들어 내는, 즉 숲의 구조적 복잡성을 구성하는 요소들이었다. 지난 100년이 넘는 세월 동안 다시 자란 산림의 모습은 구조적 복잡성이 거의 없고 새들에게 필요한 자원들도 흔치 않은, 중간 정도 자란 나무들로 이루어진 놀랍도록 획일적인 숲이었다.

「그 숲은 이제 더 이상 철새들이 필요로 하는 것을 얻기 위해 그

* structural complexity. 숲의 천이로 인해 수직적, 수평적으로 복잡한 다층적 식생 구조를 가진 생태 공간이 형성되고 그 안에 다양한 생물종이 번성하는 것을 말한다.

들에게 필요한 먹이와 영양분, 에너지를 생산하지 못하고 있어요. 거기에는 남아 있는 하층 식생이 전혀 없기 때문입니다. 그들은 이런 숲에 오지 않아요. 위로 솟은 나뭇가지들이 하늘을 온통 가리고 있을 뿐이죠. 그들은 중층과 하층 식생이 번성한 곳으로 날아가고, 그 숲에는 이제 아무것도 없습니다. 자연 발생적으로 형성된 숲의 구조는 이제 사라지고 없습니다.」 론이 말했다.

숲의 단편화에 초점을 맞추는 것이 잘못되었다고 말하는 것이 아니다. 과거 열대우림의 산림 파괴 문제에 대한 집착이 그랬던 것처럼, 숲의 단편화 문제에만 초점을 맞추는 것 또한 불완전하기는 마찬가지였다. 야생동물 관리원들, 특히 수렵 대상 종들을 관리하는 사람들은 전통적으로 숲 주변부의 서식지를 긍정적으로 보았는데, 이런 숲 가장자리가 생물 다양성을 촉진한다고 생각했기 때문이다. 그러나 숲의 단편화에 대한 조사가 본격적으로 시작되자, 그것은 입에 올리기 꺼리는 주제가 되었다. 숲 주변부를 바라보는 시선이 완전히 뒤바뀌면서, 그곳은 원수 같은 존재가 되었다. 광범위한 의미에서 벌목은 잔악한 행위가 되었다.「우리가 숲의 단편화가 끼친 영향에 대해서 이야기하려고 할 때 논점을 벗어나지 말아야 한다고 생각하는 지점이 바로 이 부분입니다.」 론이 힘주어 말했다.「숲의 가장자리는 인간이 거기서 너무 많은 것을 가져가려고 하면 나빠질 수 있어요. 그러면 숲의 단편화가 진행되면서, 남의 둥지에 자기 알을 낳는 새들이 많아지고, 너구리나 스컹크, 까마귀 같은 숲 주변부의 더 강력한 포식자들이 득세하는 결과를 낳을 겁니다. 그러나 우리가 1980년대와 1990년대에 생각하지 못했던 부분은 숲 가장자리는 언제고 생길 수 있는데, 그것이 숲 중심부와 안쪽을 필요로 하는 새들에게 큰 영향을 끼치지 않으면서 전체 종에게 이익을 줄 수 있다는 점을 간과했다는 것이지요. 끊임없이 숲의 식생이 바뀌어 가는 천이 단계가 반복되는 풍경을 조성하고, 엄청나게 넓은 면적의 개별지가 생겨나지 않게 하면서 그렇게 할 수 있습니다.」 그것은 전적으로 위치와 공간 배치의 문제다. (잘 생각해 보면 그리 놀랄 일이 아닐지 모른다.) 덤불과 관목이 빽빽하게 들어선 잡목림의 10퍼센트에 불과한 면적에다 옛날에 자연 발생적으로 생겨났을 때의 풍경을 모방하여 조성하는 것이다. 그곳은 기하학적 구조의 거대한 개별지 모습이 아니라, 다양한 서식지와 여러 수령의 나무들이 변화무쌍하게 배치되어진 형태다. 다시 말해서, 직선과 직각으로 이루어진 기하학적 공간이 아니라, 가장자리가 구불구불하고 소용돌이치며 잉크 얼룩이 번져 나간 것 같은 모습을 보여 준다. 어린 새들은 아직 나는 데 익숙하지 않아서 비행거리가 약 800미터를 넘는 거리는 그들에겐 아직 너무 멀기 때문이다. 론 롤바우는 숲지빠귀의 개체 수가 줄고 있는 이유 가운데 하나가 많은 암수 쌍이 새끼를 길러서 안전하게 이동시킬 수 있는 먹이가 풍부한 잡목림 가까이에 둥지를 틀기 좋은 서식지를 발견하지 못해서라고 생각한다. 그의 이야기는 이렇다.「그것은 이 새들이 번창하지 못하고 있는 까닭을 부분적으로나마 설명할 수 있을 겁니다. 그래요. 그들은 지금 여전히 짝짓기를 하고 새끼를 낳고 있어요. 하지만 그 어린 새들은 앞으로 시도할 기나긴 이동을 잘 감당할 수 있을 정도로 영양분을 충분히 공급받고 있을까요?」

론만 이렇게 생각하는 것은 아니다. 그의 생각에 동조하는 많은 생물학자가 있다. 나는 1999년에 대학원생이었던 제프 라킨Jeff Larkin이 켄튀르키예 동부로 이동하는 엘크 사슴을 잡기 위해 유타의 산악지대에서 덫을 놓는 일을 도우면서 그를 알게 되었다. 그때 그는 켄튀르키예 동부에 새롭게 다시 모습을 드러낸 엘크 사슴을 연구하고 있었다. 그 뒤 그는 박사 학위를 땄고, 지금은 펜실베이니아 인디애나 대학교에서 학생들을 가르치고 있다. 그는 노란날개솔새와 청솔새cerulean warbler 같은 숲속에 사는 명금류 새들을 전문적으로 연구하면서, 오늘날 매우 위태로운 상황에 있는 이 종들에게 유익한 산림지대를 관리하기 위한 다양한 방법을 찾아내는 특별한 중책을 맡았다. 제프 라킨은 현재 숲의 다양성과 복잡성을 연구하는 데 전념하고 있다.

그의 말에 따르면, 조류학자들이 오래전부터 새들에게 쓸모없다고 여겼던 그런 수령의 나무들도 해마다 특정한 때에는 일부 주요 종들에게 강력한 매력을 발휘하는 것처럼 보인다고 했다. 그와 그의 학생들은 펜실베이니아에서 거의 100마리에 가까운 노란날개솔새들을 추적 조사했는데, 그 가운데 많은 새가 어린 숲에 있는 그들의 둥지에서 주로 수령이 20~30년 되는 길쭉한 통나무들이 빽빽한 숲 지대로 이동한다는 사실을 발견했다. 「지금 이야기하고 있는 것은 길쭉하게 뻗은 어린 나무들이 빽빽하게 붙어서 자란 솔숲에 대한 것입니다. 우리 대다수가 새들의 사막이라고 불렀을 그런 곳입니다.」 그가 말했다. 「그러나 우리는 거기서 다양한 다른 새와 함께 뒤섞여 그곳을 이용하고 있는 노란날개솔새 무리를 발견할 수 있어요. 그들은 그런 어린 숲 은신처를 찾고 있습니다.」 제프는 롤바우와 마찬가지로, 숲에 사는 새들을 보호하기 위해서는 새들의 한 해 생활사 가운데 우리가 이전에 간과했던 이런 부분에 대한 새로운 이해를 바탕으로 행동을 취하면서, 거의 같은 수령의 나무들로 이루어진 동부와 중서부의 단조로운 산림지대에 구조적 복잡성을 복원하는 것이 한 방법이라고 확신하고 있다.

그는 내게 말했다. 「숲이 모든 수령의 나무들로 이루어지는 생태적 다양성과 구조적 복잡성의 조건을 갖추지 못한다면, 노란날개솔새든, 청솔새든, 숲지빠귀든 상관없이, 그 숲은 어떤 종의 새들에게도 최적의 환경을 제공하지 못할 겁니다. 그런 최적의 환경이란 우리가 모든 것을 망가뜨려 놓기 오래전부터, 그들과 함께 진화해 온 바로 그 숲 자체입니다.」 오늘날 제프의 연구는 어떻게 하면 숲을 망가뜨리지 않을까 하는 부분에 정확하게 초점이 맞춰져 있다. 예컨대, 그는 특히 지난 수십 년 동안 개체 수가 거의 98퍼센트 가량 급감한 두 종의 새, 노란날개솔새와 청솔새에게 해가 되지 않는 벌채 방법을 고민하고 있다. 그가 첫 번째로 해야 한다고 생각하는 일은 하늘을 가리고 있는 우거진 숲의 일부 좁은 면적의 나뭇가지들을 베어 내어 하층 식생이 햇빛을 받아 자랄 수 있게 하는 것이다. 그런 다음 2년 뒤에 다시 돌아와서 조금 더 나뭇가지들을 베어 내면, 수컷의 깃털이 바랜 청바지색인 청솔새를 위한 울창하고 이상적인 서식지가 만들어질 것이다. 그로부터 6~8년이 지난 뒤, 그 서식지가 너무 우거져서 청솔새에게 맞지 않게 되면, 벌목꾼을 동원해서 하늘을 가리고 있는 나뭇가지들의 20~30퍼센트 정도만 남기고 모두 쳐낸다. 그러면 향후 10~15년 동안 노란날개솔새가 둥지를 틀고 지낼 수 있는 작고 불규칙적인 잡목림들이 만들어지고, 숲지빠귀와 화덕새 같은 종들의 어린 새들을 기르기 좋은 이상적인 서식지가 조성될 것이다.

그것은 산업적 임업의 관점에서 볼 때 일반적인 방식이 아니다. 그러나 제프처럼 이런 새로운 방식을 제창한 사람들이 보기에, 목재 생산을 위해 숲을 관리하기를 원하지만 또한 새들을 위한 최상의 서식지를 만들고 싶어 하는 토지 소유자들에게 자기들 방식이 경제적 대안이라고 생각한다. 미국 국립 오듀본 협회National Audubon Society와 코넬대 연구소 같은 NGO 보호 단체에서 목도리뇌조 협회Ruffed Grouse Society 같은 사냥감 동물에 초점을 맞춘 변호 단체에 이르기까지 민간단체들과 연방 및 주정부와의 광범위한 공조는 어린 숲을 그런 경관으로 되돌리려는 의지가 확고하다는 것을 보여 준다. 현재 초기 임시 서식지의 규모는 지역별로 매우 다양하다. 상업적 산림 관리가 여전히 뿌리 깊은 오대호 상류 지역은 어린 새들을 위한 그런 서식지 경관이 이미 15~25퍼센트를 차지하는 것으로 추산된다. (그곳이 노란날개솔새가 잘 보호되고 있는 지역이라는 사실은 결코 우연이 아니다.) 그러나 애팔래치아산맥 지역은 전문가들이 이상적 수준이라고 말하는 9~10퍼센트를 훨씬 밑도는 2~3퍼센트에 불과한 것으로 추산되고 있다. 모든 생물학자가 그 새로운 어린 숲에 대한 관리 방식을 믿는 것은 아니라는 점에 주목하는 것도 중요하다. 그들은 수령이 중년에 속하는 숲이 자연스럽게 극상림으로 성숙해 가는 것을 그러한 관리 방식이 막는다고 본다. (공평하게 말하자면, 라킨과 롤바우 같은 학자들은 자신들도 극상림 복원을 위해 노력하고 있다고 주장했다. 다만 숲을 덮고 있는 나뭇가지들을 일부 베어 내고 하늘을 가리고 있는 나뭇가지 층을 다양화해서 숲속으로 햇빛이 들어오게 하고, 일부 벌목과 가지치기를 통해 어린 잡목림에서 극상림의 구조적 복잡성을 모방하는 관리 기법을 활용하자는 것일 뿐이라고 지적했다.) 그러나 벌목은 많은 지역에서 대중들에게 여전히 부정적인 인상을 주고 있기 때문에 아주 조심스럽게 추진하는 관련 프로젝트조차 감히 시도할 엄두를 내지 못하는 경우가 많다. 뉴저지에 있는 약 14제곱킬로미터에 이르는 야생동물 관리 지역에 수 제곱킬로미터의 어린 새 임시 서식지를 조성하려던 계획은 몇 년 전 대중의 격렬한 반대에 부딪혀 결국 중단되었다.

그러나 미국 어류 야생동물 보호청US Fish and Wildlife Service은 그러한 노력을 적극 지원했다. 2016년 말, 이 기관은 훗날 대형 덤불 국립 야생동물 보호 구역Great Thicket National Wildlife Refuge이 될 토지의 1차 구획 면적을 취득했다. 최종적으로 뉴욕주에서 메인주까지 6개 주를 가로지르는 총면적 470제곱킬로미터에 이르는 규모로 계획되었고, 오랫동안 간과되었던 이런 서식지 조성을 위해 관리될 것이라는 입장을 분명히 밝혔다. 미국 북동부 지역에 이런 덤불 은신처가 복원되자 대개 단편화된 숲에 서식하는 동물 가운데 하나인 뉴잉글랜드솜꼬리토끼New England cottontail가 그곳으로 서식지를 옮겼다. 그 동물은 2006년에 작성된 연방의 멸종 위기 동식물 후보 명단에 오르지 않은 종이었다.

옛날엔 그렇게 생각하곤 했다. 그리고 지금 우리가 이렇다고 하는 것은 정말 맞는 말인가? 지금으로부터 20년 뒤, 우리가 그때 어떤 중요한 정보를 놓쳤다는 것을 깨닫고 어린 숲을 조성하기 위한 이러한 노력에 대한 입장을 번복하게 될 가능성은 얼마나 되는가? 충분히 그럴 가능성이 있다. 아니, 그보다 훨씬 더 그럴 공산이 크다. 그런 경험을 할 때마다, 우리는 도저히 벗겨 낼 수 없을 것 같아 보이는 복잡한 양파의 껍질을 또 한 꺼풀 벗겨 낸다. 우리가 철새의 생애 전체를 이해하기 위해 시간과 노력을 기울일 때마다, 우리는 그들의 생존에 대한 경이롭고도 매우 중요한 사실, 이를테면 북극 철새와 대서양의 태풍, 그리고 카리브 연안의 사냥꾼 사이의 기묘한 협력 관계 같은 것들을 조금씩 알아 나간다.

델마바반도Delmarva Peninsula를 보면, 나는 가운뎃손가락 하나가 미국의 대서양 동부 연안을 따라 남쪽을 가리키며 매달려 있는 손이 늘 떠오른다. 나는 그 손가락이 가리키는 방향을 따라서 길쭉하게 뻗어 나간 델마바반도의 남단을 향해 13번 도로를 따라 차를 몰고 버지니아주 매시퐁고Machipongo 근처를 통과하고 있었다. 이 시골 지역은 평지로 해수면보다 그리 높지 않아 습기가 많고 들판과 연결된 배수로들이 줄지어 있다. 들판에는 전기를 돌려 재배하는 풋옥수수 순들이 5월 하순 오후 적당히 건조한 날씨 속에서 발목 높이까지 자라 있다. 추기경새cardinal들이 테다소나무loblolly pine 숲의 가장자리에 줄지어 서 있는 덤불 안쪽에서 붉은빛을 발하고 있었다. 방향을 돌려 막다른 길로 차를 몰고 내려갔다. 염생초의 일종으로 알려진 갯쥐꼬리풀이 가득한 습지를 지나 가옥 한 채를 통과하자, 버지니아 동부 연안으로 구불구불 이어지며 조수가 들락거리는 좁은 수로인 박스트리 크리크Boxtree Creek에 있는 개인 선착장 입구가 나타났다. 그 수로는 밀물이 들어오면 폭이 약 6미터로 늘어났다. 남쪽과 동쪽으로 수 킬로미터에 걸쳐 갯벌이 펼쳐져 있었다.

눈에 들어온 대부분이 네이처 컨서번시TNC가 관리하는 버지니아 해안 보호 구역Virginia Coastal Reserve이었다. TNC가 자랑하는 것처럼, 80킬로미터에 걸쳐 뻗어 나간 보초도*와 습지 섬marsh island 14곳을 포함해서 총면적 160제곱킬로미터에 이르는 버지니아 해안 보호 구역은 대서양 연안을 따라 현존하는 가장 긴 해안 야생 지대다. 그 보호 구역은 TNC가 실제로 델마바반도 이스턴 쇼어Eastern Shore 남쪽 해안의 대규모 파괴를 막기 위한 응찰에 전략적으로 참여함으로써 시작되었다. 1964년 한때 고립되어 있던 이 지역을 미국 본토와 연결하는 체서피크만 브리지터널**이 개통되었을 때, 그것은 버지니아와 메릴랜드 해안을 따라 길게 이어져 있는 모든 보초도를 여러 개의 다리와 방축도로로 연결하는 구상의 첫 번째 단계일 뿐이었다. 그것은 결국 미국의 대서양 동부 연안의 상당 부분을 파괴하는 참담한 개발로 이어지는 시발점이 되었다. 네이처 컨서번시는 반도의 남쪽 끝에 있는 섬들을 사들이기 시작했다. 스미스섬Smith Island은 개발업자들이 섬들을 연결하는 첫 번째 다리를 놓으려고 준비 중일 때, 협회가 개발업자들로부터 직접 사들인 최초의 보초도였다. (그 단체는 또한 해안가 농장들을 마구 사들인 뒤, 그곳들을 보전 지역권 아래 둔 다음 되팔았다. 그곳을 더 이상 개발이 불가능하고, 더 나아가 해안 파괴를 막는 방어벽 구실

* barrier island. 방파제 구실을 하는 섬.

** Chesapeake Bay Bridge-Tunnel. 델마바반도와 버지니아 비치를 연결하는 총 37킬로미터에 이르는 도로로 다리와 터널이 반복되어 연결되어 있다.

을 하는 곳으로 만든 셈이다.) 미국 어류 야생동물 보호청과 미국 국립공원청National Park Service, 버지니아 주정부가 관리하는 땅, 그리고 보전 지역권 안에 있는 것과 함께, 오늘날 버지니아의 이스턴 쇼어의 땅 3분의 1은 보호되고 있다. 그 결과, 이스턴 쇼어 남부는 북반구에서 천혜의 자연환경을 갖춘 곳이자 철새들, 특히 물새와 도요물떼새들에게 중요한 중간 기착지가 되었다. 내가 이곳에 온 것은 그 새들이 벌이는 가장 극적인 장면 가운데 하나, 열대 지방과 멀리 북극 지방을 연결하는 연례 의식을 직접 목격하고 싶어서였다.

나는 차를 세우고 플리스 스웨터와 바람막이 옷을 걸치고 모자와 장갑으로 무장한 여섯 명이 삼각대 위에 세워진 망원경 주위에 옹기종기 모여 있는 선착장 쪽으로 걸어갔다. 기온은 섭씨 10도였다. 만에서 살을 에는 듯한 차가운 동풍이 갯벌을 가로지르며 불어왔다. 습지에 사는 새들의 울음소리가 마치 합창을 하는 듯 우리 주위에서 울려 퍼졌다. 갑자기 멈춘 엔진이 가까스로 돌아가기 시작할 때처럼 털털거리는 소리를 내는 갈색뜸부기clapper rail, 자기 영역을 침범한 침입자들을 뒤쫓으며 〈필-윌-윌릿, 필-윌-윌릿〉 하며 목청을 곤두세우는 흰죽지큰도요새willet, 보글보글 거품이 일며 끓을 때 나는 것 같은 울음소리를 내는 늪굴뚝새marsh wren, 그리고 마치 그들이 부르는 노래의 배경음처럼, 그 옆을 지나가는 수많은 웃는갈매기laughing gull가 끊임없이 쏟아내는 〈와〉 하는 함성과 함께 〈킬킬〉거리는 듯한 울음소리가 서로 조화를 이루며 하나의 웅장한 합창곡을 연출했다.

브라이언 와츠Bryan Watts가 나를 발견하고 다가왔다. 우리는 서로 인사를 나눴다. 그는 희끗희끗하게 턱수염이 난 호리호리한 몸매의 남성이었다. 목에는 오래되어서 다 낡은 것 같은 쌍안경이 걸려 있었다. 그는 나를 거기에 모여 있던 사람들에게 소개했다. 알렉

산드라(알렉스) 윌크Alexandra(Alex) Wilke는 버지니아 해안 보호 구역에서 새들이 둥지를 트는 섬들을 관리하는 TNC 소속 해안 전문 과학자였고, 네드 브링클리Ned Brinkley는 『북아메리카의 새 *North American Birds*』라는 잡지의 편집장을 오랫동안 해온 것으로 알고 있는 사람이었다. 「전혀 휴가를 즐기러 온 기분이 아닌데요.」 어깨를 높이 으쓱거리며 투덜대고 있는 배리 트루잇Barry Truitt은 그 보호 구역의 보전 책임을 맡은 수석과학자 출신으로 은퇴한 사람이었다. 회색빛이 감도는 그의 늘어진 흰 수염과 말총머리가 해풍에 흔들렸다. 와츠는 윌리엄 앤 메리 칼리지William and Mary College의 보전생물학 센터Center for Conservation Biology, CCB의 책임자로, 버지니아 해안에서 트루잇과 함께 수년 동안 내가 늘 가장 좋아하는 도요물떼새 가운데 하나를 연구해 오고 있었다.

내가 왜 중부리도요를 그렇게 좋아하는지 나도 잘 모른다. 어쩌면 그들의 생긴 모습 때문일지 모른다. 중부리도요는 도요물떼새 가운데 가장 몸집이 큰 종 가운데 하나다. 아래로 내려갈수록 우아하게 점점 가늘어지는 몸통은 비둘기보다 더 크고 무겁다. 따뜻한 느낌을 주는 갈색 깃털은 촘촘한 체크무늬로 덮여 있다. 휴식을 취할 때 볼 수 있는 중부리도요의 가장 매력적인 모습은 굵은 줄무늬가 선명한 정수리와 아래로 부드럽게 굽은 기다란 부리다. 중부리도요의 긴 부리는 버지니아 해안에서 가장 중요한 먹이인 농게 fiddler crab를 찾는 데 사용된다. 물론 다른 곳으로 이동해서 육지에서 먹이를 찾을 때는 메뚜기나 딱정벌레 같은 곤충들이나 시로미 열매, 블루베리, 진들딸기 같은 늦여름 툰드라 지대 과일들을 찾아 먹기도 한다. 그 부리는 중부리도요를 비롯한 마도요 속에 속하는 새들에게 〈누메니우스*Numenius*〉라는 학명을 주었는데, 초승달을 의미하는 〈네오스 메네neos mene〉라는 그리스어에서 온 말이다. 속명을 그렇게 지은 18세기 과학자는 그 새의 부리가 초승달의 손톱

곡선을 닮은 것을 보고 그 이름을 생각해 낸 것이다.

철새 이동이 절정을 이루어 갯벌과 해수 소택지에 수많은 도요물떼새가 들끓고 있을 때에도, 나는 중부리도요를 거의 보지 못했다. 여러 종의 다른 많은 도요물떼새와 뒤섞여 있기 때문이었다. 그들은 한때 비록 상대적으로 몸집이 약간 작고 지금은 거의 멸종된 것이 확실한 에스키모쇠부리도요Eskimo curlew와 함께 뒤섞여 무리를 지었다고 전해지지만, 본디 약간 무뚝뚝하고 배타적이다. 중부리도요는 일단 하늘로 날아오르면 단호하고 빠르게 난다. 그들의 날개는 길고 점점 가늘어지는 모양을 하고 있다. 독보적인 비행 능력과 엄청나게 먼 거리를 이동하는 것으로 유명한 또 다른 종의 새, 매의 날개와 닮았다. 우리가 이 쌀쌀한 저녁 박스트리 크리크에 모인 것은 계절 이동 중에 있는 중부리도요를 보기 위해서였다. 해마다 봄이 오면 과학자들과 현지의 탐조가들은 거기에 모여서 10일 동안 북극 지방으로 이동하기 위해 북쪽으로 향하는 중부리도요의 개체 수를 세어 나중에 총계를 낸다.

1990년대 초, CCB와 TNC는 버지니아 해안을 따라 있는 중부리도요의 개체 수를 항공 측량하기 시작했다. 그 결과는 매우 우려할 수준이었다. 1994년에서 2009년 사이에 중부리도요의 개체 수는 절반으로 급감했다. 브라이언과 배리를 비롯한 동료 학자들은 도대체 무슨 일이 일어나고 있는지 궁금했다. 그들은 중부리도요가 버지니아에 있는 시기가 대단히 중요하다는 사실을 알아냈다. 중부리도요는 그곳에서 하루에 약 7.5그램씩 살이 쪄서 기본적으로 2주 뒤에 체중이 두 배로 불어난다. 이스턴 쇼어의 습지들을 가득 메우는 농게는 그 수가 너무 많아서 썰물 때면 갯벌이 마치 움직이는 것처럼 보일 정도인데, 중부리도요의 몸을 불리는 먹이가 바로 이 농게들이다. 「그때 보면, 그들의 몸이 축구공처럼 부풀어지는 모습을 정말 두 눈으로 목격할 수 있어요.」 브라이언이 말했다. 그는 문제가 무엇이든지 간에 그것은 여기처럼 외따로 떨어져 있고 환경 보호가 잘되고 생태적으로 풍요로운 곳이 아닌 다른 곳에 있다고 거의 확신했다. 하지만 중부리도요가 정확히 어디로 가는지, 그들의 대부분의 삶을 어떻게 보내는지에 대해서는 거의 아는 바가 없었다. 브라이언을 비롯한 과학자들은 봄에 버지니아 해안을 따라 중간 기착한 중부리도요들이 동쪽 끝 번식지인 허드슨만에 둥지를 틀고 카리브 연안이나 남아메리카에서 월동한다고 추정했다. 하지만 그것은 다른 대다수 철새들에 대한 것과 마찬가지로 경험에 따른 추측에 지나지 않았다. 중부리도요가 해마다 수천 킬로미터를 이동하는 동안 도대체 무슨 일이 일어났기에 그들의 개체 수가 급감했을까? 그들이 정말 궁금해하는 것이었다.

중부리도요가 위험에 처했다는 사실을 브라이언이 깨달았을 때쯤, 다행히 체중이 390그램에 불과한 새에 장착할 수 있을 정도로 작은 위성 송신기가 나왔다. 그의 연구팀은 버지니아 해안에서 잡은 중부리도요들에게 2008년부터 그 초소형 송신기를 달아서 날려 보내기 시작했다. 곧이어 놀라운 사실들이 밝혀졌다. 그들이 최초로 송신기를 달아 날려 보낸 새들 가운데 한 마리가 캐나다를 향해 북쪽으로 비행하다가, 기존의 예상 종착지인 허드슨만에서 멈추지 않고 왼쪽으로 치고 올라가더니, 캐나다 노스웨스트테리토리의 북극권 한계선 너머의 매켄지강 삼각주까지 총 4800킬로미터 정도를 계속해서 날아갔다. 버지니아에서 중간 기착한 중부리도요 가운데 많은 수가 유사한 경로를 취했다는 사실이 나중에 확인되었다. 그 해 가을, 브라이언과 그의 연구팀은 그들이 송신기를 장착해 날려 보낸 중부리도요들이 머물렀던 캐나다 북극의 중부 지방을 떠났을 때, 충격 속에서 그들의 비행을 지켜보았다. 그들은 캐나다 연해주 Canadian Maritimes의 앞바다에서 동쪽으로 날아가더니 곧바로 대서양 상공에서 열대 폭풍우나 허리케인이 부는 쪽으로 비행했다.

그것도 한 번이 아니라 반복해서, 우연히 일어난 일이 아니라 아주 신중하게 그렇게 했다. 거대한 폭풍의 뒤에서 원심력 때문에 발생하는 빠른 순풍이 그들을 남쪽으로 몰고 내려갔다.

「이동 경로가 두 개 있어요.」 브라이언이 내게 말했다. 「한 그룹, 대개 매켄지강 새들은 캐나다 연해주에서 브라질까지 엄청나게 먼 거리를 논스톱으로 비행합니다. 그들은 동쪽으로 기수를 돌려서 날아가는데 어느 지점에 이르러서는 남아메리카보다 아프리카에 더 가까워지지요. 그리고 허드슨만에서 출발한 또 다른 그룹은 해안과 가까운 바다 쪽 경로를 택하는데, 베네수엘라에 상륙하기까지 한 달 동안 계속 비행합니다. 바다 쪽을 향해 나는 새들은 수온이 낮은 바다 위를 날고 있는 것처럼 보입니다. 그것이 태풍과 만날 위험을 줄여 주기 때문이죠. 그러나 해안 쪽 가까이 나는 새들은 허리케인이 지나가는 길을 관통하려고 합니다.」

중부리도요는 그 가공할 먼 거리를 비행하는 동안 모두 네다섯 곳에 중간 기착을 하는데, 해마다 그 장소들이 거의 바뀌지 않는 것으로 확인되었다. 브라이언은 자신들이 2009년에 송신기를 달아 날려 보낸 중부리도요, 아마 단연코 CCB가 관찰하고 있는 중부리도요들 가운데 가장 유명한 〈호프Hope〉라고 이름 붙인 새 한 마리에 대해서 이야기했다. 그 새는 1년에 2만 8800킬로미터를 이동하는데, CCB에서는 그 새를 거의 10년 동안 추적 관찰했다. 호프는 북쪽으로 이동할 때면 늘 여기 박스트리 크리크에 중간 기착을 하고, 매켄지강 삼각주의 동일한 장소에 둥지를 틀고, 미국의 버진 제도Virgin Islands에 속한 세인트크로이St. Croix섬의 그레이트폰드Great Pond라고 하는 자그마한 맹그로브 습지의 동일 장소에서 겨울을 났다.

「추적 기술의 발전으로 이러한 철새 이동 경로들이 정형화된 형태로 드러나고 있습니다. 위성 추적 기술은 [1년에] 수천 킬로미터를 비행하는 새들이 있지만, 그들이 해마다 실제로 이 땅에서 차지하는 면적은 그리 크지 않다는 사실을 알게 해주었어요.」 브라이언은 말을 이어 갔다. 「호프처럼 말이에요. 그 새는 1년 동안 수천 킬로미터를 날지만, 그 새가 사용하는 땅은 2제곱킬로미터에 불과하죠. 호프는 박스트리 크리크에서 잡혔어요. 그 새는 해마다 박스트리 크리크로 다시 돌아옵니다. 여기보다 위쪽에 있는 다른 수로들에 가 보세요. 거기 있는 중부리도요는 호프와는 다른 그룹의 새들이죠.」 그는 그 사실을 알고 나서 매우 충격을 받았다고 했다. 그것은 이 특정한, 매우 특별한 장소들에 어떤 일이 일어난다고 해도, 그곳에 삶을 의존하고 있는 중부리도요들은 새로운 장소로 서식지를 쉽게 이동할 수 없을지도 모른다는 사실을 암시하기 때문이다. (호프에게 부착한 송신기는 고장이 나서 2012년에 제거되었다. 하지만 다리에 채워진 가락지는 여전히 눈에 띄었기 때문에 멀리서도 알아볼 수 있었다. 내가 박스트리 크리크를 방문하고 나서 몇 달 뒤인 2017년 9월, 허리케인 마리아가 세인트크로이섬을 강타했다. 먼 거리를 이동해 온 그 중부리도요는 폭풍 속으로 사라졌고, 다시는 그곳과 버지니아에 모습을 드러내지 않았다.)

「그들이 수천 킬로미터를 날아간 뒤, 아주 작은 땅을 중간 기착지로 삼은 다음, 다시 또 3200킬로미터 정도를 비행한다는 사실은 내게 정말 신기한 일이 아닐 수 없어요.」 배리가 말했다. 「정신이 혼미할 정도로 나를 흥분시켜요.」

「맞아요.」 브라이언이 거들고 나섰다. 「매우 짧은 기간에 추적 관찰 기술은 철새에 대한 우리의 이해를 정말 엄청나게 높였습니다.」 그것은 또한 우리가 얼마나 많이 부족한지도 보여 주었다. 왜 중부리도요의 개체 수가 줄어들고 있었을까? 2011년에 그 대답의 일부를 찾았다. CCB에서 송신기를 부착해 날려 보낸 중부리도요들 가운데 두 마리가 한 번은 열대 폭풍우를 통과하고, 다른 한 번은 허리

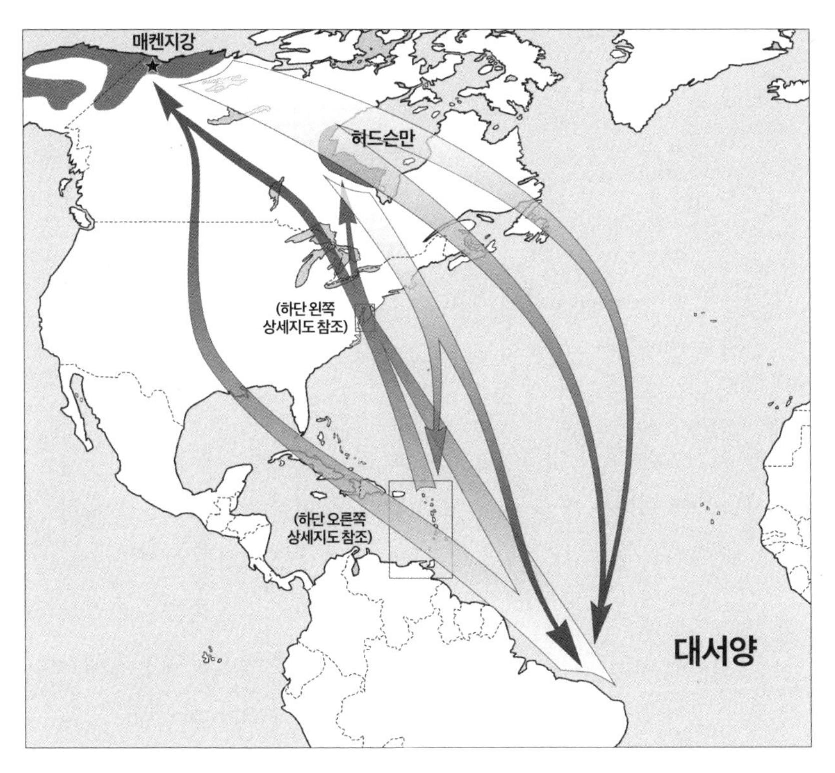

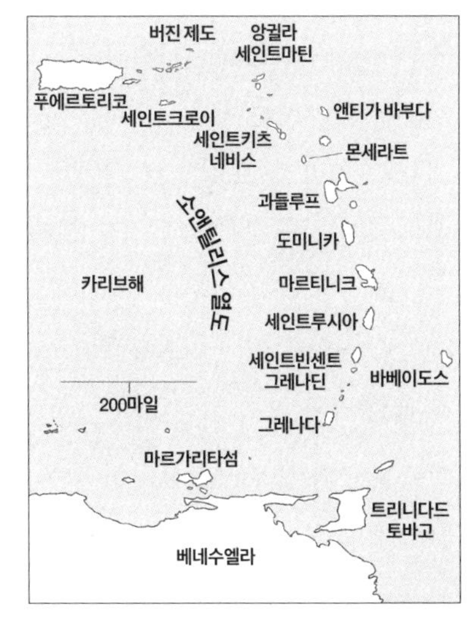

캐나다 노스웨스트테리토리의 매켄지강에 둥지를 트는 중부리도요들은 해마다 계절풍을 이용해서 가을에 서대서양을 가로질러 소앤틸리스 열도와 남아메리카까지 이동했다 돌아오는 일을 반복한다.

케인을 관통하고도 살아남았다. (박스트리 크리크와 가까운 지명 이름을 따서 한 마리는 매시Machi, 다른 한 마리는 고션Goshen이라는 별명을 붙였다.) 그들이 폭풍우를 뚫고 비행한 사건은 당시 신문, 방송에서 숨 막힐 정도로 흥미진진한 뉴스로 집중 조명을 받았다. 나중에 그들이 체력이 소진되어 소앤틸리스 열도Lesser Antilles의 과들루프Guadeloupe섬에 상륙하려고 하다가 현지 사냥꾼의 총에 맞아 죽었을 때도 언론의 집중 조명을 받았다. 사냥꾼들은 철새들이 북쪽으로 이동할 때 열대 폭풍우가 있으면 지친 새들이 휴식을 취하기 위해 땅에 내려앉을 수밖에 없기 때문에 그때를 기다렸다 사냥하면 된다는 것을 잘 알고 있었다. 북미의 생물학자들은 카리브해 연안의 일부 지역에서 도요물떼새 사냥이 여전히 득세하고 있다는 것을 알고 있었지만, 이 두 마리 중부리도요의 죽음은 카리브해 인근과 남아메리카에서 지금도 얼마나 많은 도요물떼새 철새가 총에 맞아 떨어지고 있는지를 극적으로 보여 주었다. 북아메리카에서는 오래전부터 도요물떼새 사냥(미국멧도요와 윌슨스나이프Wilson's snipe는 제외)이 금지되었지만, 과들루프와 마르티니크Martinique, 트리니다드Trinidad, 토바고Tobago 같은 카리브해 연안 섬들과 수리남, 프랑스령 기아나, 그리고 브라질 북부 해안 같은 남아메리카 지역에서는 아직도 심각한 문제로 남아 있다. 바베이도스Barbados섬 한 곳에서만 한 해에 3만 4000마리의 새가 사냥꾼의 총에 맞아 죽는 것으로 추정되었는데, 그중 약 1만 9000마리가 그 지역에서 가장 많이 사냥되는 종인 작은노랑발도요였다. 그러나 붉은가슴도요와 중부리도요처럼 훨씬 더 희귀한 종을 포함해서 미국검은가슴물떼새American golden-plover, 짧은부리도요short-billed dowitcher, 아메리카메추라기도요 같은 도요물떼새들도 법적인 보호를 받는 일부 지역에서조차 사냥감으로 인기가 많은 상황이다. 남아메리카 북동부 해안에 있는 수리남에서는 사냥으로 죽는 도요물떼새가 한 해에 총 수만 마리에 이르는 것으로 추정되는데, 그중에서 가장 많은 사냥의 표적이 되는 새는 아메리카도요다. 그 새들이 보호 대상으로 지정된 곳에서도, 그들은 늘 안전하지 않다. 캐나다 연해주의 황야에 있는 블루베리 농장들에서는 내다 팔 작물을 보호하기 위해서 농장주들의 불법적인 중부리도요 사냥이 성행하고 있는데, 와츠를 비롯한 일부 환경 보호 활동가들 사이에서 점점 우려의 목소리가 높아지고 있다.

미국 어류 야생동물 보호청 산하 미국 도요물떼새 보전 계획US Shorebird Conservation Plan의 국가조정관인 브래드 안드레스Brad Andres는 2011년에 일군의 환경 보호 활동가들이 도요물떼새 사냥의 영향 평가를 이미 시작하고 있었다고 말했다. 「그러나 매시와 고션이 총에 맞아 죽으면서, 모든 것이 빛의 속도로 진행되었죠.」 연구자들은 문제의 심각성을 이해하기 위해 재빠르게 움직였다. 브라이언과 그의 동료들은 중부리도요와 같은 개체 수가 적은 종들에 대해서 카리브해 지역의 사냥으로 죽은 새의 수를 감안하면, 그것만으로 충분히 중부리도요의 개체 수가 감소하게 된 원인을 알 수 있다고 결론지었다. 그 이후, 일부 관할 구역들이 대중의 고조된 관심과 함께 관련 법률들을 강화했다. 사냥 허가를 받은 사냥꾼이 3000명에 이르는 과들루프에서는 이전에 없었던 계절에 따른 사냥 제한과 한 번에 잡을 수 있는 새의 수를 제한하는 법률이 생겼다. 사냥꾼들이 스스로 사냥을 제한하는 바베이도스에서는 정부가 마약 밀수를 대대적으로 단속하자 총기와 탄약 구하기가 어려워지면서, 사냥 활동이 감소하고 있다고 안드레스가 알려 주었다. 사냥꾼들이 운영하는 인공 〈사냥 습지〉—철새들의 유일한 습지 서식지—여러 곳이 우드번 도요물떼새 보호 구역Woodburne Shorebird Reserve처럼 이제는 보호 구역으로 바뀌었거나 더 이상 사냥을 하지 않는다. 「실제로 바로 석 달 전에 사냥 금지 보호 구역으로 바꾸겠다고 제게 제안서를 보낸 사냥 습지가 한 군데 더 있습니다.」 안드레스가 말했다. 「현재 가장 큰 문제는 이런 현장들을 해마다 관리하는 데 들어가는 자금을 마련하는 일입니다.」 습지들은 수위와 그 주변을 잠식하는 초목들을 집중적으로 관리하지 않으면, 새들에게 별로 쓸모없는 곳으로 바뀐다. 만일 사냥이 금지되었는데, 그 습지들을 관리할 사람이 아무도 나서지 않는다면, 도요물떼새들은 지금보다 훨씬 더 어려운 지경에 빠질 수 있다.

철새가 사계절을 어디서 어떻게 지내는지, 발전된 추적 기술이 제공하는 정보에 대해 정확하게 알지 못한다면, 도요물떼새 사냥 문제가 입증한 것처럼 매우 크고 중요한 문제를 놓치기 쉽다. 추적 기술의 혁신이 때늦지 않게 적시에 이루어져야 하는 이유가 바로 이 때문이다. 특히 덩치가 크고 우람한 중부리도요에 비해 훨씬 더 작은 몸집의 대다수 수많은 철새를 생각하면 더더욱 필요한 일이다.

「여기요, 왔어요!」 네드 브링클리가 소리쳤다. 나는 브라이언과 배리 트루잇과 나누던 대화를 도중에 멈췄다. 첫 번째 중부리도요 무리가 군데군데 습지들에서 남쪽으로 날아오르고 있었다. 대개 20여 마리씩 무리를 지어 느슨하게 일렬로 줄을 맞추고 때로는 V자 대형을 이루며 날아올랐다. 알렉스가 그들의 이동 상황을 추적하며 각 무리의 숫자와 방향을 부르고 있는 동안, 무릎까지 올라오는 긴 장화를 신고 추위를 막기 위해 밝은 분홍색 플리스 스웨터를 입은 오클라호마 출신의 한 젊은 여성이 야외용 접이식 의자에 앉아 자료표에 그 내용을 받아 적었다. 그녀는 해마다 이맘때 알렉스의 현장 조사를 도와주는 철새 전문가이다.

100마리가 넘는 거대한 무리의 중부리도요들이 고도를 높여 날며 우리 머리 위로 다가오자, 잔물결같이 떨리는 그들의 울음소리가 하나로 합쳐져 거대한 합창 소리처럼 대기를 쩌렁쩌렁 울리며 퍼져 나갔다. 옛날 시장에 내다 팔기 위해 동물을 사냥하던 시절, 도요물떼새 사냥꾼들은 중부리도요를 〈세븐 위슬러스〉*라고 불렀다. 그들의 울음소리가 그만큼 날카롭고 강렬했기 때문이다. 그러나 지금 여기서의 울음소리는 누군가가 놋쇠종이 달린 썰매를 타고 열심히 달리고 있는 것처럼, 수많은 사람이 뒤섞여 합창하는 노랫소리가 바람을 가르며 들려오는 것 같았다. 「저건 따라붙으라는 신호예요!」 브라이언이 말했다. 「그들은 다른 새들을 자극해서 자신들의 무리에 결합시키려 하고 있어요. 때때로 다른 무리들이 자기들 위를 지나가고 있는 무리와 만나기 위해 습지에서 떠오르는 모습을 볼 수 있지요.」 고도를 높이기 위해 발톱을 움켜쥐고 긴 날개로 천천히 바람을 훑으며 날아오르고 있는 중부리도요는 매끈한 근육질 몸매를 자랑하는 것처럼 보였다. 그들은 한밤중 내내 날아가 동틀 때쯤 토론토 인근 온타리오 호수를 가로지르고 있을 것이다. 거기서는 현지의 탐조가들이 연례행사로 그들이 통과하는 모습을 관찰하고 기념하기 위해 그들을 기다리고 있을 것이다. 그러나 새들은 거기서 잠시도 쉬지 않는다. 닷새 동안 논스톱으로 북쪽과 서쪽으로 비행을 계속한다.

「다음 번 그들이 육지에 내려앉는 곳은 북극 지방이 될 겁니다.」 브라이언이 말하는 중에도 여전히 북쪽으로 떠나기 위해 습지에서 날아오르는 중부리도요 무리들이 더 많아졌다. 오랜 세월 늘 이런 광경을 지켜보며 보냈건만, 아직도 그의 목소리에는 경외의 흔적이 남아 있었다.

브라이언 와츠가 말한 것처럼, 추적 기술의 발전으로 철새 이동

* seven whistlers. 호루라기 일곱 개를 동시에 부는 것과 같은 울음소리를 내는 새라는 뜻.

을 모두 추적 관찰할 수 있는 시대가 우리 앞에 도래했다. 그러면서 이전에는 전혀 알 도리가 없었던 이동 패턴들이 드러나기 시작했다. 그중에 가장 흥미로운 것 가운데 하나, 그리고 철새 보호를 위해 가장 중요하기도 한 것은 철새 이동의 지리적 연결성이라는 새로운 개념이다.

검은머리솔새라는 작은 새는 브리티시컬럼비아와 베링해 어귀에서 시작해서 래브라도와 뉴펀들랜드까지 약 640만 제곱킬로미터에 이르는 거대한 번식지를 가지고 있다. 수컷의 머리 깃털이 검어서 그런 이름을 가지게 된 검은머리솔새는 해마다 워낙 먼 거리를 이동하기 때문에, 철새의 이동을 연구하는 학자들 사이에서 이목이 집중되고 있는 대상이다. 내가 몇몇 동료와 디날리 국립공원에서 검은머리솔새를 잡아 지오로케이터를 부착해 알래스카 중부 지방을 오가는 그 새의 왕복 여행을 연구한 것도 바로 그런 이유에서였다. 우리는 이미 그 공원의 검은머리솔새들이 동부 해안까지 약 4800킬로미터 넘게 날아간 뒤, 서대서양 상공에서 남쪽으로 선회해서 남아메리카 북부까지 거의 3200킬로미터에 이르는 거리를 비행한다는 사실을 알고 있었다. 거기서 그들은 오리노코와 아마존강 유역 어딘가에서 겨울을 난다. 그러나 정확한 월동 장소가 어딘지는 몰랐다. 알래스카 서쪽 끝 놈Nome과 캐나다 북서부 유콘의 화이트호스Whitehorse, 그리고 허드슨만의 처칠곶Cape Churchill에서 검은머리솔새에게 송신기를 달아 날려 보낸 다른 연구팀들과 서로 추적 관찰한 데이터를 공유하고 나서야 비로소 우리는 그들의 흥미진진한 이동 패턴을 일부 확인할 수 있었다.

놈에서 날려 보낸 검은머리솔새들은 북쪽 경로를 따라 이동해서 캐나다 중부를 가로질러 뉴잉글랜드 남부의 동부 해안에서 남쪽으로 선회했다. 우리가 디날리 공원에서 날려 보낸 검은머리솔새들은 유콘에서 날아온 새들과 마찬가지로 남쪽 경로를 따랐는데, 그들

중 일부는 바다 위로 날기 전에 각도를 더 남쪽으로 꺾어서 플로리다 상공을 지났다. 반면에 처칠곶에서 날려 보낸 검은머리솔새들은 대체로 남남동 방향으로 날았는데, 대각선으로 서로 다른 여러 갈래의 경로로 나뉘어 비행하다가 대부분 노스캐롤라이나와 사우스캐롤라이나에서 대서양 상공으로 빠져나갔다. (지오로케이터 데이터가 아주 정밀하지 않기 때문에, 정확한 위치는 파악이 쉽지 않다.) 서로 다른 번식지에서 날아온 검은머리솔새들은 남아메리카에 도착해서도 서로 다른 지역에 내려앉았다. 우선 놈에서 온 새들은 동쪽과 남쪽으로 가장 먼 곳으로 가서, 브라질 북동부와 수리남, 기아나의 아마존강 어귀 인근에서 겨울을 났다. 반면에 처칠곶의 검은머리솔새들은 아마존강 서쪽에서 1600킬로미터쯤 떨어진, 브라질과 페루, 콜롬비아가 만나는 곳에 모였다. 디날리에서 온 우리 새들은 유콘에서 날아온 새들과 함께 그 두 지역 사이에 무리를 이루고 있었는데, 유콘의 검은머리솔새들은 약간 더 위에 있는 베네수엘라에서 북쪽으로 오리노코강이 흐르는 숲을 이용하는 것처럼 보였다.

서로 다른 번식지에서 이동한 철새들이 저마다의 이동 경로와 월동지가 있을 거라고 생각하는 것은 상식처럼 보일지 모른다. 그러나 지난 수세기 동안 사람들이 철새 이동의 복잡함에 대해서 곰곰이 생각해 왔지만, 정말로 그런 생각을 깊이 한 사람은 아무도 없었다. 그동안 사람들은 남아메리카 북부의 밀림 숲을 거대한 그릇이라고 생각했다. 아마존 강가를 첨벙첨벙 대며 걷고 밀림 속을 휙휙 날아다니고 사방으로 온통 쏘다니며 겨울을 날 수 있도록 북아메리카의 모든 검은머리솔새를 무차별로 쏟아부어도 되는 그런 큰 그릇 말이다. 우리가 이동 연결성에 대해서 알고 있는 것은 여전히 아주 기본적인 수준이다. 그러나 일부 종은 이 이동 연결성을 통해 그들이 이동하는 경로의 패턴을 정확하게 파악할 수 있는 것처럼 보인다. 예컨대, 지오로케이터를 이용해서 그들의 계절 이동을 연구한 유럽개개비great reed warbler는 그들의 아프리카 월동지와의 이동 연결성이 그다지 크지 않은 것으로 나타난다. 스페인과 스웨덴, 체코에서 출발한 개개비들은 아프리카 서부의 기니만Gulf of Guinea에서 뒤섞이는 반면에, 불가리아와 튀르키예에서 출발한 개개비들은 아프리카 동부로 이동한다. 후자의 개개비들은 또한 특이하게 시계 반대 방향으로 순환식 이동loop migration을 하는데, 대개 가을에는 남서쪽으로 날아 아프리카로 가고, 봄에는 동쪽으로 아라비아 반도로 우회해서 날아간다.

동종의 철새라도 번식지가 수백 킬로미터 떨어져 있으면 월동지의 위치도 크게 달라질 수 있다. 예컨대, 북아메리카 동부 지역에 흔한, 지빠귀와 비슷한 솔새인 화덕새의 경우를 살펴보자. 캐나다 남서부 서스캐처원Saskatchewan의 서쪽 끝에서 태어난 화덕새에게 지오로케이터를 부착해 날려 보낸 결과, 그 새는 멕시코 남부로 이동했다. 반면에 오대호가 번식지인 화덕새의 다리에 가락지를 부착해서 날려 보낸 경우는 벨리즈로 갔다. 스미스소니언 철새 센터Smithsonian Migratory Bird Center의 과학자들이 화덕새의 이동을 심층 조사하기 위해 기록용 GPS 태그archival GPS tag라고 하는 새로운 추적 장치를 사용하기 시작한 2013년 이전에는 더 자세한 정보를 구하기가 어려웠다. 대략적인 위도와 경도를 계산할 수 있도록 낮 길이와 일출/일몰 시간을 기록하는 광센서를 사용하는 지오로케이터와는 달리, 기록용 GPS 태그는 사전에 정해진 기간에 (이 경우는 한 달에 한 번) 작동되도록 설정되어 있어서, GPS 위성으로부터 매우 정밀한 위치 정보를 받아 저장 장치에 기록하고 다음 시점까지 작동을 멈춘다. 귀중한 배터리 전력을 아끼기 위해서다. 스미스소니언 연구자들은 뉴햄프셔와 메릴랜드에서 잡은 화덕새에게 기록용 GPS 태그를 달았다. 그리고 6개월 뒤, 그들이 번식을 하기 위해 되돌아왔을 때, 다시 그들을 잡았다. GPS 태그를 풀어서 수집된 좌표를 분석한 결과, 그 두 곳의 화덕새들은 모두 대개 남쪽으로 방향을 잡아 날았다. 그러나 뉴잉글랜드의 화덕새들은 히스파니올라Hispaniola섬과 쿠바의 동부로 모여들었고, 메릴랜드의 화덕새들은 조금 더 서쪽으로 가는 경로를 택해서 쿠바의 서부와 플로리다 반도에서 겨울을 났다.

번식지와 월동지가 서로 긴밀하게 연결되어 있는 철새들도 있다. 유럽의 세 지역, 프랑스, 이탈리아, 불가리아에서 지오로케이터를 부착해서 날려 보낸 나이팅게일common nightingale들은 아프리카 서부와 중부의 서로 다른 세 군데 월동지에서 겨울을 났다. 따라서 그들의 이동 연결성은 매우 높다고 볼 수 있다. 북아메리카의 붉은가슴밀화부리rose-breasted grosbeak의 경우, 다리에 가락지를 채워서 날려 보낸 새들을 확인한 결과, 동부 지역에서 둥지를 튼 새들은 파나마와 남아메리카 북부에서 겨울을 나고, 중서부의 북부 지역에서 출발한 새들은 중앙아메리카 북부로 이동한다. 반면에 대평원 지역에서 출발한 새들은 멕시코 중부 지방으로 날아간다. 그러나 또 다른 북아메리카 철새인 스웬슨지빠귀에 이르면 과학자들도 머리가 정말 복잡해지기 시작한다. 스웬슨지빠귀의 이동 경로는 유전적 특성과 번식지가 모두 반영되어 달라지는 대단히 흥미로운 분화 형태를 보여 준다.

스웬슨지빠귀는 울새보다 몸집이 더 작다. 가슴 깃털은 부드러운 사슴 가죽 색깔에 검은 반점들이 흐릿하게 박혀 있고, 눈 둘레에 담황색 안경 모양이 있어 눈이 커 보인다. 북미 대륙의 스웬슨지빠귀는 뉴펀들랜드에서 알래스카까지, 그리고 그 아래로 애팔래치아와 로키 산맥에 이르기까지 대부분 등이 흐릿한 황갈색이다. 심지어 우리가 디날리에서 연구하고 있는 것들처럼, 이 방대한 지역의 서쪽 가장자리가 번식지인 새들은 먼저 동쪽으로 멀리 이동한 뒤 남쪽으로 방향을 바꿔 파나마에서 남아메리카 남부에 이르는 지역으로 가서 겨울을 난다.* (그들이 내려앉는 월동지는 어느 번식지에서 날아왔는지에 따라 달라진다.) 반면에 등이 밝은 적갈색 깃털로 뒤덮인 또 다른 스웬슨지빠귀들은 캘리포니아 남부로부터 알래스카의 길고 좁게 이어진 해안 지역에 이르는 곳에서 번식을 한다. 그들은 겨울을 나기 위해 대부분 해안의 이동로를 따라 멕시코와 중앙아메리카로 날아가기 때문에, 1년 내내 태평양을 가슴에 품고 산다고 볼 수 있다. 그러나 그들도 마찬가지로 번식지와의 이동 연결성이 매우 강하게 작용한다. 캘리포니아 마린카운티의 스웬슨지빠귀들은 태평양 상공으로 약 2560킬로미터를 날아서 멕시코 서부의 할리스코Jalisco주로 이동하는 반면, 그보다 훨씬 더 위쪽에 있는 캐나다 브리티시컬럼비아의 밴쿠버 근처 해안에서 출발하는 스웬슨지빠귀들은 멕시코를 넘어 중앙아메리카까지 이동한다.

흥미롭게도, 브리티시컬럼비아 남부에는 등이 적갈색인 해안의 스웬슨지빠귀와 등이 황갈색인 내륙의 스웬슨지빠귀가 함께 지내는 몇몇 계곡이 있다. 당연히 둘 사이의 잡종도 존재한다. 철새의 이동은 대개 해당 새의 DNA에 새겨진 본능에 따른 것이기 때문에, 잡종으로 태어난 새끼들의 경우, 그들을 서로 정반대의 방향으로 끌어당기는 것처럼 보이는 유전자들이 그들의 DNA 내부에서 싸우는 것은 놀랄 일이 아니다. 지오로케이터 덕분에, 우리는 일부 잡종 철

* 이렇게 특이하게 우회하는 경로는 마지막 빙하기가 끝나면서 남긴 흔적으로 생각된다. 등이 황갈색인 스웬슨지빠귀는 그 시기에 거대한 빙하들에 밀려 훨씬 아래 북아메리카 남동부 지역의 지금은 사라진 침엽수림에 갇혀 있었다. 빙하가 물러가자 가문비나무숲이 북쪽과 서쪽으로 이동했고 스웬슨지빠귀들도 그 뒤를 따랐다. 그러나 해마다 가을이 되면 그들은 옛날에 자신들이 서식했던 동쪽과 남쪽 지역을 되짚어 간다. 그들은 북쪽 수림대의 수많은 조류, 즉 큰멧참새fox sparrow, 회색뺨지빠귀를 비롯해 다종다양한 솔새 따위 가운데 한 종일 뿐이다. 적어도 그들 가운데 일부는 짐작건대 비슷한 이유 때문에 비슷한 이동 경로를 따르는 것으로 보인다. — 원주.

새들이 DNA 내부에서 서로 다른 종류의 유전자들이 절충해서 중간의 이동 경로를 취한다는 사실을 알게 되었다. 하지만 그것은 가련한 선택이자 위험한 절충이다. 자칫 잘못하면 은신처와 먹이가 거의 없는 바위투성이 산악지대나 끝없이 펼쳐진 사막으로 그들을 데리고 갈 수 있기 때문이다. 어떤 스웬슨지빠귀 잡종은 부모 한쪽의 유전자를 이어받아 가을에 동쪽으로 멀리 돌아서 남쪽으로 가는 내륙의 이동 경로를 이용하지만, 봄에는 나머지 부모 한쪽의 유전자 영향을 받아 태평양 쪽으로 돌아서 북쪽으로 갈 수도 있다. 그 반대의 경우도 있을 수 있다. 아무튼, 이후 계속해서 그 잡종 새들이 계절 이동을 감행하고 이동한 거리를 감안할 때, 그들이 두 아종 사이의 유전적 분리를 유지하고 저마다 독특한 형태의 이동 연결성을 강화하면서 흔치 않은 유형으로 잔존하는 것은 당연한 일이다. (유럽검은머리솔새*들도 이와 비슷한 난관에 직면하는데, 오스트리아와 체코의 유럽검은머리솔새의 경우 이동 경로가 둘로 나뉘기 때문이다. 한 무리는 남서쪽으로 이동해서 이베리아반도로 들어가고, 다른 한 무리는 지중해 동부 지방으로 비행한다. 그래서 그 두 무리 사이에서 태어난 잡종은 운이 지지리도 없는 생체 지도를 물려받은 결과, 지중해를 가로질러 사하라 사막으로 날아간다.)

철새의 이동 연결성이 강하게 존재하는 지역의 경우, 특히 그곳이 급격한 변화를 겪고 있다면, 그곳이 세계 어느 곳이든 철새 보호를 위해 강력한 조치가 필요하다는 것을 의미한다. 북아메리카의 동부 번식지와 멕시코 남부와 중앙아메리카의 월동지 양쪽에서 총 700마리가 넘는 숲지빠귀들에게 송신기를 부착하여 날려 보낸 캐나다/미국 공동 연구는 지역별로 숲지빠귀의 이동 연결성이 엄청나게 촘촘하다는 것을 밝혀냈다. 송신기를 부착한 새들을 다시 찾

* blackcap. 수컷의 머리가 검정색이다.

아서 잡는 데 수백 시간이 들어가는 것을 감안할 때, 그야말로 초인적인 노력의 결과라 할 수 있다. 뉴잉글랜드에서 남쪽으로 펜실베이니아와 노스캐롤라이나에 이르는 지역에서 번식하는 숲지빠귀들은 거의 독점하다시피 중앙아메리카 동부 지역에서 겨울을 났다. 온두라스 동부 지방과 니카라과, 코스타리카가 속한 지역으로 그 종 전체의 절반 이상이 그곳에 머물렀다. 반면에, 미국 남동부와 중서부 지역이 번식지인 숲지빠귀들은 주로 유카탄반도, 엘살바도르, 온두라스 서부 지방으로 이동했다. 그리고 그 가운데 모두 중서부가 번식지인 비교적 적은 수의 숲지빠귀들만이 멕시코 남부에서 겨울을 났다.

특히 중앙아메리카 동부 지역의 급속한 산림 벌채 속도를 고려할 때, 숲지빠귀 월동지로서의 그 지역의 중요성은 아무리 강조해도 지나치지 않다고 과학자들은 말한다. 그들은 그 지역에 더 강력한 보호 조치를 취해 줄 것을 강력히 촉구했다. 그러나 그들의 분석 결과는 또한 그 숲지빠귀들의 월동지가 멕시코와 중앙아메리카의 어느 지역이든 상관없이, 그 새들이 북아메리카 대륙으로 돌아갈 때 멕시코만의 미국 해안을 통과해서 갈 가능성이 매우 높다는 사실을 보여 주었다. 그곳은 봄에 그 종의 거의 4분의 3이 북쪽으로 이동하는 병목 지대였다. 따라서 멕시코만 일대를 집중적으로 보호하는 작업은 그들의 번식지를 찾아가는 숲지빠귀들뿐 아니라, 해마다 봄이면 그 지역을 통과하는 수억 마리의 다른 명금류 철새들, 수백 종의 새들에게 매우 큰 결실을 맺게 해줄 것이다. 철새를 추적하고 관찰하는 일은 이전에 아무도 눈여겨보지 않았던 그런 중요한 수많은 중간 기착지, 다시 말해서 향후 우리가 철새를 보호하기 위해 보전해야 할 지역이 어딘지를 찾아내고 있다. 예컨대, 과학자들은 여러 연구팀이 추적 연구한 내용들을 모아 분석한 결과, 유럽파랑새 European roller들이 가을에 아프리카의 나이지리아, 차드, 카메룬이 만나는 차드 호수Lake Chad 유역 사바나 지대로 모여든다는 사실을 알아냈다. (유럽파랑새는 청록색과 적갈색 깃털을 가진 비둘기 크기의 매력적인 새로, 최근 수십 년 동안 30퍼센트 정도 개체 수가 감소하면서 유럽 일부 지역에서는 완전히 자취를 감추었던 것이다.) 사하라 사막의 남쪽 끝자락에 위치한 사헬Sahel 지역의 이 대초원 지대 또한 유럽에서 남쪽으로 이동하는 때까치shrike, 벌잡이새bee-eater, 뻐꾸기cuckoo를 비롯해서 벌레를 잡아먹는 수많은 철새의 중요한 중간 기착지임이 밝혀지고 있다. 사헬 지역은 점점 가뭄이 빈번하게 발생하고 있기 때문에, 이러한 많은 종의 철새들이 개체 수 감소의 시련을 겪고 있는 것은 결코 우연이 아닐 수 있다.

엄밀히 말해서, 이동 연결성이 약한 곳에서도 추적 관찰 연구를 통해 얻은 통찰은 충격적인 내용일 수 있다. 어쩌면 그러한 경우의 가장 좋은 예는 노랑머리솔새prothonotary warbler가 아닐까 한다. 노랑머리솔새는 북아메리카 동부, 특히 남동부의 습지대와 호수 가장자리에 서식하는 명금류 철새로, 깃털이 극도로 노란색이라고 해서 어떤 조류학자는 〈나무에서 뚝뚝 떨어지고 있는 버터〉[11]처럼 보인다고 말하기까지 했다. 과학자들은 오래전부터 노랑머리솔새 대부분이 중앙아메리카 남부와 남아메리카 북부 지역의 해안가 맹그로브 습지에서 겨울을 보낸다고 추정해 왔다. 그러나 2019년에 발표된 한 연구 보고서에 따르면, 그들이 서식하는 광범위한 지역에서 지오로케이터를 통해 추적 관찰한 결과, 루이지애나에서 버지니아, 위스콘신에 이르기까지 그들의 번식지가 어딘지에 상관없이, 거의 모든 노랑머리솔새가 해안에서 멀리 떨어진 콜롬비아의 마그달레나강Magdalena River을 끼고 있는 한 좁은 지역에 모여들었다. 그곳은 환경 보호 활동가들이 보전 구역으로 지정받기 위해 노력을 집중하고 있었던 지역과는 멀리 떨어져 있었다. 엄밀히 따지면, 이러한 이동 패턴은 철새의 이동 연결성과 거의 반대되는 현상이다. 그러나 이미 캐나다에서 멸종 위기종으로 지정되어 있는 이 종을 구하는 일은 엄청나게 중요한 일이다.

철새의 이동 연결성이 어떻게 작용하는지, 철새를 보호하기 위해 이 새로운 지식을 어떻게 사용할 수 있는지에 대해서 알아야 할 것이 아직도 많이 있다. 때때로 무언가를 과학적으로 연구한다는 것은 혹독할 정도로 힘든 일이다. 하지만 그 결과는 아주 단순명료하면서도 숨이 막힐 정도로 멋지다.

2018년, 우리 연구팀은 디날리의 가문비나무 숲에서 스웬슨지빠귀 몇 마리를 잡아서 그들에게 기록용 GPS 추적 장치를 달았다. 1년 뒤, 디날리 국립공원 소속 조류생태학자인 에밀리 윌리엄스 Emily Williams와 조류 전문가 터커 그림스비Tucker Grimsby는 그 새들이 공원에 되돌아온 직후 추적 장치를 단 스웬슨지빠귀들 가운데 세 마리를 다시 잡았다. 그들에게서 회수한 세 대의 추적 장치 가운데 하나는 망가져 있었다. 지구를 반 바퀴 돌고 오는 새에게 부착된 초소형 기계 장치에 기계적 결함이 생기는 것은 흔한 일이다. 그런데 나머지 두 대의 추적 장치는 그것을 달고 비행한 스웬슨지빠귀의 이동 연결성에 대한 아주 놀랄 만한 이야기를 우리에게 들려주었다. 그 장치를 달고 난 두 마리의 스웬슨지빠귀들은 전년도 8월에 그 공원에서 1~2킬로미터도 떨어지지 않은 곳에 위치한 둥지들을 떠났다. 두 마리는 서로 2주 간격으로 출발을 달리했다. 캐나다 북서쪽 유콘을 지나 브리티시컬럼비아 북부와 앨버타, 서스캐처원을 가로지르며 남동쪽으로 이동했다. 그들은 9월경 슈피리어호 Lake Superior의 서쪽 모퉁이를 돌아 중서부 지역을 관통하고 있었다. 그들 가운데 한 마리는 인디애나폴리스의 북동부 한 도시 근교 주택지 뒤뜰에서 1주일 동안 머물렀다. (그 개발 단지는 페더 코브 Feather Cove라고 하는 주택단지였는데, 메모를 하다가 입가에 저절로 미소가 지어졌다.) 그들은 9월 말에 그레이트스모키산맥 국립공원Great Smoky Mountains National Park 가까이에 있는 블루리지산맥Blue Ridge Mountains을 넘었다. 둘은 이제 며칠 간격으로 날고 있었다. 그들은 플로리다의 길고 좁은 지형을 관통해서 멕시코만 동쪽을 가로질러 카리브해 서쪽을 지나 중앙아메리카로 진입했다. 그러고는 동쪽으로 꺾어서 파나마 지협을 따라 콜롬비아까지 왔는데, 그때가 10월 말이었다. 거기서부터 그들은 안데스산맥의 동쪽 측면을 따라 또다시 약 3700킬로미터를 비행했다. 그들이 마침내 1만 2000킬로미터 넘는 비행을 마쳤을 때, 둘은 볼리비아와 아르헨티나 국경 지대에 있었는데, 서로 약 30킬로미터 정도 떨어진 곳에 따로 머물고 있었다.

과연 우연의 일치일까? 실제로 그다음 두 번째로 터커와 에밀리가 잡은 스웬슨지빠귀 네 마리도 기본적으로 처음의 두 마리와 마찬가지로 거의 같은 경로를 통해 같은 목적지에 도착했다. 그들의 비행 경로를 나타내는 은은한 초록빛 선들이 내 컴퓨터 화면 속에서 지구를 가로질러 뻗어 나가면서 모든 선이 똑같이 가늘고 기다란 띠를 그리며 작은 능선들이 이어진 숲 한군데로 합쳐지는 모습을 처음으로 보았을 때, 다시 말해서 그 여섯 마리의 스웬슨지빠귀들이 북반구의 겨울을 피해 쉴 곳을 찾아 모두 그곳에 모여든 모습을 보았을 때, 나는 실제로 놀라서 숨을 쉴 수 없었다. 하지만 그것은 철새들의 날갯짓이 엮어 내는, 지구를 가로질러 남반구와 북반구 사이를 촘촘하게 잇는 놀라운 연결망들 가운데 하나일 뿐이었다.

4장
빅 데이터로 비로소 알게 된 것들

동이 틀 무렵, 멕시코만 앨라배마Alabama 해안. 척윌스위도우로 알려진 캐롤라인쏙독새*들이 모빌만Mobile Bay 동쪽 측면으로 튀어나온 길고 가느다란 반도 모양의 포트모건Fort Morgan에서 황혼의 마지막 순간들을 노래하고 있다. 하도 많이 다녀서 눈을 감고도 따라갈 수 있는 길을 걸으면서 발바닥으로 고운 모래 감촉을 느끼며 커다란 버지니아참나무와 소나무 사이를 이리저리 나아가다 새로 그물을 설치할 장소가 나타나면, 걸음을 멈추고 촘촘하게 엮인 새그물을 조심스럽게 펼친다. 〈척-윌스-위도우〉, 〈척-윌스-위도우〉 하는 울음소리 말고는 아무 소리도 들리지 않았다. 하지만 나는 이미 숲속에서 지나간 4월의 선선한 날씨를 그리워하며 도래할 새로운 손님들에 대해 긴장하고 있다는 느낌을 받았다. 당연히 아직 새들은 나타나지 않았다. 며칠 동안 아침은 여전히 조용했다. 숲 밖으로 나와 모빌만의 가장자리를 따라 이어진 방파제가 있는 곳까지 오면, 저 너머 수심이 얕은 곳까지 다가와 수면 위로 올라온 주먹코

* chuck-will's-widow. 〈척윌의 홀어미〉이라고 들리는 울음소리를 가지고 이름을 지은 쏙독새과에 속하는 새. 머리가 매우 큰 야행성 새로 깃털은 회색에서 적갈색까지 다양하고 복잡한 무늬가 있다. 흰꼬리쏙독새whip-poor-will와 매우 닮았으나 몸집이 더 크고 날개도 더 긴 반면, 꼬리 색깔은 덜 희다. 위장술에 능해서 눈에 잘 띄지 않는다.

의 돌고래들이 숨을 내쉴 때 내는 씩씩거리는 것 같은 기묘한 소리를 들을 수 있었다. 그들은 등지느러미로 고요한 바다를 가르며, 눅눅한 대기와 옅은 안개가 자욱하게 끼어 앞이 희미한 만에 비친 천연가스 시추탑들의 그림자를 베고 있었다.

하지만 이날 아침은 요 며칠 사이와는 매우 달랐다. 전날 오후 북서쪽에서 형성된 한랭전선이 남하하면서 비가 내리고 강한 바람이 불면서 기온이 떨어졌다. 나는 친구들과 함께 관측소에서 몇 킬로미터 떨어진 곳에 있는 한 해변 가옥에서 저녁 식사를 하고 있었는데, 지붕 위로 망치를 두드리는 것 같은 커다란 빗방울 떨어지는 소리가 들렸다. 우리는 머리 위로 남쪽을 향해 이동하고 있는 폭풍 전선이 눈에 보이지는 않지만 아직까지도 멕시코만을 건너고 있을 수많은 철새의 이동 속도를 늦출 것임을 알았다. 이 새들은 공해상을 가로질러 논스톱으로 18~20시간 정도 걸리는 유카탄반도에서 북쪽으로 가는 비교적 쉬운 이동로 대신에, 폭풍과 비바람을 뚫고 그보다 시간이 두 배 넘게 걸리는 이동로에서 악전고투하고 있을 것이었다. 그 가운데 많은 새가 죽을 것이다. 비슷한 폭풍이 몰아친 뒤 다음 날 아침, 우리는 대개 해변에서 파도에 쓸려 온 수십 또는 수백 마리의 죽은 새들을 발견했다. 그러면 갈매기나 달랑게들이 재빠르게 나타나 그들을 화려한 색깔의 깃털 하나 거의 남김없이 순식간에 먹어 치웠다. (최근의 한 연구에 따르면, 해안에서 좀 떨어진 앞바다를 돌아다니는 뱀상어도 그 대열에 동참했다.) 우리가 잠들었을 때, 살아남은 새들은 물론 기진맥진하고 허기진 상태로 포트모건의 해안림으로 쇄도하기 시작했을 것이다. 그곳은 철새 생태학에서 화재 대피용 비상계단이라고 부를 수 있다. 그들이 금방 죽을지도 모를 상황을 모면하고 북쪽으로 계속해서 비행하기 전에 재빠르게 허기를 채우고 잠깐 휴식을 취할 수 있는 그런 급유소인 셈이었다.

날이 점점 밝아 오면서, 숲이 새들로 들끓고 있다는 것을 알았다. 그들은 탐조를 즐기는 모든 사람이 자기 인생에서 가장 기념할 만한 추억으로 기억될 멕시코만 최고의 〈새들의 낙진(落塵)〉이라고 부를 만한 상황이었다. 그들은 내가 참나무 숲 아래로 난 좁은 오솔길을 들어서자 앞을 가로질러 휙 지나갔다. 잠시 멈춰서 곁눈질로 보니 불안스레 날개를 움찔움찔하기도 하고 동작을 멈추고 가만히 지켜보는가 싶더니, 내가 다시 걸음을 떼자 이내 뱃전에 치는 파도처럼 푸드덕 날아올랐다. 솔새와 참새, 멧새와 꾀꼬리, 고양이새와 지빠귀, 솔딱새flycatcher와 밀화부리grosbeak 들이었다. 나와 동료들이 여기에 온 것은 바로 이런 날을 맞이하기 위해서였다. 그런 날 아침에는 아마 1000마리 넘게 새들을 잡아서 그들의 다리에 가락지를 달아 주고, 1년에 두 번 이곳을 주기적으로 방문하는 철새들의 이동 상황을 기록할 수 있을 것이다. 발길을 되돌려 왔던 길로 다시 돌아갔을 때, 새로 설치한 그물마다 이미 10여 마리의 작은 새들이 그물코에 걸려 고이 안겨 있는 것을 발견했다. 나는 재빠르게 새들을 한 마리씩 그물에서 떼어 내어 왼쪽 팔뚝에 매달린 끈으로 잡아 새주머니에 살짝 집어넣었다. 그물이 설치된 장소들 가운데 절반 정도 일을 끝마쳤을 때, 반대편에서 작업을 해오고 있던 친구 프레드 무어Fred Moore를 만났다. 우리는 저마다 허리에 수십 개의 새주머니를 매달고 있었다. 프레드는 내 자루들을 거두어서 새의 다리에 가락지를 부착하는 작업대로 서둘러 들고 갔다. 나는 그물에 걸린 또 다른 새들을 수거하기 위해 되돌아갔다. 그날 아침은 매우 바쁠 게 분명했다.

멕시코만은 지구상에서 가장 큰 철새의 이동 관문 가운데 하나다. 해마다 봄이면 평균적으로 20억 6030만 마리의 철새가 이곳을 통과한다. 이 숫자는 너무 자세한 수치라 신기해 보일지도 모른다. 하지만 그러한 정밀성은 철새 이동을 연구 조사하는 학계에 불어닥친 놀라운 변화와 엄청나게 먼 거리를 이동하는 아주 작은 새들도 추적 관찰할 수 있는 과학의 능력이 그만큼 상승했다는 것을 의미한다. 처리 용량이 더 커지고 속도도 훨씬 더 빨라진 컴퓨터 연산 능력으로 무장한 조류학자들은 거의 이해할 수 없을 정도로 많은 양의 데이터를 고속으로 처리한다. 예컨대, 미국 전역의 차세대 도플러 레이더 시스템NEXRAD은 밤마다 일기예보를 미세 조정하는 것 말고도 철새의 야간 이동 상황을 보여 준다. 시시각각으로 철새가 이동하는 장면을 매우 자세하게 포착하기 때문에 조류 전문가들은 하늘에서 세제곱미터당 새가 몇 마리 나는지 계산할 수 있다. 또 그 철새의 종이 대·중·소인지 구분하고, 심지어 새의 부리와 꼬리의 차이도 분간할 수 있다. 가히 조류학의 황금시대라고 불러도 괜찮을 듯하다. 하지만 인류는 모두 자기가 살았던 당대가 축복받은 시대라고 생각하지 않았을까. 1890년대 자신들의 수집품 보관함에 들어갈 표본들을 얻기 위해 사냥했던 박물관 조류학자들은 무연화약과 탄창을 장착할 수 있는 산탄총의 발명 덕분에 자신들이 황금시대에 살고 있다고 생각했다.

그러나 지금은 근본적으로 다르다고 생각한다. 원격감지기술과 엄청난 데이터를 처리할 수 있는 새로운 방법들은 지금 어떤 종의 새가 언제 어디로 가고 있고 그 수는 얼마인지를 거의 실시간으로 파악할 수 있게 해준다. 그래서 가장 많은 수의 철새들이 머무는 장소의 정확한 위치를 알려 주어 부족한 철새 보호를 위한 예산을 가장 효과적으로 사용할 수 있게 한다. 오늘날 지구촌 곳곳의 수많은 탐조가는 아직까지 알려지지 않은 철새 이동 경로와 중간 기착지의 장소들을 알아내기 위해 서로 날마다 관찰한 정보들을 공유하고 있다. 우리는 또한 한밤중 머리 위를 날고 있는 수많은 철새 여행자의 울음소리로 그들을 분간하여 분류표를 작성할 수 있게끔 컴퓨터에게 하늘에서 나는 소리를 구분할 줄 알도록 가르치기 위해 기계학습을 이용하기도 한다. 그것은 또한 오늘날 철새들에게 가장 위험한 곳이 어딘지도 보여 준다. 흥미롭게도, 북아메리카에서 철새에게 가장 위험한 장소와 가장 보전 가치가 높은 지대 가운데 일부는 모두 가장 큰 대도시 지역 내와 인근 지역에 위치해 있다.

이 모든 획기적인 접근 방식들로부터 수집된 견해는 숨 막힐 정도로 놀랍고도 끔찍하다. 마침내 우리에게 철새 이동의 실제 규모를 파악할 수 있는 창을 제공하고 있는 바로 그 기술들은 더 나아가 우리가 현재 대파국의 문턱에 도달해 있다는 명백한 증거를 보여 준다. 실제로 일부 과학자들은 우리가 이미 깊은 구렁텅이의 끝자락에서 미끄러져 떨어지기 시작했다고 주장한다. 북아메리카에서만 고작 지난 몇십 년 사이에 서식지 파괴, 살충제, 건물 충돌, 고양이를 비롯해 여러 위협 요인들 때문에 수십억 마리의 철새들이 사라졌다. 그러나 적절한 조치를 취할 시점을 놓치고 상황이 점점 더 심각해지면서, 환경 보호 활동가들의 철새 보호 의지는 더욱 강해졌다. 그들은 이 신기술을 이용해서 철새의 개체 수가 급격하게 하락하는 국면을 역전시킬 수 있는 답을 찾기 위해 바삐 움직이고 있다.

이 새로운 과학은 전 세계 모든 곳에서 철새 보호를 위한 엄청난 가능성을 보여 준다. 하지만 지금은 철새 이동을 가능하게 해주는 서반구의 전체 서식지 사슬에서 어쩌면 유일하고 가장 중요한 연결 지점일지 모르는 멕시코만을 따라 우선 시험 중에 있다. 멕시코만 연안 지역은 탐조가들에게는 성지다. 날씨만 좋다면, 텍사스의 하이아일랜드High Island나 앨라배마의 포트모건과 도핀아일랜드Dauphin Island 같은 곳에서 수천 또는 수만 마리의 명금류 철새들이 한 편의 서사시같이 하늘에서 내려오는 장관을 목격할 수 있기 때문이다. 멕시코만은 지구상에서 철새의 이동을 실제로 눈으로 보고 느낄 수 있는 최적의 장소 가운데 한 곳이며, 내게는 특별한 의미가 있는 곳이기도 하다.

나는 15년 넘게 해마다 봄이면 철새를 잡기 위해 그물을 치고 그들의 다리에 가락지를 채워 날려 보내기 위해 포트모건에 왔다. 『철새들의 삶』을 쓰기 위해 자료 조사를 하는 동안 우연히 옆길로 새는 바람에 생겨난 행복한 결과였다. 1997년, 나는 멕시코만을 통과하는 철새, 다시 말해서 멕시코를 떠나 텍사스에서 플로리다반도에 이르는 지역에 내려앉기 위해 멕시코만을 가로질러 800킬로미터 이상을 논스톱으로 비행하는 명금류 철새 무리들에 대해서 쓰기 위해 남부 지방으로 떠나는 봄철 취재 여행에 대한 사전 준비 작업을 하고 있었다. 밥 사전트Bob Sargent라는 한 친구가 내가 가입한 가락지 부착 리스트서버*에 자신과 몇몇 동료가 수년 동안 앨라배마 해안에서 했던 작업들에 대한 이야기를 하면서, 근처를 지나가다 들르고 싶은 사람이 있으면 누구든 환영한다는 글을 올렸다. 나는 그와 곧바로 다정한 이메일 교환을 한 뒤, 점점 늘어나는 내 여행 일정에 그곳을 추가했다. 그 작은 변경이 훗날 내 인생에 얼마나 많은 영향을 끼칠지 전혀 알지 못한 채 말이다.

나는 밥을 보자마자 그가 자연에 푹 빠진 사람이라는 것을 알아챘다. 그는 앨라배마 북부의 거친 탄광촌 출신으로 키가 크고 대머리에 힘이 넘치는 강력한 카리스마를 가진 달변가였다. 그는 공군을 전역한 뒤, 마스터 전기 기술자가 되었다. 밥은 인생에서 비교적 늦게 새에 관심을 갖게 되었다. 처음에는 재미삼아 시작했지만 나중에 과학으로서 새에 접근하게 되었다. 1980년대, 그와 그의 아내 마사Martha는 벌새 연구회Hummer/Bird Study Group를 결성했는데, 그 모임은 거의 30년 동안 해마다 봄가을로 포트모건 주립 역사 공

* bird-banding listserver. 야생조류의 다리에 가락지를 채워 관찰 조사하는 일과 관련된 글을 올리는 인터넷 게시판이자 가입자들에게 자동으로 이메일을 발송하는 시스템.

원Fort Morgan State Historical Park에서 함께 몇 주를 보내며 철새들의 다리에 가락지를 채워 날리고 관찰하는 일의 의미를 공유하는 사람들의 전문가 집단이었다. 그동안 그들은 수만 마리의 철새에게 가락지를 채워서 다시 자연으로 방사했다. 그리고 그 과정을 지켜보기 위해, 또는 이를테면 매우 아름다운 붉은풍금조나 붉은가슴밀화부리 같은 새들을 손에 얹고 그들이 들려주는 조류 보호의 복음 설교에 귀 기울이며 작업 탁자 주위에 둘러선 수없이 많은 방문객을 교육했다. 그다음 시즌에 나는 그 팀의 일원이 되었고, 2014년 밥의 갑작스러운 사망으로 그 모임이 해체될 때까지 해마다 멕시코만을 찾아왔다. (현재는 앨라배마의 다른 과학자 집단이 자체 후원을 받아 독립적으로 그곳에서 철새 다리에 가락지를 부착해서 날리는 활동을 계속하고 있다.)

해마다 우리는 포트모건에서 수천 마리의 철새 다리에 가락지를 채워 날렸고, 관찰한 데이터, 즉 나이, 성, 체중, 비육도(肥育度) 같은 다양한 측정치를 연방정부 산하 가락지 부착 조사 연구소Bird Banding Laboratory, BBL에 제출했다. 그것은 미국에서 해마다 다리에 가락지를 채워 날려 보내는 120만 마리가 넘는 철새들 가운데 일부 소수일 뿐이었다. 날려 보낸 새가 하루 뒤에 우리 그물에 다시 걸리든, 그 새를 몇 년 뒤에 수백 킬로미터 떨어진 곳에서 다시 만나든, 그 새를 다시 만날 때마다, 그 만남은 지친 철새들이 얼마나 빨리 다시 기력을 회복하는지, 그리고 그 회복율이 서식처별로 얼마나 다른지 따위의 철새에 대한 우리의 이해를 훨씬 더 높여 주었다. (멕시코만 연안 지대를 따라서, 철새의 다리에 가락지를 부착하는 작업은 굶주린 철새에게 가장 가치 있는 서식지가 기존에 국립해상공원이나 내륙의 국립공원들에서 보호해 왔던 아름다운 해변의 모래 언덕이나 우아한 소나무 숲이 아니라는 것을 보여 주었다. 오히려 평소에 사람들이 찾아가기를 꺼려 하고, 그동안 대체로 철새 보호와는 무관하게 여겨졌던, 청미래덩굴이 복잡하게 뒤얽힌 곳, 참나무 덤불, 깊은 늪지대들이 그런 서식지다.) 철새들에게 가락지를 부착해 날려 보낸 뒤 관찰한 그 모든 기록은 캐고 캐도 끝없이 많은 것이 묻혀 있는 광맥이다. 조류학자들은 대단히 흥미로운 질문들에 대한 답을 찾기 위해 그 기록들을 활용하는 새롭고 창의적인 방법들을 끊임없이 모색하고 있다. 그들은 이를 위해 엄청나게 큰 데이터 집합들을 분석해서 즉각적으로 확인이 되지 않는 패턴과 추세를 찾아내는 이른바 빅 데이터Big Data라는 기술을 적용한다. 북아메리카에서는 수년 동안 1억 2000만 마리 이상의 철새들의 다리에 가락지를 채워 날려 보냈으며 그 가운데 400만 마리가 다시 돌아왔는데, 그 정도면 충분히 빅 데이터로 간주될 수 있다. 하지만 그것은 수집하는 데 시간이 많이 걸리고 공이 많이 들어가는 빅 데이터다. 가락지를 채워 날려 보낸 철새들이 돌아오고 다시 조우해서 필요한 데이터를 생성하는 데 100년 이상의 시간이 들기 때문이다. 그 빅 데이터를 생산하는 데 투입되는 노력의 양은 실로 너무나 엄청나기에 감히 엄두가 나지 않을 정도다.

멕시코만은 오래전부터 철새 이동과 관련된 새로운 선구적 연구들을 위한 일종의 성능 시험장 구실을 해왔다. 그리고 최근에 와서는 우리가 철새의 이동을 이해하고 보호하는 것을 돕기 위해 최신 기술들이 어떤 능력을 발휘하는지를 보여 주는 중요한 핵심 고리가 되었다. 1940년대, 작은 새들도 멕시코만을 논스톱으로 가로질러 이동한다는 생각에 대해서 많은 사람이 의심하고 조롱하던 때, 조지 로워리 주니어George Lowery Jr.라는 루이지애나 주립대학교LSU의 젊은 조류학자는 한 화물선과 계약을 맺고, 그 배를 타고 미국과 멕시코를 오가면서, 항해 때마다 그가 목격한 엄청나게 많은 철새를 기록했다. 1960년대에는 시드니 A. 고트로 주니어Sidney A. Gauthreaux Jr.라는 LSU의 대학원생이 멕시코만 연안 지대를 따라 구축된 미국 기상청National Weather Service 기지국들에 신설된 통신 선로를 통해 받은 영상들을 이용해서 멕시코만을 횡단하는 철새의 이동 모습을 처음으로 전체 조망할 수 있는 규모로 추적 관찰했다. (고트로는 훗날 클렘슨 대학교Clemson University의 교수일 때, 지난 수십 년 동안 멕시코만을 가로지르는 철새의 수가 급감한 사실을 보여 주기 위해서 저장해 둔 옛날의 이 영상들을 활용했다.) 1990년대에 차세대 도플러 레이더 시스템을 온라인으로 이용할 수 있게 되자, 조류학자들이 활용할 수 있는 정보량은 폭발적으로 늘어났다. 도플러 레이더는 빗방울이든 철새든 관측 대상이 공중에서 이동하고 있는 속도와 방향을 보여 준다. 고트로 같은 학자들에게 훈련받아 레이더를 이용할 줄 아는 신세대 조류학자들은 이 기술을 이용해서 익명성에 가려진 밤하늘의 존재들을 세상에 드러냈고, 대다수의 철새들이 날아다니는 밤하늘의 복잡한 이동 상황을 이해하기 시작했다.

레이더상에서 철새들이 벌이는 야외극을 관찰하기 위해 반드시 전문가가 될 필요는 없다. 미국 기상청 레이더 웹사이트에서 어디든 그것을 볼 수 있다. 비구름이 형성된 짙은 색깔의 난층운 표시와 기상학자들이 〈바이오스캐터〉* 나 〈바이오클러터〉** 라고 부르는 것—수많은 철새 무리가 레이더 화면에 만들어 내는 아주 옅은 옥색 구름 같은 것으로, 봄가을에 어두워진 뒤, 도플러 기지국 주변의 레이더에 몇 시간 동안 나타났다 사라진다—을 분간할 줄 알기 위해 조금만 교육을 받으면 된다. 그러나 바이오스캐터는 여러 종류의 생물체들에 의해 발생할 수 있다. 예컨대, 2019년에 남부 캘리포니아 하늘을 구름처럼 완전히 에워쌌던 무당벌레ladybird beetle 떼

* bioscatter. 공중에 떠 있는 생물체들의 산포된 상태.

** bioclutter. 레이더상에서 생물체를 만났을 때 발생하는 전파 간섭.

나 2017년 콜로라도 상공에서 너비가 약 112킬로미터에 이르는 면적을 뒤덮었던 작은멋쟁이나비painted lady butterfly 떼 같은 곤충 무리들도 레이더에 나타날 수 있고, 미국 남서부 지역의 동굴이나 다리 밑에서 한밤중에 날아오르는 박쥐들의 무리도 마찬가지로 레이더에 포착될 수 있다.

처음에 NEXRAD 레이더가 나왔을 당시 그것은 조류학자들에게 획기적이었던 것인데, 그 뒤로도 그 기술은 발전을 거듭했다. 몇 년 전 기상 예측을 돕기 위해 새로이 고해상도로 업그레이드되어 고안된 레이더 기술의 발전은 철새 이동을 연구하는 전문가들에게 또 한 번 뜻밖의 혜택을 안겨 주었다. 예컨대, 오늘날 도플러 시스템은 〈이중편파dual polarization〉 레이더를 사용한다. 그것은 한 개의 수평편파만 쏘지 않고 2차로 수직편파를 전송해 줌으로써, 기상학자들이 폭풍 내부의 강우의 크기와 모양을 보고, 그것이 빗물인지 우박이나 눈인지 분간할 수 있게 한다. 그러나 이중편파 레이더는 새들에 대해서도 동일한 기능을 제공할 수 있다. 조류학자들은 그 기술을 이용해서 영공에서 세제곱미터당 몇 마리의 새가 날고 있는지 계산할 수 있을 뿐 아니라, 새의 머리와 꼬리도 구분할 수 있다. 그렇게 되면, 관찰자들은 한밤중 어둠 때문에 보이지 않는 공기 기둥*의 높은 곳에서 새들이 측면에서 불어오는 바람과 같은 자연력에 어떻게 대응해서 균형을 잡는지를 볼 수 있다.

레이더 데이터로 작업하는 데 가장 큰 장애물은 미국 전역에 서로 인접해 있는 143개 레이더 기지국들이 저마다 몇 분 단위로 정찰해서 생산해 내는 디지털 원시 데이터들을 처리하는 데 필요한 컴퓨터의 연산 능력이다. 철새 이동을 전문으로 연구하는 코넬대

* air column. 대기 중에 설정한 기둥 모양의 용적을 말함. 동일한 기압을 가진다 하더라도, 공기 기둥 내의 온도에 따라 높이는 다르게 나타나는데, 공기 기둥 내의 온도가 한랭하면 그 높이는 낮아지고, 온도가 온난하면 그 높이는 높아지게 된다.

조류학 연구소의 연구원 앤드류 판스워스Andrew Farnsworth는 2012년 연구소에서 철새 이동에 대한 지역별 실시간 예측 시스템인 버드캐스트BirdCast를 가동했을 때, 전날 밤 철새 이동에 대한 단 한 장의 스냅 사진을 생성하기 위해 10개 지역의 기지국에서 받은 데이터를 대개 수동으로 처리하고 조작하는 데 무려 네다섯 시간 동안 고된 작업을 했던 것을 기억한다. 〈하지만 오늘날 우리는 기본적으로 미국 북동부에 있는 16개 기지국에 대해서 5분, 10분 단위로 생성되는 모든 영상을 스캔하는데, 하룻밤 전체 데이터를 처리하는 데 과거에는 몇 시간이 걸렸다면, 지금은 몇 분이면 됩니다〉라고 판스워스는 말한다. 알래스카를 제외한 미국 본토 48개주 전역을 포괄하는 버드캐스트의 현재 버전은 전보다 훨씬 더 정확하고 처리 속도가 빠르며, 생생한 이동 경로 지도와 전문가 해설이 제공된다. 더군다나 버드캐스트 시스템을 구동하는 알고리즘은 조류학자들이 레이더를 활용한 새로운 방법들을 사용해서 가장 긴급하게 철새 보호가 필요한 곳에 노력을 집중할 수 있도록 뒷받침하고 있다.

멕시코만 연안 지역에서 이것이 의미하는 것은 철새가 이동하는 계절에 그들을 추적 관찰할 수 있을 뿐 아니라, 그들이 어디로 얼마나 많이 이동하고 있는지도 매우 자세히 알 수 있다는 것이다. 1990년대 중반까지 거슬러 올라가 저장된 NEXRAD 데이터를 이용하면, 과거로의 시간 여행을 통해 철새들의 이동 일정표가 바뀌었는지, 봄가을에 철새들의 이동 빈도가 엘니뇨나 대서양 수십 년에 걸친 기후 진동,* 주요 폭풍들에 어떻게 반응했는지도 알 수 있다. (2019년, 코넬대 연구소와 매사추세츠 대학의 과학자들은 미스

* Atlantic multidecadal oscillation. 북반구 대서양의 해수면 온도 변화에 따른 북반구 대부분의 기온과 강수량, 특히 북아메리카와 유럽의 기후 변동을 말하는 것으로 10년 이상의 주기로 반복된다.

트넷MistNet이라고 하는 기계학습 시스템을 개발해 냈다. 그 시스템은 저장된 레이더 데이터에서 자동으로 강우 분석을 위한 신호를 제거해서 새와 박쥐, 곤충들만을 남겨 놓고 데이터 처리를 훨씬 더 간소화해서 일부 지역이나 대륙 전체의 공기 기둥 내부를 자세히 살핀다. 흥미롭게도, 미스트넷은 코넬대 연구소의 유명한 조류식별 소프트웨어인 멀린Merlin과 동일한 영상판독 인공지능을 사용한다.) 이러한 기술의 발전을 통해 가장 기본적으로 과학자들이 해마다 철새의 수가 어떻게 바뀌는지 계산할 수 있게 되었다. 하지만 여기서 들려오는 소식은 마음을 착잡하게 할 뿐이다. 델라웨어 대학교의 항공생태학aeroecology 프로그램 책임자이자 이 분야를 선도하는 학자인 제프 뷸러Jeff Buler는 노스캐롤라이나 같은 많은 지역에서 철새의 개체 수 변화를 알아보기 위해 도플러 레이더 데이터를 사용했다. 그곳의 가을 철새 숫자는 지난 12년 동안 27퍼센트 감소했다. 그리고 미국 북동부 지역의 경우는 지난 7년 동안 그 수가 29퍼센트나 줄어들었다. 뷸러와 판스워스를 포함하는 일단의 과학자들(코넬대 박사후 과정의 카일 호튼Kyle Horton이 이끄는 연구팀)은 이렇게 레이더 데이터를 활용해서 해마다 멕시코만을 통과하는 철새의 수가 평균 20억 6030만 마리라고 매우 자세하게 계산해낼 수 있었는데, 2015년까지 9년 동안 이러한 철새 이동의 추세가 눈에 띄게 바뀐 적이 한 번도 없었음을 밝혀냈다.

그것은 내가 그동안 읽었던 많은 보고서 가운데, 특히 다른 지역들로부터 나온 우울한 통계 수치들을 생각했을 때, 가장 희망적인 내용 중 하나로 인상에 남았다. 그러나 내가 판스워스에게 그 말을 하자, 그는 멕시코만 연안 지역을 따라 레이더에 잡힌 새들 가운데 다수가 우리가 가장 우려하는 명금류 철새들이 아니라고 주의를 주었다. 그것들은 오히려 현재 개체 수가 급속히 늘고 있는 해안에 서식하는 오리와 섭금류 새들이며, 몸집이 크기 때문에 레이더에 매우 잘 잡힌다고 귀띔해 주었다. 〈이 종들 가운데 일부는 대백로great egret처럼 순조롭게 폭발적으로 증가하고 있어요. 그런데 대백로 한 마리도 레이더에는 크게 잡힙니다〉라고 그가 말했다.

레이더 데이터는 단순히 현재 공중에서 무슨 일이 벌어지고 있는지 추적하는 것 이상의 일을 할 수 있다. 레이더와 다른 형태의 원격 감지 기술, 예컨대 고해상도 위성영상 기술 같은 것이 결합하면서, 제프 뷜러와 그의 연구팀은 2005년 발생한 허리케인 카트리나 같은 거대한 강풍에 새들이 어떻게 대응했는지 거슬러 올라가 확인할 수 있었다. 레이더는 그때 어떻게 철새들이 평소 선호하던 저지대 습지 숲들에 있는 중간 기착지를 포기했는지를 보여 주었는데, 결국 그들은 생활 거점이었던 초목을 빼앗기고 태풍의 피해가 덜한 소나무가 많은 고지대로 이동했다. 그곳은 일반적으로 철새들이 좋아하지 않는 차선의 서식처였지만, 폭풍이 들이닥친 뒤의 유일한 대안이었다. 5~6주 뒤, 저지대에 초목이 다시 우거지자, 새들은 주변 환경이 회복되고 있는 숲으로 되돌아갔다. 그러나 무엇보다 레이더 데이터를 써서 해야 할 가장 핵심적인 일은 지상에 있는 철새들의 가장 중요한 중간 정착지의 정확한 위치를 찾아내어 그곳을 보호하고 복원하는 일이다. 뷜러는 도플러 레이더가 최저 관측 고도로 방사하는 전파 중에서 지표면 바로 위를 따라 스쳐 지나가는 전파에 초점을 맞춤으로써, 철새들이 이동을 위해 밤하늘로 날아오른 직후의 순간을 탐지할 수 있다는 것을 깨달았다. 논리적으로 볼 때, 가장 많은 수의 새들이 날아오르고 있는 장소는 철새들이 가장 선호하는 중간 기착지일 가능성이 높았다. 그리고 뷜러와 그의 동료들은 철새들의 서식지를 0.1제곱킬로미터 단위로 구획을 나누어서 따로 관리했다. 멕시코만 같은 철새들의 해안 서식지는 철새 보호를 위해 더없이 소중한 땅이지만 그곳의 토지 가격이 날로 상승하고 있기 때문에, 새들이 실제로 가장 많이 사용하고 있는 땅이 어딘지 안다는 것은 부족한 철새 보호 예산을 훨씬 더 현명하게 쓸 수 있다는 것을 의미했다. 이러한 기법은 현재 극적으로 확대되고 있는 중이다. 2018년, 빌러와 미국 어류 야생동물 보호청은 공동으로 미국 동부 연안 전 지역과 뉴잉글랜드 지역에 있는 철새들의 가을 중간 기착지를 조사하는 방대한 연구 계획을 발표했다. 그곳은 가을 내내 새들의 밀집도가 확실히 높았다. 해마다 가을이면 뉴잉글랜드 북부, 애디론댁산맥, 캐츠킬산맥, 체서피크만 서부 해안 같은 곳에 모여드는 새들은 크리스마스트리에 달린 전구들처럼 다채로운 색깔로 밝게 빛났다. 그런 지역을 보호하기 위한 예산을 가장 효율적으로 지출하기를 바라는 정부기관과 비영리단체들에 이것은 효율적인 철새 보호를 위한 지침을 제공한다.

앤드류 판스워스가 말하고 싶어 하는 것처럼, 레이더와 관련해서 중대한 결점은 분류학적으로 분석이 불가능하다는 것이다. 새가 몇 마리인지 숫자를 셀 수 있고, 특정 지역 내에서 그들의 생물량을 계산할 수 있으며, 이중편파 레이더로 부리와 꼬리를 분간할 수 있을지는 모르지만, 그 부리가 붉은눈신세계솔개 것인지, 붉은꼬리지빠귀 것인지, 아니면 엄청나게 많은 흰목참새 것인지, 노란뺨솔새 golden-cheeked warbler 것인지는 분간할 수 없다. 만일 레이더 영상이 흑백 사진이라면, 철새 이동의 다양성과 복잡성을 종별로, 예컨대 그것이 청솔새인지, 노랑부리뻐꾸기인지, 북미멋쟁이새indigo bunting인지, 붉은풍금조인지, 기타 수많은 다른 철새인지 세부적으로 분석하고자 할 때, 컬러가 들어간 다른 형태의 사진들을 빅 데이터에서 추출해야 한다. 철새에 대한 그런 세부 내용들은 아주 기본적으로 직접 눈으로 보거나 귀로 들어야 알 수 있다는 말이다.

밤하늘을 날고 있는 명금류 철새들은 짧고 간단명료한 울음소리로 함께 비행하는 무리에게 신호를 보낸다. 같은 영공을 사용하고 있는 수천, 수만 마리의 동료 새들이 서로 충돌하지 않고 비행하기 위해 보내는 공중 충돌 방지 경고음이다. (비록 엄청난 수의 철새들이 함께 하늘 높이 떠 있지만, 그들은 하나로 응집해서 조직적으로 무리를 이루어 날지 않는다. 각자가 자기 마음대로 이동하고 있는 것이다.) 철새들이 그런 울음소리를 내는 때는 특히 동이 트기 직전 몇 시간 동안인데, 낮 동안 내려앉아 쉴 장소를 찾기 위해 점점 더 낮게 날며 이동하기 때문이다. 이 분야의 선구자인 뉴욕의 조류학자 빌 에반스Bill Evans가 이끄는 탐조가와 과학자들이 철새들이 야간 비행 때 내는 울음소리에 진지하게 주목하기 시작한 것은 1980년대와 1990년대를 지난 뒤였다. 철새의 이동이 절정에 이를 때, 몇 시간 동안 수백, 수천 마리의 철새들이 비행 중 내는 울음소리를 들을 수 있다. 예컨대, 고성청개구리spring peeper들이 하늘 높이 떠서 합창하는 것 같은 새된 울음소리를 내는 스웬슨지빠귀들은 밤하늘의 어둠에 가려져 보이지 않는 수많은 철새를 생생하게 느끼게 해준다.

한밤중 집 위로 날아가는 철새들이 내는 울음소리를 녹음하기 위해 에반스가 고안한 야외용 마이크를 옥상에 설치할 수 있는데, 비용이 100달러도 들지 않는다. 그 마이크는 의도적으로 값싸게, 그리고 루브 골드버그*식의 유쾌한 풍자 형태로 설계되었다. 넓고 평평한 플라스틱 접시 위에 마이크와 값싼 전자 장치를 올려놓고 플라스틱 양동이(커다란 화분도 괜찮다) 바닥에 그것들을 접착제로 붙인다. 그리고 방수를 위해 그 위에 비닐 랩을 씌운다. 옥상에 설치해서 컴퓨터와 연결된 마이크 장치로 명금류, 물새, 뜸부기, 도요물떼새, 올빼미 같은 야간에 이동하는 철새들이 내는 울음소리를 녹음할 수 있는데, 그들 가운데 많은 종이 낮에는 결코 볼 수 없는 새

* Rube Goldberg. 미국의 풍자만화가로 단순한 일을 복잡하게 만드는 인간 사회의 비효율적 제도를 풍자했다.

들이다.* 그런 마이크 장치 수천 개가 서로 연결되고, 거기에 녹음된 울음소리들이 자동으로 확인되고 집계되는 프로그램이 돌아가면, 도플러 레이더에 잡힌 정체불명의 삑 하는 소리들이 어떤 새의 소리인지 확인할 수 있는 네트워크가 만들어질 것이다.

레이더를 보완하는 장치로서 북미 대륙에 그런 종류의 오디오 네트워크를 구축하는 것은 수십 년 동안 조류학자들의 꿈이었다. 그러나 여러 가지 기술적 문제들 때문에 그 꿈을 실현하기는 벅찬 일이었다. 첫째, 그 울음소리들이 어떤 종의 새가 내는 것인지 판독하기 위해서는 약간 만만찮은 검파 작업이 필요했다. 울음소리를 낸 새의 실체가 어둠 속에 가려져 있어 알 수 없기 때문이었다. (멕시코 동부 상공을 이동하는 철새 무리들 사이에서 여러 차례 녹음되었지만 북아메리카 어디서도 듣지 못한 어떤 새의 울음소리는 아직 그 실체를 확인하지 못했다. 이처럼 아직까지 규명되지 않은 몇몇 정체불명의 울음소리들이 있다.) 또한, 잡음을 걸러내고 인간의 귀와 두뇌로 확인 불가능한 경우에는 컴퓨터가 철새의 비행 중 울음소리를 골라내어 확인하도록 가르칠 방법을 발견하는 일은 그동안 엄청나게 어려운 일이었다. 그러나 레이더 데이터의 분석을 빠르고 정확하게 하는 컴퓨터 연산 능력 또한 계속해서 발전하면서 오디오

* 몇 년 전, 친구인 제프 웰스Jeff Wells와 여행을 하고 있었다. 그는 당시 아한대 명금류 철새 보호 관련 일을 하는 보리얼 송버드 이니셔티브Boreal Songbird Initiative라는 비영리단체 소속으로 철새의 야간 비행 울음소리의 전문가였다. 우리는 캐나다 노스웨스트테리토리로 가는 비행기를 탈 예정이었다. 제프가 그레이트베어호Great Bear Lake 인근에 있는 외딴 원주민 마을에 철새가 날면서 내는 울음소리를 녹음할 기지국을 몇 군데 구축하러 가는 중이었다. 토론토의 캐나다 세관을 통과하러 갔을 때, 한 국경감시원이 제프의 군용 배낭을 열고는 커다란 플라스틱 화분 두 개를 꺼냈다. 그는 인내심을 발휘하는 듯한 표정으로 우리를 쳐다보면서 미국인들이 자기 나라에 대해서 오해하고 있는 방식들에 대해서 많은 것을 이야기하고는 이렇게 말했다. 「아시겠지만, 이런 것들은 캐나다에서도 팝니다.」 제프가 무슨 말을 했는지는 잘 모르겠지만, 그 캐나다 감시원을 설득하지는 못했던 것으로 기억한다. — 원주.

분석에 그 기술이 집중되고 있다. 코넬대의 앤드류 판스워스는 그런 기술의 실현이 점점 가까워지고 있다고 믿는다. 나는 오디오 모니터링 기술의 발전에 대해서 수년 동안 여러 차례 판스워스와 이야기를 나누었다. 2016년, 부상하고 있는 철새 이동에 대한 과학적 연구에 관한 잡지 기사 작성을 위해 그를 인터뷰했을 때, 그는 열성적으로 자신의 의견을 피력했다. 미국 국립 과학 재단National Science Foundation은 그의 열정을 뒷받침하기 위해 수백만 달러의 보조금을 지원했다.

그는 내게 말했다. 「창가에 마이크를 설치하고 [컴퓨터에 깔린] 프로그램을 돌리면, 다음 날 아침에 울음소리의 횟수와 그 소리를 낸 철새의 종이 표시된 막대 도표를 볼 수 있습니다. 한 장소만이 아니라, 지역 전체 또는 전국에 걸쳐 그렇게 할 수 있어요. 앞으로 5년 안에 그런 일이 일어날 겁니다. 이전에는 상상도 할 수 없었던 엄청난 기술의 도약이죠. 음향학 말고 한 대륙 차원의 규모로 어떤 철새 종이 이동하고 있는지를 우리에게 알려 줄 수 있는 기술은 없습니다.」

3년 뒤, 나는 오늘날 버드복스BirdVox라고 알려진 프로젝트가 어떻게 진행되고 있는지 알아보기 위해 판스워스에게 다시 연락을 취했다. 몇몇 기술적 문제로 좀 기운이 빠졌지만, 그의 열정은 대체로 여전히 약화되지 않았다는 것을 알 수 있었다. 버드복스는 코넬대 연구소와 뉴욕대 음악 음향 연구소NYU's Music and Audio Research Laboratory의 공동 연구 결과물이다. 판스워스는 그 연구팀에서 유일한 조류학자다. 『그들은 모두 음악인으로 비틀스의 「렛잇비Let it Be」의 화음을 내가 어떻게 분류하는지, 그리고 어떤 밴드가 그 곡을 연주할 때 그것이 원곡 대비, 앨범으로 정식 제작, 배포되지 않은 버전의 열두 번째 녹음된 곡과 대비해서 내가 그것들을 어떻게 적절하게 식별하는지 궁금해하는 사람들입니다. 그들은 당신이 정보를 어떻게 이해하는지, 신호 처리에 관심이 있어요. 그것이 새이든, 비틀스이든, 총소리 같은 도시 음향이든, 또는 경적이나 경보든, 그들은 거기서 정보를 추출하는 방법을 알고 싶어 할 뿐이죠.』 그가 말했다. 버드복스 연구팀은 또한 구글의 전문가들과도 협력 관계를 맺었다. 스마트스피커와 대화하는 사람을 기계가 인지하는 것과 검은안경솔새Townsend's warbler가 비행하면서 내는 울음소리를 기계가 인지하는 것은 결국 기술적으로 동일한 원리이기 때문이다.

그는 북미 대륙 철새 이동 음향 모니터링 시스템을 개발하기 위해 정확하고 자동화된 분석 기반을 구축하는 5개년 계획에 여전히 의욕을 불태우고 있었다. 2019년 말, 그는 버드복스가 거의 또는 전혀 인간의 개입 없이 밤하늘에서 녹음된 소리들을 이용해서 배경 잡음을 제거한 뒤 그 울음소리를 낸 새를 찾아내는 일련의 과정을 자동으로 처리할 수 있는 최초의 시제품을 선보일 것으로 기대했다. 「시제품이 나오면, 바로 사람들에게 그것을 배포하고는 〈이봐요, 마구 써보고 생각나는 게 있으면 우리에게 알려 줘요〉라고 말할 수 있을 겁니다. 그래요, 많이 발전했죠. 하지만 버드캐스트 프로젝트의 레이더 분야에서 보는 것만큼 신뢰 수준 면에서 그렇게 크게 믿을 만한 것은 결코 아닙니다. 아직까지는 그렇게까지 엄청난 양의 데이터를 돌릴 수 있을 정도는 안 됩니다.」

그러나 과학자들이 밤하늘에 귀를 기울이면서 철새 이동을 관찰하고 추적하는 방식을 근본적으로 바꿀 수 있는 가능성은 조금씩 가까워지고 있다. 우리는 빅 데이터가 아주 기본적인 도구인 우리의 눈을 이용해서 철새 이동에 대한 우리의 이해를 얼마나 급격하게 변화시켰는지를 보여 주는 한 예를 가지고 있다. 탐조가들은 아주 오랜 옛날부터 새들을 관찰해 왔지만, 최근에 와서야 비로소 우리의 능력을 획기적으로 변화시키는 방법들을 이용해서 철새의 이동을 전체로서 이해할 수 있는 그런 안목과 관찰 정보를 갖게 되었다. 그것을 가능케 한 것이 바로 〈이버드eBird〉라는 탐조 사이트와 스마트폰 앱이다.

이버드가 세상에서 그렇게 중요한 역할을 맡게 될 것이라고 예상한 사람은 아무도 없었다. 어쩌다 보니 그렇게 되었다.

적어도 탐조의 세계에서는 말이다. 2002년에 코넬대 조류학 연구소와 오듀본 협회의 공동 연구 사업이었던 이버드가 처음 나왔을 때, 그것을 만든 사람들은 탐조에 관심이 있는 일반 시민들이 자신이 본 새에 대한 정보를 사이트에 올림으로써 연구자들이 해당 지역의 조류 개체군과 이동 상황을 더 잘 이해할 수 있도록 돕는 시민 과학 포털로 생각했다. 탐조가들은 하나의 집단으로서 늘 새와 관련된 기록들, 이를테면 일일점검표, 관찰 기록, 관찰 지역 정보, 최초 도착 기록, 시즌 종료일, 범위 밖 희귀종, 번식 확인 따위를 보관하는 것에 대해 약간 지나칠 정도로 열성적이었다. 탐조가라면 거의 누구나 오래된 탐조 목록과 관찰 기록이 담긴 낡은 야장(野帳)이나 수첩이 구두 상자로 두 개씩은 가지고 있을 테고, 최근에 와서는 집에 있는 PC에 그와 관련된 컴퓨터 파일들이 많이 저장되어 있을 것이다. 수백만 명에 이르는 전 세계 탐조가들이 보유하고 있는 그런 기록들을 합쳤을 때, 그 양은 믿기 어려울 정도로 방대할 뿐 아니라 모두 귀중한 정보로 활용될 가능성 또한 충분하다 하겠지만, 그것에 접근할 수 있는 방법이 없었기 때문에 그것은 모두 근본적으로 쓸모가 없었다. 게다가 그런 기록들은 원래 소유자가 죽거나 탐조 활동을 중단하면 대개 그대로 버려지거나 폐기되기 마련이다.

이버드의 목표는 탐조가들이 저마다 보유하고 있는 기록들을 하나의 거대한 데이터베이스에 쉽게 올릴 수 있는 방법을 제공하는 것이었다. 그들은 거기서 함께 특정 지역의 새들과 이동 상황에 대해서 엄청나게 생생하게 묘사하고 설명할 수 있었다. 그것은 무척

훌륭한 착상이었다. 그러나 처음에는 모두 그렇듯이 제대로 작동하지 않았다. 과학의 발전을 돕는 일에 참여한다는 것은 꽤 멋진 일이지만, 코넬대 연구소와 오듀본 협회가 탐조가들의 취미 활동을 더욱 재미있고 서로 경쟁하며 할 수 있도록, 현장에서 실시간으로 새들을 추적 관찰하고, 다양한 기록을 쉽게 관리하고, 관찰 지도를 만들거나 전 세계 지역별 종수와 개체 수를 보여 주는 막대그래프를 제공하고, 특정한 종의 새들이 거의 실시간에 가깝게 관찰되고 있는 곳들을 찾는 기능 등을 추가할 때까지, 실제로 이버드를 이용하는 일반 탐조가들은 그리 많지 않았다.

이버드에 그런 기능들이 갖추어지자, 곧바로 수십만 명의 탐조가들이 처음에는 북아메리카에서 시작해서 그 뒤 전 세계로 자신들의 관찰 기록들을 사이트에 올리기 시작했다. 거기에는 과학자들이 메타데이터라고 부르는, 언제 어디서 얼마 동안 탐조 활동을 했는지, (보기 드문 희귀종만이 아니라) 얼마나 많은 종의 새를 보았는지 따위의 정보들도 포함되었다. 탐조가들은 현장에서 스마트폰으로 바로 데이터를 올릴 수 있었다. 특이하거나 의심스러운 관찰 기록에 대해서는 자동으로 특정 정보를 차단하는 프로그램들이 표시를 했다. 그러면 나중에 지역별 전문가들이 해당 특이한 데이터에 대해서 정보 품질을 점검한다. 당신은 관찰한 종을 뒷받침하는 증거 사진이나 영상, 음성 정보를 올릴 수 있다. (아니면, 그날 거기 올릴 만한 멋진 사진이 있었기 때문에 그냥 올릴 수도 있다.) 이버드에 등록된 새 목록에는 저마다 한 번에 한 장소에서 찍힌 상세한 스냅 사진이 제공되어 있다. 수백만 명이 올린 사진들이다. 이버드는 이후로 계속해서 기하급수적 성장 곡선을 그렸다. 이버드가 세상에 나온 지 10년이 지난 2012년에 1억 번째의 관찰 기록이 등록되었다. 그 뒤 또 한 번의 1억 번째 기록이 추가로 올라오기까지 단 2년밖에 시간이 걸리지 않았다. 2018년에는 총 5억 9000만 번째의 관찰 기록이 올라왔다. 그 가운데 1700만 개의 관찰 기록은 그해 5월 한 달 동안 올라온 것이었다. 이버드의 데이터베이스는 1년에 30~40퍼센트씩 꾸준히 증가하고 있는데, 현재 전 세계적으로 약 1만 300종의 새 가운데 극히 일부를 제외한 모든 종에 대한 데이터를 포함하고 있다. (솔직히 말해서, 나는 한심할 정도로 형편없는 이버드 이용자다. 이버드 사이트에 들어갈 때마다 어처구니없을 정도로 빈약한 개인 통계 수치들이 내게 각성을 촉구한다.)

이버드를 개발한 사람들이 바랐던 것처럼, 그 모든 정보는 과학자와 환경 보호 활동가들이 채굴해야 하는 주된 광맥임을 입증했다. 이버드 데이터를 활용한 첫 번째로 가장 눈에 띄는 개발품 가운데 하나는 코넬대 연구소가 만들어 낸, 북아메리카를 가로지르는 철새들의 계절 분포를 지도 위에 동영상 그림으로 보여 주는 〈적외선 열지도〉 정보였다. 지도 위에 노란색과 주황색으로 물든 부분이 북쪽으로 이어지는 것을 볼 수 있는데, 이런 열지도는 수백만 건의 관찰 기록들을 평균 내어 나온 것으로 숲지빠귀나 푸른머리멧새 같은 종의 주간 이동 상황을 보여 준다. 중간에 빠진 지역들은 해당 종의 서식지와 환경 조건들을 컴퓨터 모델링 작업하여 공백을 메꾸었다. 이버드 기록에 기초해서 해당 종이 특별히 많은 지역은 밝게 빛나지만, 드문 지역의 경우도 약간의 색상이 드리운다. 그러한 데이터 시각화는 이전에 알지 못했던 철새들의 중간 기착지 지역과 이동 통로들을 밝혀 주었고, 일부 종들에 대해서는 실질적으로 보호 조치를 차별화해서 집중적으로 보전해야 할 지역들이 어딘지를 보여 주었다. 그런 시각화된 정보들 덕분에 연구자들은 해당 보호종의 서식지 가운데 얼마만큼이 국유지로 보호되고 있고, 얼마만큼이 개인 사유지인지 지도로 그릴 수 있었다.*

* 탐조가이자 웹 개발자인 버지니아의 매트 스미스Matt Smith가 이버드를 활용해서

그러나 이버드가 현실 세계에서 철새 보호를 견인할 수 있는지 그 가능성을 확인하는 첫 번째 큰 시험은 캘리포니아 센트럴밸리 Central Valley에서 시작되었다. 오늘날 거대한 농업 지대로 알려진 그 계곡은 한때 새들의 천국이었다. 습지 면적이 1만 6000제곱킬로미터가 넘는 지역으로, 엄청나게 많은 물새와 도요물떼새 같은 철새들이 그곳을 통과했다. 일부 추정치에 따르면, 그 수가 무려 8000만 마리에 이른다. 그러나 현재까지 습지로 남아 있는 면적은 그 가운데 5퍼센트도 안 된다. 오리 300만 마리, 기러기 100만 마리, 도요물떼새 50만 마리가 그 계곡의 좁은 습지 지대에 잔뜩 모여서 겨울을 난다. 그 계곡을 통과해서 지나가는 철새들은 그보다 더 많다. 그 결과, 센트럴밸리는 미국에서 가장 중요한 그리고 가장 위협을 많이 받는 새 서식지 가운데 하나로 올라 있다. 농장 지대를 새들을 위해 다시 영구 습지로 바꾸는 일은 훌륭해 보이지만, 센트럴밸리의 농지 가격을 감안할 때, 철새 보호를 위해 그곳 땅을 사는 것은 네이처 컨서번시처럼 자금이 풍부한 단체들도 엄두를 내기 힘들 정도로 비용이 많이 든다.

그러나 빌려 쓸 수 있다면 굳이 살 이유가 있을까? 어느 날, TNC의 토지 관리자들 사이에 묘안이 떠올랐다. 그들은 논과 같은 일부

〈판타지 버딩Fantasy Birding〉이라는 발명품을 개발한 것은 어쩌면 이미 예상 가능한 일이었는지도 모른다. 판타지 축구나 야구 게임처럼, 플레이어(판타지 버딩에 참여하는 탐조가 — 옮긴이)는 실제로 팀을 구성하는 대신에, 날마다 실제 세계의 서로 다른 지역, 예컨대 뉴저지의 케이프메이Cape May나 알류샨 열도의 애투섬Attu Island 같은 곳을 선택한다. 그렇게 해서 나온 결과물은 그날 그 지역에 있는 탐조가들이 올린 실제 탐조 기록들이다. 실제로 탐조가들 사이에 주나 대륙 단위의 특정 지역 내에서 가장 많은 종을 목격할 수 있는 사람이 누구인지 경쟁하는 〈빅 이어Big Year〉라는 비공식 경연 대회가 있는 것처럼, 판타지 버딩은 이버드 데이터를 이용해서 가장 많은 탐조 목록을 작성한 사람을 우승자로 선정한다. 그것이 일부 소수만 즐기는 놀이처럼 보인다면, 벌써 구글어스 스트리트뷰 카메라 자동차로 용의주도하게 사진을 찍은 새들의 목록을 작성한 탐조가들이 일부 있으며, 현재 그 수가 1000종을 넘는다는 사실을 기억하기 바란다. — 원주.

농경지들이 물새들이 수심이 적당한 때에 맞춰 그곳에 날아온다면, 새들에게 좋은 서식지를 제공할 수 있다는 사실을 알았다. 그들은 이버드 데이터를 살펴보다가, 많은 철새, 특히 도요물떼새들이 센트럴밸리를 딱 한 번만 몇 주 동안 사용하고 있음을 깨달았다. 그리고 그들은 미국 항공 우주국NASA으로부터 지표수 상태에 대한 고해상도 데이터를 받았는데, 그것을 활용해서 철새들이 물을 필요로 할 때 어디서 얼마만큼의 물을 쓸 수 있는지 예측할 수 있었다. 2014년, 그 데이터들을 종합적으로 분석한 TNC는 처음으로 일종의 역경매를 열었다. 농부들은 그 경매에서 자기 논을 물에 잠기게 하는 조건을 두고 응찰했다. 논을 물에 잠기게 하는 것은 그들이 어쨌든 평소에도 전년도 벼를 베고 남은 그루터기 제거를 촉진하기 위해 하는 일이다. 그러나 대개 물을 아주 많이 대서 도요물떼새들이 그곳을 이용하기에는 너무 수심이 깊었다. 농부들은 도요물떼새들이 그 지역을 통과해서 남쪽으로 이동하는 늦여름과 초가을에 한 번, 그리고 NASA에서 받은 데이터에 나오는 지표수가 가장 적은 2월경에서 4월까지 또 한 번 그들의 논에 물을 몇 인치로 유지하는 대가로 돈을 받을 것이다.

이른바 한시적 습지 행사, 공식적으로는 버드리턴즈BirdReturns로 더 많이 알려진 이 행사는 소규모로 처음 시작한 그해부터 센트럴밸리의 농경지 가운데 200제곱킬로미터 이상이 참여하는 성황을 이루었다. 그 결과 TNC의 실무자들은 도요물떼새들에게 물이 가장 필요한 때인 가을부터 다음 해 봄까지 필요한 장소에 수심 낮은 습지를 조성할 수 있었다. 버드리턴즈 행사 첫해에 140만 달러로 약 38제곱킬로미터가 넘는 면적의 철새 서식지를 임차함으로써, 도요물떼새들이 물을 필요로 하는 8주 동안 논에 적당한 수심을 유지하게 할 수 있었다. 그만큼의 면적을 매입해서 복원하는 데 드는 비용은 TNC의 계산에 따르면, 1억 7500만 달러가 소요되는 것으로 나왔는데, 임차 비용보다 125배 더 비싼 금액이었다. 그러자 굳이 유인하지 않아도 철새들이 알아서 그곳을 찾아왔다. 한시적 습지로 변모한 논들은 그렇지 못한 논들과 비교했을 때, 도요물떼새 종은 3배, 그 수는 5배 더 많이 관찰되었다. 버드리턴즈의 논에서 발견된 철새의 수는 평소의 일상적인 순환 농법의 일환으로 물을 댄 논에서 발견된 철새의 수와 비교했을 때 10배 더 많았다. 버드리턴즈 사업을 처음 개시한 시점이 캘리포니아에 기록적인 가뭄이 들이닥쳤을 때라는 사실은 그 사업의 가치를 한층 더 증폭시켰다. 그러나 2년 뒤, 캘리포니아가 기록적 가뭄이 아닌, 기록적인 습한 겨울을 맞으면서 TNC는 그 행사 규모를 축소함으로써 사업의 특성상 행사 규모를 해마다 유연하게 운영할 수 있는 장점 또한 있었다.

버드리턴즈를 관리하는 사람들은 철새들이 센트럴밸리에서 얼마나 많은 수가 어디로 이동하고 있는지 추적 관찰하기 위해 레이더를 사용하고 있었다. 하지만 이버드가 어떤 종이 언제 어느 지역을 이용하고 있는지와 같은 상세 정보를 제공하면서 그 레이더 정보를 더 구체화했다. 그 상세 정보들은 모두 취미 활동을 위해 그 지역을 방문해서 얻은 결과들을 그냥 넘겨주고 있는 수많은 탐조가 덕분에 생성된 것들이었다. 이것은 이버드 데이터가 철새 보호를 위한 훌륭한 도구로 쓰일 수 있다는 것을 명확하게 보여 주는 최초의 응용 사례였다. 그러나 그것이 다가 아니었다. 제프 뷜러 같은 과학자들이 멕시코만 일대를 분석한 레이더 정보들은 철새들의 중요한 중간 기착지들의 정확한 위치가 어디인지 확인시켜 주고 있었다. 그러나 철새들이 이동을 개시하며 밤하늘 위로 날아오를 때, 레이더에 잡히는 수많은 철새 무리들 속에서 어떤 종의 철새가 있는지는 확인할 길이 없었다. 여기서 다시 이버드는 그 답을 찾을 수 있는 많은 방도를 제시했다. 비록 레이더가 철새들에게 중요한 장소로 정확히 짚어 주는 많은 장소가 사람의 발길이 거의 닿지 않는 곳이거나 아주 전문적인 탐조가들조차 접근하기 어려운 대개 철새들에게 최적의 서식지로 인정받는 외딴 저지대 늪지일지라도, 정기적으로 탐조가 진행되고 있는 장소들로부터 나온 이버드 데이터와 멕시코만 일대의 지표 환경과 서식지 형태를 보여 주는 고해상도의 정밀한 위성사진을 결합하면, 어디서 새들이 많이 관찰되고, 어디에 새들이 별로 없는지를 추론하는 것이 가능하다. 이버드 데이터를 통해 특정한 지형과 임상식물, 서식지 형태를 조합해서, 그런 곳에는 두건솔새, 켄튀르키예솔새, 노랑솔새yellow warbler 따위가 서식하고 회색빰지빠귀나 흰눈신세계솔새white-eyed vireo는 없다는 사실을 알고 있다면, 그런 비슷한 서식지들을 발견했을 때, 그것에 준해서 그곳의 새들을 유추할 수 있도록 컴퓨터 모델링을 할 수 있다는 것이다. 이것이 코넬대 연구소 소속 컴퓨터 통계학자인 다니엘 핑크Daniel Fink의 설명이다. 그는 멕시코만 일대의 철새와 관련된 연구에 참여하고 있는 많은 전문가 중 한 사람이다.「관찰된 종의 출현 패턴과 특정한 지표나 서식지 환경의 형태 사이의 연관 관계들을 컴퓨터가 학습하도록 훈련시킬 수 있어요. 그러면 우리는 이버드 사용자들이 전혀 가본 적이 없는 그런 장소들과 그 장소에 특정한 종의 새가 얼마나 많이, 또 얼마나 자주 나타날지 예측할 수 있습니다.」

나는 핑크가 탐조가가 아니라는 사실을 알고는 깜짝 놀랐다. 그는 숫자를 다루는 사람이다. 지금 그가 컴퓨터로 작업하고 있는 흥미로운 숫자들은 새들에게 일어나는 것으로, 그들이 이동할 때 만들어 내는 아주 재미있는 패턴들이다. 2016년 말, 내가 그와 처음으로 이야기를 나누었을 때, 그는 당시 정말 말이 안 되는 아주 흥미로운 패턴을 한 가지 언급했다. 핑크가 포함된 한 연구팀은 이버드 데이터를 기반으로 미 동부에서 가을 철새들이 가장 선호하는 서식지를 모델링하다가 숲에 서식하는 명금류 새들이 도시 지역을 포함해서 인간의 손이 간 서식지들에서 가장 많이 발견되는 것 같다는 사실을 알아냈다. 숲지빠귀를 예로 들면서 그는 〈가을이 오면, 낙엽이 지는 숲은 [중요성이] 쇠락하고 도시는 새들과 함께 환해지는 것을 보게 됩니다〉라고 하며 새들 입장에서 〈이렇게 도시가 차지하는 공간이 점점 커지는 것을 알 수 있죠. 철새의 이동과 관련해서 무슨 일이 일어나고 있기는 한데, 그게 뭘까요?〉라며 궁금해했다.

그날 대화가 끝나고 나중에 확인된 것처럼, 그 이유는 아주 단순했다. 곳곳에 만연한 도시의 불빛이 문제였다. 지난 몇 년 동안, 도시의 불빛이 철새의 이동 패턴을 극적으로 바꿔 왔다는 사실이 여러 갈래의 빅 데이터 증거들로 명확해졌다. 특히 가을에 수백만 마리의 새로 태어난 어린 새들이 아무 경험 없이 처음으로 남쪽으로 이동할 때 그랬다. 핑크의 말에 따르면, 초기에 이 문제가 제기된 원인은 철새들이 가장 많이 모이는 곳 가운데 일부가 도시의 공원이라고 보고된 이버드 데이터에 따른 것이었다. 처음에는 이것이 도시에서 이버드에 관찰 기록을 올리는 이용자들이 많아서 야기된 데이터의 편향 탓으로 돌려졌다. 하지만 나중에 레이더 데이터를 확인한 결과, 실제로 엄청나게 많은 철새가 여러 도시로 몰려들고 있다는 사실이 확인되었다.

철새들은 본디 아무리 작은 도심의 밤하늘이라도 지나치게 환하게 밝히는 그런 조명 불빛의 장막이 아닌, 반짝이는 별들이 비추는 희미한 빛을 따라 밤하늘을 비행하고 방향을 잡을 수 있도록 진화했다는 것을 기억하자. 밤하늘을 나는 철새는 무려 300킬로미터나 떨어진 곳에서 빛나는 불빛도 볼 수 있다. 또한 새는 그 불빛을 절대 벗어날 수 없다. 최소한 미국 땅의 70퍼센트, 그리고 전 세계 육지의 40퍼센트의 상공에서 이제 더 이상 은하수를 볼 수 없을 정도로 인간들이 만들어 낸 불빛이 지구의 하늘을 오염시켰다. 조류학자들은 수 세대를 지나는 동안 인공조명 불빛이 새들의 방향 감각을 잃게 만든다는 것을 알았다. 1800년대 등대지기들은 안개가 자욱하게 낀 밤에 새들이 집단으로 죽는 모습을 많이 묘사했다. 그런 날 밤이면 명금류 철새들은 등대의 망루에 스스로 몸을 부딪쳐 바닥에 떨어져 죽었다. 오늘날 불이 켜진 고층 건물들은 철새가 이동하는 시기에 철새의 주요 사망 원인 가운데 하나로 남아 있다. 그래서 많은 도시에서 철새 이동이 절정인 때에는 고층 건물의 관리자들에게 전등을 끄도록 설득하는 운동을 전개해 왔다. 또 한편으로는 아침마다 자원봉사자들이 지난 밤 고층 건물에 부딪혀 보도 아래로 굴러떨어져 죽거나 죽어 가고 있는 명금류 철새들을 치운다. 뉴욕시에서만 고층 건물에 부딪혀서 죽는 철새가 한 해에 9만 마리에 이른다. 심지어 9/11 테러 희생자들을 추모하기 위해 해마다 9월에 남부 맨해튼에서 눈부시게 밝은 광선 두 줄기를 상공으로 쏘아 올리는 〈애도의 불빛Tribute in Lights〉도 철새들에게는 생명을 앗아 갈 수 있는 치명적인 위험물임이 입증되었다. 오듀본 협회 뉴욕시 지부는 2002년에 애도의 불빛 행사가 처음 제안되었을 때, 9월 11일이 미국 북동부 지역에서 연작류* 철새들의 이동이 절정인 때와 우연히 일치하기 때문에 철새들에게 치명적일 수 있음을 경고했다. 어떤 해에는 추모 행사가 벌어지는 날 밤에 철새의 이동이 최고조에 이른 적도 있었다. 2010년 그런 일이 발생했는데, 며칠 동안 비가 내려서 철새들이 북쪽으로 이동하는 것이 지연되었기 때문에, 9월 11일 밤 날이 맑게 개자, 추모 행사가 벌어지는 뉴욕시로 수많은 철새가 물밀듯이 쏟아져 들어왔다. 당시 레이더 데이터를 분석한 결과, 두 줄기의 광선 기둥은 정상적인 경우보다 150배 더 밝은 빛을 철새들에게 집중했음이 밝혀졌다. 2005년 이래로, 오듀본 협회 뉴욕시 지부는 추모 행사 주관 기관과 협약을 맺고, 최소 1000마리 이

* 조류 가운데 가장 많은 종이 속해 있는 참새목의 새로 명금류라고도 한다.

상의 명금류 철새들이 그 광선 때문에 혼란에 빠지거나 그 안에 갇혀 우왕좌왕하는 모습이 모니터에 잡히면, 기진맥진한 그 철새들이 흩어져 가던 길을 갈 수 있도록 일정 시간 동안 조명등을 끄기로 했다.

오늘날 그와 똑같은 일이 대륙 차원에서 일어나고 있는 것으로 보인다. 이와 관련해서 빅 데이터는 그 때문에 발생할 수 있는 문제들과 그것을 해결할 수 있는 가능성 양쪽을 모두 보여 주고 있다. 제프 뷜러가 참여한 한 레이더 연구 결과에 따르면, 가을에 이동하는 철새들은 본디 그들에게 최적의 서식지가 어둠 속에서 아직 멀리 떨어져 있음에도, 도시의 불빛이 환히 비치는 곳에 가까워질수록 그곳에 점점 더 많이 모여들었다. 마치 모기들이 불꽃을 향해 모여들 듯이 그 새들도 도시들로 끌려 들어가고 있었다. 그 지역은 그들이 사용할 좋은 환경의 중간 기착 서식지가 거의 없고, 고층 건물과 통신탑, 각종 장애물들과 충돌할 위험이 훨씬 더 높은 곳이었다. 카일 호튼이 이끄는 코넬대 연구팀도 저장된 레이더 데이터를 이용해서 철새들의 인공조명 노출 가능성이 동부 지역에서는 가을에, 서부 지역에서는 봄에 특히 태평양 연안을 따라 가장 높다는 것을 밝혀냈다. (호튼의 연구팀은 또한 미국 육지 지역 가운데 단 5퍼센트가 인공조명의 거의 70퍼센트를 생산한다는 사실도 알아냈다. 그중에서도 시카고와 휴스턴, 댈러스는 그들의 광공해light pollution 수준과 주요 철새 이동 경로의 한가운데에 있는 그들의 위치를 감안할 때, 미국 내 125개 대도시 가운데 철새들의 이동에 최악의 도시였다.)

이 소식에서 우리는 한 가지 교훈과 한 가닥 희망을 발견할 수 있다. 교훈은 도시의 땅을 보전하는 일, 즉 단순히 남아 있는 땅을 개발로부터 보호하는 것뿐 아니라, 현재 새들에게 그다지 중요하지 않은 외래 식물로 뒤덮여 있거나 야생동물보다 인간의 휴양이나 심미적 욕구를 충족시키기 위해 관리되고 있는 도시의 공원들을 개선하고 복원하는 일이 여태껏 생각했던 것보다 철새들에게 훨씬 더 중요할 수 있다는 사실이다. 좋은 서식지가 갈급한 새들에게 가장 필요한 것을 제공한다는 차원에서, 아무리 작은 도시의 공원이라도 그곳에 새들의 서식지를 복원하는 일은 도시에서 멀리 떨어진 곳에 아주 큰 면적의 땅을 따로 확보해 두는 것보다 훨씬 더 중요할 수 있다.

그리고 한 가지 희망과 관련해서 호튼 연구팀이 밝혀낸 것은 봄과 가을에 이루어지는 철새들의 엄청난 대이동이 아주 단기간에 진행된다는 사실이었다. 즉, 철새가 이동하는 계절마다 그들의 약 절반 정도가 어떤 도시 지역을 지나가든 6~7일 안에 그곳을 통과한다는 것이다. 호튼 연구팀의 일원이었던 앤드류 판스워스는 이러한 사실이 매우 한정된 특정 기간에 집중해서 자동으로 사람들의 주의를 환기시킬 수 있는 기회를 제공할 수 있다고 믿는다. 다시 말해서, 해마다 철새가 대규모로 이동하는 때에 맞춰서 며칠 밤 동안만 철새가 이동하는 도시와 지역의 주민들이 전등을 소등하게 하면 된다는 것이다. 그것은 버드캐스트의 지역별 실시간 철새 이동 예측 정보를 철새 보호의 강력한 도구로 활용하는 방법이다. 이미 휴스턴 같은 일부 도시들에서 시행하고 있는 지역별 소등 경보 시스템보다 더 큰 규모로 확대 시행할 수 있다. 「[철새 이동에 대한] 기준치를 생성하기 위해 빅 데이터를 사용할 수 있다면, 우리는 예측 정보를 세심히 살펴보고 〈오늘밤은 기준치를 넘어서는 철새 이동이 있을 테니 모두 소등에 협조해 주기 바랍니다〉라고 문자 메시지를 작성한 다음 중서부 지역에 자동 메시지를 발송해서 시카고나 신시내티를 비롯한 도시 지역에 전등을 끄게 할 수 있습니다.」

그러나 사실 가끔씩 환경 보호 활동가들은 마치 두더지 잡기 놀이를 하고 있는 것 같다는 생각을 한다. 어떤 문제들을 해결하려고 애쓰기 시작할 때 또 다른 새로운 문제가 툭 하고 나타나기 때문이다. 판스워스는 우리와 이야기를 나누다가 몇 주 전 일론 머스크Elon Musk의 스페이스엑스SpaceX라는 기업이 계획하고 있는 1만 2000개의 작은 인터넷 서비스 위성들 가운데 첫 번째 위성의 발사에 대해서 언급했다. 그것은 스타링크Starlink라고 하는 우주 개발 프로젝트로, 지구의 하늘을 뒤덮을 인공 은하수를 만들어 내겠다는 약속—사람의 관점에 따라서는 위협—이었다. 천문학자들은 2019년에 이 뛰어난 소형 위성들 가운데 첫 번째가 지구를 선회하는 저궤도로 발사되었을 때, 최종적으로 완성될 〈초대형 인공별자리mega-constellation〉(당시 그렇게 불렸다)가 자신들의 천체 연구 능력을 위축시키고 지구 표면 어디서든 눈에 보이는 자연계의 하늘 모습을 바꿀 것이라고 우려하면서 분통을 터뜨렸다. 하지만 그 이후 머스크는 추가로 3만 개의 위성을 더 늘리기 위해 허가를 신청 중이라고 발표했다. 스타링크 계획을 승인한 미국 연방 통신 위원회Federal Communications Commission는 스페이스엑스가 천문학을 보호하기 위해 〈모든 실질적인 조치를 취할 것〉[12]이라고 공표했다. 그러나 판스워스와 내가 말할 수 있는 한, 그 〈초대형 인공별자리〉가 수십억 마리의 철새들에게 끼칠 악영향은 너무도 명백하다. 철새들은 이미 그 위성들이 발사하는 불빛으로 탈색된 밤하늘을 통과해 갈 길을 찾느라 힘겨워하고 있지만, 갈수록 성공적으로 방향을 찾을 가능성은 점차 희박해질 것이다.

빅 데이터는 철새 이동의 중요성에 대해서 우리의 눈을 뜨게 했다. 빅 데이터는 오늘날 철새 이동의 문제점들을 집어내었을 뿐 아니라, 잘못을 바로잡을 방안들도 제시했다. 그리고 그것은 마침내 철새들과 그들을 소중히 여기는 사람들에게 빅 데이터가 얼마나 중요한 존재인지 느끼게 할 수도 있다. 이 책을 마무리하기 위해 작업하고 있던 마지막 몇 달 동안, 나는 지난 반세기 동안 북아메리카에

서식하는 새의 개체군이 어떻게 변화했는지 마침내 수치화한 훌륭한 논문 한 편이 세계적으로 권위 있는 학술 저널 가운데 한 곳에서 발표되기 위한 동료 심사 과정에 있다는 소문을 여기저기서 들었다. 2019년 9월, 그 논문이 『사이언스』에 발표되었을 때, 그것은 소문대로 매우 영향력이 크고 정신을 번쩍 들게 하는 내용임이 밝혀졌다. 예전만큼 새가 많지 않음을 통탄해 마지않는 한 탐조가가 자신의 오랜 경륜을 모두 쏟아부은 역작임에 틀림없었다.

그 분석은 코넬대 조류학 연구소, 스미스소니언 철새 센터, 미국 지질 조사국의 패턱센트 야생동물 연구 센터Patuxent Wildlife Research Center 같은 미국 내 최고의 철새 연구기관들의 연구자들이 공동으로 작업한 결과였다. 그들은 수십 종의 빅 데이터로부터 자료들을 구했다. 알래스카를 제외한 미국 본토 48개주 전역의 도플러 레이더 수십 년 동안의 기록, 1990년부터 시작된 크리스마스 버드 카운트* 같은 장기적인 탐조 활동 기록, 북미 조류 번식 조사Breeding Bird Survey처럼 지난 반세기 동안 해마다 수천 곳에서 명금류 새의 개체 수를 조직적으로 세는 모니터링 자료, 북극 지방의 기러기 번식지와 도요물떼새, 해안의 바다오리, 백조 같은 여러 철새 개체군들에 대한 보다 전문적이고 특정화된 연간 개체 수 집계 조사 자료들이 모두 그들이 활용한 빅 데이터들이었다. 그들이 내린 결론은 이랬다. 1970년 이래로 32억 마리의 새가 북아메리카에서 사라졌다. 북미 대륙 전체 번식 조류의 30퍼센트에 달하는 규모였다. 이는 레이더 기록에 잡힌 야간에 이동하는 철새의 감소 규모와 거의 정확하게 일치했다. 그 감소 규모는 동부 지역에서 가장 심했는데, 그곳에서 개체 수가 감소한 새들은 주로 열대 지방과 온대

* Christmas Bird Count. 해마다 오듀본 협회 주관으로 크리스마스 시즌인 12월 14일부터 이듬해 1월 5일까지 20일 동안 야생조류 개체 수를 관찰 기록하는 전 세계적 행사.

나 아한대 지방 사이를 오가는 철새들이었다.

개체 수가 가장 많이 줄어든 새는 12개 과에 속하는 새들이었는데, 대표적으로 참새, 솔새, 노랑부리검은지빠귀blackbird, 방울새finch 따위가 있으며, 저마다 37~44퍼센트 정도 숫자가 감소했다. 개체 수가 줄어든 새가 있는 과는 모두 38개였는데, 각 과마다 최소한 5000만 마리 이상의 새가 북미에서 사라졌다. 논문 저자들의 경고에 따르면, 도요물떼새는 평균 37퍼센트의 〈꾸준히 가파른 개체 수의 감소세〉[13]를 보이고 있는데, 무엇보다 가장 위험에 처한 집단은 초원종다리meadowlark, 메뚜기참새grasshopper sparrow, 긴발톱멧새longspur 같은 초지성 조류다. 이들은 1970년 이래로 번식 조류의 개체 수가 7억 마리 이상 사라졌는데, 본디 있었던 전체 개체 수의 절반이 넘는 규모다. 오늘날 초지성 조류는 모든 종의 새가 전체적으로 4분의 3이 감소하고 있다. 그러나 어쩌면 이 논문이 보여 주는 가장 놀라운 그리고 가장 걱정스러운 분석 내용은 외래종 조류, 즉 환경 보호 활동가들이 어떤 환경에도 너무 잘 적응하기 때문에 깃털 달린 쥐에 불과하다고 여겼던 새들도 개체 수가 줄고 있다는 사실이었다. 흰점찌르레기european starling는 개체 수가 절반으로 감소했고, 집참새house sparrow의 수는 1970년 이래로 80퍼센트 이상 줄었다. 서식지 잡식성 조류인 붉은날개검은지빠귀red-winged blackbird 같은 종도 마찬가지로 감소했다. 논문 저자들이 〈아무리 수가 많은 종이라도 급속하게 멸종될 수 있음을 상기시켜 주는 가슴 아픈 기억〉[14]이라고 지적한 것처럼, 나그네비둘기는 한때 수십억 마리에 이르렀지만, 불과 수십 년 사이에 지구상에서 완전히 멸종되었다.

그것이 매우 음울한 소식인 것은 맞지만, 나쁜 소식만 있는 것은 아니었다. 신세계솔새나 딱따구리woodpecker, 동고비nuthatch, 흉내내기새gnatcatcher 같은 일부 개체군은 거꾸로 상당한 증가세를 보였다. 20세기 초와 중반에 직접적인 핍박과 살충제 오염으로 개체 수 감소의 시련을 겪은 맹금류 새들은 최근 수십 년 사이에 다시 증가세로 돌아섰다. 또 습지 조류, 특히 오리나 기러기 같은 물새들은 그 가운데서도 가장 큰 증가세를 보였다. 그 이유는 이렇다. 물새는 배후에 오리 사냥꾼들 같은 돈 많고 정치적 영향력 또한 막강한 대규모 유권자 집단이 있는 까닭에, 습지 보호와 복원을 위해 덕스 언리미티드Ducks Unlimited 같은 민간 비영리단체들과 주정부나 지방, 연방정부의 자원관리부처 등으로부터 수십억 달러의 자금이 투입되었다.

전 세계적으로 상황은 별로 나아지지 않았다. 유럽에서 새들이 대규모로 사라지고 있음을 보여 주는 비슷한 연구 결과들이 잇달아 나왔다. 한 분석 결과에 따르면, 1980년부터 2009년까지 4억 마리가 넘는 새가 사라졌는데, 특히 흔히 볼 수 있는 종들에서 더 심했다. 하지만 북아메리카에서와 마찬가지로 유럽에도 암울한 소식만 있는 것은 아니다. 희귀종에 대한 집중적인 보호 조치는 큰 성공을 거두었다. 그러나 멸종 위기에 몰릴 때까지 기다렸다 그것을 해결하기 위해 들어가는 비용은 엄청나게 클 수 있다. 일반적으로 멸종위기종 보호에 들어가는 비용은 한정된 가용 예산의 상당 부분을 뽑아 써야 한다. 유럽에서 농경지 서식 조류는 특히 큰 타격을 입었는데, 농업 생산성 증대를 위해 화학 비료를 대량으로 살포하는 단일 작물 재배에 매진하면서 자연농법은 거의 완전히 사라졌다. 특히 체코공화국 같은 동유럽 국가들에서 그런 추세가 두드러졌는데, 그들 국가가 유럽연합에 가입한 뒤부터 농경지 서식 조류는 급격한 감소세를 보였다. 2018년, 프랑스 과학자들이 유럽의 조류 개체 수가 거의 15년 사이에 3분의 1로 감소했는데, 특히 풀밭종다리 같은 일부 종은 70퍼센트나 감소했다고 발표하면서, 유럽 대륙 전역에 비상이 걸렸다. 그 사실을 발표한 과학자들 가운데 한 명은 〈파국적 상황입니다〉[15]라고 말하며 〈우리의 전원 지대는 완전히 사막으로 바뀌고 있는 중입니다〉라고 했다. 독일의 곤충학자들이 독일에서 여름철 곤충 수가 80퍼센트 이상 감소했음이 확인되었다고 말하고 있을 때, 프랑스 과학자들은 지속적인 강력한 살충제 사용이 그 원인이라고 밝혔다. 그것은 이른바 곤충의 종말이라고 감히 부를 수 있을 정도인데, 원시 열대우림지역을 포함해서 세계 곳곳에서 그것을 입증하는 현상들이 일어나고 있다. 먹이가 충분하지 않으면 새들은 살 수가 없다. 지구 생태계의 기반이 되는 바로 그 먹이사슬이 전 세계에 걸쳐 붕괴되고 있음이 확인되고 있는 것이다.

『사이언스』에 북아메리카에 대한 분석을 담은 논문이 발표되기 직전, 나는 그 논문의 공저자 중 한 명인 피터 마라Peter Marra 박사와 이야기를 나눴다. 그는 조지타운 대학교에서 학생들을 가르치기 위해 스미스소니언 철새 센터의 소장에서 금방 물러난 상태였다. 그는 내게 그 논문 초안을 보여 주면서, 논문의 결론이 매우 비관적이라는 것에 동의했다. 「그러나 오늘날 우리는 현재 상황이 어떤지 압니다.」 마라는 말을 꺼냈다. 「외래종과 잡식성 동물들도 곤경에 처해 있다는 사실은 정말 걱정스러운 일이 아닐 수 없습니다. 그러나 우리는 상황을 반전시킬 수 있어요. 물새들이 습지 보호에 어떻게 반응하는지 한번 잘 살펴보세요.」 그의 말에 따르면, 늦었다고 생각하는 지금이라도 돈을 들이고 추진력을 발휘해서 우선순위에 따라 집중적으로 철새 보호에 나선다면, 현재의 상황을 바꿀 수 있다.

그러나 빅 데이터가 보여 주는 것을 보고, 내가 사는 동안 북미 대륙에서 새의 3분의 1이 이미 사라졌다는 사실을 이해하는 것은 가슴에 잘 와닿지 않았다. 약간의 체념이나 실망 이상의 어떤 느낌도 없었다. 그래서 나는 이 대화가 끝나고 다시 하루 이틀 더 그와 이야기를 나누고 싶었는데, 고맙게도 그가 선뜻 응해 주었다. 또 한 번 그와의 대화를 통해, 가끔 세계는 현재의 모습에서 옛날의 모습을 보여 줄 때도 있다는 사실을 새삼 느꼈다. 지금도 마찬가지로 때가 되면 어김없이 이동하는 철새의 원초적인 힘이 그들에게 더 완전했던 옛날에는 과연 어떠했을지 살짝 엿볼 수 있었다. 때때로 세계는 지금 우리가 무엇을 위해 싸우고 있는지, 그리고 약간의 행운과 어렵지만 변화를 이루고자 하는 의지만 있다면, 다시 어떤 모습이 될 수 있는지를 보여 준다.

퀘벡의 세인트로렌스강 북쪽 기슭에 있는 코트노르Côte-Nord는 세계적으로 널리 알려진 탐조 장소는 아니지만, 사실은 훌륭한 탐조지다. 새거네이강Saguenay River이 세인트로렌스강으로 흘러드는 소도시 타두싹Tadoussac은 말똥가리와 올빼미, 물새, 명금류 철새들이 가을에 이동할 때 통과해야 하는 관문으로, 대체로 캐나다 탐조가들 사이에서 유명하다. 그곳에서는 하루에 솔양진이pine grosbeak를 6000마리, 또는 황여새Bohemian waxwing 8000마리를 볼 때도 있다. 타두싹 조류 관측소Observatoire d'Oiseaux du Tadoussac는 1990년대 중반부터 그곳에 오는 새들의 개체 수를 세고, 다리에 가락지를 채워 날려 보내는 작업을 해왔다. 그러나 캐나다 밖의 탐조가들은 최근까지도 타두싹에 대해 들어 본 적이 있는 사람이 별로 없었다. 날씨가 그곳의 지형에 딱 맞을 때면, 다른 곳에서는 볼 수 없는 봄철 철새 이동의 장관이 연출된다는 사실을 아는 사람은 그다지 많지 않았다. 이안 데이비스Ian Davies는 그것을 알고는 그 광경을 직접 두 눈으로 확인하고 싶은 열망에 부풀었다.

이버드의 프로젝트 책임자인 데이비스는 타두싹 조류 관측소가 숫자를 세어 이버드에 올리고 있는 봄철 철새들의 목록을 보았다. 거기 기록된 바에 따르면, 몇 년에 한두 차례 며칠 동안, 대개 형형색색의 솔새들인 명금류 철새 수만 마리가 마치 수직 절벽처럼 세인트로렌스강 위로 6킬로미터 이상 솟아오르는 빙하 사구를 따라서 모여든다. 오늘날 전 세계적으로 이동하는 철새의 수가 점점 줄어들면서 그런 광경을 볼 기회도 따라서 줄어들고 있다. 그래서 데이비스를 비롯해서 코넬대 조류학 연구소 소속인 다른 네 명의 탐조가는 그 장관을 직접 보기 위해 2018년 5월 말에 뉴욕주의 이타카Ithaca를 출발해서 북쪽으로 향했다.

타두싹에서 세인트로렌스강 하류는 강의 너비가 24킬로미터를 넘는데, 수온이 매우 차가운 그곳에는 대왕고래blue whale와 대구, 흰고래beluga가 서식하고 있다. 강 유역의 북쪽 가장자리는 갑자기 지형이 바뀌는데, 강 하구에서 캐나다 순상지Canadian Shield로 알려진 고원까지 완만한 경사를 이루며 점점 높아진다. 그 고원은 추운 북방 침엽수림이 북쪽으로 뻗어 나가면서 북극 근처 아한대 수목 경계선까지 이어진다. 이곳에서는 5월 말에도 봄이 아직 성큼 다가서지 못한다. 갓 나온 작은 잎사귀들을 단 키 작은 자작나무들이 급경사면에 매달린 것처럼 뒤덮고 있다. 북쪽으로 몇십 킬로미터를 더 가면, 아직은 한겨울을 벗어나지 못한 지대가 나온다. 철새들에게 그곳은 재앙일 수 있다. 한밤에 따뜻한 남풍을 타고 비행하는 명금류 철새들은 종종 이러한 상황을 모른 채 그 경계 지역을 가로지르는데, 동이 텄을 때 자신들이 아직까지 눈 속에 파묻힌 가문비나무 숲에 있다는 것을 발견한다. 참새들처럼 씨앗을 먹는 새들은 얼어붙은 지표면을 파헤쳐서 먹이를 찾을 수 있으므로 그것은 그다지 큰일이 아니다. 하지만 신세계솔새나 딱새, 솔새처럼 곤충을 잡아먹는 새들은 먹을 것이 없다. 따라서 그들은 왔던 길을 되짚어서 따뜻한 세인트로렌스강 저지대로 돌아가야 한다. 그곳의 땅은 황폐하고 나뭇잎들도 이미 다 진 상태지만 잡아먹을 곤충은 아직 있기 때문이다. 이것은 철새의 역이동reverse migration이라고 알려진 현상인데, 그 새들은 다시 그 넓은 강을 건너려고 하지 않을 것이기 때문

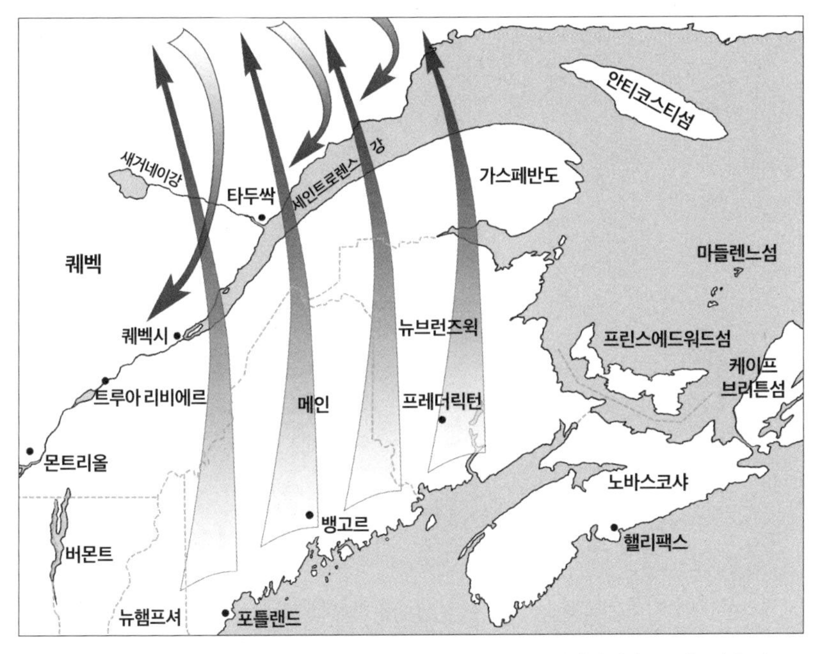

때때로 봄에 수천만 마리의 명금류 철새들이 야간에 북쪽으로 이동하면서 세인트로렌스강을 건넌다. 그런데 날이 밝았을 때 북방 침엽수림대 너머로 아직 겨울 날씨인 지역을 만나면, 그들은 방향을 돌릴 수밖에 없다. 그럴 경우, 믿기 어려울 정도로 많은 수의 철새가 세인트로렌스강 북쪽 기슭을 따라 계속 몰려드는 상황이 연출된다.

에, 남서쪽으로 이동하다 거대한 물결이 일렁이는 세인트로렌스강을 만나면 방향을 튼다. 코넬대 연구팀이 보고 싶어 하는 광경이 바로 그것이었다.

「그래서 거기로 올라가 8일 동안 있었죠. 여러 조건이 잘 맞아떨어져서 한 5만 마리쯤 볼 수 있기를 바라면서요.」 데이비스가 말했다. 「허황된 꿈일지 모르지만, 5만 마리를 말이죠. 처음 사흘은 완전히 허탕을 쳤어요. 안개가 자욱한 데다 엉뚱한 곳에서 바람이 불어왔어요. 수십 또는 수백 마리 정도가 이동하는 것을 봤을까요? 두 시간쯤 지나서 포기하고 다른 곳으로 장소를 옮기려고 했죠.」 그때 바람의 방향이 바뀌었다. 남쪽에서 바람이 불어오기 시작했다. 조짐이 좋아 보였다. 하지만 코넬대 연구팀은 그들이 가장 애지중지하는 도구 가운데 하나인 도플러 레이더를 거기서 쓸 수 없었기 때문에 확신이 서지 않았다. 캐나다의 레이더 기지국들은 새나 곤충 같은 생물체가 반사하는 불필요한 신호bio-clutter를 자동으로 걸러 낸다. 「캐나다에는 일반인을 위한 모든 신호를 보여 주는 레이더가 없어요. 그래서 전날 밤에 어떤 일이 발생했는지 사람들이 전혀 알 수가 없습니다.」 데이비스가 말했다. 「여기는 뭔지 모를 신비함이 있어요.」

다음 날인 2018년 5월 28일 오전, 처음에는 또 하루를 허탕 치는 것처럼 보였다. 새벽 5시 45분에 그들은 새들이 무리 지어 쏟아지는 광경을 보기 위해 사구 지대에 도착했다. 때마침 거기에 와 있던 두 명의 퀘벡 탐조가 프랑수아 자비에 그랜몽François-Xavier Grandmont과 티에리 그랜몽Thierry Grandmont과 조우했다. 「처음 두 시간은 기본적으로 아무것도 보이지 않았죠. 그러다 간간이 새들이 보였어요. 우리는 〈그래, 이제 시작이야〉라고 들떴다가 〈좋아 보였는데 그게 아닌 것 같군〉이라고 했죠.」 그런데 그때 작은 무리의 새들이 다섯에서 열 마리 단위로 떼 지어 나타나기 시작했다. 데이비스의 말에 따르면, 오전 6시 30분경이었다. 「우리가 이 사구에서 세인트로렌스강을 가로질러 반도 너머를 주시하고 있었던 곳이 바로 이 지점이었어요. 그곳에 순간적으로 점들로 이루어진 거대한 장벽이 생겨났죠. 하늘이 완전히 새들로 뒤덮였어요. 그러고는 이후 9시간 동안 그런 광경이 지속되었죠.」

이안 데이비스가 그날 밤 그 유명한 이버드의 탐조 기록에 올리기 시작한 것처럼, 그곳에서 목격한 광경은 〈내 생애 최고로 멋진 탐조의 날〉이라 부를 만했다. 그와 그의 친구들은 간단한 수학을 이용해서 새들이 지나가고 있는 비율을 기록하고 종별로 몇 마리나 되는지를 추정하면서 끊임없이 조직적으로 개체 수를 셌다. 그렇게 하느라 길고도 힘든 하루를 정신없이 보냈지만 들뜬 마음을 달랠 수 없을 정도로 기분이 좋았다. 거의 대부분이 솔새인 명금류 철새들이 초당 20마리꼴로 날고 있었다. 분당 1000마리가 넘는 규모였다. 그냥 눈으로만 봐도 수백에서 수천 마리의 명금류 철새들이 주위를 둘러싸고 있었다. 데이비스가 자신의 탐조 기록의 일부로 이버드에 찍어서 올린 비디오 영상들은 그날 펼쳐진 광경의 규모를 단번에 느낄 수 있게 한다. 그것은 여러 무리로 대형을 이룬 새들의 일관된 동작으로 이동하는 모습과는 달랐다고 그가 내게 말했다. 오히려 한 장의 거대한 종이처럼 사방으로 넓게 퍼진 새들이 한 덩어리가 되어 그곳의 풍경을 조망하듯 세인트로렌스강 가장자리를 따라 남서쪽으로 물 흐르는 것처럼 훑고 있었다. 하늘 높이 솟아오르는가 하면 어느새 그들을 관찰하는 사람들 발밑의 땅바닥을 스치듯 날면서 사람들 가랑이 사이를 끊임없이 지나가고 있었다. 솔새들은 데이비스의 머리를 향해 날아오더니 그의 카메라와 팔에 부딪혔다. 수백 마리가 넘는 새들이 몹시 허기진 모습으로 땅바닥이나 주변의 관목 숲에서 먹이를 찾았다.

사방이 새 천지였다. 그들의 다양한 색깔과 무늬가 섬광처럼 잠깐잠깐 번뜩이는가 싶더니 아주 짧은 인상만 남기고 순식간에 날아가 버렸다. 신세계솔새와 지빠귀, 딱새 무리들이 검은목유리솔새black-throated blue warbler, 흑황솔새magnolia warbler, 캐나다솔새Canada warbler 들과 함께 세찬 바람을 피해 덤불숲에 몸을 웅크리고 있었다. 이들보다 강인한 붉은빰솔새Cape May warbler나 밤색가슴솔새bay-breasted warbler, 노랑허리북미솔새yellow-rumped warbler, 그리고 몸집이 아주 작은 테네시솔새는 하늘 높이 떠 있었다. 타두싹의 상공은 데이비스가 〈비행을 알리는 울음소리가 정말 끝없이 이어지는 초음파의 대양〉이라고 묘사했지만, 탐조가들 입장에서는 의식적으로 당장 꺼버리고 싶은 초고음의 괴성으로 가득 찼다. 데이비스의 연구팀은 빠르게 움직이는 형체들을 식별하기 위해서 나무에 앉아 쉬고 있는 솔새들을 보면 이전에는 전혀 의존하지 않았던 필드마크*를 활용했다. 쌍안경은 거의 필요가 없었다. 그는 말했다. 「정말 미쳤어요. 넋이 빠진 것 같았죠. 그건 꿈같은 그런 일들 가운데 하나였어요.」 그와 그의 친구들은 그렇게 엄청나게 많은 새를 세는 것에 대비해서 아무런 계획도 없었다. 그런 상황에 처할 거라고는 생각해 본 적도 없었기 때문이다. 「사실, 우리는 그냥 순간적으로 그런 판단을 내린 거였죠.」 나중에 그가 말했다. 점점 더 많은 새가 줄을 이었을 테고, 대부분의 철새들이 그들이 관찰하고 있는 지점을 통과했을 것이다. 새들의 유동량이 바뀔 때마다 새의 수를 세는 사람들은 매번 시간을 기록하면서 추정치를 새로 잡기 시작했을 것이다. 오후 들면서부터 바람이 남서쪽에서 강하게 들이치자, 솔새들이 초당 50마리, 즉 30분당 약 7만 2000마리꼴로 통과하면서 그 일대에 몰려든 철새의 수는 최고조에 이르렀다. 너무도 어마어마한 대규모 비행이었기에 캐나다 레이더 기지국들도 철새들에 부딪혀 반사되는 신호들을 다 걸러 내지 못하고 세인트로렌스강 북쪽 기슭을 따라 이동하고 있는 철새들을 표시하는 대형 얼룩 자국을 레이더 화면에 보여 주었다.

「이날 우리의 마음속에서는 눈앞에서 벌어지고 있는 일을 정확히 기록하려는 것과 도대체 그것이 무엇인지 이해하려고 하는 것 사이에 일대 전쟁이 벌어졌죠. 그러면서 또 한편으로는 우리 모두가 여태껏 보았던 것 가운데 가장 경이로운 자연의 장관을 그냥 즐기고 싶은 마음도 있었어요.」 데이비스의 말이었다. 오후로 시간이 넘어 가면서 급히 음식 배달을 시키기 위해 누군가를 마을로 보낸 것을 제외하고, 오후 3시 30분경 철새들의 비행이 조금씩 감소할 때까지 새의 수를 세고 추정하고 집계하는 일을 멈추는 사람은 아

* field mark. 깃털이나 울음소리, 행동 등 새의 종을 식별하는 데 도움이 되는 특징.

무도 없었다. 데이비스의 연구팀은 분 단위로 철새의 유동량을 추정하고 종별로 개체 수 비율을 산정하는 작업을 시작한 뒤에야 비로소 자신들이 본 광경이 얼마나 엄청난 것인지 알게 되었다. 그들은 자신들이 사구 지대에서 관찰한 지점을 통과한 솔새가 총 72만 1000마리가 넘는 것으로 추산했는데, 앞뒤로 약 10만 마리의 차이가 있을 수 있다고 보았다. 그 가운데 테네시솔새는 7만 2200마리(전체의 10퍼센트), 미국딱새American redstart는 5만 500마리(전체의 7퍼센트), 흑황솔새와 붉은빰솔새가 각각 10만 8200마리(각각 15퍼센트), 그리고 그날 가장 흔한 종이었던 밤색가슴솔새는 14만 4300마리(전체의 20퍼센트)로 집계되었다. (만일 그 집계가 정확하다면, 밤색가슴솔새의 수는 전 세계 존재하는 개체 수의 2퍼센트에 해당되는 규모다. 그 연구팀에 합류했던 이버드 조사원인 톰 아우어Tom Auer는 트위터에 그 내용을 아주 깔끔하게 정리했다. 〈평생 본 것보다 오늘 본 밤색가슴솔새가 100배는 더 많았다.〉) 그 밖에도 블랙번솔새blackburnian warbler는 약 2만 8900마리, 노랑허리북미솔새는 7만 2000마리(관찰 초기와 마지막 시간대에 가장 많았다), 캐나다솔새는 1만 4000마리 이상으로 집계되었다. 그곳에서 펼쳐진 정말 눈이 튀어나올 정도로 경이로운 광경 외에도, 거기 모여든 수많은 솔새가 번식기의 깃털을 한 수컷 성조였다는 것은 또 다른 놀라운 사실이었다. 약 11만 마리의 새는 단순히 〈솔새류〉라고 기록되었는데, 그것들은 식별하기 어려웠기 때문이다. 여러 해 동안 조류 관측소에서 봄철 철새 이동을 관찰해 온 연구원도 그날 본 그런 새들을 이전에 전혀 본 적이 없다고 했다.

이안 데이비스는 당시 자기 팀 사람들이 집계를 마치고 나서 〈아무도 우릴 믿지 않으려고 할 거야〉라고 말했던 것을 기억한다. 실제로 누구도 그들이 집계한 숫자에 대해서 진정성 있게 접근하지 않았다. 이것은 엄청나게 많은 수가 무리를 지어 하늘을 날아 통과하고 있는 수십 종의 작은 새들을 식별하는 동시에, 지나가는 새의 유동량과 종의 비율에 대한 추정치를 끊임없이 수정해야 하는 데 필요한 자격증과 정교한 기술을 소유한 전문가들이 서로 협력해서 만들어 낸 완벽한 작업 성과였다. 그러나 그와 그의 친구들이 그 광경을 목격하고 곧바로 얼마나 큰 충격을 받았을지, 그리고 자신이 목격한 것의 중요성이 이해되기 시작할 때, 또 그것을 보지 못한 사람들에게 웃기려고 하는 수작이 아님을 믿게 할 수 있을지 확신이 서지 못할 때, 그 상황이 얼마나 이상하게 돌아갈지를 정확하게 아는 몇 안 되는 사람 가운데 한 명이 나일지도 모른다. 1992년, 나는 가을에 멕시코 동부 해안의 베라크루스Veracruz주를 관통하는 것으로 최근에 와서 확인된, 맹금류 철새 이동을 기록하는 임무를 맡은 한 조사팀의 일원이었다. 당시 약 450만 마리의 말똥가리와 수리, 솔개, 매, 독수리가 해마다 가을이면 멕시코 내륙의 산악지대와 멕시코만 사이의 좁은 길목을 통과해서 이동한다는 사실을 아는 사람은 거의 없었다. 우리가 집계하는 맹금류 철새의 숫자는 날마다 점점 높아지고 있었다. 첫날 4만 마리에서 다음 날은 6만 마리, 그다음 날은 8만 8000마리였다. 그 수치들은 모두 전 세계 어디서 관찰한 맹금류 일일 합계 최고 수치보다 훨씬 더 높았다. 우리는 벌써 고향의 동료들로부터 약간 비아냥거리고 불신하는 듯한 말을 듣고 있었다. 그때, 타두싹에서 그랬던 것처럼, 철새의 이동을 가로막았던 수일 동안의 악천후가 끝나면서 하늘길이 열렸다. 그리고 우리는 단 하루 만에 놀랍게도 거의 50만 마리에 이르는 맹금류 새들을 집계하는 힘겨운 날을 보냈다. 날씨만 좋으면, 베라크루스에서 하루에 50만 마리에서 100만 마리의 맹금류 새를 볼 수 있다는 것을 지금은 사람들이 안다. 하지만 그때는 멕시코에서 그날 하루가 끝나갈 때쯤 습한 공기가 올라오는 황혼의 빛을 받으며 충격 속에 앉아서 나와 친구들이 집계한 숫자를 보고 마찬가지로 이렇게 생각했

다. 〈아무도 우릴 믿지 않으려고 할 거야.〉

5월 그날 세인트로렌스강 일대에서 일어난 일과 관련해서 정말로 믿을 수 없는 어떤 것이 있다면, 그것은 바로 우리 가운데 많은 사람이 그런 멋진 구경거리는 이미 사라진 지 오래되었다고 지레 판단한 것일 게다. 당시에도 사람들은 그렇게 많은 수의 새를 여전히 볼 수 있다고 믿는 것을 세상모르는 완전히 순진한 생각이라고 여겼다. 이안 데이비스의 관찰 기록은 지금보다 더 풍요롭고 풍성했던 과거로부터 날아온 선물과 같았다. 우리가 망각의 늪으로 빠져들지만 않는다면, 가능할 수 있는 것이 무엇인지 떠올리게 하는 선물 말이다. 타두싹에서 연출되는 엄청난 규모의 철새 이동에 관한 뉴스는 탐조가들의 세계를 넘어서 빠르게 널리 퍼져 나갔고, 『뉴욕 타임스』에도 기사가 실렸다. 어쩌면 그리 놀랄 일도 아니지만, 기후 변화를 부인하는 한 사람이 그 기사 내용을 근거로 지구상에서 새들이 점점 사라지고 있다는 주장을 반박했다. 따라서 그는 환경보호주의자들이 예견하는 모든 종류의 재앙은 틀린 것이라고 주장했다. 그의 주장은 일리 있는 말인가? 데이비스의 설명처럼, 그날 그들이 있었던 타두싹의 사구 지대는 특별히 별난 곳이 아니었다. 약 300킬로미터에 이르는 세인트로렌스강 기슭을 따라 어디서든 그들은 똑같은 광경을 보았을 것이다. 그곳은 탐조가가 아닌 일반인들이 사진을 찍어 인터넷 사이트에 게재할 정도로 그렇게 많은 기진맥진한 솔새 무리들이 몰려든 고속도로 중앙 분리대나 자기 집 뒤뜰과 다를 바 없는, 수없이 많은 작은 철새가 북적대는 또 다른 장소였을 뿐이다. 그날 퀘벡 남쪽을 통과하는 명금류 철새들은 수없이 많았다. 누구든 그런 새의 재앙을 예언하는 말을 의심하기에 충분할 만큼 많았다. 그러나 물론 차이가 있다면, 오늘날 우리가 놀라는 광경이, 레이더 기록을 통해 아는 것처럼, 수십 년 전에 타두싹에 가서 그것을 본 사람이 있다면 꽤 흔한 일이었을 것이라는 점이다.

철새 이동은 과거에도 있었고 지금도 일어나고 있는 일이다. 하지만 그 과거의 그림자는 지금도 여전히 때와 장소만 잘 맞는다면 우리를 여전히 놀라고 경탄하게 하기에 충분한 힘이 있다. 비록 시간이 늦었다고 해도, 피터 마라가 말한 것처럼, 우리는 현재 상황이 어떤지 알고 있다. 거기에는 캐나다 숲을 통과해서 북쪽으로 날아가고 있는 작은 새 한 마리 한 마리가 지난해 겨울의 메아리와 함께, 몇 달 전 수천 킬로미터 떨어진 열대의 땅에서 그들을 둘러쌌던 제반 조건들이 그들의 운명을 결정할지도 모른다는 것을 우리에게 전해 주고 있다는 사실도 들어 있다. 이것은 우리가 철새의 이동과 관련해서 최근에 와서야 비로소 주목하기 시작한 측면이지만, 지구상의 수많은 철새 보호를 위한 방법을 찾고자 할 때 반드시 고려해야 할 또 하나의 중요한 요소다.

5장

변화의 여파

당신은 커틀랜드솔새Kirtland's warbler다. 막 떠오른 아침 햇살이 당신의 연노랑 가슴 깃털을 비추고, 사방으로 뻗어 나간 수백 에이커의 나지막한 덤불들이 우거진 뱅크스소나무jack pine 숲을 환히 밝힌다. 북미검은멧새, 붉은꼬리지빠귀, 초원멧새savannah sparrow가 덤불 속에서 노래를 부르고, 목장도요upland sandpiper는 말라 죽은 고목의 그루터기 위에 앉아 늑대 휘파람 같은 울음소리를 내지만, 당신은 그런 것들에 마음 한 점 줄 여유가 없다. 북쪽으로의 오랜 이동을 끝내고 밤새 마침내 도착한 당신의 가슴속 유일한 충동은 동트는 새벽을 향해 자신의 노래—잠재적 경쟁자들을 향한 경고의 메시지이자 잠재적 짝들을 향해 자신의 존재를 알리는 강력한 여섯 음절의 반복되는 지저귐—를 혼신의 힘을 다해 부르는 것이다. 미시건주 북부의 이 작은 땅이 당신 구역임을 선포하는 것이다.

날씨도 온화하고 먹이도 풍족하고 둥지를 지을 자리도 많다. 주변 환경은 이보다 더 좋을 수 없다. 그러나 지금 그게 문제가 아니다. 몇 달 전 약 2400킬로미터 떨어진 바하마 제도에 겨울비가 내리지 않았기 때문이다. 그 결과, 그곳에는 먹이가 거의 없었다. 그래서 당신은 이동을 위한 연료로써 필요한 체지방 축적을 위해 사투를 벌였다. 그리하여 그곳을 떠날 시점을 놓치면서 뒤늦게 이동을 시작했고 미시건주에도 늦게 도착했다. 미시건주에 도착하자마자 당신은 봄노래의 첫 소절을 부르기도 전에 이미 불리한 입장에 처한 상태다.

과학자들은 한때 철새들에게 겨울은 한숨을 돌릴 수 있는 기간, 계절 이동과 번식이라는 중대한 일에서 벗어나 여유로이 삶을 즐기며 열대 지방에서 잠시 쉬는 휴지기라고 생각했다. 그러나 그들은 이제 겨울 날씨가 나쁘면, 그 여파가 그야말로 오래 지속된다는 사실을 알아가고 있다. 그것이 끼치는 생태적 후유증이 몇 달 동안 수천 킬로미터에 걸쳐 오랫동안 지속될 수 있기 때문이다. 비가 자주 내리지 않고 먹이가 모자라는 상황은 열량 부족을 초래하여 철새의 이동 시점을 늦추게 하고, 심지어 철새가 여행을 하기 위해 자신의 근육과 생체 기관 일부의 활동을 실제로 중단하게 할 수도 있다. 그것은 이동 중에 죽을 가능성을 더 높이고, 비록 그 새가 번식지에 무사히 도착해서 짝짓기를 위한 이상적인 장소를 발견한다고 해도, 그러한 열량 부족은 번식 성공을 방해할 수 있다.

끝으로, 수천만 마리의 철새들이 겨울을 나기 위해 의존하는 열대 지역이 점점 온난화하고 건조해지고 있다는 점, 그리고 그 추세는 앞으로 수십 년 동안 더욱더 가속화될 것으로 예상된다는 점을 감안할 때, 이러한 발견은 이미 철새 개체군들이 가파르게 감소하고 있는 상황에서 불길한 조짐을 보여 준다.

따라서 과학자들이 〈이월 효과〉*라고 부르는 것과 관련해서 가장 조명을 많이 받을 가능성이 있는 종이 불과 한 세대 전에 거의 멸종되었다가 일반적으로 비할 데 없는 보전의 성공 사례로 거론되는 철새인 커틀랜드솔새라는 사실은 역설적이다. 그 새를 멸종의 순간

* carry-over effect. 이전의 실험에서 피험자가 받은 느낌이나 생각, 수행 경험이 다음 실험의 수행에 대한 측정에 미치는 영향을 말하는데, 잔효(殘效)라고도 한다.

까지 몰아갔던 바로 그 생태적 측면들, 즉 매우 특별한 서식지 요구 조건, 믿기 어려울 정도로 매우 국지적인 번식지와 월동지 면적 등이 이월 효과의 원인과 결과를 이해할 수 있게 하는 대표적인 사례가 된다. 그러나 그런 동일 요소들은 여전히 그들의 과거처럼 불확실한 미래를 만들 수도 있다.

그래서 이 5월 초 아침에 미시건주 북부의 뱅크스소나무 숲에서 현재 벌어지고 있는 일들을 이해하기 위해, 두 달 전으로 시간을 되돌려, 바하마 제도 한가운데에 있는 한 작은 섬의 겨울의 끝자락으로 거슬러 올라가 볼 필요가 있다.

내이선 쿠퍼Nathan Cooper는 땅거미가 내려앉는 어두컴컴한 시간에 구불구불한 도로를 위험을 무릅쓰고 빠르게 차를 몰고 있었다. 그 바람에 수많은 보행자와 놓아기르는 닭과 개, 그리고 길고양이들이 불안에 떨며 화들짝 놀란다. 거창한 이름의 퀸스하이웨이Queen's Highway는 캣아일랜드Cat Island를 휘감고 달리는 총 80킬로미터에 이르는 고속도로로 표지판 하나 없고 곳곳에 움푹 팬 곳이 많은 좁고 길게 이어진 쇄석 도로다. 우리는 해가 뜨기 전에 저 멀리 남쪽 끄트머리까지 가야 한다. 시간이 늦어서 서둘러야 한다.

캣아일랜드는 바하마 제도의 주요 관광지가 아니다. 낚싯배 선착장 한 곳과 작은 휴양 시설 몇 군데를 빼면, 그곳은 (내가 아는 한) 시드니 포이티어*의 생가로 가장 널리 알려져 있다. 한때, 학자들은 그곳이 1492년 크리스토퍼 콜럼버스가 최초로 북미 대륙에 상륙한 곳일지도 모른다고 생각했다. 그러나 한 세기 넘어 전에 이미 역사가들은 일반적으로 그런 생각을 버렸고, 그 섬은 세간에 잊힌 채로 있었다. 길고 좁은 낚싯바늘처럼 생긴 그 섬은 면적이 약 360제곱

* Sidney Poitier. 흑인 최초로 아카데미 남우 주연상을 받은 미국 영화배우.

킬로미터에 불과한데, 너무 가느다란 모양이어서 거의 대부분 지역의 너비가 약 800미터밖에 안 된다. 전날 오후 나소Nassau에서 탑승한 작고 비좁은 경비행기 차창으로 내려다본 섬의 모습은 평평하고 대체로 특색이 없어 보였다. 대부분 모랫길로 이루어진 도로들에 의해 이등분된 마른 관목 숲이 양쪽으로 이어지고, 해변과 부서지는 흰 파도, 푸른 바다가 섬의 테두리를 두르고 있었다. 섬 주민은 1500명에 가까운데, 그에 비해 가옥 수는 적었고 눈에 잘 띄지도 않았다. 대부분이 해안이나 퀸스하이웨이를 따라 바짝 붙어 있었다. 새벽길을 따라 달리는 차 안에서 보이는 도로변 건물들 가운데 다수가 버려져 있는 것임을 알고는 깜짝 놀랐다.

〈그래요. 이 섬에는 사람이 사는 집보다 빈 집이 더 많다는 생각이 들 때가 종종 있어요〉라고 쿠퍼는 말했다. 몇 킬로미터 지나칠 때마다 하늘을 향해 속을 드러낸 채 지붕 없는 잿빛 석회석 담장들만 휑하니 남은 수십 채의 폐허들이 나타났다. 이곳의 현재 주민 수는 1950년대의 절반 수준이다. 이 섬보다 더 좋은 일자리들이 많은 대규모 휴양지 섬들이 (또한 불과 약 4800킬로미터 떨어진 곳에 있는 미국 본토가) 캣아일랜드에서 더 이상 전망을 찾지 못하는 젊은 이들을 빼내 갔다. 이 섬에서 생계를 유지하기 위해 선택할 수 있는 일은 화전을 일구거나 염소를 기르거나 소라 따위를 캐는 것뿐이다.

그러나 캣아일랜드를 사람들이 살기에 팍팍한 곳으로 만드는 것들, 이를테면 뜨겁고 건조한 날씨, 거친 토양, 매우 독성이 강한 옻나무들로 가득한 잡목림, 심지어 엄청난 식욕을 자랑하는 염소 무리 등이 놀랍게도 오히려 이 섬을 오늘날 극도로 개체 수가 적은 커틀랜드솔새들에게 세상에서 가장 훌륭한 월동지로 만드는 여건을 조성하고 있다. 커틀랜드솔새는 연노랑 가슴과 푸른빛이 감도는 회색의 등, 끊어진 고리처럼 눈 아래위로 흰 줄이 휘어져 있는 잘생긴 철새다. 이 새는 체중이 약 14그램밖에 안 나가는데, 전 세계 개체 수의 4분의 1에 해당하는 1000마리 정도가 이 아주 작은 섬으로 이동한다. 그곳의 아주 건조한 잡목림이 그들에게 딱 맞는 서식 환경을 제공하기 때문인 것으로 보인다. 내이선 쿠퍼 박사와 그의 동료들이 캣아일랜드에서 그들의 세 번째 겨울을 맞기 위해 다시 돌아온 것도 바로 이런 이유 때문이다. 워싱턴 D.C.에 있는 스미스소니언 철새 센터에서 박사후 과정을 진행하고 있는 쿠퍼는 이월 효과가 어떻게 몇 년 전까지만 해도 아무도 믿지 않았을 만큼 철새의 삶에 큰 영향을 끼쳤는지 더 자세히 알기 위해 커틀랜드솔새의 독특한 생명 작용을 연구하는 중이다. 그의 연구팀은 지금까지 어디서도 써본 적이 없는 신기술을 이용해서 그 솔새들의 월동지에서 번식지까지 추적 관찰하면서, 바하마 제도의 환경 조건이 나중에 미시건주에서 그들이 번식에 성공하는 데 어떤 영향을 끼치는지를 직접 측정할 계획이다.

쿠퍼는 이전에 나와 동료들이 알래스카에서 사용했던 것과 같은 가볍고 감도가 높은 지오로케이터를 가지고 커틀랜드솔새를 추적 관찰한 적이 있었다. 그의 연구 대상이 워낙 희귀한 종이었기에 대중지에서도 일대 화제가 되었던 연구였다. 그 프로젝트는 지금까지 알려지지 않았던 커틀랜드솔새의 방대한 이동 경로에 대한 자세한 내용을 밝혀냈다. 그러나 지오로케이터는 단점이 있다. 철새의 위치에 대한 매우 개략적인 추정치(반경 150킬로미터 정도 내에서만 정확하다)만을 제공할 뿐이며, 그것도 다음 해에 그 새를 다시 포획해서 지오로케이터에 저장된 데이터를 내려받은 뒤에나 알 수 있다는 점이다. 그 새를 다시 포획할 수 있을지 여부는 모르지만 할 수 있을 것이라고 기대하고 작업을 한다. 그러나 이번 시즌에 쿠퍼는 무게가 0.2그램 정도 나가는 초소형 무선송신기인 나노태그를 사용하고 있다. 나와 친구들이 최근 몇 년 동안 북미 북동부 지역 전역에 설치하고 있었던 자동 수신 기지국 네트워크로서, 이미 북극에서 남아메리카 대륙까지 뻗어 나가는 국제적인 망이 된 모투스 시스템이 그 나노태그들에서 내보내는 전파를 추적한다. 모든 일이 계획대로 된다면, 그 솔새들이 몇 주 내에 캣아일랜드를 떠나는 4월 중순, 쿠퍼는 그 수신 기지국들을 통해서 북쪽으로 이동하면서 플로리다와 조지아에 상륙하고 다시 오대호로 이동하는 새들을 뒤쫓을 수 있을 것이다. 그들이 미시건주에 도착하자마자, 기본적으로 커틀랜드솔새의 주요 번식지 전체를 커버하는 모투스의 11개 기지국 수신탑들에 설치된 지향성안테나들이 나노태그를 부착한 솔새들의 위치를 신속하게 포착해서 그들이 둥지를 트는 데 성공하는지 쿠퍼와 그의 동료들이 지속적으로 모니터링할 수 있게 도와줄 것이다.

이 계획은 그 밖의 다른 명금류 철새에게는 작동하지 않을 것이다. 북미에 서식하는 산새류 가운데 그런 국한된 범위 안에서 오가는 철새는 없기 때문이다. 따라서 그러한 특수성은 그들이 이동하는 양쪽 끝에서 동일한 개체가 발견될 가능성을 높인다. 커틀랜드솔새는 늘 아주 좁은 범위의 특정 지역 안에 서식하는 것처럼 보인다. 그래서 그들은 오랫동안 수수께끼 같은 존재였다. 그 새의 최초 표본은 1851년 오하이오에서 수집되었는데, 저명한 박물학자인 재리드 커틀랜드Jared Kirtland의 농장에서 처음 발견되었다고 해서 그의 이름을 갖다 붙였다. 그러나 그들은 이후 25년 동안 네 번 더 모습을 드러냈을 뿐이다. 28년 뒤, 과학자들은 바하마 제도에서 그들의 월동지를 발견했다. 하지만 커틀랜드솔새의 둥지가 처음으로 미시건주 북부에서 발견되면서 그들의 번식지에 대한 수수께끼가 풀린 것은 그 새가 최초로 발견되고 나서 50년 이상이 더 지난 1903년이었다. 과학자들은 그 새가 아주 특수한 환경에서만 서식하는 새라는 사실을 깨달았다. 커틀랜드솔새는 거의 메마른 모래

토양에서만 잘 자라는 키 작고 수명이 짧은 침엽수인 뱅크스소나무의 어린 나무가 빽빽이 들어찬 곳에만 둥지를 트는데, 그 숲은 미시건주 로우어반도Lower Peninsula 북부의 아한대 지역 남방 한계선까지 이어진다. 반면에 뱅크스소나무는 불에 강한 나무다. 약 3~5센티미터 정도 피칸* 열매 크기의 완만한 원추형 솔방울이 계절마다 끊임없이 달리는데, 화염에 그슬린 뒤에만 과린(果鱗)**이 열리면서 0.01제곱킬로미터당 500만 개의 엄청나게 많은 씨앗을 방출한다. 뱅크스소나무가 무성한 숲을 불길이 휩쓸고 난 뒤 몇 년 지나면, 속성수인 뱅크스소나무 수백만 그루가 뾰족한 솔잎들이 무성한 초록빛이 감도는 회색의 솔가지들을 꼿꼿이 세우고 물결치는 대양 같은 거대한 수풀을 형성한다. 그러면 커틀랜드철새들은 그 아래에 있는 이끼와 블루베리 열매들 사이에 잘 위장된 땅바닥 둥지를 짓는다.

이런 생태 환경이 형성된 것은 홍적세 때로, 빙하기 때 빙하들이 뱅크스소나무 생태계를 미국 남동부 모래 해안 평지로 밀어 내렸다. 그 생태계는 다시 거기서부터 바하마 제도 인근까지 매우 순탄하게 이동했다. 당시는 지금보다 육지 면적이 10배 더 넓었는데, 해수면이 수 킬로미터 더 낮았기 때문이다. 빙하가 물러가면서, 뱅크스소나무 숲은 몇 세기에 걸쳐 북쪽으로 계속 이동했고, 그곳의 서식 환경에 의존하는 커틀랜드솔새도 그 뒤를 따라갔다. 해수면이 높아지며 바하마 지역의 육지가 점점 수면 아래로 잠기는 가운데, 해마다 커틀랜드솔새의 이동 거리는 조금씩 더 멀어졌다. 그러나 그 생태계 환경은 여전히 작동했다. 자연적으로 발생하는 화재와 원주민들이 화전을 일구기 위해 놓는 불이 뱅크스소나무 숲을 유지

* pecan. 가래나무과에 속하는 낙엽 교목으로 그 열매는 아메리카 원주민들이 즐겨 먹었던 것이다. 지금도 미국에서 여러 요리 재료로 쓰인다.

** 솔방울 겉면의 비늘처럼 우툴두툴한 부분으로 그 안에 씨앗이 있다.

했기 때문이다. 훗날, 19세기 후반에 이루어진 미시건주의 산림에 대한 전면적인 벌채와 수만 제곱킬로미터를 불태우고 수백 명의 인명을 앗아간 엄청난 산불은 뜻밖에도 커틀랜드솔새에게는 훨씬 더 넓은 번식 환경을 조성했을 수 있다.

그러나 20세기 들어 산림청의 산불 방지 노력 덕분에 상황이 완전히 달라졌다. 새로운 시작을 위해 불로 정화하는 일 없이도 숲은 커지고 울창해졌다. 커틀랜드솔새에게 적합한 서식지가 사라졌다. 화재 발생으로 새로 어린 뱅크스소나무 숲이 만들어진 몇몇 지역에서도 (새로 그 지역에 침입한) 갈색머리탁란찌르레기의 둥지 탁란 행동으로 커틀랜드솔새의 번식률은 점점 떨어졌다. 아마 당시에도 그렇게 많지 않았을 커틀랜드솔새의 수가 급감했고, 1967년에 처음으로 연방 멸종 위기종으로 지정되었을 때, 커틀랜드솔새도 거기에 포함되어 있었다. 4년 뒤에 조류 개체 수 조사를 진행했을 때, 커틀랜드솔새의 수는 60퍼센트가 감소해서 번식이 가능한 수컷이 201마리에 불과했다. 그러나 최악의 상황은 1974년에 왔다. 그 수가 167마리로 더 떨어진 것이다.

야생동물 관리원들은 재빠르게 움직였다. 그들은 커틀랜드솔새를 위한 새로운 서식지 마련을 위해 구역을 정해 일부러 불을 놓았다. 그러나 1980년에 약 1제곱킬로미터의 한정된 구역을 태울 예정이었던 산불이 번지면서, 무려 100제곱킬로미터의 산림을 태우고 수십 채의 가옥이 소실되었다. 게다가 짐 스위더스키Jim Swiderski라는 스물아홉 살의 생물학자가 화염 속에 갇혀 빠져나오려고 애쓰다 사망하는 사고가 발생했다. 알려진 대로 그 맥 레이크Mack Lake 산불은 두 가지 결과를 초래했다. 산림을 관리하는 정부기관들이 커틀랜드솔새의 서식지를 조성하기 위해 불을 놓는 일을 삼가게 만들었다. 그러나 그 큰불이 난 지 10년이 지나서 커틀랜드솔새들이 무리를 지어 다시 살아나고 있는 어린 숲으로 이동해 왔을 때, 산림

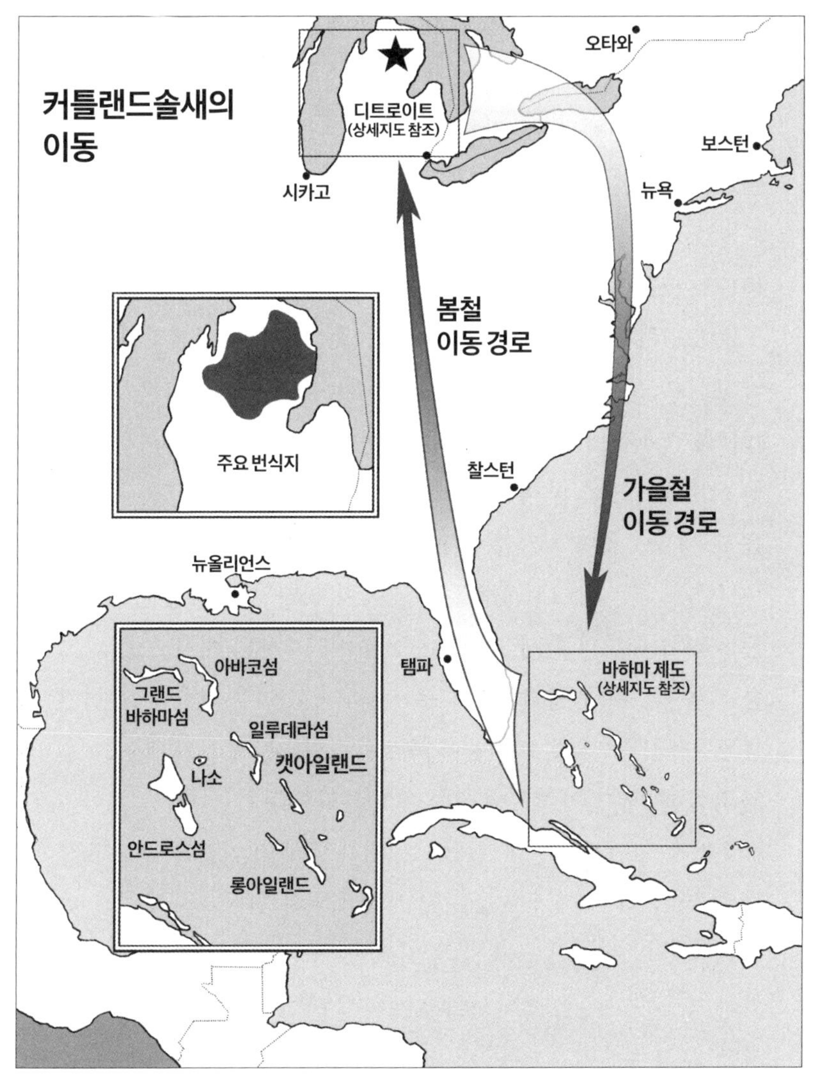

커틀랜드솔새는 해마다 매우 협소한 면적의 번식지가 있는 주로 미시건주 북부와 겨울을 나기 위한 월동지인 바하마 제도의 매우 작은 몇몇 섬들 사이를 오간다.

청 관리자들의 생각이 너무 소심했고 그들이 계획했던 어린 뱅크스 소나무 숲 조성 규모가 충분히 크지 않은 면적이었음이 밝혀졌다. 맥 레이크 산불이 비극적 사건이었던 것은 사실이지만, 멸종 위기에 있었던 커틀랜드솔새를 살렸다고도 볼 수 있다. 비록 아직도 번개와 인간의 부주의함 때문에 뱅크스소나무 숲 지역에서 여전히 산불이 일어나지만, 오늘날 연방정부와 주정부는 23개 거대한 구역을 지정해서 어린 뱅크스소나무 숲을 조성하기 위해 벌목과 이식하는 방법을 쓰고 있다. 그러한 접근 방식은 예상을 뛰어넘는 대성공을 거두었다. 오늘날 커틀랜드솔새의 개체 수는 4000마리에 이르며, 2019년에는 마침내 멸종 위기종 목록에서 제외되었다.

그러나 커틀랜드솔새에 대한 과학적 관심과 보전 문제에 대한 거의 모든 초점은 미시건주에 맞춰져 있었다. 1800년대 말에 박물관 표본을 만들기 위해 바하마 제도에 있는 커틀랜드솔새 70마리 이상을 사냥했던 것을 차치하고라도, 소수 몇몇을 제외한 모든 과학자는 그 새들이 해마다 그 섬들에서 일곱 달 이상을 보낸다는 사실을 무시했다. 쿠퍼와 그의 동료들의 생각이 맞다면, 캣아일랜드와 같은 바하마 제도의 환경 조건들은 커틀랜드솔새의 개체 수를 다시 늘릴 수 있는 아주 중요한 요소로 충분히 인정받을 만하다. 또 한편 생물학자들은 그러한 조건들이 빠르게 변화하는 세계 속에서 그 종의 확실한 취약점이 될 수도 있을지 모른다고 우려한다.

우리가 그 섬의 남단에 도착하니, 해가 벌써 떠 있었다. 쿠퍼는 점점 더 작아지는 비포장도로를 몇 차례 회전하더니 차를 세웠다. 바다는 불과 약 90미터 앞에 있다. 거센 바람에 출렁이는 파도 소리가 귀에 쟁쟁하고, 불쑥 솟아오른 코코야자나무 꼭대기들이 멀리 보이지만, 우리 주변에는 온통 키 작은 나무들이 빽빽하게 들어찬 수풀들만 있다. 달력 사진에는 거의 나오지 않을 그 수풀에는 관목들이 어수선하게 뒤섞여 있고, 가장 큰 나무라고 해봐야 4.5미터 정도이며, 잘 모르는 하층식물들이 무성하다. 여기서는 미국실새삼dodder이라는 기생식물이 많이 자라는데, 가느다란 주황색 덩굴손이 관목들과 심지어 나무 전체를 촘촘하게 감싸 올라가며 두텁게 뒤덮고 있는 탓에 그 안에 어떤 식물이 자라는지 거의 볼 수 없다.

「우린 대체로 길 위에서 작업을 합니다.」 쿠퍼가 등 뒤에 달린 칼집에서 마체테라고 하는 칼을 조심스럽게 꺼내 들고 커다란 배낭을 어깨에 메면서 말했다. 「어느 날은 이 칼을 들고 덤불을 헤치며 갔는데, 600미터를 나아가는 데 꼬박 두 시간이 걸렸어요.」

쿠퍼는 서른일곱 살로 제멋대로 뻗쳐 나간 갈색 곱슬머리에 구레나룻 턱수염, 작고 단단한 근육질 몸통의 열혈 암벽 등반가다. 그가 자랑스럽게 내보이는 두 팔뚝의 안쪽에는 조심스레 새겨 넣은 문신이 있는데, 한쪽 팔뚝에는 미시건주 소방관이었던 할아버지를 기리는 옛날 소방차가 그려져 있고, 다른 한쪽에는 공상 과학에 대한 선친의 열정을 나타내는 일종의 스팀펑크*류의 문신이 그려져 있다. 그 문신들 위로 긁히고 벌레 물린 자국들은 바하마 제도 관목 덤불 지대에서의 작업이 얼마나 힘든 일인지를 잘 보여 준다.

오늘 함께 작업하는 또 한 사람은 과묵하고 짙은 턱수염을 하고 있는 크리스 폭스Chris Fox인데, 일부 현장 작업을 지원하기 위해 인디애나 보전 지구Indiana conservaiton district의 내근 업무를 잠시 멈추고 이곳에 왔다. 폭스는 어깨에 무거운 무선수신기를 메고 알루미늄 새그물 막대를 손에 들고, 쿠퍼는 휴대용 야생동물 호출스피커predator caller를 켜고 덤불숲에 커틀랜드솔새 수컷의 울음소리가 울려 퍼지게 하면서 잰걸음으로 모랫길을 활보했다. (언제나 믿을 수 있는 데이비드 앨런 시블리**는 커틀랜드솔새의 노랫소리를 〈그윽하면서 단호하게 《플립 립 립-립-팁팁-치딥》 하고 우는데, 음조가 높고 강하다〉라고 표현한다. 앞으로 며칠 동안 잠결에 듣게 될 소리다.)

* Steampunk. 19세기 역사적 배경을 가진 증기기관을 바탕으로 하는 공상 과학 소설 장르.

** David Allen Sibley. 50년 넘게 새를 관찰하고 그린 미국인 탐조가로 베스트셀러 조류도감 작가이자 화가.

우리는 허리케인을 대비해서 셔터가 내려져 있는 새로 지은 별장을 지나 작은 언덕 위를 터덜터덜 오르다 다시 내려갔다. 덤불 속에서 〈칩스!〉 하는 성난 울음소리가 연속적으로 발사되어 나왔다. 커틀랜드솔새가 자기 영역임을 알리는 신호다. 두 생물학자가 그 덤불 주변에 그물을 설치하고 몇 분 뒤, 스피커에서 나오는 소리가 자기 영역을 침입한 새의 소리라고 생각한 커틀랜드솔새가 자신의 정당한 분노를 표출하기 위해 뛰쳐나왔다 그물에 걸렸다.

그 솔새는 수컷으로 무게가 16.5그램, 약 0.6온스다. 보통 평균적인 체중보다 2그램 더 무겁다. 그것은 이 새가 그동안 과일과 벌레를 많이 먹었다는 표시다. 「앞으로 이틀 안에 떠날 준비를 하고 있었던 것 같아요. 이동을 위해서 체중을 늘리고 있을 때 우리가 잡았나 봐요.」 쿠퍼의 말이다. 그는 일상적으로 측정하는 것 말고 새의 날개에 있는 정맥에서 피를 몇 방울 빼냈다. 그리고 새가 싼 물똥이 그의 바짓가랑이에 튀자, 폭스는 그것을 준비하고 있던 작은 플라스틱 주걱으로 주워 담아 방부제가 들어 있는 작은 유리병에 넣고 바지에 남은 얼룩은 네모난 흡수지로 문질러 지웠다. 시카고 필드 자연사 박물관에 근무하는 한 동료가 커틀랜드솔새의 미생물군유 전체가 겨울부터 여름까지 어떻게 바뀌는지, 그리고 그것이 그들의 생존과 번식에 어떤 영향을 끼칠 수 있는지를 연구하고 있는데, 아직까지 아무도 그런 연구를 진행한 적이 없었다. 끝으로, 그 솔새의 다리에 멀리서도 눈으로 식별 가능한 독특한 유색 가락지들을 달고, 허리 부분에는 초소형 나노태그를 얹은 다음 탄성이 있는 고리를 양쪽 다리에 걸어서 고정시켰다. 이 무선송신기는 무게가 0.3그램 정도밖에 안 나가는데, 모스부호처럼 암호화된 식별 전파를 발송한다. 그 전파는 이 솔새의 고유한 개체 신호로, 모투스 네트워크의 어느 수신 기지국에서든 그 신호를 잡아서 그 새가 통과하고 있음을 확인한다.

난리가 나기 직전, 로라 필립스와 데이비드 토미오, 이언 스텐하우스가 회색곰 한 마리가 다가오는 것을 모른 채, 툰드라 지대에서 휴식을 취하고 있다.

북아메리카에서 가장 높은 산이 있는 총면적 2만 4300제곱킬로미터에 이르는 디날리 국립공원은 160종이 넘는 새들에게 보금자리다. 그 가운데 많은 종이 겨울을 나기 위해 남아메리카 남부나 아프리카 동부, 동남아시아 등지의 월동지로 이동한다.

회색곰과 그에 못지않게 위험할 수 있는 말코손바닥사슴은 알래스카 지역에서 조류 연구를 위한 조사를 할 때 늘 조심해야 할 대상이다.

지구상에 수백 마리밖에 남아 있지 않은 넓적부리도요 수컷 한 마리가 황해에서 막 도착한 러시아 극동의 툰드라 지대에서 반복해서 지저귀고 있다.

좀도요, 민물도요 같은 도요물떼새 수천 마리가 상하이 바로 북쪽에 있는 둥링 갯벌의 단단한 갯바닥 위를 소용돌이치듯 빙빙 돈다. 해마다 황해의 간석지로 몰려드는 800만 마리의 도요물떼새 가운데 일부다.

데니스 피어스마와 주병윤이 보하이만 해안선을 따라 흑꼬리도요 떼를 살펴보고 있다. 흑꼬리도요는 주병윤의 박사 학위 논문 주제다.

중국의 황해 해안을 따라 위치한 티아오지니 지역과 같은 곳에 있는 갯벌들은 썰물 때면 바다 쪽으로 수 킬로미터나 멀리까지 펼쳐지는데, 그곳에는 도요물떼새 철새들이 좋아하는 해양 무척추동물들이 가득하다.

징리는 몇 안 되는 중국의 환경 보호 활동가 가운데 한 명으로, 그녀의 연구는 황해 갯벌이 넓적부리도요를 비롯해 수십 종의 도요물떼새 철새들에게 매우 중요하다는 것을 보여 주었다.

석탄을 연료로 쓰는 화력발전소, 풍력발전용 터빈, 새우 양식장, 그리고 통행 차량들로 몹시 붐비는 고속도로들이 몇 년 전까지 비옥한 갯벌이었던 황해 해안에 잔뜩 들어섰다.

이처럼 아주 작은 아메리카도요들이 해마다 가을에 펀디만에서 브라질까지 논스톱으로 날아서 이동할 수 있다. 육상선수들이 기록 향상을 위한 약을 먹는 것처럼, 그들도 오메가3가 풍부한 해양 무척추동물을 먹는 것은 그것이 어느 정도 그런 능력을 뒷받침하기 때문이다.

갈라파고스 제도 제노베사섬에서 새끼 새에게 그늘을 드리우고 있는 이 수컷 큰군함조는 최대 열흘까지도 걸릴 수 있는 먹이를 찾아 떠난 여행 동안 거의 잠을 자지 않는다. 오랜 기간 이동하는 철새들도 이런 방법을 쓴다.

어느 뜨거운 여름날, 데이브 브링커가 펜실베이니아에서 모투스 수신 기지국에 필요한 지향성안테나 하나를 조립하고 있다.

노란날개솔새는 가을철 이동을 시작하기 전 몇 주 동안 서식지 교환을 해서 과학자들을 깜짝 놀라게 한 여러 종의 철새들 가운데 한 종이다. 이 새의 일생에 대해서는 아직까지 거의 알려진 것이 없다.

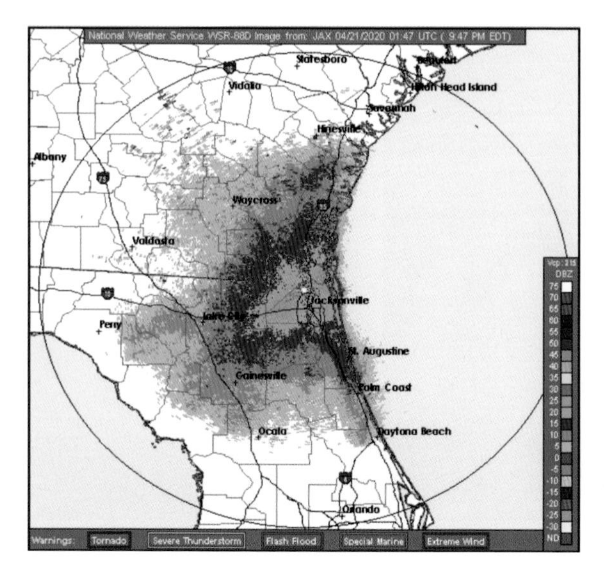

4월 어느 따뜻한 봄밤에 도플러 레이더가 플로리다의 잭슨빌 상공에 청색과 녹색 반점들이 흩어져 있는 모습을 보여 주고 있다. 비가 내리는 것이 아니라, 밤하늘 높이 북쪽으로 이동 중인 수백만 마리의 명금류 철새들의 레이더 전파 반사 신호다. 새들은 강수 표시와는 달리, 대서양 상공 위로 비껴 나가지 않고 있다. (미국 기상청)

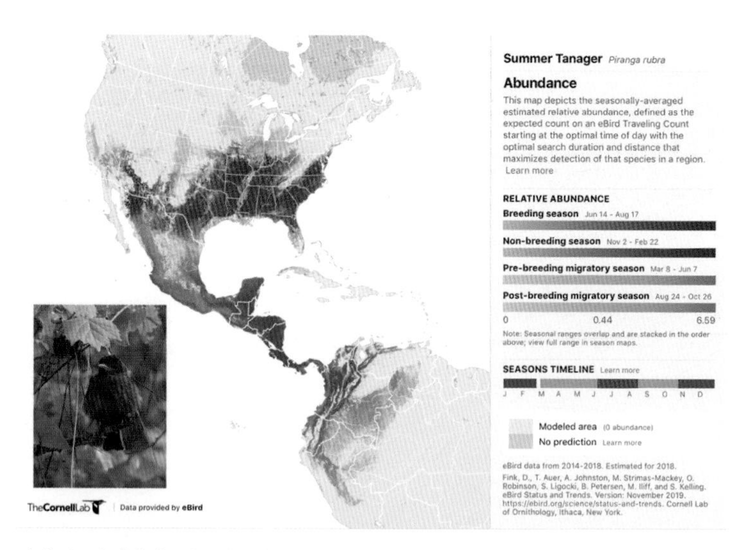

이버드는 전 세계 탐조가들의 수많은 관찰 기록을 바탕으로 구축된 것이다. 여름풍금조summer tanager의 연중 이동 상황을 보여 주는 이 분포도로 알 수 있는 것처럼, 이버드는 새의 서식 규모와 이동을 알려 주기 위해 개발된 지금까지의 어떤 것보다 가장 강력한 도구 중 하나임을 입증했다.

내이선 쿠퍼 박사가 나노태그 송신기에서 보내는 신호를 따라가고 있다. 그 신호는 바하마 제도 캣아일랜드의 뚫고 들어가기 힘든 관목 덤불 안에 있는 희귀한 커틀랜드솔새의 위치를 알려 준다.

새끼 새들에게 줄 애벌레를 입에 하나 가득 문 커틀랜드솔새 수컷 한 마리가 침입자를 평가하기 위해 잠시 동작을 멈추었다.

지구상에서 커틀랜드솔새의 유일한 월동지인 바하마 제도의 80퍼센트가 해발 1미터 이하다. 따라서 해수면 상승은 현재 개체 수가 회복 중에 있는 이 종에게는 생존의 위협을 의미한다.

해마다 기온이 상승하고 봄철이 점점 더 빨리 오면서, 과학자들은 철새들, 특히 열대 지방에서 오는 장거리 이동 철새들이 급속하게 빨라지고 있는 계절의 변화에 발맞출 수 없는 상황이라는 사실을 발견하고 있다.

배낭용 벨트로 고정해 놓은 태양광 송신기가 뉴저지 해안에 있는 흰올빼미의 깃털 아래로 삐죽이 나와 있다. (© JIM VERHAGEN)

새로 부착한 가락지가 오른쪽 다리에서 반짝이는 적갈색벌새가 펜실베이니아의 1월 어느 날 차가운 햇살을 받으며 앉아 있다. 이 새는 가장 눈에 띄게 확장한 여러 종의 벌새들 가운데 하나인데, 그러한 확장은 기후와 자연 풍광의 변화 덕분에 가능해졌다. (© TOM JOHNSON)

80킬로미터 이상 떨어진 곳에 있는 샤스타산Mount Shasta이 북캘리포니아 뷰트계곡Butte Valley의 농장 들판과 초지 위로 우뚝 솟아 있다.

황무지말똥가리의 공격으로 눈 주위에 상처가 난 크리스 베넘이 곧 돌아올 부모 새가 없는 틈을 타서 듬성듬성 자란 노간주나무 높은 곳에 있는 둥지에서 새끼 새 한 마리를 꺼내고 있다.

새로 포획한 말똥가리 한 마리를 안정시키기 위해 두건을 씌워 안고 있는 브라이언 우드브릿지가 그 새의 짝에게 가락지를 채우는 동안, 카렌 핀리 Karen Finely와 함께 작업이 끝나기를 기다리고 있다. 작업이 끝나면 그 두 마리의 새는 함께 풀려날 것이다.

황무지말똥가리는 세상에서 가장 멀리 이동하는 맹금류 철새 가운데 하나다. 해마다 가을이면 북아메리카 초원 지대에서 아르헨티나 팜파스 지역까지 약 1만 2800킬로미터를 이동한다.

수백만 마리의 강인한 큰슴새Great shearwater는 남대서양 한가운데 있는 아주 작고 외따로 떨어진 트리스탄다쿠냐Tristan da Cunha 제도와 고프섬Gough Island에 둥지를 트는데, 아한대 여름에 뉴잉글랜드에서 스코틀랜드까지 약 1만 9000킬로미터를 해마다 순환 이동한다.

제비보다 약간 더 큰 윌슨바다제비는 대부분의 원양 바닷새pelagic bird들처럼 일생의 대부분을 계절에 따라 북빙양과 남빙양 사이를 이동하며 육지에서 멀리 떨어져 지낸다.

지는 석양이 키프로스섬 남쪽의 한 염수호에 있는 한 무리의 큰홍학greater flamingo들의 검은 그림자를 희미하게 비춘다. 키프로스섬은 인간의 마구잡이 사냥과 포획 때문에 철새들의 〈블랙홀〉로 불린다.

명금류 철새들에게 아주 불운한 죽음의 덫인 강력한 접착제가 발린 끈끈이막대를 들고 있는 로저 리틀.

키프로스의 영국령 주권기지영역Sovereign Base Area의 경찰대원 한 명이 밀렵을 막기 위한 불법 침입 금지 야간 감시 임무를 끝내고 착륙하는 드론을 잡으려고 손을 뻗치고 있다.

인도 동부의 나갈랜드Nagaland는 대체로 엄청나게 도로 사정이 나쁘다. 아주 큰 마을이 아니면 비상한 각오 없이는 여행을 떠나기가 힘들다.

날렵하고 빠른 비둘기조롱이Amur falcon는 중국과 몽골에서 러시아 극동 지방에 이르는 지역에서 번식을 하며, 인도양에서 아프리카 남부까지 약 3800킬로미터를 가로지르는데, 맹금류 가운데 바다 위를 가장 오랫동안 비행하는 철새다.

바노 하랄루(그 옆에 있는 사람이 저자)는 나갈랜드에서 광범위하게 자행되고 있던 비둘기조롱이에 대한 대대적인 살육에 대해서 최초로 경종을 울린 사람들 가운데 한 명이었다.

비둘기조롱이 수만 마리가 단지 몇 년 전까지만 해도 대학살의 현장이었던 도양저수지Doyang Resevoir의 많은 보금자리 중 한 곳에서 날아오르고 있다.

대다수 나가족 남성들처럼, 이 어부는 어깨에 엽총을 메고 허리에는 새를 잡는 고무총을 차고 있다. 나갈랜드 마을 근처에서 야생동물을 보기 힘들고 그들이 얼씬 거리지 않는 이유가 바로 이 때문이다.

금방 다시 잡은 이 검은머리솔새에 부착된 작은 지오로케이터에 저장된 데이터는 알래스카에서 아마존강 유역까지의 이동 경로를 상세하게 보여 준다.

디날리 국립공원의 산길을 다채로운 색상으로 물들이는 아침노을.

쿠퍼가 송신기를 조정하고 폭스는 그 초소형 추적 장치가 작동하고 있는지 수신기를 만지작거리고 있을 때, 잡지에 송고할 사진을 닥치는 대로 찍고 있는 사진작가 카린 아이그너Karine Aigner는 카메라 파인더로 위를 흘긋 쳐다보았다. 「저기 또 한 마리가 있네요.」 그물을 쳐놓은 근처의 빽빽한 덤불에서 꼬리를 경쾌하게 까닥거리며 천천히 나오는 두 번째 커틀랜드솔새의 모습을 보건대, 그 새는 방금까지 들리던 노랫소리가 갑자기 잠잠해진 원인이 무엇인지 조용히 찾고 있는 것이 분명하다. 폭스가 다시 녹음된 울음소리를 튼지 얼마 지나지 않아 이 새로운 수컷도 그물에 걸렸다. 그들이 이 두 번째 솔새에 대해서도 마찬가지 조치를 취하고 나노태그를 부착하기도 전에, 세 번째 솔새가 그물에 걸려들었다. 이번에는 암컷이다.

「암컷으로는 이것이 여섯 번째 새인 것 같아요.」 쿠퍼가 그 작은 새를 그물에서 떼어 내며 말했다. 「암컷은 수컷처럼 녹음된 울음소리에 반응하지 않기 때문에, 이 개체는 여러모로 매우 귀합니다.」 이 암컷은 대부분의 명금류 암컷들처럼 전반적으로 비록 같은 종의 수컷보다 약간 더 작지만, 쿠퍼가 그 새의 체중을 측정한 결과 우리가 앞서 잡은 수컷보다 약간 더 무겁다. 현재의 신체적 조건이 매우 좋다는 표시다. 오늘은 쿠퍼 일행이 한 달 내내 여기서 지냈던 날들 가운데 가장 운 좋은 날 중 하루에 속한다. 그래서 비록 뙤약볕 아래 녹아서 끈적끈적해진 땅콩버터와 젤리 소스가 들어간 샌드위치를 먹고 물을 들이키며 늦은 아침 겸 점심을 때우고 있을 때, 네 번째 새가 그물 근처를 빙빙 돌다가 그냥 날아가도 그다지 기분이 나쁘지 않았다.

그러나 다음 날 나는 보통 이런 작업이 어떻게 진행되는지 마침내 엿볼 기회를 가졌다. 지난밤 폭우가 내린 뒤라 대기는 후텁지근하고 해뜨기 전인데도 후끈하다. 흡혈파리와 모기들이 떼 지어 날아다니고 있지만, 한 주 전에 그들이 당했던 것에 비하면 벌레들은 거의 없는 편이다. 그때는 날씨가 훨씬 더 뜨거웠고 피를 빨아먹는 모래파리들이 연구팀 숙소의 방충망을 뚫고 들어올 정도였다고 한다. 「우린 실내에서도 창문을 모두 닫고 긴소매 윗도리를 입고 바지는 양말 속에 넣어야 했지요. 전 그럼에도 온통 물어뜯겼어요. 정말 끔찍했죠.」 쿠퍼의 말이다.

우리는 허리 높이밖에 안 되는 초목들을 통과해서 또 다른 모랫길을 뒤뚱뒤뚱 미끄러지듯 갔다. 땅바닥이나 그 근처에서 먹이를 찾는 커틀랜드솔새에게 매우 완벽한 장소다. 「그들은 이런 걸 먹어요.」 쿠퍼가 키 작은 관목을 하나 가리키며 말했다. 나는 그가 말하고 있는 것이 정확하게 무엇인지 확인하려고 다시 한 번 들여다보았다. 「바로 여기요. 블랙토치*라는 건데, 그들이 가장 잘 먹는 식물 중 하나죠.」 그는 내게 아주 작은 말린 과일들을 보여 주며 지름이 약 1.5밀리미터밖에 안 된다고 설명했다. 이 솔새의 또 다른 주식은 와일드세이지wild sage나 버튼세이지button sage라고 알려진 란타나lantana라는 관목인데, 마찬가지로 핀의 머리만 한 아주 작은 자줏빛 열매를 맺는다. 이 관목에게 최적의 서식지, 따라서 커틀랜드솔새에게 최적의 서식지는 버려진 들판과 오래된 염소 목초지처럼 뭔가 불안정하고 어수선한 서식지다. 캣아일랜드는 우연히도 화전을 일구는 원시적인 농법 덕분에 그런 서식 환경이 유지되고 있다.

몹시 뜨거운 햇살이 머리 위에서 내리쬐고 있다. 해변 모래사장에 박힌 흰 산호 조각들은 햇볕을 받아 반짝였다. 우리는 발을 헛딛거나 계속 미끄러지면서 3킬로미터 이상을 걸었다. 야생동물 호출 스피커에서는 커틀랜드솔새의 노랫소리가 힘차게 흘러나오는데, 눈가에는 땀이 흘러내리고 넓적다리 근육에 통증이 왔다. 〈플립 립 립-립-팁팁-치딥.〉 잠시 멈춤. 〈플립 립 립-립-팁팁-치딥.〉 잠시

* black torch. 꼭두서니과에 속하는 관목.

멈춤. 〈플립 립 립-립-팁팁-치딥.〉

「이렇게 계속 녹음된 새소리를 반복해서 들으면 정신이 돌지 않나요?」

「전 이젠 더 이상 그 소리가 들리지 않아요.」 내 물음에 쿠퍼가 대답했다. 「그런데 아바코Abaco섬에서는 미치겠더군요. 그때는 아침 6시부터 오후 2~3시까지 계속한 일이 이거죠. 나중에는 뜨거운 햇살에 완전히 녹초가 되어 더 이상 거들떠보지도 않았어요.」 그는 2015년 일을 이야기하고 있었다. 그가 처음으로 바하마 제도에서 현장 조사를 시작한 때다. 그때 그들은 바하마 제도 북쪽에 있는 커다란 아바코섬을 커틀랜드솔새의 거점으로 생각해서 그 섬에 조사 역량의 상당 부분을 집중했다. 그것은 실패작이었다. 3주 넘게 뙤약볕 아래서 날마다 엄청난 거리를 걸으며 거의 쉴 새 없이 조사를 진행했지만, 쿠퍼와 그의 연구팀이 거기서 발견한 커틀랜드솔새는 딱 네 마리뿐이었다. 쿠퍼 일행은 아바코섬이 소나무가 너무 많고 커틀랜드솔새가 선호하는 키 작은 낙엽성 덤불이 충분치 않다는 사실을 뒤늦게 깨달았다. 과거 기록에 나온 솔새들은 아마도 이동 중에 있는 새였고 월동지로 찾아온 새들이 아닐 수 있었다. (또한 아바코섬에 있는 것 같은 송림을 좋아하는 바하마 제도의 노랑목솔새 yellow-throated warbler는 그것과 닮은 희귀한 사촌인 커틀랜드솔새와 헷갈리기 쉽기 때문에, 오인했을 가능성이 꽤 높았다.)

쿠퍼는 아바코섬에서의 조사가 실패였음을 확인하고 심신이 지친 연구팀을 이끌고 일정이 끝나갈 즈음 캣아일랜드로 왔는데, 거기서 곧바로 수십 마리의 커틀랜드솔새를 발견하고는 너무 기뻐서 거의 쓰러질 뻔했다. 그들은 어쩌면 지구상에서 이 희귀한 솔새들이 가장 많이 모여서 겨울을 나는 곳일지도 모르는 장소를 우연히 발견한 것이다.

커틀랜드솔새의 독특한 울음소리가 또 들렸다. 우리는 그물에 걸린 또 한 마리의 솔새를 떼어 내서 나노태그를 부착한 다음, 혈액을 채취하고 새똥을 떠 담았다. 「우리가 찾고 있는 의문점들 가운데 하나는 커틀랜드솔새가 약 3200킬로미터를 이동할 때, 그 새의 미생물군유전체가 어떻게 변화하는가 하는 것입니다.」 쿠퍼가 시료 조사지에 떨어져 있는 얼룩들을 지우면서 이야기했다. 「혈액 기생충의 부하가 철새의 두 차례 이동 기간에 커틀랜드솔새의 체내에서 어떻게 바뀔까요? 우리는 하나의 미생물군유전체 안에서 (같은 해 다른 시기에) 서로 다른 유기체들이 어떤 영향을 끼치는지 아직까지 모르고 있어요.」

지금 것은 이번 조사 기간에 잡은 59번째 솔새다. 조사 기간이 며칠 남지 않았다. 쿠퍼가 당초에 세운 100마리 솔새에 나노태그를 부착한다는 목표는 달성하기 어려울 것이 분명하다. (최종적으로 63마리의 커틀랜드솔새에 나노태그를 부착했다.) 쿠퍼의 어깨가 처진 정도로 볼 때, 이번 조사의 결과는 그다지 큰 것은 아니지만 만족할 만하다. 더군다나 앞으로 몇 달 뒤에는 미시건주에서 그들이 날려 보낸 새들을 찾아 다시 잡고 관찰하는 힘든 일이 기다리고 있다. 또한 그 새들의 월동 조건이 나중에 다시 이동할 때의 비행 속도와 생존, 그리고 번식 성공에 어떻게 영향을 끼쳤는지 알아내는 작업도 진행해야 한다.

그날 오후, 우리는 그들이 조사 기간 동안 빌린 해변 숙소의 지붕 달린 데크에 앉아 있었다. 그다지 높지 않은 절벽 아래로 푸른 파도가 세차게 밀려오고, 꼬리가 돌돌 말린 도마뱀들이 우리가 앉은 의자 아래로 재빠르게 달려갔다. 폭스는 아직 겨울이 끝나지 않은 3월의 차가운 바다에서 스노클링을 하고 있다. 거의 날마다 하는 일이다. 반면에 턱수염이 듬성듬성 나고 약간 조니 애플시드*의 분위기

* Johnny Appleseed. 서부 개척시대에 사과 종자를 전국에 퍼뜨리고 다녔다는 전설

를 풍기는 키 크고 멀쑥한 인턴인 스티브 케어드Steve Caird는 수십 개의 채변 시료 카드를 분류하고 있다. 이 일은 그들이 채취한 새의 혈액이 담긴 유리병들과 함께 미국 본토로 반출입하기 위한 다량의 서류 작업이 수반된다.

쿠퍼가 가장 최근에 실시된 이번 조사를 더 넓은 과학적 관점에서 바라보며 이월 효과로 이어지는 연구 과정에 대한 개요를 서술하고 있을 때, 쌘구름이 어느새 잔뜩 몰려들었다. 금방 비가 쏟아지면서 물결 모양의 플라스틱 지붕을 빗방울이 두드리기 시작했다. 때마침 우연히도, 쿠퍼는 내게 전통적인 겨울철 건기에 강수량이 궁극적으로 커틀랜드솔새의 운명을 어떻게 결정할 수 있는지에 대해서 많은 이야기를 하고 있는 중이었다.

1970년대로 거슬러 올라가, 일부 물새를 연구하는 학자들이 일부는 스웨덴에서 고니를, 또 일부는 캐나다에서 흰기러기snow goose를 연구하면서 월동지 서식 조건들이 번식기로 이월될 수도 있다는 사실을 알아차렸다. 그러나 대다수 전문가들은 새의 번식 성공을 결정짓는 진짜 원동력은 몇 달 전에 일어난 일이 아니라 현재의 번식지 조건이라고 추정했다. 1998년에 새로운 발견이 발표되었다. 쿠퍼의 스미스소니언 철새 센터 상관인 피터 마라—당시에는 다트머스 칼리지에서 박사과정 학생—가 미국딱새에 대한 연구 결과를 발표하면서, 이월 효과에 대한 학문적 연구가 불붙기 시작했다.

미국딱새는 아주 선명한 색깔의 날개와 꼬리를 자랑하는 매우 활동적인 꼬마 요정이다. 수컷의 경우는 검정색 바탕에 주황색이고 암컷의 경우는 회색 바탕에 노란색인데, 그들의 먹이가 되는 곤충들은 그 번쩍이는 색을 보고 우거진 숲 안에서 뛰쳐나온다. 미국딱

적인 인물.

새는 서반구에서 가장 많이 볼 수 있고 광범위하게 분포되어 있는 명금류 철새 가운데 하나다. 그들은 발견되기 쉽고 울음소리가 고음이고 사람들이 관찰하기 좋은 꽤 낮은 곳에 둥지를 튼다. 따라서 조류학자들이 말하는 것처럼, 여러모로 연구하기에 좋은 이상적인 연구 대상으로 〈대표적인 종〉이다. 과학자들은 둥지 생태와 자웅 선택, 개체 수 감소 같은 일반적으로 명금류 철새에 영향을 끼칠 수 있는 많은 문제를 연구할 때 미국딱새를 표본으로 삼는다. 다트머스 칼리지에서 마라의 박사과정 지도 교수였던 리처드 홈스Richard Holmes는 미국딱새 연구의 선도자였기 때문에 마라가 자신의 박사 학위 논문으로 그런 연장선상에 있는 주제를 선택한 것은 놀랄 일이 아니다.

1998년 마라와 홈스는 캐나다 야생동물 보호청Canadian Wildlife Service 소속 케이스 홉슨Keith Hobson과 함께 『사이언스』에 미국딱새 연구에 기반이 되는 획기적인 논문을 발표했다. 그들은 자메이카의 미국딱새 월동지에서 나이 먹은 수컷이 더 살기 좋고 먹이가 풍부하며 습한 맹그로브 숲을 차지하고, 암컷과 나이 어린 수컷은 대개 더 건조하고 2차림 관목 지대에서 서식한다는 사실을 알아냈다. 이러한 성과 나이를 기반으로 서식지 차별이 발생하는 것은 많은 명금류 철새들 사이에서 흔한 일이었다. 그러나 성과 관계없이 습지 숲에서 서식하는 미국딱새는 체중을 잘 유지하거나 통통하게 살이 오르며 잘 지내는 반면, 건조한 관목 덤불에서 서식하는 미국딱새는 체중이 감소하는 것을 비롯해서 신체적 조건이 악화되는 여러 가지 증세들을 보였다.

그러나 연구 지역에 있었던 그 미국딱새들이 자메이카를 떠났을 때, 북쪽으로 이동하는 그들을 추적 관찰할 방법이 없었다. 그래서 마라와 그의 동료들은 미 북부 산림에서 서로 다른 미국딱새들을 잡아서 약간의 혈액을 채취하고 그 채혈 시료들에서 안정성 탄소동위원소stable carbon isotope의 비율을 분석했다. 그들은 그에 앞서 자메이카에서 서식 환경이 좋은 숲에서 겨울을 난 새와 서식 환경이 좋지 않은 덤불 지대에서 겨울을 난 새의 안정성 탄소동위원소의 비율을 분석해서 미리 파악하고 있었다. 마라는 그 두 가지 분석 자료를 비교한 결과, 북부 산림에 가장 먼저 도착하여 둥지를 틀기에 가장 좋은 구역과 최고의 짝을 선택한 새들이 자메이카 습지 숲에서 겨울을 난 새들임을 밝혀냈다. 반면에, 덤불 지대에서 겨울을 난 새들은 번식지에 늦게 도착하는 바람에, 최적의 짝짓기 장소를 선점당하는 신세가 되고 말았다. 그들은 또한 번식지에 일찌감치 도착한 새들에 비해 체중이 덜 나갔고 전반적인 건강 상태가 열악했다. 또한 건조한 서식지에서 있었던 암컷들은 새끼도 덜 낳았고, 그 새끼 새들은 겨울을 좋은 서식 환경에서 보낸 어미 새들에게서 태어난 새끼 새들보다 날갯짓을 하는 시점도 더 늦었다.

마라의 제자들은 이후 자메이카에서 겨울 날씨가 건조한 경우에는 습한 서식지에 있는 암컷 미국딱새들이 건조한 덤불에 서식하는 암컷 미국딱새들보다 건강 상태를 훨씬 더 좋게 유지하는 반면, 겨울 날씨가 습한 경우에는 두 군데 모두 새들의 건강 상태가 좋았다는 것을 보여 주었다. 그들은 또한 만일 건조한 서식지에 있는 새들을 습한 맹그로브 숲으로 옮길 수 있게 해주면, 그들의 건강 상태가 좋아지고 덤불에 남아 있는 새들보다 일찍 이동을 개시한다는 사실도 알아냈다. 이것은 〈서식 환경 개선 실험upgrade experiment〉이라고 알려진 것이다. 그러자 자신의 박사 학위 논문을 위해 자메이카에서 겨울을 여섯 차례 보낸 쿠퍼는 곧이어 그 연구와 반대로 서식 환경을 악화시키는 실험을 했는데, 그들의 먹이가 되는 곤충들을 제거하기 위한 목적으로 일부 독성이 약한 살충제를 썼다. 그 결과, 그곳의 미국딱새들은 근육량이 줄어들고 번식지로의 이동도 1주 정도 크게 늦춰졌다. (「전 악당이었죠.」 그는 실험을 위해 어쩔 수 없었지만 마음에 안 드는 일을 한 것을 떠올리며 씁쓸한 미소를 지었다.)

그러나 동일한 미국딱새가 월동지와 번식지를 오가는 것을 추적 관찰하여, 월동지에서의 변화가 어떻게 번식지에서 도움을 주거나 방해하는지 직접 측정할 수 있는 방법은 전혀 없었다. 미국딱새가 너무 흔한 까닭에 연구를 위한 대상으로 매우 적합하긴 했지만, 어떤 면에서는 개체 수가 너무 많고 분포 지역도 너무 넓었다. 북아메리카에 서식하는 미국딱새는 3900만 마리에 이르는데, 저 멀리 남쪽으로는 조지아와 텍사스, 북쪽으로는 래브라도와 유콘강 유역 일대까지 번식지가 널리 퍼져 있었다. 그들의 월동지는 멕시코 해안지대에서 중앙아메리카와 남아메리카 북부 지방, 그리고 카리브해 대부분 지역까지 뻗어 나간다. 따라서 만일 어떤 특정한 미국딱새 한 마리의 월동지 이월 효과를 직접 측정하기 위해 이동 경로의 양 끝에 있는 번식지와 월동지 모두에서 그 새를 발견하려고 한다면, 그것은 참으로 무모한 생각이다. 그러나 다행히도, 지난 반세기 동안 보전을 위해 골머리를 앓게 했던 커틀랜드솔새의 특성, 즉 적은 개체 수와 지나칠 정도로 좁은 서식지는 이 새가 바로 그 이월 효과를 설명할 수 있을 최적의 사례가 되는 조건에 일치하는 우연한 상황이 발생했다. 커틀랜드솔새의 개체 수는 수천만 마리가 아니라 수천 마리에 불과하며, 그들의 서식지 또한 아주 좁은 지역에 한정되어 있다. 겨울에는 거의 모든 커틀랜드솔새가 몇 안 되는 작은 섬들, 캣아일랜드, 일루데라섬, 산살바도르 등지에서 발견된다. 총면적은 다 합해도 2500제곱킬로미터도 안 된다. 여름이면 또한 거의 모든 새가 미시건주의 몇몇 카운티로 이동해서 어린 뱅크스소나무 숲이 잘 조성된 구역에 특히 집중적으로 모여든다. 월동지의 서식 조건이 번식지에 어떤 영향을 끼치는지 알기 위해 이보다 더 좋은 연구 대상은 없을 것이다.

캣아일랜드에서 이 철새들을 관찰하다 보면, 한 마리 작은 새에게는 매순간이 중요하다는 생각을 끊임없이 되새기지 않을 수 없다. 해뜨기 한참 전부터 해가 저물기 시작하는 순간까지, 그들은 집요하게 정신없이 먹이 찾기에 혈안이다. 어느 날 아침, 커틀랜드솔새가 녹음된 수컷의 울음소리에 응답하기를 기다리는 동안, 나는 캐나다 중부 아한대 숲 일대에 둥지를 트는 호리호리하고 노르스름한 야자수솔새palm warbler 한 마리를 지켜보았다. 머리 부분은 적황색 모자를 쓴 것 같고 꼬리깃을 쉴 새 없이 흔들어 댄다. 그 새는 길을 따라 이어진 빽빽한 덤불 속에서 앞으로 나아가며 나뭇가지를 이리저리 촐랑대며 옮겨 다니다 바닥에 떨어진 낙엽 밑을 들춰 보기도 하고, 두툼한 해조류 조각을 툭툭 찔러도 보고, 나뭇가지 끄트머리에 가 앉으려는 듯 그 근처에서 조심스레 날개를 파닥거리기도 한다. 내가 지켜보며 가만히 세어 보니, 그 새는 약 3초 간격으로 무언가를 쪼아 먹었다.

그러나 만일 먹이가 더 부족해지거나, 서식 환경이 조금 더 나빠지거나, 날씨가 약간 더 건조해져서 솔새가 먹이를 찾는 데 아주 조금 더 힘들어지게 된다면 어떻게 될까? 만일 그 작은 먹이를 평균 3초가 아니라, 4초에 하나씩 발견하게 된다면 어떻게 될까? 별로 차이가 없는 소리처럼 들릴지 모르지만, 그럴 경우, 그 새가 하루 동안 섭취할 수 있는 먹이의 25퍼센트가 줄어드는 셈이다. 엄청난 먹이 감소다. 그 새는 어쩌면 3월이나 4월에 다시 북쪽으로 이동할 때 필요한 여분의 지방을 제대로 축적하지 못함으로써, 마니토바나 온타리오주 서부 지방에서 여기로 내려올 때 비축해 두었다 다 써버린 지방분을 회수하지 못할지도 모른다. 철새에게는 그런 근소한 에너지 축적 여부가 운명의 성패를 가르는 척도가 된다.

피터 마라와 그의 동료들이 한 연구 작업은 철새 서식지에서의 계절별 이월 효과에 대한 연구를 촉진시키는 역할을 했다. 영국의 연구자들은 바하마 제도에서 유리솔새를 잡아 그들의 동위원소를 분석한 결과, 습한 서식지에서 겨울을 난 새들이 봄철에 이동할 때 건강 상태가 더 좋았다는 것을 밝혔다. 알래스카에서 흑기러기black brant를 연구하는 과학자들은 멕시코의 남쪽 끝에서 겨울을 난 기러기들이 번식지인 아북극 지대에 가장 늦게 도착하고 새끼도 더 적게 낳는다는 사실을 발견했다. 브리티시컬럼비아의 아메리카바다쇠오리Cassin's auklet에 대한 동위원소 분석 결과에 따르면, 그들에게 양질의 먹이인 작은 갑각류 수생동물인 요각류(橈脚類)가 풍부한 곳에서 겨울을 난 암컷들이 볼락처럼 질이 낮은 먹이를 먹으며 겨울을 난 암컷들보다 번식지에 더 일찍 도착하고 알의 크기도 더 크다는 것을 보여 주었다.

하지만 이월 효과가 새처럼 주기적으로 이동하는 생물체에만 해당되는 것이 아니라는 점은 주의할 필요가 있다. 쇠고래, 엘크, 붉은날다람쥐, 물고기 몇 종, 바다거북 같은 동물들에서도 이월 효과가 확인되었거나 있는 것으로 여겨진다. 그리고 앞으로 보겠지만, 철새들 가운데도 아주 흥미로운 예외들이 몇 가지 있음은 이미 과학계에서 확인되었다. 그러나 지금까지 나온 연구 결과를 종합했을 때, 대부분의 철새들에게 한 시즌에서의 불운이 다음 시즌으로 이어지고 그보다 훨씬 이후까지 영향을 끼친다는 것은 사실이다. 구세계의 명금류 철새들을 연구하는 과학자들은 유럽에서의 번식 성공과 수백만 마리의 철새가 겨울을 나는 사하라 사막의 남쪽 끝에 위치한 매우 건조한 사헬 지역의 겨울 강우량 사이에 매우 특별한 상관관계가 있음을 보여 주었다. 월동지에서 일어나는 일이 그냥 월동지에서 끝나지 않는다. (마라의 표현대로, 그러한 계절적 상호작용은 개체군의 크기에 영향을 끼칠 수 있는데, 그 반대의 경우도 발생한다. 북쪽에서의 번식 성공률이 높다는 것은 다음에 그들이 월동지로 이동했을 때 그들 사이의 경쟁이 더욱 치열해진다는 것을 의미할 수 있다.)

쿠퍼가 이야기하고 있는 지금 밖에서는 비가 마구 쏟아지면서 공기는 쌀쌀해지고 평소 청록색이었던 바다가 차가운 느낌의 진한 감청색으로 바뀌고 있다. 강수량은 커틀랜드솔새에게도 매우 중요한 요소인 것으로 보인다. 쿠퍼의 말에 따르면, 1981년에 과학자들은 바하마 제도에서 건조한 겨울을 났을 때보다 습한 겨울을 보냈을 때, 미시건주 번식지에 수컷 솔새들이 더 많이 모습을 드러낸다는 사실을 주목했다. 더 최근 들어, 피터 마라의 연구실 소속인 또 다른 과학자 사라 록웰Sarah Rockwell은 1년 중 가장 건기인 3월에 비가 내리지 않는다면, 커틀랜드솔새의 사망률이 급격하게 치솟는다는 사실을 알아냈다. 새들이 번식지에 도착하는 그런 상황에서, 그들은 둥지를 짓기 시작하는 때가 늦어지면서, 날아오르는 데 성공하는 새끼 새들의 수도 급락한다. 경험이 부족한 어린 수컷들은 특히 월동지에 비가 제대로 내리지 않으면 큰 타격을 입는다는 사실도 그녀의 연구로 밝혀졌다.

록웰은 무엇보다 바하마 제도의 섬들에서 겨울철 평균 강수량이 12퍼센트만 감소하더라도 최근 수십 년 동안 멸종 위기로부터 매우 칭송받을 만한 급격한 증가를 이룬 커틀랜드솔새의 개체 수가 다시 역전되어 감소로 돌아설 수 있다는 끔찍한 결론을 내렸다. 그러한 강수량 감소는 단순히 이론적으로만 그렇다는 것이 아니다. 그녀는 바하마 제도의 강수량이 이미 1950년대 이래로 14퍼센트까지 감소했다는 사실에 주목했다. 록웰의 발견은 커틀랜드솔새뿐 아니라, 바하마 제도와 앤틸리스 제도, 중앙아메리카로 날아오는 수억만 마리의 명금류 철새, 수백 종의 다른 철새들에게도 심각한 영향을 끼칠 수 있음을 암시한다. 여러 가지 기후 모델들은 지구상에서 가장 중요한 월동지 가운데 한 곳인 카리브해 지역이 지구 온난화로 점점 건조해질 것임을 보여 준다. (내가 바하마 제도로 여행을 떠나기 몇 주 전, 마라는 최근의 몹시 건조한 날씨 기준으로 볼 때도, 자메이카의 겨울은 〈터무니없을 정도로 건조〉하다고 내게 말했다.) 미래의 전망은 매우 우중충하다. 명금류 철새의 분포와 관련된 이버드 관찰 기록 데이터를 이용해서 기후 모델링 작업을 하고 있는 코넬대 연구원들은 월동지의 강우량 부족이 북쪽의 더 따뜻하고 비가 많이 오는 조건과 결합할 경우, 신열대구에서 겨울을 나는 많은 종의 철새들이 큰 위험에 직면할 것이라고 예측한다. 결론적으로, 그러한 변화로 발생하는 이월 효과는 그 지역에서 겨울을 나는 수백 종의 철새들의 장기 생존에 성패를 가르는 치명적인 요소가 될 수 있다.

그러나 지금까지 이월 효과 연구와 관련된 것은 모두 간접적이고 한 다리 건너 식이었다. 예컨대, 동위원소 신호를 연구하는 것은 현재의 조건들로부터 과거의 이력을 추론하는 것이다. 「피터와 사라는 이월 효과가 현재의 개체군 차원에서 존재한다는 강력한 증거를 발견했어요.」 쿠퍼가 이어서 말했다. 「그러나 사라는 개별적 차원에서 그 효과를 검토할 능력은 없었죠. 우리가 처음으로 그것을 할 겁니다. 우리는 단순히 개체군 차원이 아니라, 특정한 솔새 한 마리 한 마리를 개별적으로 살펴볼 수 있죠. 우리는 동위원소와 같은 간접적 기술을 사용할 필요가 없습니다. 그 새들을 개별적으로 직접 연구할 수 있으니까요. 따라서 간접 연구에 따른 수많은 변수와 전제들을 굳이 가정할 이유가 없습니다.」

쿠퍼와 마라는 또한 이월 효과에 대한 연구의 초점을 단순히 월동지/번식지 차원의 문제에서 1년 중 철새에게 특별히 가장 위험한 시기인 이동을 포함하는 문제로 옮기고 있다. 생물학자들의 추정에 따르면, 커틀랜드솔새 같은 명금류 철새의 경우, 연간 사망률의 50~60퍼센트가 봄과 가을 이동하는 중에 발생한다고 한다. 그러나 작은 새들은 이동하는 것을 추적 관찰하기 어렵기 때문에, 아직도 많은 부분이 여전히 밝혀지지 않은 상태로 있다. 「우리가 알고 싶은 것은 그 [솔새의 사망률] 가운데 어느 정도가 이동 중에 일어나는 사건에 의해 발생하는지, 그리고 그들이 보낸 월동 조건에 따른 비율은 어떤지, 이동을 시작할 때의 건강 상태나 출발 시점에 따른 사망률은 얼마나 되는지 같은 내용입니다.」 쿠퍼의 말이다.

바하마 제도에서의 이러한 작업과 뒤이어 미시건주에서 여름 동안 할 작업은 일종의 개념을 검증하는 실험이다. 쿠퍼의 말에 따르면, 그 작업이 제대로 맞아떨어진다면, 그와 마라는 지금보다 훨씬 더 야심찬 계획, 즉 여러 섬에서 4~5년에 걸쳐 곤충과 열매 같은 먹이의 가용성, 월동지의 규모 차이, 그리고 (아직 밝혀지지 않은 이유로) 일부 솔새들 사이에서 그런 것처럼, 작고 안정된 서식지를 차지한 새들과 넓은 지역을 배회하는 새들을 상호 비교하는 것과 같은 밀착 추적이 필요한 연구를 개시하고 싶어 한다. 그들은 무엇보다 서로 다른 섬의 서로 다른 강수량 패턴이 나중에 번식지인 미시건주에서 커틀랜드솔새들의 신체적 조건과 번식에 어떤 영향을 끼치는지 비교, 분석하기를 원한다.

마치 아무 일도 없었다는 듯이 비가 그쳤다. 해가 떠오르자 주위를 둘러싼 바다는 또다시 반짝이는 나팔꽃 빛깔처럼 파란색으로 바뀌었다. 숙소 주변의 심하게 침식된 석회암과 자갈투성이의 흙이 빗물을 모두 빨아들인 때문인지 폭우가 쏟아지기 전처럼 건조해 보였다. 쿠퍼는 손으로 머리카락을 넘기며 그동안 채혈과 채변 시료들을 집으로 가져가기 위한 반출 서류 작성에 몰두하고 있다. 집이라는 말이 화제에 오르면 피로에 지친 탄식이 절로 나온다. 「내가 가장 그리워하는 것이 무언지 잘 모르겠어요. 우리 집 개인지, 미국 맥주인지 말이에요.」 쿠퍼의 말이다.

이틀 뒤, 마지막으로 잡힌 솔새에 나노태그를 부착한 다음, 나와 쿠퍼는 나소로 돌아가는 경비행기에 올라탔다. 폭스와 케어드는 몇 주 더 그곳에 남아서 나노태그를 부착한 새들을 추적하고 그들이 정확하게 언제 떠나는지 알아내기 위해 무선수신기를 만지작거리고 있을 것이다. 일부 솔새들은 벌써 떠났다. 우리가 탄 비행기가 수백 킬로미터의 바다를 가로질러 플로리다로 날아가면서, 나는 우리가 공중에 떠 있는 유일한 존재들이 아니라는 것을 어렴풋이 느꼈다.

이월 효과 연구는 결코 신대륙에만 한정되지 않는다. 레오 츠바르츠Leo Zwarts는 네덜란드의 도요물떼새 전문가로, 황해에서 만난 친구 데니스 피어스마의 동료 학자다. 나는 수년 전 이스라엘에서 열린 한 학술 발표회 겸 장기 탐조 여행에 참가해서 그를 알게 되는 기쁨을 누렸다. 레오는 사하라 사막 이남 지역에서 진행되고 있는 세계에서 가장 중요한 이월 효과 연구들 가운데 일부에 참여하고 있었다. 그 연구는 레오의 설명을 들으면서 내 머리카락이 쭈뼛해진 것으로 볼 때, 내가 지금까지 들었던 것들 가운데 가장 거칠고 험한 현장 작업으로 손꼽힐 만한 그런 일들을 수반했다. 이슬람 병사, 투아레그족 분리주의자, 부패한 관리 같은 위험한 부류들의 이목을 끌지 않기 위해 현지 주민 복장을 한 그와 그의 동료들은 말리와 니제르, 모리타니아 같은 빈번하게 정권이 바뀌는 불안정한 나라들을 통과해서 사하라 사막 남부 주변부를 따라 매우 건조한 사헬 지역을 종횡으로 누비고 다녔다. 그들은 지독히 덥고 건조한 계절에 관목 덤불과 초원, 사막화가 진행 중인 이런 삭막한 풍경을 가로지르는 엄청나게 긴 연구 여정을 강행하며 몇 달 동안 계속해서 현장에 있었다. 그들은 수천 곳을 방문하여 지역별로 대강 1만 6000제곱미터 구획 안에서 조사를 진행했는데, 그곳의 약 33만 그루의 나무와 관목 하나하나의 높이와 수관(樹冠) 너비, 천개(天蓋) 용적 따위의 여러 기준 척도들을 측정하고, 나무마다 거기에 앉은 모든 종의 새들을 세심하게 기록했다. 2007년 조사를 시작해서 무려 9년 동안 그들은 사헬 지역에서 철두철미하고 고된 작업을 진행했다. 특히 1970년대와 1980년대에 사헬 지역의 심각한 가뭄으로 붉은꼬리딱새* 같은 종이 파멸적 수준으로 감소하는 것을 경험했던 유럽에서 그들을 비롯한 여러 과학자가 해마다 여름철에 다시 목격하게 된 변화들을 분명히 보여 주었다. 이런 대서사시적 연구 결과는 아프리카의 강수량과 유럽에서의 명금류, 제비, 도요물떼새 같은 종들의 번식 성공 사이에 매우 다양한 수준의 상관관계가 있음을 보여 주는 많은 논문이 쏟아져 나오는 계기를 마련했다. (그들은 또한 레오가 2009년에 공동 저술한, 매우 인상적이고 많은 찬사를 받은 책 『가장자리에서의 삶*Living on the Edge*』에서 그들의 초기 연구 결과를 내놓았다.)

나는 당시 레오와 협의해서 그의 아프리카 조사 현장에 합류할 계획이었다. 비록 나처럼 큰 키에 금발에다 피부색도 매우 흰 미국인이 터번을 두른다고 한들 안전을 보장할 만큼 위장이 될지 확신할 수는 없었지만 말이다. 그러나 결국, 레오와 그의 동료들은 3개월 동안 말리와 부르키나파소를 포함한 몇 개국을 돌며 조사하는 2015~2016년 현장 조사를 끝으로 그들의 장기간 아프리카 연구를 마무리하기로 결정했다. 〈상황이 점점 더 위험해지고 있습니다.〉 레

* common redstart. 같은 딱새redstart라는 이름에도 불구하고, 유럽의 붉은꼬리딱새와 피터 마라가 수십 년 동안 연구해 온 미국딱새는 근친 관계가 아니다. 초기 식민지 시대 북미 지역에 진출한 유럽인들은 북아메리카 대륙에서 아무 상관관계가 없지만 약간 비슷한 새를 발견하면, 그 새에게 구대륙에서 아는 새의 이름을 갖다 붙이는 일이 많았다. 붉은꼬리딱새는 구대륙의 딱새flycatcher(이것은 반대로 서반구의 [아메리카]산적딱새tyrant flycatcher와 밀접한 관련이 없다)에 속하는 반면, 미국딱새는 아메리카솔새(Parulidae)과에 속하는 숲솔새wood warbler의 일종인데, 이것은 또한 전체적으로 완전히 다른 솔새(*Phylloscopidae* 또는 leaf warbler)과에 속하는 유럽의 유라시안숲솔새Eurasian wood warbler와는 다른 종이다. 새 이름이 언어적으로 정리가 안 되고 뒤죽박죽인 것은 맞다. — 원주.

오가 집에 돌아간 뒤 내게 이메일을 보내 왔다. 〈현재 납치와 살해 위협 때문에 [모든] 서양인이 여기 남는 것은 거의 어렵습니다.〉 심지어 현지 경찰들도 긴장하고 있는 상황이라고 그는 전했다. 〈당신은 여행자처럼 현지인 복장으로 (예컨대, 필요하면 터번으로 얼굴을 반쯤 가리면서) 자신을 숨길 수 있어요. 하지만 그것만으로는 우리에게 도움이 안 돼요. 우리가 레이저 거리측정기로 나무를 측량하고 망원경으로 새들을 탐색하는 행동이 너무 눈에 띄기 때문이죠.〉 결국 그들에게 자금을 대는 곳에서 더 이상 과학자들의 안전을 보장할 수 없다고 말하면서 지원을 철회했다.

피터 마라와 레오 츠바르츠 같은 현장에서 연구하는 많은 학자가 믿는 것처럼 이월 효과가 널리 만연하고 무엇보다 중요하다고 모든 사람이 확신하는 것은 아니다. 유럽에서는 아프리카 월동지의 조건과 지중해를 통과하는 경유지의 조건, 그리고 북쪽 번식지의 조건이 번식 성공에 어느 정도 역할을 하는지 판독하려는 연구들이 경쟁적으로 진행되었다. 거의 50년에 걸친 영국의 번식지 관련 기록과 아프리카 월동지의 강수량 기록을 검토한 한 연구팀은 철새가 알을 낳는 시점과 알을 까고 나오는 새끼의 수를 예측할 때, 번식지의 조건이 월동지의 강수량보다 3배 더 중요하다고 결론을 내렸다. 그러나 보호 관찰 대상인 3종의 철새에 모든 관심을 집중한 또 다른 연구에서는 엇갈리는 결과가 나왔다. 붉은꼬리딱새의 경우는 아프리카 사헬 지역에서 강우량이 많은 월동기를 보낸다는 것은 번식지인 영국에 일찍 도착하고 새끼도 많이 낳는다는 것을 의미했다. 영국에서 샘물이 따뜻하면 붉은꼬리딱새와 유라시안숲솔새에게는 빨리 짝짓기를 한다는 것을 의미했지만, 회색딱새spotted flycatcher에게는 그렇지 않았다. 그러나 3종의 철새는 모두 지중해를 통과해서 이동할 때 경유지의 샘물이 따뜻하면, 딱새든 솔새든 상관없이 모두 알을 많이 까는 것을 포함해서 번식에 유리했다.

특정한 기후 변수가 특정한 새에 어느 정도 영향을 끼치는가에 상관없이, 과학자들은 흥미롭게도 일반적으로 이월 효과의 예외에 해당하는 종, 특히 도요새 가운데 그런 종이 많다는 것을 발견했다. 이 새들은 앞에서 이야기했듯이 지구상에서 가장 먼 거리를 이동하는 거대한 도요물떼새들로, 캐나다와 알래스카에 약간 넓게 분포되어 번식을 하는 비둘기만 한 크기의 캐나다흑꼬리도요도 그중 하나다.

당시 코넬대 조류학 연구소의 박사과정 학생이었던 내이선 세너Nathan Senner는 알래스카 남부에서 번식하는 캐나다흑꼬리도요를 연구했다. (그는 존경받는 도요물떼새 전문가인 나의 좋은 친구 스탠 세너Stan Senner의 아들이다.) 내이선은 지오로케이터를 이용해서 이 새들이 해마다 엄청난 거리를 순환 이동한다는 사실을 알아냈다. 지오로케이터를 장착한 캐나다흑꼬리도요들은 알래스카를 떠나 동쪽으로 이동해서 캐나다 대초원에서 배를 채운 뒤, 5일 동안 약 6400킬로미터를 논스톱으로 캐나다 중부에서 동쪽으로 날아 대서양으로 갔다. 그다음 허리케인이 절정에 이를 때 남쪽으로 꺾어서 대서양 서부와 카리브해 상공을 비행하여 콜롬비아의 아마존강 유역에 도착했다. 거기서부터 그들은 다시 남아메리카의 심장부를 지나 아르헨티나까지 남하한 뒤, 서쪽으로 안데스산맥을 넘어 마침내 칠레 해안에 있는 칠로에섬Isla Chiloé에 내려앉았다. 그 섬은 사실상 태평양의 모든 철새가 겨울을 나는 월동지다. 몇 달 뒤, 세너가 지오로케이터를 부착한 새들은 칠로에섬을 떠났다. 하지만 이번에는 북쪽으로 날아올라 태평양 동쪽 남아메리카 해안을 따라 중앙아메리카까지 가서 멕시코만을 가로질러 북미 대초원 지대에서 잠시 휴식을 취했다. 7일 동안 논스톱으로 약 9600킬로미터를 비행한 셈이다. 그들은 거기서 북서쪽으로 방향을 틀어 마침내 그들의 번식지인 알래스카의 벨루가강Beluga River으로 복귀했다.

한 편의 대서사시 같은 그런 엄청나게 먼 거리를 여행하는 것은 당연히 어떤 철새라도 크게 힘들 수밖에 없다. 그래서 내이선은 캐나다흑꼬리도요가 도미노 놀이처럼 앞서 발생한 일이 다음 단계에 영향을 주며 축적되는 이월 효과의 충분한 증거를 제공할 거라고 기대했다. 하지만 그는 캐나다흑꼬리도요가 이동하는 동안 발생한 불운이나 힘든 조건들을 어떻게든 보상할 줄 안다는 사실을 발견하고는 깜짝 놀랐다. 그들은 어쩌다 무리에서 낙오되어 거의 두 달 동안 헤매다 칠로에섬에 늦게 도착하기도 했다. 그러나 그 무리가 다시 북쪽으로 되돌아가기 위해 이륙을 시작했을 때, 그들은 일행들을 따라서 7일이라는 아주 짧은 기간 안에 북상을 완료했다. 어쨌든, 남하하면서 낙오되었던 캐나다흑꼬리도요들은 그때 받았던 신체적 압박과 긴장이 아무리 컸을지라도, 무리가 다시 이동을 시작할 때 함께 따라나설 수 있을 정도로 충분히 회복된 상태였다. 내이선은 그들의 알래스카 도착일과 거기서의 번식 성공률 사이에서 아무런 상관관계도 발견하지 못했을 뿐 아니라, 그들의 이동 시점과 생존률 사이의 상관관계도 마찬가지로 전혀 찾지 못했다. 매우 많은 동물들 사이에서 공통적으로 나타나는 것 같은 이월 효과가 극단적일 정도로 먼 거리를 이동하는 이 철새에게는 해당되지 않는 것처럼 보인다.

왜 그럴까? 내이선은 캐나다흑꼬리도요가 정말로 아무 영향을 받지 않는 것이 아니라, 먹는 것으로 약화된 신체를 회복하는 것이 아닐까 생각한다. 캐나다흑꼬리도요는 한 해에 거의 총 3만 500킬로미터에 이르는 순환 이동을 하는 동안, 먹이를 찾아 들르는 곳이 딱 네 곳인데, 그곳에는 수생무척추동물, 해양연충류, 탄수화물이 많은 덩이줄기 같은 먹을거리가 매우 풍성하다. 그들은 남하하는 동안, 서스캐처원 중부의 초원 습지대와 콜롬비아의 아마존강 유역, 아르헨티나 부에노스아이레스의 팜파스 습지대를 경유한다. 반대로 북상할 때는 북미 대초원의 얕은 플라야* 호수와 습지대가 그들이 칠로에섬에서 논스톱으로 장장 9600킬로미터의 비행을 마무리하면서 들르는 곳으로 특별히 중요한 경유지다.

아무리 허기에 시달리는 새라도 이런 먹이가 풍부하고 예측 가능한 안정된 중간 기착 지점들이 있기에, 몸을 혹사시키는 이동을 할 때마다 약화된 기력을 곧바로 다시 회복할 수 있다. 〈번식지가 아닌 그런 훌륭한 기착 장소가 없다면, 그들이 남하할 때 낙오로 발생한 도착 시간의 차이가 끼치는 영향이 번식기가 아닌 월동 기간 내내 계속해서 증가해서 북쪽으로 이동할 때까지도 지속될 거라고 상상하기 쉽다〉라고 내이선은 결론을 내렸다. 그런 중요한 중간 기착지들 가운데 어느 하나라도 사라지거나 환경이 악화된다면, 전체적인 상황이 바뀔 수 있다.

기력을 완전히 소진시키는 그런 초장거리 이동으로 인한 이월 효과를 가장 심각하게 겪을 것이 틀림없을 새를 말하라고 한다면, 캐나다흑꼬리도요보다 훨씬 더 극단적인 이동을 하는 큰뒷부리도요를 들 수 있을 것이다. 이 새는 어느 종보다 가장 먼 거리를 논스톱으로 비행하는 도요물떼새다. 알래스카에서 뉴질랜드까지 약 1만 1200킬로미터가 넘는 태평양 상공을 가로질러 9일 동안 논스톱으로 비행한다. 그러나 이 종도 그런 마라톤 여행 중에 만나는 불운과 난관들을 원상 복구할 줄 아는 것처럼 보인다. 뉴질랜드에 늦게 도착하는 큰뒷부리도요들은 그들의 날개깃을 교체하는 매우 중요하고 에너지가 많이 소비되는 일을 수행해야 하는데, 그들이 이동을 끝내고 다시 기력을 회복할 때까지 깃털갈이 시기가 약간 늦춰질 수 있다. 따라서 다른 정상적인 새들보다 더 빠른 시간 안에 서둘러 깃털갈이를 마치고, 3월에 출발할 다른 무리들의 일정에 맞춰 상대

* Playa. 사막의 오목한 저지대로 우기에 얕은 호수가 된다.

적으로 더 짧은 기간에 떠날 준비를 하고 있어야 한다. 그런데 그들은 그것을 무사히 해낸다. 또한 과학자들이 밝혀낸 바에 따르면, 월동지에 늦게 도착한 큰뒷부리도요의 사망률이 더 높다는 증거는 없다. 그들은 나머지 다른 무리들과 마찬가지로 해마다 꽤 높은 생존율을 유지했다.

그러나 뉴질랜드 연구팀은 내이선 세너와 달리, 노스아일랜드North Island의 갯벌 하구가 큰뒷부리도요에게 풍성한 먹이를 제공할 수 있는 완충지로서의 역할을 할 수 있음에도 불구하고, 그들이 남쪽으로 이동할 때 발생하는 여러 문제와 비행 지연에 따른 악영향을 적절하게 극복하고 원상으로 회복할 줄 아는 것처럼 보이는 이유가 그것이라고 추측하지 않았다. 만일 그렇다면, 그것은 그들이 뉴질랜드를 떠나자마자 전혀 달갑지 않은 위로가 될 것이다. 그들이 북상하는 다음 행선지가 바로 황해이기 때문이다. 그곳은 우리가 이미 아는 것처럼, 지구상에서 가장 위험한 철새의 활동 무대 가운데 하나다. 뉴질랜드 과학자들은 또한 큰뒷부리도요들이 알래스카에 도착했을 때, 이월 효과가 그들의 번식 가능성을 낮출 수 있는지 없는지를 측정할 방법이 없었다는 점을 인정한다. 그것은 어쩌면 큰뒷부리도요의 성공을 평가하는 단 하나의 가장 중요한 측정 수단일지도 모른다. 〈따라서 궁극적으로 이월 효과는 (……) 포착하기 어려울 수 있으며, 개별적인 새의 건강 상태에 대한 측정 없이는 제대로 평가될 수 없다〉라고 그들은 결론을 내렸다.

지금까지 그러한 개별적인 새의 건강 상태를 측정한 자료는 구하기가 힘들었고, 이월 효과의 의미를 파악하는 일도 이러쿵저러쿵 말이 많았다. 그러나 내이선 쿠퍼와 그의 스미스소니언 연구팀이 나노태그를 부착해 날려 보낸 커틀랜드솔새들이 미시건주에 도착하기 시작하면, 마침내 그들은 지금까지 대체로 학설상 분분했던 내용을 직접 확인할 수 있는 기회를 갖게 될 것이다.

캣아일랜드를 떠난 지 두 달 뒤인 6월 말, 나는 디트로이트에서 북으로 약 세 시간 거리로 휴런매니스티 국유림Huron-Manistee National Forests 중앙에 위치한, 교차로가 단 하나뿐인 미시건주의 작은 시골 마을 루전Luzerne에서 쿠퍼와 그의 팀을 다시 만났다. 그곳에 도달하기까지 2차선 도로를 꽤 오래 달리면서, 단단한 활엽수와 울창한 소나무가 뒤섞인 숲을 지나고, 송어 낚시로 유명한 오세이블강Au Sable River으로 흐르는 타닌산을 함유해 붉은빛을 내는 개울들을 건넜다.

쿠퍼는 내가 마지막으로 봤을 때보다 확연하게 더 피곤해 보였다. 놀랍지 않다. 그는 4월 셋째 주에 캣아일랜드를 떠난 뒤, 워싱턴 D.C.에 돌아가서 하룻밤만 보낼 수 있었다. (그는 캣아일랜드에 가 있는 동안, 다른 두 명의 과학자에게 자신의 임대아파트를 다시 빌려주었기 때문에 거기에서 잠을 잘 수 없었다.) 다음 날 아침, 그는 장비를 가득 실은 트럭을 몰고 북쪽으로 향했다. 그는 미시건주에 도착하자마자, 커틀랜드솔새 번식지 근처에 약 12미터 높이의 안테나가 달린 수신탑 10여 기로 구성된 네트워크를 구축하기 시작했다. 그 일은 시간을 맞춰 끝난 덕분에 그들이 바하마 제도에서 태그를 달아 날려 보낸 커틀랜드솔새들 가운데 첫 번째 새의 신호를 5월 14일에 포착한 것을 시작으로 해서, 최종적으로 총 63마리 가운데 38마리의 신호를 잡아내는 데 성공했다. 비록 그 새들의 98퍼센트가 그레일링Grayling과 미오Mio 인근의 미시건주 작은 10개 카운티 지역에서 번식하지만, 점점 더 많은 새가 어퍼반도Upper Peninsula와 위스콘신 북부, 온타리오 남부의 새로운 번식지로 퍼져 나갔으므로, 행방이 묘연한 커틀랜드솔새들 가운데 일부는 추적 범위 밖에 있을 수 있다. 하지만 그들이 추적하지 못한 것들 가운데는 번식을 위해 북상하는 중에 죽은 것들이 있을 수도 있다. 그리고 그 새들이 도착한 이후, 최소한 네 마리의 솔새가 더 사라졌는데, 그중 한 마리는 긴꼬리매sharp-shinned hawk에게 잡힌 것을 팀원들이 목격했고, 또 다른 한 마리는 검진을 위해 팀원이 그 새를 잡았을 때, 기생충에 심각하게 감염된 상태였다.

지금 나는 해 뜨기 전 이슬 젖은 뱅크스소나무 지대를 이리저리 헤치며 스미스소니언 인턴 연구원인 카산드라 월드롭Cassandra Waldrop과 저스틴 필Justin Peel을 놓치지 않고 따라가느라 애쓰고 있다. 그들은 커틀랜드솔새 수컷 한 마리가 노래를 부르며 자기 영역 주변을 옮겨 다니고 있는 것을 뒤쫓고 있는 중이다. 날은 차갑고, 지대가 낮은 곳에는 오래전에 내려 쌓인 눈더미처럼 땅안개가 여전히 군데군데 옅게 걸려 있다. 황갈색 야구 모자 아래로 머리카락을 감아올리고, 청색 배낭을 등에 느슨하게 멘 월드롭은 우리가 쫓고 있는 새가 비록 멀리서 어렴풋이 볼 수밖에 없지만, 바하마 제도에서 나노태그를 달아 날려 보낸 수컷 커틀랜드솔새들 가운데 한 마리일지 모른다고 생각하고 있다. (우리가 캣아일랜드에서 부착한 초소형 송신기의 건전지들은 미시건주의 여기서 그 새들의 번식지를 발견할 수 있을 만큼만 겨우 버틸 정도로 수명이 매우 짧다. 6월 말 현재, 그 건전지들 대부분은 이미 작동을 멈췄지만, 우리는 새의 다리에 달린 유색 가락지와 꼬리 끝으로 삐져나온 무선송신기 안테나를 통해 그 새를 식별할 수 있다.)

현존하는 거의 모든 커틀랜드솔새와 마찬가지로, 이 수컷은 인공적으로 관리된 서식지에서 번식을 한다. 해마다 산림 관리원들은 미시건주의 이 지역에 있는 다 자란 뱅크스소나무 숲 약 16제곱킬로미터를 벌목한 뒤, 그 자리에 약 500만~700만 개의 뱅크스소나무 묘목을 식재해서, 그곳을 어린 뱅크스소나무가 밀집한 거대한 숲으로 조성한다. 이 지대는 사방으로 30~40미터마다 풀이 덮인 작은 공터들이 여기저기 있고, 죽은 나무의 그루터기들이 드문드문 흩어져 있다. 수십 년 동안의 실험을 통해서 이 까탈스러운 새를 유인하기 위해 여러 차례 시행착오를 거쳐 조성된 이상적인 서식지 모습이다. 앞으로 15년 정도의 세월이 흐르고 나면, 그 지대는 커틀랜드솔새들이 서식하기에 나무의 키가 너무 크고 울창한 숲으로 바뀌기 때문에, 그 솔새들은 더 최근에 조성된 더 어린 숲으로 서식지를 옮긴다. 현재 연방정부와 주정부 차원에서 이런 식으로 순환 관리되고 있는 산림의 면적은 600제곱킬로미터에 이른다. 커틀랜드솔새들은 조건이 맞는 곳에 거의 군락 같은 형태로 서로 바짝 붙어서 둥지를 튼다. 「여기에 있으면, 반경 16킬로미터 안에서 전 세계에 현존하는 커틀랜드솔새의 50퍼센트를 볼 수 있을지도 모릅니다.」 커틀랜트솔새가 가장 많이 둥지를 트는 오게모 카운티Ogemaw County에서 어느 날 쿠퍼가 내게 던진 말이다. 커틀랜드솔새에게 좋은 서식지라는 데를 처음 본 사람은 너무도 특색이 없어서 말문이 막힐 정도라고 해도 과언이 아니다. 숲에는 2~3미터 높이의 나무들이 거의 정확하게 1.5~2미터 간격으로 심어져 있어서 마치 녹색 담장이 쳐진 것 같은 형상을 하고 있는데, 그곳을 지나가려면 벽을 뚫고 가듯이 억지로 몸을 던져서 밀어 헤치고 가야 한다. 뱅크스소나무의 뾰족한 솔잎, 키 높이로 자란 대왕참나무pin oak 덤불의 날카로운 이파리, 앞으로 나아갈 때마다 떨어지는 이슬 방울. 삐죽하게 나온 나뭇가지들을 헤치고 가다 보면 팔과 어깨는 금방 흠뻑 젖고 흙먼지 얼룩이 진다. 현장에 나온 연구원들이 가장 낡고 누더기 같은 긴소매 셔츠를 입는 이유를 알 것 같다. 거기에는 위치를 알리는 어떤 표시도 없고 잠시라도 방심하면 길을 잃기 십상이다. 월드롭과 필을 따라 소나무 숲으로 들어간 직후, 나는 메모를 하느라 잠깐 걸음을 멈추었는데, 고개를 들어 보니 그 두 사람이 어디로 갔는지 보이지 않았다. 축축한 이끼가 덮인 땅바닥은 발소리도 들리지 않는다. 사방을 둘러봐도 2미터 앞밖에 보이지 않는다. 우리가 추적하고 있는 그 솔새는 큰 소리로 노래를 부르고 있다. 그들을 찾기 위해 아주 작게라도 소리를 내면 안 될 것 같다. 지금 우리가 하는 일을 망칠지도 모르기 때문이다. 처음에는 숲에 들어온 지 10분도 안 되어 길을 잃은 것이 당혹스러웠다. 하지만 곧바로 방향을 잘 가늠해서 소나무들을 헤치며 밀고 나아갔다. 그러다가 나무 종자를 심는 기계가 파놓은 깊은 고랑에 걸려 휘청거리다 넘어지면서 뭔가에 부딪힐 뻔했는데, 거기 월드롭이 있었다.

「우리를 놓쳤나요? 그런 일은 많이 일어나요. 우린 그럴 때마다 마르코 폴로 놀이를 해요.」 그녀가 말하자, 그때 마침 〈마르코?〉라고 부르는 소리가 들렸다. 필이 약 90미터 떨어진 덤불에서 무슨 일이 있는지 확인하는 소리다. 월드롭이 〈폴로〉라고 대답했다.

「그러면 저 새가 놀라지 않나요?」

「아니요. 그들은 이미 이런 소리에 익숙해져 있어요.」 내 물음에 그녀가 답했다. 솔새는 다시 노래를 불렀다. 그녀는 이번엔 머리를 옆으로 기울이고 주의 깊게 들었다. 「저기 약하게 우는 소리 들려요? 저건 대개 입에 먹이를 물고 있다는 걸 의미하죠. 수컷이 새끼를 찾으면서 지저귀는 중이에요.」

마침내 우리가 그 수컷을 발견했을 때, 그의 다리에는 아무것도 달려 있지 않았다. 캣아일랜드에서 태그를 부착해서 날려 보낸 새들 가운데 하나가 아닌 것이다. 그러나 두 사람은 자동차로 가까운 거리에 있는 또 다른 소나무 숲 조림지에서 다리에 가락지를 부착하고 있는 수컷과 그의 짝이 있는 곳으로 나를 데리고 갔다. 그 새들은 첫 번째 둥지를 포식자들에게 유린당했다. 그 인턴 연구원들은 짝을 짓고 있는 모든 새에 대해서 하는 것과 마찬가지로, 이 한 쌍의 새들에게서 눈을 떼지 않고 예의 주시하며 관찰하고 있다. 수컷은 몇 미터 떨어지지 않은 곳에서 우리를 보고 시끄럽게 지저귀며 호들갑을 떠는 반면에, 암컷은 소나무 아래서 자라는 빽빽한 사초와 블루베리 덤불에 깊숙이 숨어 있는 풀이 깔린 우묵한 곳에 단단히 자리를 잡고 앉아 있다. 그 근처에서 또 다른 수컷 한 마리가 팔을 뻗으면 닿을 만큼 가까운 거리에서 나를 꾸짖는다. 부리로 애벌레 여러 마리를 꽉 물고 있다. 옆의 한 나뭇가지 위에는 갓 둥지를 벗어난 어린 새끼들 가운데 한 마리가 불안스레 균형을 잡고 앉아 있다. 〈익숙해짐〉이라는 단어는 이들에게 적절한 표현이 아니다. 그들은 우리가 불과 몇 미터 떨어지지 않은 곳에 있을 때도 대개 우리를 완전히 무시한다.

여기서의 일상은 바하마 제도에서와 거의 흡사하다. 5월에 도착 직후, 연구원들은 태그가 달린 커틀랜드솔새들을 그물로 다시 잡은 뒤, 각종 건강 상태를 측정하고, 피를 한두 방울 뽑고 소량의 채변을 했다. 태그가 달린 새든 아니든 새들의 둥지는 모두 관찰 대상이고 그들이 낳은 알의 수와 알을 까고 나와 둥지를 떠나는 데 성공한 어린 새의 수 또한 모두 기록된다. (연구원들은 늘 조심해야 한다. 푸른어치들이 그들의 뒤를 쫓아와서 둥지의 위치를 알아내고는 그 안에 있는 솔새의 알이나 새끼 새들을 급습할 수 있기 때문이다. 「나는 자주 발견한 둥지들을 모르는 척해요.」 월드롭이 말했다. 「풀밭에 둥지가 정말 있다면, 거기서 그들을 속이기 위해 할 수 있는 일은 무엇이든 다 하죠. 그러면 어치들이 내가 둥지를 발견한 것을 몰라요. 좀 웃기는 일이긴 하지만 말이죠. 제가 뒤를 돌아보면, 어치가 실제로 나무줄기 뒤에 몸을 숨기고 나를 피해요. 그때 가능하면, 그 어치를 갈색지빠귀사촌의 영역으로 유인하지요. 사람들이 그들을 〈도리깨〉*라고 부르는 것이 괜히 그러는 게 아닙니다.」)

이제 번식기가 끝나고 가족들이 뿔뿔이 흩어질 때가 다가오면, 쿠퍼와 그의 인턴 연구원들은 태그 달린 새들을 다시 한 번 잡아서 그들의 상태를 점검하고 필요한 경우 새로운 송신기로 교체해서 장

* 갈색지빠귀사촌의 영문 명칭 〈brown thrasher〉가 〈갈색 도리깨〉라는 뜻.

착해 준다. 그 송신기들은 그들이 번식지를 언제 떠나는지 과학자들에게 알려 줄 것이다. 다음 날 아침, 나는 쿠퍼와 캣아일랜드에서 만난 스티브 케어드와 동행했다. 우리는 전날 우리를 피해 달아난 태그를 단 수컷 한 마리를 찾으려고 한다. 서쪽 하늘에서 빠르게 번지고 있는 먹구름을 예의 주시하는 중이다. 그 새는 먹이를 찾아다닐 때 지저귀는데, 행동반경이 꽤 넓다. 이제 내 귀는 그 새가 새끼새들을 위해 먹이를 입에 하나 가득 물고 지저귈 때 내는 소리를 구별할 수 있을 정도로 충분히 익숙해져 있다. 케어드와 쿠퍼가 새그물을 설치하고 녹음기를 틀자 2분 만에 그 새가 잡혔다. 나노태그 번호 86번인 그 새에는 왼발에 연청색, 진녹색 플라스틱 유색 가락지가 달려 있고, 오른발에는 연청색 플라스틱과 번호가 붙은 알루미늄 가락지가 부착되어 있다.

깃털의 미묘한 차이를 기반으로 최소한 세 살은 되어 보이는 86번 커틀랜드솔새는 내가 캣아일랜드에 도착하기 1주 전쯤 섬의 북동쪽 끄트머리에 있는 한 오래된 버려진 염소 농장에서 4월 5일에 나노태그를 부착한 것으로 확인되었다. 그는 5월 2일에 바하마 제도를 떠나서 이동하는 중에 플로리다의 한 모투스 수신 기지국의 안테나에 신호가 잡혔다. 그가 미시건주의 이곳에 나타난 것은 5월 18일로, 역내 수신 기지국에 의해 처음 신호가 감지되었고, 우리에게 잡혀서 실제로 모습을 보인 것은 5월 28일이었다. 몇 주 뒤, 그 새는 짝을 만나 새끼를 네 마리 키웠다. 성공적인 철새의 아주 모범적인 사례다.

쿠퍼는 다시 잡은 그 새를 대상으로 월동지에서부터 끊임없이 반복해 온 조사 과정을 진행했다. 86번 솔새는 체념하고 있음에 틀림없다. 쿠퍼가 〈14그램〉이라고 말했다. 「음. 캣아일랜드에서와 비교하면 가슴 근육이 많이 빠졌군요. 여기서는 그것이 필요하지 않기 때문인 것 같아요.」 하늘을 날 때 동력을 공급하는 대흉근은 이동을 개시하기 전에 강화되다가 도착지에 내려앉으면 다시 근육이 빠진다. 매년 그렇게 이동할 때마다 팽창과 수축을 반복한다. 쿠퍼는 그 새에게서 수명을 다한 송신기 고정 고리를 잘라 내고 새 송신기로 교체했다.

「이놈아, 넌 이제 더 좋아질 거야.」 그는 평소보다 더 발버둥치는 새에게 이야기했다. 「조금만 참으면, 금방 끝날 거라고. 네가 이런 걸 또 걸쳐야 한다는 게 불공평하다는 걸 나도 알아. 하지만 인생은 때때로 불공평한 거라고.」 쿠퍼는 마지막 점검을 끝내고 새를 놓아주었다. 「바하마 제도에서 다시 만나자.」 그는 멀리 날아가는 새를 보고 말했다. 지평선을 가득 채운 먹구름은 억수같이 비를 퍼붓기 시작했다. 우리는 서둘러 배낭을 싸서 트럭으로 터벅터벅 걸어갔다. 벌써 86번 솔새는 다시 지저귀고 있다.

그날 아침은 스미스소니언 연구원들과 내가 현장에서 마지막으로 함께한 때였다. 그로부터 석 달이 지난 뒤, 나는 쿠퍼의 첫해 데이터가 어떻게 취합되고 있는지 알고 싶어 그에게 연락을 취했다. 그는 짐짓 과학자의 신중한 자세로 약간 에둘러 뭉뚱그려서 말했다. 그는 예컨대 바하마 제도에서의 건강 상태가 번식 성공률에 얼마나 영향을 끼쳤는지에 대한 수치 데이터들을 아직 분석 처리하지 않았고, 채혈과 채변 시료들은 시카고 필드 자연사 박물관에서 내장 미생물과 기생충을 분류하기 위한 차세대 유전자 분석 결과를 기다리고 있다. 그러나 몇 가지 매우 흥미로운 결과가 밝혀졌다. 그 중 하나로, 그동안 수집한 추적 관찰 데이터는 바하마 제도를 언제 떠나느냐가 미시건주에 도착하는 날짜를 결정한다는 이전의 주장을 다시금 확인했다. 늦게 떠난 새들은 때를 놓쳐 잃어버린 시간을 벌충할 수 없다는 의미다. 그리고 또 한 가지 놀라운 사실은 송신기 데이터 분석 결과, 커틀랜드솔새가 이동할 때 가장 위험한 순간은 그들이 캣아일랜드를 떠난 직후, 바로 이동의 초기 단계임이 밝혀졌다.

「명금류 철새들에게 가장 위험한 시기가 봄철 이동 때인 것은 우리도 이미 알고 있지만, 이 새로운 연구 방식을 통해, 우리는 이 새들이 가장 많이 죽는 일이 일어나는 때에 대한 훨씬 더 완벽한 그림을 얻을 수 있습니다.」 그는 내게 계속 이야기했다. 「옛날에는 그들이 가장 많이 죽는 곳이 플로리다와 미시건 사이일 거라고 생각했어요.」 그곳은 출발지에서 가장 멀리 이동한, 캣아일랜드에서 약 1900킬로미터 떨어진 지점이다. 그곳에 도달했을 때가 커틀랜드솔새들의 기력이 가장 많이 소진되었을 때다. 하지만 이동 중에 사라진 25마리의 태그 달린 솔새들 가운데 두 마리를 제외하고는 모두 캣아일랜드와 미국 해안 사이에서 종적을 감추었다. 그곳은 비행을 시작하고 480킬로미터밖에 날아가지 않은, 캣아일랜드에서 꽤 가까운 지점이었다. 쿠퍼는 이렇게 추측했다. 「그들은 월동지에서 떠날 때부터 건강 상태가 좋지 않았을 수도 있어요. 건기여서 과일들도 바싹 마르고, 곤충 먹이도 변변치 않았거든요. 정말로 떠날 때 상황이 매우 안 좋았을 수도 있어요. 그들이 플로리다와 조지아에 도착할 때쯤 한창 봄이 무르익을 때라 그들은 안도의 한숨을 내쉬었을지도 모릅니다.」 월동지의 환경 조건이 철새에게 매우 중요하다는 것은 이제 훨씬 더 분명해졌다.

미시건주에서의 마지막 날 뱅크스소나무 숲에서부터 우리를 뒤쫓아 온 비의 강수량이 커틀랜드솔새의 운명을 좌우하는 매우 중요한 요소라는 점을 감안할 때, 우리에게 매우 알맞은 역설적 마무리였다. 앞으로 커틀랜드솔새의 월동지는 점점 더 건조해질 뿐 아니라, 그 지역 전체가 점점 사라질 것으로 예상된다. 캣아일랜드에 있었을 때, 선선한 바람이 불던 어느 날 오후에, 우리는 해발 63미터에 불과한 알버니아산Mount Alvernia에 올랐다. 캣아일랜드뿐 아니라 바하마 제도 전체에서 가장 높은 곳이었다. 전체적으로 이곳의 섬들은 대서양 위로 솟구쳤다고 보기 어렵다. 바하마 제도 섬들 가운데 80퍼센트가 해발 1미터 이하이기 때문이다. 해수면 상승은 현 시점에서는 거의 피할 수 없는 상황이다. 앞으로 해수면이 아주 완만하게 상승한다고 해도 금세기 중에 이 저지대 군도의 상당 부분이 바닷물에 잠길 것이다.

「따라서 그 서식지의 상당 부분이 사라지는 것을 상상할 수 있을 겁니다.」 쿠퍼는 바다와 거의 같은 높이로 평평한 섬을 내려다보며 말했다. 「지금까지 커틀랜드솔새의 보호에 대해서 말할 때 거의 모든 초점이 번식지에 맞춰져 있었습니다. 그래요, 맞아요. 그것은 매우 성공적이었죠. 그러나 그것은 [번식을 위한 서식지가] 이들의 개체군 성장에 항상 제한 요소가 된다는 것을 의미하지는 않습니다. 이제 우리는 새롭게 생각하기 시작해야 합니다. 우리는 과연 월동지에서의 이러한 효과들을 개선할 수 있는 방법이 있는가? 카리브해 지역이 계속 바뀌고 있는 순간에도 이곳을 더 좋은 서식지로 조성하기 위한 서식지 관리를 할 수 있는가? 하고 말이죠.」

커틀랜드솔새들에게 유리한 서식지 관리에 애쓰는 일도 한 가지 방법이다. 예컨대 대개 환경 보호 활동가들이 아주 싫어하는 염소 방목 독려이다. 또 다른 흥미로운 가능성은 커틀랜드솔새가 제한된 월동지인 바하마 제도 일대를 벗어나서 월동 지역을 자연스럽게 확장할 수 있도록 하는 방법이다. 오늘날 그 종이 전통적인 번식지인 미시건주 북부 바깥에서 짝짓기를 하는 것처럼, 남쪽의 월동지도 환경이 바뀌면, 그에 맞게 번식지에서와 같은 유연한 모습을 보여 줄지도 모른다. 이미 커틀랜드솔새 가운데 일부는 쿠바로 월동지를 옮기고 있으며, 히스파니올라섬*에서도 그들을 목격했다는 소식이 들리고 있다. 최근에는 마이애미 근처에서 커틀랜드솔새가 사진에

* Hispaniola. 서인도 제도에서 두 번째로 큰 섬으로 옛날의 아이티.

찍혔다. 미국에서는 최초의 월동 기록이다. (커틀랜드솔새가 좋아하는 식물인 란타나와 블랙토치가 플로리다 남부에서 자란다.) 그리고 피터 마라의 미국딱새 연구팀이 자메이카에서 발견된 커틀랜드솔새를 처음으로 잡았다.

커틀랜드솔새를 포함해서 모든 철새의 이동은 유전자 암호로 인식되는 것이지 학습되는 것이 아니기 때문에, 예정되지 않은 방향으로 그들을 보내는 특이한 유전인자를 가진 새들이 일부 늘 있기 마련이다. 환경 여건이 바뀔 때, 그런 개척자들은 그에 맞는 새로운 지평을 여는 적임자로 역할을 맡을 수 있을 것이다. 실제로 과학자들은 새로운 이동 경로와 월동지가 떠오른 경우들을 지켜보기도 했다. 유럽의 검은머리솔새과 미국 남동부의 적갈색벌새rufous hummingbird가 그런 경우다.

「전체 개체군이 새로운 월동지로 갈아타기 위해 어떤 종류의 유전자 변이가 있어야 하는지를 살펴보는 꽤 흥미로운 모형화 연구들이 그동안 몇 차례 있었죠. 아주 낮은 수준이지만 말이에요.」 쿠퍼는 우리가 서 있는 곳에서 멀리 뻗어 나간 캣아일랜드의 저지대 숲을 내다보면서 자기도 아직 잘 모르겠다는 어조로 내게 말했다. 우리는 기후 변화가 이미 이 지구와 자연의 운행을 얼마나 많이 재배치하고 있는지를 생각해 보았다.

「그래요. 가능할 겁니다. 적어도 그럴듯해요. 그러나 아시다시피, 바하마 제도가 물에 잠기면, 훨씬 많은 커틀랜드솔새가 겨울을 나기 위해 쿠바로 몰려들 겁니다. 그들은 분명 그렇게 해야 할 거예요.」

6장 시간표 바꾸기

마지막 중부리도요 무리가 버지니아주 동부 연안의 습지대를 이륙해서 북극 지방을 향해 북으로 날아오르고 있었다. 내가 그곳을 방문한 것은 저녁 무렵이었다. 브라이언 왓츠 연구팀과 그 커다란 도요물떼새를 여러 해 동안 추적 관찰해 온 그들의 작업에 대해 함께 의견을 나누기 위해서였다. 그들은 중부리도요가 허리케인의 눈 속으로 어떻게 날아 들어가는지를 밝혀냄으로써 세상을 놀라게 했고, 카리브해 지역에서 지속적으로 이루어지는 밀렵이 중부리도요에게 얼마나 위험한지에 대해서도 경종을 울렸다. 우리 주위를 둘러싸고 있는 감조습지*에서 들려오는 갈색뜸부기의 짧고 날카로운 후두음, 해안참새seaside sparrow와 늪굴뚝새의 흥겨운 노랫소리, 웃는갈매기의 깔깔대는 듯한 요란한 울음소리 등 다채로운 새소리는 천지에 가득할 정도로 크고 풍성했다. 그러나 내 시선은 이미 30~40분 전부터 중부리도요 무리들이 땅을 박차고 솟아올라 우리 머리 위를 지나 북쪽을 향해 날아가고 있는 하늘에 고정되어 있었다. 따라서 주변 풍경에는 별로 신경을 쓰지 않고 있었기 때문에, 마

* tidal marsh. 간조 때 수위가 매우 낮아져 소택지였다가 만조 때 바닷물에 잠기는 습지.

침내 주위를 흘낏 둘러보았을 때, 그 사이에 주위 환경이 얼마나 많이 바뀌었는지 알고는 깜짝 놀랐다. 불과 한두 시간 전까지만 해도 우리의 동쪽으로 녹색의 간석지 습지대가 수평선처럼 끊이지 않고 이어져 있었다. 앞바다에서 약 1.6킬로미터 떨어진 습지대 대부분이 램스혼만Ramshorn Bay까지 뻗어 나가다 바다 위에 점점이 떠 있는 커다란 습지섬들을 가로질러 멀리 방파제 구실을 하는 보초도들이 있는 곳까지 말이다. 그런데 밀물이 빠르게 밀려오면서 그 습지대가 순식간에 사라지기 시작했다.

만조는 달의 중력과 지구의 자전 작용으로 12시간 25분마다 한 번씩 바다 가장자리를 따라 특정 위치에서 일어난다. 버지니아주 동부 연안의 밀물과 썰물 때의 평균 수위 차는 약 0.6미터에 불과할 정도로 매우 작다. 메인주 연안의 조차가 약 5미터, 캐나다 동부 펀디만의 조차가 무려 약 13미터인 것에 비하면 언급할 가치도 없을 정도다. 그러나 바닥이 평평한 저지대에서는 아주 작은 수위 차도 큰 차이를 만든다. 밀물과 썰물은 달의 주기에 따라 다양한 형태로 나타나는데, 지구와 달, 태양이 일직선으로 서는 초승달과 보름달이 뜰 때 조수간만의 차가 가장 높아진다. 이때를 사리spring (또는 king) tide라고 부르는데, 그날이 바로 사리였다. 이렇게 바람이 많이 불고 쌀쌀한 5월 저녁, 대서양이 행군하며 밀려오고 있었다.

「저기 뜸부기 한 마리가 있어요.」 브라이언이 우리가 타고 온 차량들이 주차된 곳 너머 풀밭 가장자리를 가리키며 말했다. 갈색뜸부기는 옆에서 보면 잿빛이 감도는 자몽만 한 크기의 어린 닭처럼 생겼지만, 정면으로 보면 폭이 약 5센티미터에 불과하고 〈난간처럼 날씬〉해서 마치 죔쇠에 꽉 조인 것 같은 몸매를 갖고 있다. 그들은 해안가 수초들 사이를 빠르게 움직이거나 풀밭 속으로 잽싸게 달린다. 그러다가 빽빽하게 풀이 자란 곳을 찾아서 거의 보이지 않게 숨어 기다리면서 상황이 아무리 좋아 보여도 살금살금 조심스레 움직인다. 그러나 밀물이 들어와 습지가 물에 잠기면서, 어쩔 수 없이 공개된 장소로 나오게 된 갈색뜸부기는 그동안의 조심스러운 움직임을 전혀 새로운 차원으로 변경했다. 꼬리는 높이 세우고, 머리는 낮게 깔고, 목은 웅크리고, 길고 가느다란 다리는 쭈그리고 앉는 자세를 취했다. 마치 키 낮은 풀밭 속에서도 아무도 보지 못하게 몸을 숨길 수 있도록 스스로 완벽하게 몸의 부피를 줄일 수 있다고 생각하는 것 같았다. 잠시 후, 그 새는 숨는 것을 포기하고 걸음아 나 살려라 하고 잽싸게 내빼는 포유동물처럼 풀밭을 갈지자로 빠르게 가로질러 달려가더니 몇 미터 앞 덤불 속으로 이내 사라졌다.

내가 처음에 도착했을 때 부두 너머 폭이 약 15~20미터였던 조류 세곡이 이제는 그보다 폭이 네다섯 배는 더 커진 급류가 흐르는 강으로 바뀌었다. 브라이언의 동료들은 그들의 장비를 옮기기 시작했다. 저지대에 있는 차도에 물이 차는 것으로 볼 때 부두가 곧 섬이 될 것임을 알기 때문에, 그들은 몰고 온 차량 두 대도 이동시켰다. 다행히도 때맞춰 차를 옮겼다. 그들이 주차했던 구역이 30분 만에 약 0.4미터 깊이의 빠르게 흐르는 바닷물로 채워졌기 때문이다. 그 가장자리로 더 많은 갈색뜸부기가 나타났다. 브라이언은 바다 쪽으로 약 90미터 떨어진 곳에 늘어선 7개의 검은 점들을 손가락으로 가리켰다. 불과 몇 시간 전에 그들이 안전하게 쉬고 있던 갯끈풀이 무성했던 수백 제곱킬로미터의 널따란 습지 가운데, 바닷물에 잠기지 않고 중간에 길쭉하게 떠 있는 수초들이 우거진 곳에는 갈색뜸부기 일곱 마리가 음울하게 매달려 있었다. 그 뜸부기들은 놀랍게도 한 마리씩 차례로 해안을 향해 힘차게 헤엄치며 나아가기 시작했다. 이들의 행진은 전혀 위풍당당하다고 볼 수 없는 모습이었다. 수면 아래로 몸이 너무 깊이 잠긴 탓인지 그들의 구부러진 목과 머리만이 마치 정밀한 잠망경처럼 출렁거리는 물결 위로 보였다.

「왜 날지 않을까요? 물에 잠겨서 날지 못하는 건지도 몰라요.」 누군가가 말했다.

「어쩌면 눈에 띄고 싶지 않아서일지도 몰라요.」 머리를 해안 쪽으로 돌리고 일렬로 늘어선 작은 행렬을 바라보며 브라이언이 응답했다. 여전히 뜸부기 한 마리가 그 가느다란 구명 뗏목에 남아 있었다. 방주에 홀로 남은 노아처럼. 「매가 나타난다면, 매 입장에서는 물 위에 떠 있는 게 더 나을 수 있어요.」 브라이언이 말했다.

몇 초 뒤, 매보다 훨씬 더 큰 맹금이 나타났다. 나무 꼭대기 높이의 해안에서 날개를 펄럭이며 바다 쪽으로 날아가는 흰머리독수리 한 마리. 그 독수리는 반쯤 물에 잠긴 뜸부기들의 작은 행렬 위를 지나치는가 싶더니 왼쪽으로 회전하며 물에 아직 잠기지 않은 습지 위에 여전히 서 있는 한 마리 새는 버려둔 채, 아래로 쏜살같이 곤두박질치면서 우리 중 누구도 눈치채지 못하는 사이에 뜸부기 한 마리를 바다 위에서 낚아챘다. 독수리는 해안으로 돌아왔고, 잡혀 온 뜸부기는 가느다란 다리를 몇 차례 버둥거리더니 이내 축 늘어졌다.

「세상에나. 녀석은 전에도 그런 짓을 한 적이 있었어!」 브라이언이 경악을 금치 못하고 씩씩거리며 말했다. 마지막까지 남아 있던 그 뜸부기가 생각나 그쪽으로 고개를 돌렸을 때, 그 새는 거기 남는 것을 포기하고 해안을 향해 오고 있었다. 마침내 바다에서 나와 거의 우리 앞까지 재빠르게 달려오더니, 내가 도착했을 때 바다에서 약 45미터 떨어진 곳에 제멋대로 늘어진 채로 서 있던 낡은 울타리의 철망 사이로 힘겹게 뚫고 들어갔다. 그러고는 썰물이 되기를 기다리며 뒤엉킨 잡초들 사이로 사라졌다.

이 같은 극단적인 조수 간만의 차는 동부 연안에서 점점 더 일상화되고 있다. 그곳의 해수면은 지구 평균보다 서너 배 더 빠르게 상승하고 있는데, 북미 대서양 해안에서 그 상승 속도가 가장 빠르다. 그곳의 지질학적 역사와 기후 변화가 서로 조응하면서 나타난 현상이다. 지질학적으로는 빙하 지각균형 조정glacial isostatic adjustment

이라고 부르는 것과 연관이 있다. 2만 년 전, 1.6킬로미터 두께의 빙하 얼음이 북쪽으로 수백 킬로미터 펼쳐져 있었을 때, 이곳 대지는, 에어 메트리스 반대편 끝에 누군가가 앉아 있어 반쯤 부풀어 오른 것처럼, 불룩하게 올라와 있었다. 그런데 빙하가 녹자, 북쪽으로 그 아래에 눌려 있던 대지가 융기했고, 전에 불룩하게 솟았던 지금의 버지니아 지역은 내려앉았다. 이 현상은 지금도 계속되고 있는데, 지하수를 뽑아 쓰는 일은 그러한 지반 침하를 훨씬 더 가속화해서 상황을 악화시키고 있다. 오늘날 노퍽Norfolk과 햄프턴로즈Hampton Roads 같은 도시들 사이에서는 중요한 현안으로 대두되고 있다.

그러나 지반 침하는 동부 연안 지방에서 상대적으로 해수면 증가 속도가 매우 빠르게 진행되는 이유 가운데 일부만을 설명한다. 그 외에 다른 이유를 든다면, 바로 기후 변화의 영향이라고 할 수 있다. 북극 지방에 기록적인 혹서가 장기간 지속되는 가운데, 2019년 8월 1일, 단 하루 동안, 그린란드의 만년설에서 1250억 톤의 얼음이 녹아내렸다. 플로리다 전역을 약 12센티미터 정도 바닷물에 잠기게 하기에 충분한 양이다. 바닷물 수량이 많아지면 당연히 해수면이 상승하겠지만, 해수의 온도가 높아지면 기존의 바닷물 부피 또한 팽창한다. 북미 동부 연안을 감싸 안고 있는 체서피크만 하구의 해수면은 1950년 이래로 약 35센티미터 상승했는데, 2100년에는 약 1.3미터에서 약 2.1미터까지 더 상승할 것으로 예상된다.

내가 두 시간 전에 경탄해 마지않았던 거대한 갯벌, 그 면적이 얼마나 넓은지는 신만이 알 그 엄청난 간석지는 이제 완전히 물에 잠겨 있었다. 동쪽으로 약 13킬로미터 떨어진 곳에 점점이 떠 있는 보초도들에 이르기까지 모든 곳이 온통 바닷물이다. 내가 차에서 내린 뒤부터 계속해서 따라다니는 배경 음향이었던 갈색뜸부기들의 짧고 날카로운 후두음은 이제 사라졌다. 늪굴뚝새의 까르륵거리는 명랑 쾌활한 노랫소리와 해안참새의 윙윙거리는 〈휩-위들-브즈~〉 하는 울음소리도 마찬가지로 들리지 않았다. 바람에 실려 들리는 것은 갈매기의 거친 울음소리 말고는 없었다. 「이 같은 단 한 번의 극단적인 밀물이 습지의 새들에게 어떤 영향을 끼칠지 한번 생각해 보세요.」 브라이언이 말했다. 「해안참새, 늪지참새saltmarsh sparrow, 넬슨참새Nelson's sparrow, 늪굴뚝새처럼 감조습지에 둥지를 트는 이 모든 작은 새 말이에요. 이렇게 밀물이 밀려오면 그들은 어디로 갈까요? 그들의 둥지와 알들은 안전할까요? 그들 세상이 통째로 그냥 〈사라져〉 버립니다.」

현재 버지니아에서 일어나고 있는 극단적인 조수 간만의 차에 의한 침수 효과나 앞으로 바하마 제도에서 벌어질 커틀랜드솔새 서식지의 침수 등 해수면 상승은 기후 변화가 철새 보호와 관련해서 말할 때, 가장 중요한 문제로 거론될 수밖에 없는 하나의 이유에 불과하다. 기후 변화가 날씨, 강수량, 탁월풍*, 서식지, 먹이 공급에 끼치는 영향, 심지어 그것이 조류의 질병과 기생충에 끼칠 영향에서 자유로운 곳은 지구상 어디에도, 아니 해마다 철새들이 오가는 지구 상공의 공기 기둥을 이루는 한 치의 공간이나 시간에도 없다. 비록 지금은 그곳이 아직 탄소 배출로 인한 지구 열기의 영향을 받지 않은 (곧 영향을 받게 되겠지만) 곳일지라도 말이다. 바람은 이동하고 해수면은 높아지고 빙하는 녹고 바다 얼음이 해안을 침식하고 있다. 지구 대기의 거대한 순환 체계가 불안정해지고 바뀌고 있다. 그 결과, 북유럽과 알래스카 같은 지역에는 더 극단적인 여름 혹서가 도래하는 반면에, 북아메리카 북동부 같은 지역에는 더 극한의 겨

* prevailing wind. 특정 기간에 특정 지역에 가장 많이 부는 바람으로 우세풍이라고도 한다.

울 한파가 발생한다. 그리고 극소용돌이*가 불안정해지면서 북유럽은 다시 혹한을 맞고 있다. 사헬 지역과 지중해 연안, 미국 남서부, 아시아 남부 일부, 아프리카 남부에서는 가뭄이 점점 더 빈번하고 극심하게 발생하고 있다. 반면에, 북아메리카 동부, 아시아 북부, 유럽 일부 지역 같은 곳에서는 폭풍과 폭우가 더욱 격렬해지고 있다. 기온은 요동을 치고 있다. 대부분의 지역에서 기온이 상승하고 있는데, 특히 고위도 지역이 더 심하다. 지구 전체의 평균 기온이 상승하고 있는 것은 확실하다. 그러나 일부 지역에서는 실제로 봄이 더 늦어지고 추워지며, 겨울에는 더 혹독하게 추워지고 눈이 더 많이 내리고 있다. 기후 변화가 매우 기묘한 방식으로 작동하므로 그것을 단순히 보편적인 온난화라고 일반화하기는 어렵다. 과학자들은 금세기에 수많은 생태계가 한계점에 달하게 될 것을 우려한다. 자연의 유연성이 더 이상 그것들을 모두 포용할 수 없는 상황에 이를 수 있다는 의미다. 합리적인 사람이라고 자처하는 누군가가 가볍게 울타리에 걸터앉아, 산업계의 탄소 배출이 정말 비난받을 만한 일인지 회의적인 시선으로, 그리고 아무것도 아닌 일을 가지고 너무 호들갑을 떠는 것 아니냐고 매우 낙관적인 태도로 일관하며 기후 변화의 증거를 한가롭게 바라볼 수 있는 때는 이제 지났다.

철새들, 특히 이미 거리와 시간, 신체적 능력, 계절적 자원, 그리고 예측 가능한 날씨 사이의 아슬아슬한 균형 속에서 생존하고 있는 장거리 이동 철새들은 그러한 충격을 가장 먼저 가장 심하게 받게 될 동물 종에 속한다. 새들은 지구에 가장 널리 분포하고 눈에도 잘 띄기 때문에, 그리고 또 수많은 사람이 그들의 수와 이동을 관찰하고, 오랜 세월 매우 체계적으로 관리해 왔기 때문에, 기후 변화가

* polar vortex. 북극과 남극의 대류권 상층부에서 성층권까지 형성되는 강한 저기압 소용돌이.

어떻게 자연계를 바꾸고 있는지에 대한 가장 중요한 증거를 인간에게 가장 먼저 제공해 왔다. 일부 종의 경우는 그 영향이 벌써 매우 심각하지만, 세상의 뉴스는 전혀 비관적이지 않다. 기후 변화가 많은 철새 종들에게 심각한 충격을 줄 것이 틀림없지만(적어도 일부 종에 대해서는 거의 확실히 의식조차 못 하고 있는 듯하다), 희망의 끈을 놓지 않게 하는 조짐들도 조금은 보인다. 일부 종은 새들이 과거 지질학적 배경에서 겪었던 어떤 것보다 빠른 속도로 바뀌고 있는 변화에 맞서 뜻밖의 유연성을 보여 주었다. 그것이 변화를 이겨내기에 충분할지는 앞으로 두고 봐야 할 것이다.

기후 변화는 철새 이동과 관련된 하나하나를 모두 수정하고 있다. 기후 변화는 자연 순환의 일정을 가리키는 달력을 찢어 버리면서, 새들이 이동 경로를 따라 필요한 먹이를 발견하기 위한 여행 시간표를 바꾸고, 번식기 같은 중요한 기간들을 점점 더 단축시키는 방식으로 계절을 앞당기고 있다. 기후 변화는 날씨를 바꾸고 있다. 폭풍은 더욱 강해지고 있을 뿐 아니라, 대륙풍도 어떤 시기에 어떤 장소에서는 점점 더 강해지고, 또 다른 어떤 시기에 어떤 장소에서는 점점 약해지고 있다. 따라서 이동 중 중요한 순간에 순풍을 타야 하는 많은 철새에게 그것이 어떤 영향을 끼치는지는 아직 알려진 것이 없다. 기온 상승이 곤충이 나타나는 시기를 바꿀지 모른다거나, 너무 더워서 새끼 새가 살아남을 수 없을지 모른다는 걱정은 집어던져도 된다. 기후 변화는 극심한 조수 간만의 차로 해안 습지를 침수시키는 것과 같은 극적인 방식뿐 아니라, 겨울은 더 짧게, 여름은 더 길고 뜨겁게 하여 (또는 열대 지방에서 우기와 건기를 바꿔서) 한때 안정되었던 식물과 동물 군락을 망가뜨리고, 특정 지역을 메마르게 고갈시키거나 계절적 집중 호우로 범람케 하는 등 더 절묘하지만 서서히 침투하는 방식으로 자연 풍경을 새롭게 바꿔 나가고 있다. 이미 아는 바와 같이, 기후 변화는 기후 온난화에 대응해서 새들의 몸이 줄어드는 사례에서 보는 것처럼 많은 철새의 신체 크기와 형태도 바꾸고 있다.

이제 점점 바뀌고 있는 자연 풍경에 대해서 이야기를 시작해 보자. 북미 동부 연안의 감조습지 같은 해안 습지들은 많은 철새 종, 특히 도요물떼새 철새들이 서식하는 구역을 표시하는 가느다란 경계선 구실을 하는데, 해수면이 상승할 경우 심각한 위협에 처한다. 옛날에는 바다의 수위가 상승하면 습지는 상승한 높이만큼 내륙으로 이동할 수 있었다. 하지만 오늘날 대부분의 지역에서 해수면 상승 속도에 맞춰서 습지도 다시 조성될 수 있다고 가정한다 해도, 해안 지역 개발 때문에 이런 생태계가 내륙으로 이동해서 새로 조성될 가능성은 원천적으로 차단될 것이다. 나는 지금 중국 황해의 갯벌들에 대해서 생각하고 있다. 그 갯벌들을 살리기 위한 필사적인 노력이 지금까진 적어도 부분적으로 성공한 것처럼 보인다. 한편으로 중국 정부가 해수면 상승이 초래할 최악의 결과를 막을 수 있는 수단으로 그런 습지들을 인정한 덕분이었다. 그러나 내가 황해를 따라가며 목격한 모든 해안 습지에는 높은 인공 방조제와 내륙 쪽으로 멀리 이어진 산업 시설이 가득 차 있었다. 따라서 해수면이 상승하면, 습지가 점진적으로 이동해 갈 수 있는 내륙의 자리는 전혀 없을 것이며, 그냥 침수되고 말 것이다.

그 밖에 세계의 다른 지역에서도 기온 상승과 강수량 감소는 자연의 풍경을 메마른 건조 지형으로 만들 것이다. 예컨대, 북아메리카의 서부 산간 지역에서는 오리와 기러기, 고니, 섭금류, 도요물떼새, 뜸부기처럼 태평양 철새 이동 경로를 이용하는 물새 철새 수백만 마리가 그레이트베이슨* 지역을 통과한다. 이 지역의 독특한 호

* Great Basin. 미국 서부의 네바다, 유타, 캘리포니아, 오리건, 아이다호 6개주에 걸친 거대 분지.

수와 습지들은 바다로 나가는 출구가 없다. 서로 연결되어 있고 담수에서 염수로, 그리고 고염수로 점점 짜지고 있는 그 분지의 습지들은 갯파리brine fly와 브라인새우brine shrimp 같은 무척추동물들로 가득하다. 이 때문에 그곳은 물새들에게 번식지로서 역할을 하거나 이동할 때 반드시 거쳐야 하는 중간 기착지나 집결지로 자리잡았다. 예컨대, 검은목논병아리eared grebe는 가을에 미국 북부와 캐나다 서부에 있는 번식지를 떠나 고염수 호수, 특히 유타의 그레이트솔트호Great Salt Lake와 캘리포니아 북부의 모노호Mono Lake로 이동한다. 그들은 거기서 깃털갈이를 하느라 날 수 없게 되기 때문에 살이 많이 찐다. 따라서 날개 깃털이 다시 자라더라도 몇 달 동안 계속해서 나는 것은 불가능하다. 그래서 그들은 월동지로 가는 비행을 완료하기 위해 처음 몇 주 동안 빠른 속도로 날아서 체중의 3분의 2를 빼고 다시 정상적으로 비행을 할 수 있는 상태로 만든다. 그런 뒤, 그들은 파상적으로 연달아, 때로는 한 번에 수십만 마리가 무리를 지어 태평양 해안으로 날아간다.

미국 지질 조사국 주도로 진행된 한 공동 조사에서 검은목논병아리를 비롯한 수백만 마리의 철새들이 의존하는 그레이트베이슨 습지들이 1980년 이래로 하천 유량 감소와 강설량의 부족으로 이미 심각한 고갈 상태에 이르렀음이 밝혀졌다. 현재 그 습지들로 유입되는 물의 양과 시점이 바뀌고 있으며, 그곳에 들르는 새의 개체군도 이미 그런 상황을 반영하고 있다. 도요물떼새의 수는 무려 70퍼센트나 감소했다. 그중에서도 윌슨스나이프, 검은제비갈매기black tern, 서부논병아리western grebe, 클라크논병아리Clark's grebe 같은 새들은 상황이 특히 심각하다. 기후 변화는 이미 분지의 물길을 분기한 탓에 심각한 타격을 받은 상황을 더욱 악화시키고 있다. 〈이런 대단히 중요한 지역에서는 서식지와 먹이 자원, 관문 구역의 아주 작은 일부만 사라진다고 해도 개체 수 감소의 신호탄으로 작용할 수 있다. 특히 인근에 다른 대안을 거의 찾을 수 없는 상황이 전개되고 있기 때문에 더욱 그렇다.〉[16] 그 조사 보고서 작성자들의 경고는 한결같았다.

또 다른 매우 중요한 철새 이동의 연결고리 가운데 한 곳, 구북구의 철새들이 유럽으로 이동하는 데 중요한 중간 기착지인 아프리카 사헬 지역으로 가보자. 지구 온난화의 미래가 그곳과 관련해서 무엇을 의미할지에 대해서는 아직까지 이렇다 할 확정된 의견이 나온 바 없다. 사헬 지역은 지구상 어느 곳보다 온난화가 더 빠르게 진행되고 있다. 그리고 적어도 그 추세는 앞으로도 계속될 것으로 보인다. 그러나 사헬 지역은 각종 기후 모델들로도 정확하게 포착해 내기 어려운 계절풍 강우에 의존하는 지역이기 때문에 기상 예측이 특히나 매우 까다로운 지역으로 유명하다. 어떤 예측은 그 지역이 1970년대와 1980년대에 몰아닥친 엄청난 가뭄 앞에서 그랬던 것처럼 앞으로도 계속해서 더욱 건조해질 것이라고 추정한다. 그러나 최근에 나온 또 다른 예측은 계절풍 강우가 더 북쪽으로 이동하며 더 강해지면서 앞으로 더 습해질 것이라고 추정하는 듯하다. 그러나 또 일부 다른 의견은 사헬 지역의 동부와 중부는 지금보다 더 촉촉해지는 반면에, 서부는 그보다 덜할 것이라고 지역 차이를 주장하기도 한다. 실제로 어떤 일이 일어나더라도, 아프리카와 유럽을 오갈 때 사헬 지역을 거쳐야 하는 수백만 마리의 철새들에게 그것이 미칠 영향은 실로 막대할 것이다.

그러나 아무리 낙관적으로 본다고 해도, 오늘날 철새들의 전반적인 상황은 걱정스럽다. 미국 국립 오듀본 협회는 북미 조류 번식 조사와 크리스마스 버드 카운트 행사를 통해 얻은 조류 통계 데이터를 저·중·고 탄소 배출량에 따라 기후 변화 모델링을 한 결과, 금세기 말에 약 600종에 이르는 북아메리카의 새 가운데 절반 이상이 그들의 현재 서식지의 절반 이상을 상실할 것이라고 예상했다. 이론상으로는 그 종들 가운데 3분의 1은 새로운 지역으로 서식지를 옮길 것으로 보지만, 126종은 그런 비상용 도피처가 전혀 없는 것으로 나온다. 예컨대, 베어드참새Baird's sparrow는 실제로 북미 대초원에 있는 번식지 전체와 멕시코 북부의 건조한 목초 지대에 있는 월동지도 모두 상실할 것으로 예상된다. 심지어 기후 모델링에 근거해서 좀 더 북쪽으로 서식지를 확장할 수 있다고 연구 결과가 나온 새의 경우에도, 서식지 환경을 이루는 초목의 이식이 동시에 이루어지지 않는 한, 그 새에게는 별다른 이득이 없을 것이다. 붉은풍금조는 2080년에 현재 서식지보다 약 1600킬로미터 더 북쪽에 있는 캐나다 중부 지역으로 옮겨 갈 것으로 예상되지만, 그곳에는 그들에게 필요한 울창한 활엽수림이 없다. 그들이 옮겨 갈 곳으로 예상되는 제임스만 주변에는 현재 아한대 가문비나무 숲만 있을 뿐인데, 그곳에 느닷없이 울창한 참나무나 단풍나무 숲이 들어설 것이라고 기대하는 사람은 아무도 없다.

철새에게 가장 중요한 〈경관〉 가운데 하나는 물론 그들이 존재하는 대지 위에 있는 하늘 공간이다. 그래서 기후 변화가 조만간 바람과 날씨 패턴을 어떻게 바꿀지는 앞으로 철새들에게 지대한 영향을 끼칠 것이다. 연구생태학자 프랭크 라솔트Frank La Sorte가 이끄는 코넬대 조류학 연구소의 연구팀만큼 이 문제를 깊이 들여다보는 데는 없다. 여기서는 오늘날 새들이 하늘을 어떻게 이용하고 있고, 앞으로 환경 조건이 철새 이동에 도움을 줄지, 아니면 장애가 될지를 알기 위해 이버드, 레이더, 기상 정보 같은 자료들을 데이터마이닝하는 작업을 하고 있다. 라솔트와 그의 동료들은 봄에 이동하는 철새들, 특히 곤충을 먹이로 하는 솔새 같은 철새들이 3월부터 멕시코만에서 북쪽으로 뻗어 나가기 시작하는, 새로 자라는 초목의 〈녹색 물결〉 흐름을 조심스레 따라간다는 것을 알아냈다. 그들은 북아메리카 동부의 많은 철새가 시계바늘 방향으로 순환 이동을 하는데,

봄에는 북미 대륙의 한가운데를 통과해서 북상한다. 멀리 돌아가는 길이지만 남쪽에서 하층 제트기류가 형성되어 강력한 순풍에 올라탈 수 있는 경로이다. 그리고 가을에는 탁월풍인 강력한 북서풍에 올라타서 대서양 남쪽 상공을 날아 남하하는 더 짧고 직접적인 경로를 이용한다. 반면에 북아메리카 서부의 철새들은 하천 계곡과 다양한 녹지 공간을 따라서 이동하는 것으로 보인다. 그들은 탁월풍 따위에는 별로 신경을 쓰지 않는 듯하다. 그러나 그 때문에 만일 기후 변화로 그들의 이동 시점과 지역의 먹이 자원 사이의 연결고리가 끊어진다면, 더 큰 위험에 봉착할 수 있을지도 모른다.

장차 무슨 일이 벌어질까? 지구의 기후 체계처럼 복잡한 것이 어떻게 반응할지 예측하는 것은 엄청나게 어려운 일이다. 사상 최고로 더운 해가 연속적으로 이어지고, 극지방의 녹아내리는 빙하의 양이 계속해서 기록을 경신하면서, 현재까지의 기후 변화 모델링은 그 영향을 너무 낮게 평가하고 있는 것이 아닌가 의심이 들 정도다. 지구 온난화는 2018년에 기후학자들이 경고한 것보다 두 배는 더 악화되고 있는지도 모른다. 비록 우리가 지구 평균 기온 상승을 섭씨 2도로 유지하려고 애쓰고 있지만, 그것은 점점 꿈같은 이야기가 되어 가고 있는 것 같다. 라솔트의 코넬대 연구팀은 날씨 조건의 변화가 서구의 철새 이동에 어떻게 영향을 끼치는지 모델링 실험을 했다. 기후의 극단화 현상은 지구 온난화와 함께 증가할 것으로 예상되는 가운데, 그 연구팀은 2012년 3월 봄에 발생한 이상 온난화 현상이 새들에게 어떤 영향을 끼쳤는지 알아보기 위해 해당 자료를 모델링에 사용했다. 그들은 기온 급상승 현상이 처음에는 생태계의 생산성*을 가속화하지만, 나중에 새들이 이동할 준비를 해야 할 여

* ecological productivity. 생태계의 생명체들 사이에 먹고 먹히는 먹이사슬이 서로 연결된 먹이그물의 관계를 의미한다.

름이 오면 이미 먹이를 많이 소비한 탓에 먹을 것이 모자라게 된다는 것을 발견했다. 그때쯤 많은 먹이를 필요로 하는 장거리 이동 철새들에게 먹이 부족은 큰 타격이다. 연구팀은 또한 철새들이 해마다 이동하는 번식지와 월동지에서 언제 새로운 기후 상황이 나타날지 알기 위해 거의 80종에 이르는 철새에 대한 이버드 데이터와 함께 다양한 역사적 기록과 기후 예측 자료를 사용했다. 그 결과, 그들은 철새들이 금세기 후반기에 월동지인 열대 지방과 여름철 번식지인 온대 지방에서 모두 새로운 기후 조건을 경험하기 시작할 것이라고 결론지었다. 2300년, 철새 종의 80퍼센트가 연중 내내 새로운 기후 상황에 놓이게 될 것이다. 장거리 이동 철새들에게 특히 매우 중요한 탁월풍 또한 바뀔 것이다. 라솔트와 그의 동료들은 대부분의 철새들이 날아서 이동하는 장소와 시간, 고도에 대한 정보와 바람 예측 자료와 함께 143개의 인접한 미국 도플러 레이더 기지국들로부터 나온 자료들을 사용해서 결론을 내렸다. 즉, 금세기 내내 철새들이 봄에 이동할 때 부는 순풍은 약 10퍼센트 증가해서 북상하는 철새들에게 큰 힘이 되지만, 가을에 월동지로 남하할 때 부는 서풍은 절반으로 감소할 것이므로 야간 비행을 매우 힘들게 하리라는 것이다. 하지만 아무에게도 득이 되지 않는 바람은 없다. 서풍이 줄어든다는 것은 대서양 서부 상공을 날아 남하하는 새들, 즉 북아메리카와 카리브해 지역 또는 남아메리카 사이를 이동할 때 측면에서 부는 강력한 서풍과 싸워야 하는 새들이 직진해서 남쪽으로 가는데 사력을 다하지 않아도 된다는 것을 의미하기 때문이다.

그러나 무엇보다 기후 변화가 가하는 가장 큰 위협은 지금 철새의 번식지에서 일어나고 있을 수 있다. 계절의 변화는 철새의 삶과 아주 밀접하게 연결되어 있기 때문이다. 기후 변화가 철새의 세계를 얼마나 황폐하게 망칠 수 있는지를 보여 주는 대표적인 사례가 알락딱새European pied flycatcher다. 이 활동적이고 배가 불룩한 명금류 철새는 수컷은 등이 검은색이고 배는 흰색이며, 암컷은 등이 갈색이고 배는 흰색인데, 둘 다 날개 일부에 커다란 흰색 반점이 있다. 영국 제도에서 러시아 남부에 걸쳐 둥지를 틀고, 사하라 사막의 서아프리카 남부에서 겨울을 난다. 이 새는 유럽에서 가장 널리 연구되는 〈대표적인 종〉 가운데 하나인데, 인간이 만든 둥지를 잘 이용하기 때문에 연구하기가 편하기도 하고, 수컷 한 마리가 여러 마리의 암컷과 짝짓기를 하는 흔치 않은 일부다처 번식을 하기 때문이다. 그러나 최근 들어 사람들이 알락딱새에게 주목하는 가장 큰 이유는 그들의 특이한 성생활 때문이 아니었다.

알락딱새는 〈플라이캐처flycatcher〉라는 이름이 암시하는 것처럼, 여름 동안 대체로 곤충을 많이 잡아먹는다. 알락딱새 성조는 공중에서 날아다니는 곤충을 잡아먹는 데 많은 시간을 보낸다. 새끼 새에게 먹이를 갖다 줄 때면 주로 나비와 나방류의 애벌레를 잡는데, 이런 습성은 북반구의 온대와 아한대 지역에 걸쳐 아마도 대부분의 명금류 철새들이 공유하는 흔한 특징이다. 이런 애벌레는 어린 새들이 소화하기 쉽고 연하다. 그리고 봄에 새로운 잎이 나기 시작하고 한 달여 동안은 북미 숲 전역, 특히 알락딱새가 주로 둥지를 트는 참나무가 우세종인 산림지대에는 애벌레들이 가득하다. 명금류 철새 한 쌍이 네 마리의 새끼 새들이 스스로 날 수 있을 때까지 기르기 위해 공급해야 하는 애벌레는 6000마리가 넘는다. 따라서 애벌레가 최고로 많은 때라고 해도 철새에게 절대 호사가 아니다. 그때에 맞춰 번식지에 도착하고, 둥지를 짓고, 알을 품는 것은 철새의 삶에서 불가피한 일이다.

아마도 수천 년 동안 알락딱새를 비롯한 명금류 철새들이 열대 지방에서 북쪽으로 되돌아가는 시스템은 흔들림 없이 작동했다. 그러나 지구의 기온이 급속하게 상승하는 시대가 되면서, 그 시스템을 이어 주는 연결고리들이 점점 와해되기 시작했다. 북반구에서 봄은 점점 더 일찍 도래하는 중이고, 싹이 트고 애벌레가 가장 많이 생겨나는 때는 기온 상승에 맞추어 앞당겨지고 있다. 철새들도 약간 더 일찍 도착하고 있지만, 번식지의 환경 변화를 따라가지는 못한다. 스미스소니언 센터의 피터 마라와 몇몇 동료가 수행한 북아메리카 동부 지역에 나타나는 현상에 대한 한 초기 연구 결과에 따르면, 봄 기온이 평균적으로 섭씨 1도씩 오를 때마다, 명금류 철새가 돌아오는 시점이 평균 하루씩 빨라지고 있었다. 그러나 식물의 싹이 트는 시기가 세 배나 더 빨리 앞당겨지면서, 결과적으로 철새들이 도착하는 시점은 점점 더 늦어지는 셈이 되었다. 이것을 계절성(생물계절성) 불일치seasonal(phenological) mismatch라고 부르는데, 그것은 알락딱새 같은 철새들을 크게 압박했다. 과학자들은 현재도 봄의 도래 시점이 철새가 돌아오는 것보다 빨라지고 있기 때문에, 열대 지방에서 와야 하는 장거리 이동 철새들은 특히나 곤란한 상황에 처한다는 사실을 거듭 확인했다. 아프리카 서부의 산림지대에서 겨울을 나는 알락딱새는 지중해 지역이나 유럽 중부의 봄 날씨가 계절에 맞지 않게 춥거나 비정상적으로 따뜻한지에 대해서 전혀 알 길이 없다. 몸에 지방을 축적하고, 가슴 근육량을 늘리고, 사하라 사막과 지중해 지역을 가로지르는 약 4000킬로미터를 비행하기 위해 거쳐야 하는 그 밖의 모든 신체적 변화의 장치들은 모두 유전인자에 새겨져 있다. 어떤 철새가 언제 북상할 것인지 결정하는 것은 광주기(光周期)다. 이것은 철새의 이동 개시를 알리는 빛과 어둠의 미묘한 변화율을 말하는데, 철새의 신체 내부의 생리 기능 주기도 따라서 바뀐다.

그것은 알락딱새에게 재앙이었다. 1980년과 2000년 사이에 네덜란드의 봄은 매우 일찍 도래했다. 그러나 조류학자인 크리스티안 보스Christiaan Both와 마르셀 비세르Marcel Visser는 알락딱새가 비행 일정을 전혀 바꾸지 않았다는 것을 알아냈다. 그러나 그들은 유럽에 도착하자마자 둥지를 짓고 알을 낳는 과정을 전보다 빠르게 진행했다. 그들의 짝짓기 시점을 약 10일 정도 앞당겨서 더 따뜻해진 날씨와 앞당겨진 계절에 적응하려고 애썼다. 그러나 그것은 거기서 끝일 뿐이다. 두 사람은 2001년 발표한 연구 논문에 〈그러나 그들이 상대적으로 도착 날짜를 유연하게 조정하지 못한 탓에, 기간이 너무 짧아졌고, 그 개체군의 상당수가 현재 알을 너무 늦게 낳는 바람에 먹이가 되는 곤충이 가장 풍부한 시기를 이용하지 못하고 있다〉[17]고 기록했다. 비록 다른 과학자들도 일부 새들의 번식기가 앞당겨지는 이런 추세와 기후 변화와 그것의 연계성에 대해 관찰했지만, 이러한 계절 불일치가 앞으로 어떻게 굶주린 새끼 새들의 입에서 먹이를 빼앗아 갈 것인지에 대해서 경종을 울린 사람은 보스와 비세르 두 학자가 처음이었다. 그 결과는 대단히 심각했다. 알락딱새는 엄청나게 개체 수가 감소했는데, 1995년 이래로 영국에서 50퍼센트 이상이 줄었고, 네덜란드 일부 지역에서는 90퍼센트가 사라졌다.*

흥미롭게도, 북아메리카에서도 계절 불일치 현상이 점점 많아지고 있는 것으로 알려지고, 일반적으로 철새의 수가 수십 년 동안 감소해 온 것 또한 사실이지만, 유럽의 일부 지역처럼 알락딱새 같은

* 알락딱새와 유럽의 산림지대를 공유하는 텃새인 박새great tit는 그들의 알 낳는 날짜를 바꾸지 않았다. 그러나 그들은 원래 알락딱새가 둥지를 짓기 시작하는 것보다 몇 주 앞서서 둥지를 틀고 있었다. 그래서 그들은 알락딱새가 기후학적 불일치 현상으로 받는 것과 같은 압박을 받지 않았다. 그 결과, 알락딱새에게는 대개 치명적인 상황이 초래되었는데, 둥지를 둘러싼 박새와의 갈등이 점점 더 심해졌다. 수컷 알락딱새들은 점점 빨라지는 봄을 따라잡으려고 애쓸 때마다, 박새들이 알을 가장 많이 낳는 기간이 자신들이 둥지를 찾고 있는 기간과 겹친다는 사실을 점점 더 자주 깨닫게 되었다. 이것은 결국 격렬한 전투로 이어져 때로는 죽는 경우도 발생했는데, 알락딱새가 이기는 경우는 드물었다. 특히 온화한 겨울(지구 온난화의 또 다른 산물)이 지난 뒤, 박새의 수가 급증했을 때, 그러한 갈등으로 죽는 알락딱새 수컷은 9퍼센트까지 증가했다. 몸집이 약간 더 크고 무거운 박새는 알락딱새가 죽을 때까지 쪼아 댔다. — 원주.

단일 종의 철새가 파국적으로 급감한 경우는 아직 없었다. 라틴아메리카와 카리브해 지역에서 회귀하는 신열대구의 철새들은 사하라 사막과 지중해 지역을 가로질러야 하는 아프리카에서 회귀하는 섭금류 철새들에 비해 이동 중에 만나는 장애물이 별로 없다는 것이 그 하나의 이유가 될 수 있을 것이다. 그러나 적어도 북아메리카 일부 지역의 경우는 유럽보다 철새의 먹이가 되는 곤충이 훨씬 더 많다는 것을 또 다른 이유로 들 수 있을 것이다. 지난 수십 년 동안 철새 이동과 관련된 가장 중요한 연구 일부가 진행된 뉴햄프셔의 화이트산맥에 있는 허버드 브룩 시험림Hubbard Brook Experimental Forest에는 애벌레가 최고로 많은 때가 따로 존재하지 않는다. 활엽수와 침엽수가 혼재되어 있는 숲에는 수백 종의 나방과 나비가 서식하는데, 번식기에 곤충을 먹이로 하는 철새들에게 그곳은 늘 변화무쌍한 식사를 제공하는 뷔페 식당이다. 그러나 참나무가 우세를 이루고 있는 숲에서는 그러한 곤충 다양성을 기대하기 어렵다. 유럽의 일부 숲이 바로 그런 경우에 해당한다. 그곳에는 서식하는 나방의 종이 제한되어 있기 때문에, 애벌레가 최고로 많은 특정 계절이 있기 마련이다.

헝클어진 자연의 순환은 새로운 승자와 패자를 낳는다. 영국에서 철새 14종 가운데 11종의 도착 날짜가 1960년대 이래로 최대 10일까지 앞당겨졌다. 그것은 유럽 남부나 아프리카 북부에서 겨울을 나는 단거리 이동 철새들에게 가장 큰 변화다. 많은 새가 또한 가을에 체류 기간을 연장하는 바람에 영국에 서식하는 기간이 크게 늘어났다. 우연치 않게, 검은머리솔새와 검은다리솔새chiffchaff 같은 동일한 종의 솔새들도 개체 수가 증가하는 추세를 보여 주었는데, 아마도 그들이 이제 여름에 새끼를 한 번이 아니라 두 번 낳을 수 있기 때문인 것으로 보인다. 2008년, 프랑스, 이탈리아, 핀란드의 과학자들은 유럽 전역에 걸친 탐조 기록들을 분석했는데,

1970~1990년과 1990~2000년 두 기간 동안 100종의 철새가 어떻게 이동했는지를 살펴보았다. 그 결과, 첫 번째 기간에는 철새 이동의 성공 여부가 어느 지역의 어떤 서식지에서 번식을 하고 겨울을 났는지에 달려 있다는 것이 밝혀졌다. 그 기간 동안 계속해서 긴 가뭄으로 고통을 받았던 아프리카 사헬 지역에서 겨울을 난 종의 성공률은 낮았다. 그러나 1990년 이후 두 번째 기간에 개체 수 변화를 설명하는 유일한 요소는 이동 시점이었다. 두 번째 기간 10년 동안 개체 수가 감소하고 있었던 종은 한결같이 번식지 도착일이 바뀌지 않은 새들로 대개 장거리 이동 철새들이었다. 반면에, 개체 수가 일정하거나 증가하고 있었던 종은 대개 단거리 이동 철새들로 계절의 순환이 앞당겨지는 것에 보조를 맞추어 번식지 도착일을 앞당김으로써, 먹이가 되는 곤충이 많은 때에 도착해서 결과적으로 번식을 한 번 더 할 수 있었다. 단거리 이동 철새들은 또한 장거리 이동 철새들보다 훨씬 더 가까운 곳에서 번식지의 날씨를 관찰할 수 있는 이점이 있었다. 동부큰솔딱새eastern phoebe나 붉은꼬리지빠귀처럼, 미국 남부에서 겨울을 나는 철새나 검은머리솔새나 검은다리솔새처럼, 더 남쪽이지만 이베리아반도까지만 이동하는 철새는 이동할 때 어떤 바람이 불지 미리 파악할 수 있다. 따라서 따뜻한 남풍이 이동 중에 계속해서 불어 준다면, 평소보다 2주 일찍 떠나고, 차가운 북풍이 날마다 불어 댄다면, 날씨가 좋아질 때까지 웅크리고 앉아서 기다린다. 그러나 안데스산맥 기슭의 구릉지에 있는 블랙번솔새나 콩고 분지에 있는 연노랑솔새는 수천 킬로미터 떨어진 북쪽에서 무슨 일이 벌어지고 있는지 알 길이 없다.

과학자들은 철새 이동과 관련해서 가장 먼 거리와 넓은 면적을 가로지르는 데이터 기록들이 있는 지역인 유럽과 북아메리카 대륙을 횡단하는 철새들의 이동 시점이 기후 변화 때문에 어떻게 재조정되고 있는지 점점 더 명확하게 알게 되었다. 그 밖의 다른 지역도 유럽과 북미 대륙과 마찬가지로 계절의 변화는 빠르게 진행되고 그에 따른 새들의 반응 또한 비슷하나 그 변화 속도를 따라가지는 못한다는 공통점이 있다. 하지만 기후 변화에 따른 철새의 이동 시점의 재조정 양상은 지역별로 매우 불규칙하다. 일본에서 겨울을 나는 철새들은 예년에 비해 가을에 9일 늦게 도착해서 봄에 3주 일찍 떠나고 있는 것이 확인되었다. 그들의 월동지 체류 기간이 한 달 이상 짧아진 셈이다. 남반구 전역에 대한 거의 90차례에 걸친 다양한 연구와 1000개 이상의 데이터 기록들을 분석한 결과, 남반구의 봄도 철새들의 이동 속도보다 훨씬 더 빠르게 앞당겨지고 있음이 밝혀졌다. 오스트레일리아에서는 식물의 개화와 열매 맺는 시기가 10년당 거의 10일이 앞당겨진 반면에, 철새 이동은 2.5일밖에 바뀌지 않았다. (여기는 오히려 기온보다 계절적인 강우량의 변화가 주역인 것처럼 보였다.) 정반대 위치에 있는 중국의 다양한 장기간에 걸친 데이터를 메타 분석*한 결과, 나무와 관목들은 봄이 상당히 빨리 왔지만, 봄철 철새 도착일은 오히려 약간 늦어졌다. 하지만 이 연구 논문의 저자들은 여기에 포함된 철새 종의 수와 조류 데이터들이 대체로 중국에서 나온 것이라는 점에서 확정적으로 결론을 내리기에는 한계가 있다는 점을 인정하며 주의를 당부했다.

이보다 더 세부적으로 분석한, 예컨대 알락딱새 한 종에 대한 기후 변화의 영향을 탐구한 연구들도 있지만, 지금까지 수행된 그런 연구들은 문제가 얼마나 복잡해질 수 있는지를 보여 준다. 다시 말해서, 기후 변화로 달력의 절기가 바뀌면서 제기되는 문제 하나를 해결하면, 철새는 또 다른 문제에 걸려 넘어질 수도 있다. 흰뺨기러기barnacle goose를 예로 들어 보자. 머리와 목이 검고 얼굴이 흰색

* meta-analysis. 선행 연구 결과 나온 정보들을 수량화해서 기술통계와 추리통계 기법을 이용하여 분석하는 통계적 방식.

인 몸집이 작은 철새로, 서유럽에서 겨울을 나고 그린란드 동부와 스발바르Svalbard 제도에서 러시아 북서부에 이르는 북극 섬들에서 번식을 한다. 이 기러기들은 북극에서 눈이 녹는 때에 맞춰 그곳에 도착한다. 그런데 지난 수십 년 동안 1년에 거의 하루 꼴로 봄이 앞당겨져 왔다. 네덜란드에서 겨울을 나는 흰뺨기러기는 그러한 기후 변화에 발을 맞추기 위해 안간힘을 쓴 결과, 그들이 과거 번식지에 도착하기 전에 예비용 체지방과 알을 낳기 위해 필요한 단백질을 보충하면서, 최대 3주 동안 새로 자라나는 초목을 뜯어 먹으며 머물렀던 전통적인 중간 기착지인 발틱해와 바렌츠해 연안에 체류하는 기간을 줄여야 했다. 그래서 그들은 이제 눈이 녹을 때를 맞추기 위해 러시아 북극 지방에 최대 13일 일찍 도착한다. 하지만 번식지에서 알을 낳을 수 있을 정도의 영양을 이동 중에 충분히 공급받지 못한 탓에 기력을 재충전할 때까지 번식을 하지 못한다. 알을 낳는 날짜가 조금 앞당겨지고 평균 한 번에 낳는 알의 숫자도 약간 늘었지만, 예년과의 차이를 극복하기에는 충분치 않았다. 유럽의 참나무 숲에서처럼, 북극 지방에도 곤충이 최고로 많을 때가 있다. 그런데 해가 갈수록 눈이 녹는 때가 앞당겨지면서, 태어나면서부터 모기나 각다귀 같은 작은 날벌레들을 먹는 기러기 새끼들은 그 시기를 놓치는 경우가 많아져 어렸을 때 사망률이 훨씬 더 높아지는 결과를 초래한다. 스코틀랜드에서 겨울을 나는 흰뺨기러기는 그곳의 온화한 겨울 날씨 덕을 많이 보는데, 스발바르 제도 번식지의 곤충이 많은 때와 계절 불일치 현상에도 불구하고 더 많은 알을 낳고 있다. 그러나 성조가 될 때까지 살아남는 새끼 기러기는 매우 적다. 포식자 북극 여우들이 점점 더 늘어나고 있기 때문이다. (흰뺨기러기와 흰기러기, 그리고 참솜깃오리common eider, 바다오리common murre 같은 군락을 이루어 북극 지방에 둥지를 짓는 철새들은 기후 변화로 훨씬 더 큰 끔찍한 위협에 직면해 있다. 북극해 빙하가 사라지면서 전통적으로 물개 사냥으로 먹고 살던 북극곰polar bear들이 사냥을 하기 어려워지자, 철새 둥지가 군락을 이루고 있는 곳으로 눈길을 돌려 먹이 사냥을 시작하면서 때때로 그 군락에 있는 알과 새끼 새들의 90퍼센트까지 먹어 치우기도 한다.)

캐나다흑꼬리도요에 대한 연구는 우리의 관심을 사로잡는 매우 흥미진진한 사례 연구 가운데 하나인데, 단일 종의 철새 안에서도 기후 변화의 영향이 극적으로 다르게 나타날 수 있음을 보여 주기 때문이다. 내이선 세너의 연구에 따르면, 캐나다흑꼬리도요는 지구상에서 가장 먼 거리를 이동하는 철새 가운데 하나임에도 이월 효과의 영향을 받지 않는 것처럼 보인다. 내이선은 도요물떼새에 매우 정통하다. 그는 여덟 살 때, 그의 아버지이자 내 오랜 친구인 스탠 세너가 그를 알래스카 프린스 윌리엄 해협Prince William Sound의 쿠퍼강 도요물떼새 축제Copper River Delta Shorebird Festival에 데리고 갔을 때, 스스로 〈귀의〉라고 묘사하는 그런 경험을 했다. 내이선은 눈 덮인 추가치산맥Chugach Mountains 아래 갯벌에 운집해 있는 긴부리참도요와 민물도요 무리 수십만 마리를 보았다. 그러고는 곧바로 그 새들에게 푹 빠져 영원히 헤어날 수 없는 사람이 되었다. 현재 사우스캐롤라이나 대학교를 근거지로, 그와 그의 제자들은 캐나다흑꼬리도요를 비롯해서 북극 지방에 둥지를 짓는 도요물떼새 연구를 계속하고 있다.

내이선은 캐나다흑꼬리도요의 두 개체군이 기후 변화에 서로 극적으로 다르게 반응하고 있는 방식들을 지금까지 계속 비교 연구해 오고 있었다. 한 집단(이월 효과의 영향을 받지 않는 집단)은 칠레에서, 또 한 집단은 아르헨티나 티에라델푸에고에서 겨울을 난다. 그리고 3월과 4월에 남반구의 여름이 끝나면 그 두 집단은 모두 북상하는데, 아르헨티나의 새는 칠레의 새보다 몇 주 늦게 출발한다. 두 집단은 모두 태평양 상공의 멀리 갈라파고스 제도의 경도 위치까지 서쪽으로 날아, 거기서 차가운 훔볼트 해류와 관련이 있는 순풍에 올라탄다. 그들은 중앙아메리카와 멕시코만을 가로질러, 가끔 멕시코만 연안 지역에 내려앉기도 하지만, 대개는 곧장 직진해서 캔자스와 네브라스카, 사우스다코타, 노스다코타에 이르는 중앙의 대평원까지 총 1만 600킬로미터를 논스톱으로 비행한다. 여기서 잠시 휴식을 취하고 먹이를 보충한 뒤, 두 개체군은 나뉜다. 이동 경로만 분리되는 것이 아니라 행운도 갈린다.

칠레에서 출발한 새들은 북서쪽으로 방향을 틀어, 알래스카의 남중부와 서부로 곧장 날아가 4월 마지막 주나 5월 첫째 주에 도착한다. 내이선이 40년 전에 앵커리지 서쪽 벨루가강에서 번식하는 이 집단에서 연구한 캐나다흑꼬리도요들은 이제 그때보다 약 9일 더 빨리 도착한다. 그러나 그들은 계절 불일치 영향을 받지 않는데, 그들의 이동 경로 전체와 알래스카의 최종 종착지의 기후가 연착륙하며 일관되게 점점 따뜻해지기 때문에, 그들의 이동 일정을 계절 변화에 맞춰 속도를 높일 수 있기 때문이다. 따라서 그들은 곤충이 최고로 많은 때에 맞춰서 제때 알도 낳고 자손도 번성한다.

그러나 아르헨티나에서 출발한 캐나다흑꼬리도요들은 그렇지 못하다. 그들은 알래스카에 내려앉은 새들보다 몇 주 늦게 중간 기착지인 북아메리카 대평원 지역에 도착한다. 거기서 먹이를 보충하고 잠시 쉰 뒤, 그들은 다시 북쪽으로 약 3200킬로미터를 더 날아서 허드슨만에 5월 마지막 주나 6월 첫 주에 도착한다. 지금은 옛날보다 약 10일 늦게 도착하는 셈이다. 왜 그런가? 기후 변화가 기괴한 방식으로 나타나고 있기 때문인데, 허드슨만의 캐나다흑꼬리도요들은 오늘날 계절적 충격을 경험하고 있는 중이다.

「그들의 이동 경로 가운데 북쪽 부분, 즉 사우스다코타와 노스다코타의 대초원 지역에서 허드슨만까지 기상 조건은 실제로 추워지고 있어요.」 내이선이 내게 말했다. 그것은 기후 변화가 일으키는

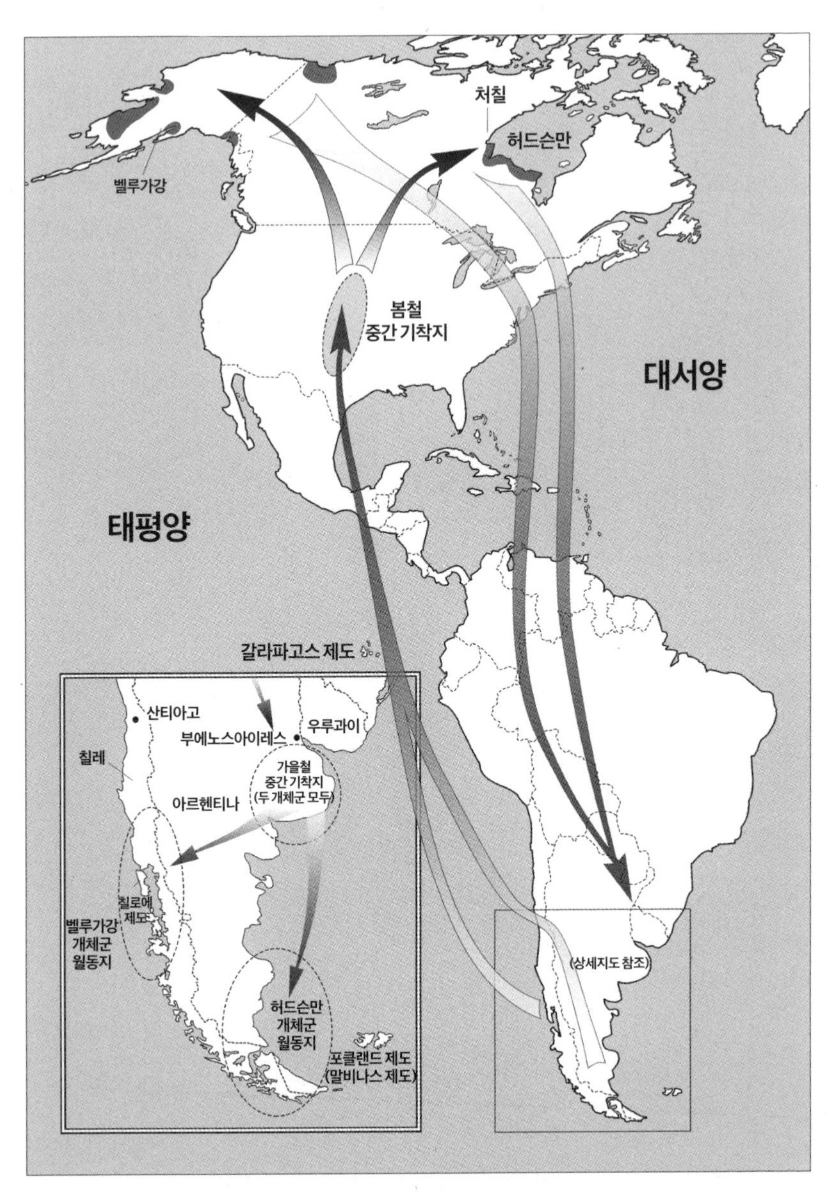

북극과 아북극 지역에 널리 분산되어 몇 개의 개체군들을 형성하고 있는 캐나다흑꼬리도요는 남아메리카를 오가는 이동 경로가 대체로 비슷하지만, 북아메리카의 대평원 지역에서 갈라진다. 그러한 분기는 그들이 기후 변화에 대응해서 어떻게 달리 이동하는지를 보여 준다.

글로벌 위어딩*의 일부 현상이다. 적어도 지금까지는 한 해의 특정 시점에 지구의 일부 지역들이 점점 더 추워지고 있다. 오늘날 캐나다흑꼬리도요의 마지막 이동 경로인 이 구간에 눈과 얼음이 더 늦게까지 남아 있기 때문에, 그 철새들은 옛날처럼 더 일찌감치 북쪽으로 진입하지 못한다. 그리고 그 상황은 점점 더 악화되고 있는 실정이다. 「유감스럽게도 5월의 그런 차가운 날씨 뒤에 여름 날씨는 정말 더워집니다.」 캐나다 북부는 어디를 가든 〈6월과 7월에 아주 빠른 속도로 더워진다〉고 그가 말했다. 그 결과, 허드슨만에 도착하는 캐나다흑꼬리도요는 번식지에 늦게 도착하고 새끼도 늦게 낳을 수밖에 없다. 그러나 급격한 온난화는 먹이가 되는 곤충의 번식 또한 앞당긴다. 따라서 새끼 새들이 자라면서 가장 많은 먹이가 필요할 때, 곤충 수는 최고치에 이르지 못하고 금방 보통 수준으로 줄어든다. 결국, 쑥쑥 자라는 새끼 새들은 한창 에너지 공급이 필요할 때 배를 곯아야 하는 형편이니, 계절 불일치로 고통을 받는 알락딱새가 연상된다.

「그래서 캐나다흑꼬리도요들은 지금 진퇴양난에 빠져 있어요.」 그가 말했다. 「그들은 더 일찍 도착할 수 없어요. 그러다가는 큰 눈을 만날 테니까요. 하지만 또 더 늦게 도착하면, 그들의 태어날 새끼들이 먹어야 할 벌레들이 나타나는 때와 시점이 맞지 않아 훨씬 더 심각한 상황에 직면할 겁니다.」 그 결과는? 수년 동안 캐나다흑꼬리도요는 번식을 성공적으로 마칠 수 없었다. 그들이 낳은 새끼 가운데 성조로 자란 경우는 6퍼센트에 불과했다. 내이선이 포함된 미국-캐나다 공동 연구팀이 수행한 최근 조사에 따르면, 북아메리카 북극 지방 전역에 걸쳐, 조기 해빙과 관련된 계절 불일치 현상은 점

* global weirding. 지구 온난화로 인해 날씨나 자연활동이 극단적으로 변덕스럽거나 이상해지는 현상을 말하는 것으로, 요즘은 지구 온난화 대신 이 말을 더 많이 쓴다.

점 늘어나고 있다. 특히 북극 동부 지역이 심한데, 그곳에서 지느러미발도요red-necked phalarope와 아메리카도요 같은 종의 개체 수가 급격하게 감소하고 있는 것과 무관하지 않아 보인다. 하지만 모든 도요물떼새가 똑같이 그런 고통에 시달리고 있는 것 같지는 않다. 목에 검은색 띠를 두르고 등은 옅은 갈색에 배는 흰색인 통통한 몸집의 물갈퀴도요semipalmated plover도 캐나다흑꼬리도요와 마찬가지로 처칠에 둥지를 튼다. 그곳에 곤충이 가장 많이 나타난 시기가 2010년에는 물갈퀴도요 새끼들이 알을 깨고 나오기 전 꼬박 한 달 동안이었고, 2011년에는 그들이 알을 깨고 나온 뒤 1.5주 동안이었다. 연구자들은 두 경우 모두에서 어린 새끼들의 성장에 아무런 차이가 없다는 것을 발견했다. 이것은 적어도 이 작은 도요물떼새의 경우, 기후 변화로 자연의 절기가 제대로 작동하지 않더라도, 먹이가 되는 다른 절지동물이 충분하다는 것을 의미했다.

도요물떼새가 특별히 융통성이 없다는 것은 아니다. 내이선과 그의 지도 교수였던 데니스 피어스마가 공동으로 연구한 구대륙의 도요새인 흑꼬리도요는 뛰어난 적응력을 보여 주었다. 「번식기 말고도, 거의 모든 면에서, 이 새들은 자신들에게 던져지는 변화들에 적응할 줄 알아요.」 내이선이 말했다. 한때 모든 개체가 네덜란드에서 아프리카 사하라 사막 이남으로 이동했던 흑꼬리도요 가운데 다수가 지금은 이베리아반도의 남쪽 해안으로 우회한다. 그곳은 논이 있어 최상의 월동 서식지를 제공한다. 스페인과 포르투갈 둘 중 어디든 기후 조건이 바뀌면 손쉽게 한쪽에서 다른 쪽으로 이동할 수 있어 좋다. 흑꼬리도요는 또한 북쪽으로 이동할 때 유럽의 날씨에 따라 이동 시점을 매우 유연하게 융통성을 발휘한다. 내이선의 말에 따르면, 특별히 날씨가 온화한 해에는 1월 초에 북상하기도 하고, 추위가 계속되면 3월 중순까지 기다리기도 한다고 한다.

내이선과 데니스의 공동 연구에 따르면, 흑꼬리도요는 북유럽의 여름이 예년보다 더 따뜻하고 비가 많이 내리면, 예상보다 훨씬 더 융통성 있게 번식기를 연장할 줄도 알았다. 2013년 3월에 네덜란드에 이례적으로 봄철 눈보라가 몰아치자, 흑꼬리도요는 뜻밖에도 그것을 피하기 위해 거꾸로 남쪽으로 이동했다. 이 모든 것은 엄청난 뉴스임에 틀림없다. 하지만 이렇게 적응을 잘하는 흑꼬리도요도 극복하지 못하는 장애물이 하나 있다. 기존에 흑꼬리도요 대부분이 둥지를 틀던 다양한 꽃이 반짝이는 자연 초지들로 이루어진 전통 방목지는 집약적인 단일 경작 농지로 대체되고 있다. 이른 벌초 작업은 많은 둥지를 파괴하며, 게다가 얼마 남지 않은 서식지에서 알을 깨고 나온 새끼 새들은 그들의 먹이가 되는 곤충들을 거의 발견하지 못한다. 그리고 점점 더워지는 여름 기온 상승 때문에 초지의 풀들은 크게 자라고 더 빽빽해진다. 그 결과, 번식기가 아닌 다른 때에 그들의 뛰어난 적응력에도 불구하고, 번식지에서의 인위적인 다양한 변화를 따라잡을 수 없던 흑꼬리도요는 개체 수가 급감했다.

「그게 바로 이 이야기의 핵심입니다.」 내이선이 말을 이어 갔다. 「그들은 자신들이 적응할 수 없는 지점까지 최대한 융통성을 발휘하고 있는 겁니다.」

과학자들은 기후 변화에 직면해서 유연하게 행동하며 융통성을 보이는 또 다른 사례들을 찾아냈다. 그중에서 가장 특이한 사례 가운데 하나는 캘리포니아에서 나왔다. 100년도 더 이전에 수집된 상세한 데이터를 기반으로 나온 사례이기 때문이다. 캘리포니아 대학교에 척추동물학 박물관을 건립한 선구적인 현장 생물학자 조셉 그리넬Joseph Grinnell은 1908년부터 1929년까지 캘리포니아에서 생물 다양성이 가장 큰 지역들을 대상으로 철저히 조사한 끝에 총 7만 4000면에 이르는 방대한 보고서를 남겼다. 그의 박물관 후계자들은 2003년부터 동일 지역을 대상으로 전과 유사한 방식으로 철저한 재조사 작업에 들어갔다. 그 과정에서 그들은 두 차례의 조사에서 발견된 202종의 새들 가운데 다수가 사람들이 예상했던 것과는 달리 기온 상승에도 불구하고 더 추운 북쪽으로 그들의 서식지를 옮기지 않았다는 것을 발견했다. 하지만 그 새들은 그리넬이 조사했을 때보다는 평균적으로 7일에서 10일 정도 더 일찍 둥지를 틀었다. 이 이른 여름 기간의 평균 기온은 늦은 여름 기간에 비해 화씨 2도 더 낮기 때문에, 지난 100년 동안 캘리포니아가 경험했던 평균 기온보다 2도 상승한 온도는 새들이 더 추운 곳으로 이동하지 않고도 그 차이를 상쇄하기에 충분한 온도였다.

기존에 살아왔던 것과 다른 환경 조건에 직면해서 자신을 변화시킬 줄 아는 생물체의 능력은 동식물이 자신의 신체 모양이나 생리 활동, 그리고 생물학자들이 〈표현형 적응성phenotypic plasticity〉이라고 부르는 행동을 스스로 다양하게 변환할 수 있는 여러 능력 가운데 한 측면이다. 이것은 완전히 유전자를 통해 여러 세대에 걸쳐 전달되는 진화적 변화와는 다른 것이다. 생물체의 표현형phenotype은 그것의 유전적 배경(유전형genotype)과 그 유전형이 환경 변화로 받는 영향이 결합한 것을 말한다. 지금까지 철새들 가운데 진짜로 기후 변화 때문에 진화 과정이 변화했다는 증거를 보여 준 경우는 드물고, 진화와 표현형 적응성을 구분하기도 어려웠다. 하지만 그 차이는 중요하다. 조류학자들은 새들이 기후 변화에 반응해서 진화할 거라고 추측하지만, 그들은 과연 최악의 상황을 피할 수 있을 정도로 빠르게 진화할 수 있을까? 아니면, 표현형의 변화는 어느 정도 진행되다가 결국 기후 변화가 가속화되면 거기서 끝나는 건 아닐까? 스웨덴 과학자들이 20년 전보다 6일 빨리 아프리카에서 돌아오고 있는 개개비를 관찰했다고 하는데, 그건 진화일까, 표현형 적응성일까? 그들은 수많은 추론 끝에 후자라고 결론지었다. 확실히 단정할 수는 없다는 단서를 달기는 했지만 말이다. 그러나 독일에서 알락딱새를 연구하고 있는 연구자들은 1981년에 처음 수행했던 대표적인 실험을 완벽하게 재현해 냈다. 그 철새들의 이동 시점이 유전자에 의한 것인지 알기 위해 새끼 새들을 외부의 모든 계절적 자극으로부터 차단시키고 가둔 채로 기르는 실험이었다. 2002년, 그들의 이동 시점이 바뀌었는지 알기 위해, 동일 지역에서 알을 깨고 나온 새끼 새들을 그와 똑같은 조건, 심지어 21년 전에 사용했던 것과 똑같은 새장과 서식 조건에서 길렀다. 그 결과, 봄철 이동이 9일 이상 앞당겨진 것을 확인했는데, 이는 인근 야생에서 관찰된 새들이 11일 앞당겨진 것과 거의 비슷했다. (비록 20년 전에 수행된 실험이었지만, 기후 온난화에 직면해서 진화 과정의 변화를 확인한 결과들은 최근에 와서야 비로소 알려졌다.)

늘 바쁜 데니스 피어스마는 러시아 북극 지방에 둥지를 트는 붉은가슴도요가 기후 변화 때문에 깜짝 놀랄 정도로 큰 변화 과정을 겪었다는 사실을 밝힌 한 연구팀의 일원이었다. 러시아 북극 지방은 전 세계 많은 곳에서 그런 것처럼 계절이 마구 널뛰기를 하면서, 지난 30년 동안 봄이 매년 0.5일씩 앞당겨져 왔다. 그동안 붉은가슴도요는 신체가 전체적으로 줄어들기 시작했다. 특히 해빙기가 앞당겨지면서, 청소년기의 붉은가슴도요는 체중이 적게 나가고, 부리와 다리, 날개는 더 짧아졌다. 이것은 진화에 의한 변화일 수도 있고, 표현형 적응성에 의한 변화(그러한 가능성이 크다)일 수도 있었다. 북극 지방에 곤충이 최고로 많이 나타나는 때를 놓쳐서 영양 부족 상태인 붉은가슴도요들이 그렇지 않았다면 잘 자랄 수도 있었기 때문이다. 그러나 이 변화는 그들이 월동지인 서아프리카 해안의 갯벌에 도착하는 순간, 사느냐 죽느냐의 문제를 야기한다. 기본적으로 부리가 긴 도요새들은 갯벌 표층 아래 조금 깊은 곳에 많은 커다란 조개들에게 더 쉽게 도달할 수 있지만, 성장 부진으로 부리가 짧아진 도요새들은 갯벌 표층 가까이에 드문드문 있는 크기가 작은 조개들과 보잘것없는 해초의 뿌리줄기로 연명하는 수밖에 없다. 따라서 기후 변화의 영향으로 왜소화된 붉은가슴도요의 생존율이 매우 낮다는 것은 놀랄 일이 아니다.

신체의 왜소화는 실제로 기후 온난화에 대한 거의 보편적인 반응처럼 보인다. 연어에서 오징어와 도롱뇽, 들다람쥐ground squirrel에 이르기까지 광범위한 동물들에게 나타나는 현상이다. 철새들 가운데 그런 반응을 보이는 새로 붉은가슴도요가 유일한 사례는 아니다. 미시건 대학교와 시카고 필드 자연사 박물관의 연구자들은 지난 40년 동안 수집된 50종이 넘는 북아메리카를 대표하는 철새 7만 마리 이상의 표본을 면밀히 조사했다. 그 결과, 그 새들의 번식지에서 평균 기온이 올라가면, 거의 모든 종에 걸쳐 신체 크기가 줄어든다는 사실이 밝혀졌다. 그런데 한 가지 두드러진 예외가 있었다. 날개의 길이는 실제로 더 길어졌는데, 아마 날갯짓에 동력을 제공하는 근육량이 줄어들면서, 날개는 전체 에너지를 더욱 효율적으로 사용하는 도구가 되어야 하고, 번식지가 북쪽으로 더 이동하면서 철새들이 더 멀리까지 날아가야 하기 때문이었는지도 모른다. (장거리 이동 철새들의 날개는 언제나 단거리 철새들보다 평균적으로 훨씬 더 길고 가늘다.)

일부 철새들에게는 기후 변화로 인한 가장 큰 영향이 체중이나 날개 길이의 변화가 아니라, 그들이 살기 위해 먹어야 하는 먹이의 변화다. 북극 지방의 기후 온난화는 이미 먹이그물food web을 바꾸고 있다. 세상에서 가장 극적인 철새 가운데 하나도 그런 변화의 한가운데에 있다.

나는 평화롭고 고요한 것을 좋아하는데, 주요 공항의 활주로에서 그런 것을 찾기는 어렵다. 내 뒤로 약간 떨어져 있는 필라델피아 국제공항 청사 E 터미널은 1월의 이 늦은 밤에 부산한 움직임과 시끄러운 소음으로 정신이 없었다. 비행기들이 앞뒤로 천천히 이동하고, 지원 차량들이 서로 교차하거나 삐삐 경보음을 내며 후진하고 있었다. 멀리 어디선가 들려오는 사이렌 같은 소리들도 그 불협화음에 끼어들었다. 나는 차가운 두 손으로 보통 길이의 절반밖에 안 되는 낚싯대를 잡고 픽업트럭 조수석의 열린 차창 밖으로 얼굴을 내밀고 있었다. 보잉 737기와 A321기 같은 거대한 여객기들이 지축을 흔드는 소리를 내며 규칙적으로 연이어 착륙하면서 09L/27R 활주로 쪽을 향해 어둠 속으로 줄줄이 사라졌다. 비행기가 착륙할 때마다, 땅바닥에 비행기가 쿵 하고 부딪치는 것을 느낄 수 있었다. 이어서 그 거대한 기계가 활주로에 내려앉으며 내는 바퀴의 마찰음과 속도를 늦추기 위한 역추진 장치의 굉음이 들려왔다.

나는 어떤 별난 방식의 낚시를 하려는 것이 아니었다. 모든 상황이 극히 비정상적이라고 느껴질 수 있기 때문인지는 모르지만, 아무튼 확실히 아니었다. 그러나 이 일은 트럭 운전석 뒤에 앉아 있는 제니 마틴Jenny Martin에게는 일상적인 일이었다. 그녀는 비행기와 동물, 대개 새들이 충돌하는 것을 막기 위해 공항에 배치된 연방정부의 야생동물학자들 가운데 한 명이었다. 어쩌면 기후 변화로 가장 즉각적이고 심각한 위험에 처할 수 있는 철새들 가운데 한 종을 연구하는, 내 생애 가장 흥미로운 조사 중 하나가 된 프로젝트를 그녀가 도와주고 있었다.

어둠 속 어디엔가 흰올빼미 한 마리가 있었다. 그 올빼미를 잡을 수 있다면, 우리는 그 녀석의 등에 새로 나온 첨단 GPS 송신기를 부착해 위험한 공항에서 멀리 떨어진 곳으로 데려간 다음, 흰올빼미의 행동과 월동 생태에 대해 더 많은 것을 알아내기 위해 멀리 떨어진 농경지대로 날려 보낼 예정이었다. 하지만 그 흰올빼미를 잡는 일이 쉽지 않다는 것이 확인되고 있었다. 그날 초저녁, 나는 그 새를 잡을 수 있었던 첫 번째 기회를 놓치고 말았다. 점점 시간이 지날수록 그것이 유일한 기회인 것처럼 보였는데 말이다. 낚싯줄을 당겨

작동하는 거대한 쥐덫처럼 생긴 약 90센티미터 크기의 스프링 그물덫 중앙에는 특별 제작한 이중보호 가죽 조끼를 두른 미끼용 비둘기 한 마리가 앉아 있었다. 그것은 내가 30년 동안 흰머리독수리 bald eagle와 검독수리 같은 몸집이 큰 맹금류를 잡기 위해 썼던 일종의 유인 도구였다. 하지만 이런 실제 운영 중인 공항의 활주로 한가운데에서 이런 일을 해본 적은 내 생애 한 번도 없었다. 그때 나는 활주로의 시끄러운 소음과 비행기 때문에 감각 과부하 상태였을 수 있지만, 지금 생각해 보면, 처음으로 그런 일을 하면서 심적으로 과도하게 흥분한 상태였던 것 같다. 아무튼, 거대한 흰올빼미가 땅거미 지는 어둠에서 불쑥 튀어나와 파닥거리는 비둘기 위로 낮게 맴돌다 새그물 옆에 내려앉았을 때, 나는 거의 무의식적으로 잡고 있던 낚싯줄을 확 잡아당겼다. 그러자 쳐놓은 그물덫이 작동하면서 약간 떨어져 있던 올빼미가 화들짝 놀라 어둠 속으로 사라졌다.

욕이 터져 나오는 것은 도움이 안 되지만, 기분은 좀 풀 수 있다. 나는 밖으로 뛰쳐나가 그물을 다시 세우고 제니와 다시 돌아와 트럭에 올라탔다. 다행히도, 흰올빼미들은 사람 따위는 거의 두려워하지 않는다. 그들이 공항을 매우 매력적으로 여기는 이유 가운데 하나가 바로 그 때문이다. 북극 지방의 가장 외진 곳에서 와서, 대개 인간과 관련된 어떤 것과도 거의 또는 전혀 접촉한 것이 없는 그들에게 나무와 제트여객기는 똑같이 처음 보는 것들이다. 필라델피아 공항 같은 것들은 대개 도시 환경에서 유일하게 나무가 없는 너른 평지이기 때문에, 흰올빼미들이 겨울에 남쪽으로 이동했을 때 대부분 공항들에 안착한다. 이 거대한 우레 같은 〈새들〉은 자기도 모르게 그곳을 약간 고향처럼 친근하게 느끼는 것이 틀림없어 보인다.

흰올빼미에 대해서 나는 늘 무심한 편이었다. 물론 그들은 킬러의 시선에 전혀 어울리지 않는 수선화와 같은 노란빛의 눈을 가진, 거대한 흰 새만이 보여 줄 수 있는 그런 엄청난 아름다움을 지닌 새인 것은 분명하다. 나는 여러 해 동안 북극 해안에서 또는 내륙의 농경지에서 그들을 많이 봤다. 드문 경우지만 내가 있는 구역에 모습을 드러냈을 때, 몇 차례 그들을 잡아서 가락지를 채워 보려고 노력도 해보았다. 그러나 내가 진짜로 관심이 있는 올빼미는 그보다 훨씬 더 작은 종, 내 주먹 크기의 철새 북방애기금눈올빼미였다. 나는 일군의 자발적인 조력자들과 함께 지금까지 20년 넘게 펜실베이니아산맥에서 북방애기금눈올빼미를 연구해 왔다. 흰올빼미는 그저 우연한 일탈이었다.

2013년 12월 초, 전화벨이 울렸을 때, 단 하루 만에 그동안 내가 갖고 있던 생각이 바뀌었다. 내 좋은 친구이자 오랜 동료인 메릴랜드 주정부의 자연유산부 소속 야생동물 생물학자인 데이브 브링커의 전화였다. (그와 모투스 추적 시스템 구축 작업을 함께하기도 했다.) 「요즘 흰올빼미들에게 무슨 일이 일어나고 있는지 보고 있었어?」 그가 물었다.

알고 있었다. 지난 2주 동안, 미국 북동부 지역의 탐조 관련 온라인 포럼과 메일 서비스들이 흰올빼미와 관련된 보고가 증가하면서 활기를 띠고 있었다. 그 자체로는 특이할 게 없었다. 흰올빼미는 현재 개체 수가 급증하고 있는 철새다. 해마다 그들의 수는 극적으로 요동을 치고 있다. 해마다 겨울이면 오대호나 뉴잉글랜드 해안에서 적어도 몇 마리를 늘 볼 수 있지만, 3~5년마다 북극 지방에서 남쪽으로 내려오는 올빼미는 수십 마리가 아니라 수백 또는 수천 마리로 급증하게 될 것이다. 그러나 2013년 말, 우리가 보고 있었던 것은 그동안 보았던 것과는 매우 다른 종류의 것이었다. 무언가 역사적으로 중요한 침입 사건이 진행되고 있다는 것을 우리 중 많은 사람이 느끼고 있었다. 예컨대, 며칠 전 뉴펀들랜드의 탐조가들은 동쪽 끝에 있는 레이스곶Cape Race에서 흰올빼미 약 300마리를 발견했다. 그들 중 한 사람이 쌍안경으로 그곳의 툰드라 풍경을 관찰하며 좌우로 움직이다 멈춘 한 지점에서 무려 75마리가 넘는 흰올빼미를 발견했다. 오늘날까지도 그것에 대한 표준화된 조사를 진행하는 사람이 아무도 없기 때문에, 이렇게 갑작스러운 흰올빼미의 증가 규모를 수십 년에 걸쳐 정확하게 추산하기는 어렵다. 그러나 이것은 누가 봐도 적어도 1926~1927년, 아니 어쩌면 1890년대 이래로 가장 큰 급증이었다. 이것은 연구자의 관점에서 볼 때 말 그대로 평생에 한 번 올까 말까 한 그런 거대한 사건이었다. 「이 같은 것을 다시 볼 수 있을 정도로 오래 살 사람은 우리 가운데 아무도 없을 거야.」 데이브가 말했다.

〈눈보라 프로젝트〉의 탄생은 이렇게 이루어졌다. 이후 이 프로젝트는 40명 안팎의 조류 연구자, 가락지 부착 조사 전문가, 야생동물 수의사, 병리학자들이 공동 작업을 하는 연구로 발전했다. 우리는 모두 자신의 시간과 전문 지식을 바쳐서 노스다코타의 대평원에서 오대호의 하중도와 반도, 퀘벡의 세인트로렌스강 계곡, 메릴랜드와 뉴저지의 대서양 해변, 펜실베이니아의 농경지대, 뉴잉글랜드의 해안에 이르는 지역에 흩어져 있는 흰올빼미들에게 태그를 부착하고 추적 관찰하고 있다. 지금까지 75마리 넘게 작업했다. 우리는 몇 년째 북극 지방 번식지와 그 아래 남쪽인 여기 월동지를 오가면서 일부 흰올빼미들을 뒤쫓아 관찰했다. (우리가 그동안 수집한 추적 데이터는 모두 www.projectsnowstorm.org에서 온라인으로 대화형 지도를 통해 확인할 수 있다.) 그러나 나는 데이브에게서 처음 전화를 받은 지 몇 주 만에, 필라델피아 공항에서의 그날 밤 이래로 흰올빼미를 여러 마리 잡아서 태그를 부착하고 날려 보냈다. 하지만 그날 밤 처음에 놓쳤던 그 올빼미가 어둠 속에서 다시 돌아와 트럭의 전조등 빛줄기로 달려들며 다리를 뻗어 발톱으로 움켜쥐는 자세를 취하다 그물에 걸려 마침내 우리 손 안에 들어왔을 때 느꼈던 흥분과 안도감이 뒤섞여 밀려오는 묘한 감정은 이후 다시 경험하지 못했다.

한 시간 뒤, 우리는 비둘기를 무사히 새장 안에 넣고 수고한 대가로 먹이를 주고, 올빼미는 가락지를 부착하고 송신기를 달아서 커다란 애완동물 캐리어에 넣어 차에 싣고 시내에서 약 80킬로미터 떨어진 시골 농경지대인 아미쉬Amish로 달렸다. 그곳에는 이미 수십 마리의 흰올빼미들이 겨울을 나고 있었다. 우리가 캐리어를 열어 그 안의 아직 청소년기의 올빼미가 드넓은 북극의 평지 들판을 가로지르며 밤하늘로 날아오르는 모습을 지켜본 때는 거의 한밤중이었다. 이제 우리는 그 녀석의 모든 이동 상황을 추적할 수 있게 되었다.

흰올빼미는 몸집이 크고 힘이 세기 때문에, 목 아래 56그램 미만의 강력한 전지를 장착한 성냥갑 크기의 태양광 패널이 달린 송신기를 달고 날 수 있다. 따라서 우리는 송신기를 부착한 올빼미의 일거수일투족을 그 어느 때보다 더 잘 알 수 있다. 그 송신기는 엄청난 양의 정보를 우리에게 보내는데, 24시간 내내 거의 6초 간격으로 흰올빼미의 위도와 경도, 고도, 비행 속도를 기록한다. 그리고 거기 탑재된 온도 감지기를 통해 해당 지역의 기온을 알 수 있고, 초소형 가속도계는 그 새의 날갯짓 횟수와 사냥 횟수도 기록한다. 그리고 하루 이틀 간격으로 그 장치에 달린 모뎀이 휴대전화 무선통신망을 통해서 우리에게 저장된 데이터를 보내 준다. 당신은 어떤지 모르지만, 나는 거대한 올빼미들에게서 문자 메시지를 받는다. 이 기술 덕분에 우리는 흰올빼미의 겨울 생활에 대해서 새로운, 또는 잘 모르고 있었던 사실들을 전례 없이 상세히 기록으로 남길 수 있었다. 예컨대, 해안가에 있는 그들 다수가 먼 앞바다의 아비loon와 오리 같은 물새들을 사냥하는 방식이나, 얼어붙은 오대호의 한가운데서 탁월풍의 영향으로 아주 단단한 빙판이 깨져 만들어진 작은 수로와 얼음 구멍에서 물새들을 사냥하면서 한 번에 몇 주를 보낸다는 사실 같은 것들이다. 우리는 이제 흰올빼미들이 어디서 어떻게 수은과 쥐약 같은 종류의 환경 오염 물질을 섭취하는지 그 연관성의 패턴을 알기 시작했다. 서로 가까이에 있는 올빼미들에게 태그를 부착함으로써, 그들은 대개 서로 아주 친밀하지 않으며, 암컷이 몸집이 더 작은 수컷을 지배하는 편이라는 사실 등 그들의 사회적 행동에 대한 통찰, 특히 그들이 가장 활발하게 움직이는 야간 활동에 대해서 보다 잘 알게 되었다. 그리고 공항 당국과 협력을 통해서, 흰올빼미와 비행기가 충돌하지 않고 안전하게 분리될 수 있는 더 좋은 방법들을 모색하고 있는 중이다.

이런 종류의 연구 프로젝트들이 늘 그렇듯이 우리를 여기에 몰두하게 만드는 것은 솔직히 말해서 호기심이다. 그러나 흰올빼미에 대해서 가능한 한 많이, 그리고 가능한 한 빨리 알기 위해 노력하도록 정말로 재촉하는 것은 우리가 과거에 생각했던 것보다 그들의 개체 수가 훨씬 빠르게 감소하고 있으며, 그들이 기후 변화의 공격을 정면으로 받고 있다는 동전의 양면 같은 두 가지 사실에 대한 각성이다. 흰올빼미는 지구상에서 가장 외따로 떨어진 북쪽 끝에 둥지를 틀기 때문에 총 개체 수 조사에 늘 어려움을 겪었다. 하지만 알래스카와 캐나다, 그린란드, 스칸디나비아, 러시아에서의 번식기 개체 수를 합한 가장 정확하다고 하는 추산에 따르면, 전 세계 흰올빼미의 수는 약 30만 마리였다. 그러나 과학자들은 우리가 〈눈보라 프로젝트〉를 개시하기 얼마 전에 그러한 추산이 최근에 드러난 아주 중요한 흰올빼미 생태계의 변화를 간과했다는 사실을 깨달았다. 캐나다와 알래스카, 러시아에서 우리의 동료들이 수행한 추적 관찰 프로젝트들은 이 새들이 해마다 수백 또는 수천 킬로미터를 이동하는 장거리 유랑 생활을 하고 있음을 보여 주었다. 이번 여름 캐나다 북극 지방에 둥지를 튼 흰올빼미가 다음 해 여름에는 그린란드에 있을지도 모른다. 지금 알래스카에 둥지를 틀고 있는 흰올빼미는 다음 해에 시베리아에 있을지도 모른다. 그것들을 모두 합한 결과, 전 세계에 있는 흰올빼미 수에 대한 추산은 중복된 합산 과정으로 크게 과장되었다. 따라서 더 정확한 분석에 따르면, 최대 3만 마리를 넘지 않는, 어쩌면 1만 마리에 불과한 것으로 나온다.

동시에, 조류학자들은 기후 변화가 이 맹금류 철새에게 얼마나 즉각적으로 위험한지 깨달았다. 우리가 기자들과 일반 대중들로부터 많이 받는 질문은 2013~2014년에 매스컴의 헤드라인을 장식했던 흰올빼미의 돌발성 남하 급증 현상이 기후 변화 때문에 야기된 것이냐는 질문이다. 대답은 아니라는 것이다. 흰올빼미의 급증 현상은 적어도 19세기 중반 이래로 오랫동안 많은 이의 주목을 받아왔다. 흰올빼미들은 비록 겨울 동안에는 아무것이든 거의 다 먹을 것이다. 사향쥐muskrat에서 기러기, 쥐에서 오리, 토끼에서 갈매기까지, 심지어 우리는 썩고 있는 돌고래 시신을 독수리에게 빼앗기지 않으려고 버티고 있는 녀석을 잡기도 했다. 하지만 번식기 동안에 그들의 운명은 북극 지방에 서식하는 작은 햄스터처럼 생긴 설치류인 나그네쥐lemming와 불가분하게 연결되어 있다. 북극 지방의 많은 부분에서 나그네쥐의 개체 수는 거의 4년 간격으로 규칙적으로 오르락내리락한다. 그에 따라 흰올빼미의 주기적인 남하 급증 현상도 발생한다. 그러나 우리가 일반적으로 알고 있는 것과 달리, 이 현상은 굶주린 흰올빼미들이 먹이를 찾아 남하해서가 아니라, 나그네쥐가 한창 많은 전성기 때에 몇 달 앞서 태어난 덕분에 잘 먹어서 통통한 청소년기의 흰올빼미들이 남쪽으로 날아가면서 생기는 것이다. 이 새들의 방랑 기질은 나그네쥐가 지역별로 전성기를 이루는 때를 찾아내서 이용하기 위한 적응인 것처럼 보이지만, 그들이 방대한 북극 지방을 가로지르며 그것을 어떻게 수행하는지는 여전히 수수께끼로 남아 있다. 그러나 흰올빼미는 나그네쥐가 번성하지 않는 곳에서는 둥지를 지으려는 시도조차 하지 않는다. 그리고 나그네쥐는 최대로 번식을 하기 위해, 극도로 추운 날씨에도 외부와 단절된 두텁게 쌓인 눈더미 아래서 겨울 내내 짝짓기를 해야 한다.

기후 변화가 실제로 파고드는 곳이 바로 그곳이다. 북극 지방은 지구상 그 어느 곳보다 기후가 빠르게 바뀌고 있기 때문에, 나그네쥐가 최대로 번식을 하기 위한 조건들이 바뀌거나 사라질 수 있다. 기온이 더 따뜻해지고 비가 더 많이 내린다는 것은 솜털처럼 푹신한 눈더미가 줄어들고, 얼음이 녹고 어는 주기가 더 빨라지거나 지표면만 살짝 어는 진눈깨비가 더 많이 내린다는 것을 의미한다. 그것은 나그네쥐의 번식에는 최악의 조건이다. 이것은 이론적으로 그렇다는 것이 아니라 현재 실제 상황이다. 1994년 초, 스칸디나비아 반도에서 나그네쥐의 번식 주기는 깨졌다. 그리고 이후 20년 동안 회복되지 않았다. 그동안 흰올빼미와 북극 여우가 그곳에서 대량으로 모습을 감추었다. 그린란드 북동부 지역에서도 1998년부터 나그네쥐에게 똑같은 일이 일어났다. 현재도 그 상태 그대로다. 또 다른 북극 지방, 러시아 극동에 있는 랭겔섬Wrangell Island 같은 데서는 나그네쥐의 번식 주기가 붕괴되지 않았지만, 그 주기 기간이 4년에서 8년으로 늘어났다. 그것은 대개 그런 곳들에서 흰올빼미가 번식을 하기 어렵다는 것을 의미한다. 흥미롭게도, 이런 추세에 역행하는 지역 가운데 한 곳이 캐나다 북극과 아북극 지대의 중부와 동부 지방인데, 북아메리카 동부에서 볼 수 있는 흰올빼미 대부분이 거기서 번식을 한다. 그 지역은 비록 여름과 특히 가을에 기온이 상승했지만(앞서 본 것처럼, 도요물떼새의 번식을 방해하는 중요한 문제를 야기하면서), 겨울은 날씨가 여전히 극도로 차갑고, 1995년 이래로 눈더미가 점점 두텁게 쌓이고 있었다. 아마 가을에 비가 많이 내려서 습도가 더 올라가기 때문인 것으로 보인다. 그것은 실제로 나그네쥐가 번식하기 좋은 조건임을 의미하며, 따라서 흰올빼미

번식에도 유리하다는 것을 의미한다. 그러나 그것도 잠시뿐일지 모른다. 기후 예측 모델들은 이곳도 마찬가지로 결국 겨울 기온의 상승으로 적설량이 감소할 것으로 예상하고 있다.

명금류가 불과 10년 전에 우리가 알고 있었던 것보다 훨씬 더 적은 수가 남아 있다는 점을 감안할 때, 기후 변화는 흰올빼미의 미래와 어떤 관련이 있을까? 사람들은 흰올빼미가 바다코끼리walrus나 북극곰, 북극흰갈매기ivory gull와 함께 기후 변화로부터 가장 임박한 직접적 위협을 받고 있는 몇 안 되는 종이라고 강력히 주장할 수 있다. 만일 나그네쥐의 번식 주기가 북극 지방의 더욱 광범위한 지역에서 붕괴되기 시작한다면, 다시 말해서 흰올빼미가 옛날부터 자신들의 번식지였던 많은 곳에서 더 이상 자주 번식에 성공할 수 없다면, 그들의 개체 수는 급락할 것이다. 우리의 연구 프로젝트만으로 북극 지방의 기후 온난화의 궤적을 바꿀 수는 없지만, 우리는 흰올빼미들이 월동지에서 직면하는 비행기나 차량, 화학 오염 물질 같은 각종 위협들에 대해서 더 잘 이해함으로써 그들이 좀 더 안전하게 지낼 수 있게 해줄 수 있다. 우리가 이곳 남쪽 월동지에서 흰올빼미를 한 마리 한 마리 구할 때마다, 북극 지방에 다시 돌아간 그들은 그곳에 다가오는 변화를 헤쳐 나갈 기회를 한 번 더 갖게 된다.

사람들은 몹시 추운 겨울날이면 으레 흰올빼미를 기대하곤 한다. 그런데 그 추운 날 흰올빼미가 아닌 다른 철새가 나타난다면 놀라운 일이 아닐 수 없다.

새해를 하루 앞둔 날이었다. 펜실베이니아 중부에 있는 우리 집을 떠난 때는 동틀 녘으로 기온이 섭씨 영하 12도였다. 내가 십 대 때는 해가 떠오르면 날씨가 따뜻했다. 나는 전날 저녁 전화로 마구 휘갈겨 받아 적은 방향을 따라서 남쪽으로 차를 몰았다. 자동차 뒷좌석에 실은 원통형 철망 새장 두 개가 움푹 팬 노면을 지나갈 때마다 흔들리며 덜커덩거리는 소리를 냈다. 이틀 전 내려 갓 쌓인 눈이 햇살을 받아 빛났다. 한 시간 반 뒤, 차가 주간 고속도로를 빠져나왔다. 몇 개의 작은 도로를 따라 한 한적한 주택가로 이어진 진입로에 차를 세웠다. 문을 두드리자 80대 남성의 응답 소리가 들렸다. 그는 아마도 이 추운 날 아침 이른 시간에 나를 부른 것으로 보아 매우 신나고 들뜬 상태인 것 같았다.

「들어와요, 어서! 그 새는 오늘 아침에만 벌써 서너 차례 여기 왔어요. 방금 그 녀석이 가장 좋아하는 자리에 앉아 있어요.」 그는 뒤뜰이 보이는 창문 쪽으로 나를 데리고 갔다. 창밖으로 옹이가 많은 사과나무 한 그루가 서 있었는데, 쭈글쭈글한 오래된 사과 수십 개가 아직 매달려 있었고 일부 가지에는 여전히 눈이 쌓여 있었다. 「바로 저기요, 꼭대기 근처.」

빛을 받아 금속성 광택이 나는 초록색 벌새 한 마리가 아침 햇살을 받으며 앉아 있었다. 벌새는 고개를 획획 돌리며 새 모이통에 떼지어 몰려드는 북미쇠박새와 방울새들의 행렬을 눈을 부릅뜨고 계속해서 바라보았다. 우리가 지켜보고 있을 때, 그 벌새는 멋모르고 너무 가까이 날아온 자기보다 더 큰 관박새titmouse 한 마리를 실내에서도 창문 너머로 들을 수 있을 정도로 성난 고음의 울음소리를 속사포처럼 쏟아내며 쫓아 보냈다. 침입자가 사라지자, 그 초록색 벌새는 집 옆 작은 현관 위를 붕붕거리며 날면서, 다용도 전등 바로 아래 걸려 있는 선홍색 모이통에 담긴 설탕물을 홀짝이며 마셨다. 그 투광조명등 전구는 모이통 안의 설탕물이 얼지 않게 하는 역할을 했다.

「좋아요.」 나는 그 새를 보고 만족스러웠다. 「자, 이제 일을 시작할까요.」 나는 몇 분 만에 집에서 가져온 새장 두 개 가운데 하나를 설치했는데, 새장 안의 모이통은 보통 그 집에서 모이통을 걸어 놓았던 자리와 거의 정확하게 같은 위치에 두었다. 나는 함정으로 쓰일 그 새장의 미닫이문을 무선조종장치와 연결한 뒤, 제대로 작동하는지 확인하기 위해서 원격 스위치를 눌렀다. 휘익! 잘 닫혔다. 다시 장치를 원상태로 돌려놓고 집 안으로 들어갔다. 5분도 안 지나, 그 벌새는 앉아 있던 횃대에서 쏜살같이 급강하하더니, 자신이 가장 좋아하는 먹이통 근처에 나타난 이 새로운 물건을 여러 각도로 살펴보면서 그 위를 빙빙 맴돌았다. 그 새는 미심쩍은 모습으로 나무 위로 다시 날아가더니 쭈글쭈글한 사과들을 부리로 이리저리 쪼았다. (처음에는 달콤한 과즙을 찾고 있는 줄 알았는데, 나중에 그 사과 중 하나를 따서 자세히 보니 날이 추워서 휴면기에 있는 초파리 애벌레들로 가득했다.) 벌새는 다시 먹이통으로 돌아왔다. 아주 천천히 조심스럽게 조금씩 새장 안으로 나아가더니 재빠르게 설탕물을 한 모금 마시고는 밖으로 뛰쳐나갔다. 나는 아무런 행동도 취하지 않았다. 벌새가 여러 차례 같은 동작을 반복한 뒤, 마침내 안심한 듯 여유를 갖고 먹이통의 설탕물을 두 모금 마시는 모습을 보자마자 나는 버튼을 눌러 새장 문을 닫았다.

몹시 추운 눈 내리는 겨울이 한창인 때에 벌새를 시골 풍경 속에서 본다면, 누구나 신기하게 생각할 것이다. 해마다 나처럼 벌새에 가락지를 달아 주어 날려 보내고 관찰하는 소그룹 회원들은 전날 밤 내가 받은 것 같은 전화를 받는다. (북아메리카에 그런 회원들이 200명 정도 있다.) 그들은 대개 자기 지역의 벌새들이 남쪽으로 이동한 지 오래되었는데, 기온이 떨어지고 가을에서 겨울로 철이 바뀌고 있는데도 아직까지 자기 집 주변을 서성거리는 벌새가 적어도 한 마리 이상 보이는 것이 황당하고 걱정이 되어 문의하는 사람들이었다. 길을 잃은 걸까요? 그들은 묻는다. 어딜 다친 걸까요? 구조해야 하나요?

사실은 이렇다. 북미 중서부와 동부, 남부에서 가을과 겨울에 모습을 드러내는 벌새들의 수가 급증하고 있는 것은 그들이 길을 잃거나 어딜 다쳐서가 아니라, 일반적으로 몇몇 북미 서부 지역의 철새 종들이 새로운 이동 경로를 개척하고 있는 전조 현상이라고 볼 수 있다. 진화의 과정에서 발생하는 정상적인 돌연변이에 의해 뒷받침되고, 인간이 바꾼 자연환경과 기후 온난화로 촉진된 그런 현상 말이다. 내가 그날 펜실베이니아의 눈 쌓인 뜰에서 잡은 그 새는 캘리포니아 북부와 아이다호, 알래스카 남중부에서 번식을 하는 종인 적갈색벌새 암컷이었다. 세상에서 북쪽으로 가장 멀리까지 날아가는 벌새다. 전통적으로, 적갈색벌새는 겨울에 로키산맥 아래로 내려와서 멕시코의 서부와 중부 산맥으로 이동한다. 그러나 1970년대부터 멕시코만 연안 지역의 탐조가들과 정원의 벌새 애호가들은 그곳에서 겨울을 나는 적갈색벌새가 점점 더 많아지고 있다는 보고를 하기 시작했다. 루이지애나의 낸시 뉴필드Nancy Newfield 같은 선도적인 연구자들은 그들에게 가락지를 부착하여 관찰한 결과, 이 새들은 많은 조류학자가 오랫동안 추정했던 것처럼, 길을 잃거나 부랑자가 될 운명에 처한 것들이 아니라 규칙적으로 이동하는 듬직한 철새들로, 그들 가운데 일부는 여섯 차례 이상 겨울을 나고 번식지로 되돌아갔다. 오늘날 알려진 바로는 가장 널리 알려진 적갈색벌새를 포함해서 북미 서부 지역에 서식하는 12종 이상의 벌새 수천 마리, 어쩌면 수만 마리가 해마다 늦여름부터 초겨울까지 중서부와 동부 지역에 모습을 드러낸다. 그 대부분이 겨울을 나기 위해 멕시코만 연안 지역을 향해 남쪽으로 이동하는데, 특히 날씨가 따뜻한 해의 경우, 일부는 뉴잉글랜드와 캐나다 남부 같은 북쪽에 남을 때도 있다. 이 벌새들은 겉모습과 달리 믿기 어려울 정도로 추위에 강한 작은 야수다.

철새의 이동은 유전적으로 암호화된 행동이지 의식적인 결정의 결과가 아니라는 사실을 기억하자. 어떤 철새의 개체군이든 그 안에서 유전자에 문제가 있는 일부 개체들은 늘 있기 마련이다. 어떤 특이한 적갈색벌새는 브리티시컬럼비아에서 멕시코 미초아칸 Michoacan으로 남하하지 않고, 본능적으로 이를테면 서쪽으로 날아서 태평양 쪽으로 나갈 수도 있고, 심지어 가을에 북쪽으로 날아 북극 지방으로 갈 수도 있다. 만일 그런 일이 일어난다면, 그런 새들은 그들의 유전자 풀에서 도태될 수밖에 없다. 그러나 동쪽으로 날아가는 벌새는 어떤가? 수세기 전, 북미 대륙의 동쪽 해안선은 대체로 숲으로 뒤덮여 있었고, 기후가 지금보다 훨씬 더 추웠을 때, 동쪽으로 날아간다는 것은 죽으러 간다는 것과 다를 바 없었을 것이다. 그러나 오늘날 인류는 그 지역을 농경지와 꽃이 만발한 뒤뜰로 개조했다. 게다가 기후는 점점 더 따뜻해졌다. 적갈색벌새의 타고난 내한성(아직도 마당에 눈이 쌓여 있는 4월에 알래스카에 도착하는 종으로 에너지를 절약하기 위해 밤마다 겨울잠 같은 기면 상태에 빠질 수 있다)과 이런 변화가 합쳐지면서, 그들은 새로운 정착지가 마련된 신세계를 열었다. 개척자 역할을 자임한 적갈색벌새는 월동지에서 죽지 않고 봄에 수천 킬로미터 떨어진 번식지로 돌아와서 한때 불온했던 유전자를 다음 신세대들에게 전달한다.

고인이 된 나의 앨라배마 친구 밥 사전트Bob Sargent는 1990년대에 포트모건에서 만났는데, 당시 이 현상을 연구하던 거의 초창기 가락지 부착 조사 전문가 중 한 명이었다. 그는 이 작지만 거침없는 새들에게 가락지를 부착하는 정교한 작업을 내게 가르쳐 주었고, 그 덕분에 나는 당시 우리 집이 있던 펜실베이니아 같은 더 북쪽 지역까지 그 연구를 확대할 수 있었다. 그 뒤 거의 20년 동안, 나는 100마리가 넘는 서부 지역의 벌새들, 이를테면 적갈색벌새, 앨런벌새Allen's hummingbird, 검은턱벌새black-chinned hummingbird, 애나스벌새Anna's hummingbird, 칼리오페벌새calliope hummingbird에게 가락지를 달아 날려 보냈고, 눈이 많이 쌓인 몹시 추운 날에도 개의치 않고 있는 그들을 보았다. (한번은 지독하게 추운 날, 내가 가락지를 달아 준 적갈색벌새 한 마리가 기온이 섭씨 영하 22도로 체감 온도는 섭씨 영하 34도가 넘는 날씨에도 생존해 있었다.) 벌새에게 가락지를 부착하는 과정은 여느 새에게 달아 주는 것과 별반 큰 차이가 없다. 하지만 워낙 작은 새라 가락지도 너무 작아서 내가 자체 제작해야 했다. 연방정부의 조류 가락지 부착 조사 연구소에서 얻은 얇은 금속판을 보석 세공사들이 쓰는 절단기를 사용해서 자른 뒤에 거기에 알파벳 숫자로 된 고유한 부호 100개를 아주 작은 글자로 새겨 넣어 가락지를 만들었다. 적당한 크기인 길이 5.6밀리미터, 높이 1.4밀리미터로 잘라내어 특수 제작된 치공구로 만든 가락지는 맞춤형 펜치를 이용하여 완벽한 고리 형태로 벌새의 자그마한 다리에 부착된다. 벌새가 자기 다리에 부착된 가락지에 대해서 느끼는 무게는 성인 남자가 고급 금속 손목시계를 찼을 때 느끼는 무게감과 거의 같은 정도다.

나는 새장 안으로 손을 넣어 살며시 벌새를 잡아 꺼냈다. 조금 전에 관박새에게 했던 것처럼 나를 향해 신경질적으로 거세게 지저귀었다. 나는 그 새를 나일론 스타킹의 발가락 부분으로 감쌌다. 새를 통제하면서 안심시킬 수 있는 쉬운 방법이다. 가락지를 부착하고 날개와 부리, 꼬리 길이를 재는 데는 시간이 얼마 걸리지 않았다. 짧은 빨대를 이용해서 벌새 목과 몸통 깃털들 속으로 바람을 훅 하고 불어넣었다. 노랗게 피하 지방이 대량으로 축적된 모습이 보였다. 집주인에게 이 새는 북쪽으로 이동할 준비를 하고 있는 중이라고 알려 주었다. 보석 세공사가 쓰는 소형 확대경으로 벌새의 윗부리를 살펴보니 부들부들했다. 성조라는 증거다. 청소년기의 벌새는 부리 표면에 미세한 홈들이 파여 있기 때문에 구분이 된다. 「이 새는 이 여행이 처음이 아닙니다.」 집주인에게 말했다. 「이미 몇 차례 왔다 갔다 이동을 했어요.」 끝으로, 나는 정밀 전자저울로 그 새의 체중을 쟀다. 4.42그램, 0.16온스로 뚱뚱하게 살이 찐 상태. 이동을 하지 않을 때의 지방이 빠진 체중은 대개 3그램 정도다. 이 새는 며칠 안에 멕시코만으로 날아갈 것이 확실했다. 지방 축적이 다 끝나면, 논스톱으로 약 960킬로미터도 쉽게 날아갈 수 있는데, 아마 24시간 비행으로 조지아 중부에 도달할 것이라고 집주인에게 설명했다. 결론적으로 말해서, 목이 붉은색인 이 벌새*는 멕시코만을 가로지르는 그 거리를 날아갈 수 있다.

마침내 우리는 현관에서 내려섰다. 나는 그 집주인 노신사에게 한쪽 손을 앞으로 내밀고 움직이지 말고 가만히 있으라고 했다. 나는 그의 손바닥 위에 그 벌새를 내려놓고 서서히 내 손가락을 치웠다. 그 새는 30초 정도 거기서 있었는데, 1초에 정상적으로 네 번 호흡하는 것에 맞춰 꼬리를 까닥까닥하기를 반복하더니 갑자기 쌩 하고 날아서 사과나무 가지에 올라가 앉았다. 그 노신사의 얼굴은 기쁨에 겨워 감동하는 표정이었다.

벌새는 변화하는 세계 앞에서 새로운 이동 경로를 개척하고 있는 유일한 새가 아니다. 그중에서 가장 널리 알려진 새가 블랙캡으로 알려진 검은머리솔새다. 정수리가 새까만(암컷은 적갈색) 잿빛 깃털의 구대륙 솔새로, 번식지가 어느 지역인지에 따라 멀리 이동하는 종에서 완전히 정주하는 종에 이르기까지 복잡한 이동 행태를 보인다. 블랙캡도 벌새처럼 결함이 있는 유전인자를 가지고 태어나는 새들이 늘 있기 마련이다. 그래서 원래 이동 경로가 아닌 이상한 방향으로 이동하거나, 너무 멀리 또는 가까이 이동하거나, 이동할 때가 아닌 때에 이동하는 새들이 나타난다. 이것은 자연이 어떤 새로운 생태계의 작동 여부를 확인하는 방식으로, 스파게티의 국수가

* 원서에는 〈ruby-throated hummingbird〉라고 나오는데, 이는 〈붉은목벌새〉를 지칭하는 것이다. 여기서 설명하는 적갈색벌새와 다른 종인데, 수컷의 경우 둘 다 목 색깔이 붉은색 계통이지만 서로 다르다. 또 붉은목벌새는 멕시코만을 횡단하지 않고 미국 내에서 겨울을 난다. 따라서 여기서는 〈목이 붉은색인 벌새〉로 번역했다.

벽에 붙는지 안 붙는지 알려면 일단 스파게티를 벽에 던져 봐야 하는 것과 같은 원리다. 수만 세대 동안 환경에 맞지 않던 것이 자연조건의 변화로 갑자기 유리한 것이 될 수도 있다. 따라서 유럽 중부가 번식지인 블랙캡 가운데 일부가 보통 그 개체군이 겨울을 나는 이베리아반도가 있는 남서쪽이 아닌, 영국이 있는 북서쪽으로 이동할 가능성은 늘 있었다. 이 현상을 대칭이동mirror-image migration이라고 부른다. 북아메리카 동부의 벌새들처럼, 영국으로 향하는 새들은 20세기 들어 환경 변화가 일어나기 전까지는 거의 브리튼섬에서 살아남지 못했다. 겨울 날씨가 더 따뜻해지고 뒤뜰에 새 모이통을 달아 두는 집들이 많아지면서, 그들은 이제 특히 브리튼섬 남부에서 일반적으로 겨울을 나는 종으로 점점 개체 수가 늘어나고 있다.

더 나아가, 과학자들은 독일과 오스트리아에 둥지를 트는 블랙캡들이 어디서 겨울을 나는지 알아보기 위해서 그들의 깃털에 있는 안정성 동위원소들을 사용했다. 그 결과, 영국에서 이동해 오는 새들이 아마도 이동 거리가 짧기 때문에 이베리아반도에서 이동해 오는 새들보다 더 일찍 도착하며, 새끼도 더 많이 낳는다는 사실을 밝혀냈다. 이베리아반도의 새들이 도착하기 전에 영국에서 온 블랙캡들이 선택교배*라는 짝짓기에서의 우선권을 차지하는 것은 당연한 일이다. 그 내용이 2005년에 발표되었을 때, 그것은 조류학계에서 한동안 큰 화제가 되었다. 선택교배는 종 분화의 첫 번째 시험적인 단계일 수 있기 때문이다. 실제로 이후 진행된 연구에 따르면, 불과 몇십 년 만에, 영국 개체군과 이베리아반도 개체군 사이에 지금은 미약하지만 중대한 유전적 차이가 있다는 것을 확인했다. 생물학자들은 한때 지리적 격리가 진화의 주된 동력이라고 추측했다. 그러

* assortative mating. 특정 형질끼리의 짝짓기.

나 일시적 격리도 영향을 줄 수 있다. 이 경우에 기후 변화는 두 개의 블랙캡 개체군을 서서히 분리시키고 있다.

그와 같은 일이 지금 적갈색벌새에게도 일어나고 있는지를 알아보기 위한 비슷한 연구는 아직까지 진행되지 않았다. 하지만 가락지를 부착해서 날려 보내는 적갈색벌새 한 마리 한 마리는 그러한 문제를 규명해 나가는 과정에서의 또 다른 기준점이다. 노신사의 집 뒤뜰에서 적갈색벌새에게 가락지를 부착해 날려 보내고 나서 이틀 뒤, 전화가 걸려 왔다. 그 벌새를 관리하고 있는 그 노신사에게서 온 전화였다. 「그 새가 새벽에 왔어요. 아침마다 계속해서 찾아왔어요. 설탕물을 마시지 않을 때도 모이통에 앉아 있어요.」 그가 말했다. 「뭔가 잘못된 것이 아닌가 하고 생각했죠. 그런데 점심 먹기 한 시간 전쯤에 공중으로 날아오르더니 수직 상승을 했어요. 쌍안경을 들고 밖으로 뛰쳐나갔죠. 수평 비행을 할 때 그 새를 보았어요. 그런데 너무 높이 떠서 거의 볼 수 없을 정도였죠.」 그는 잠시 후 그 새가 남쪽을 향해 날아가 버렸다고 했다.

7장

황무지말똥가리, 돌아오다

동이 트고 한 시간 뒤, 뷰트계곡은 여전히 여명의 그림자를 드리운 분지의 모습이었다. 7월의 아침 해는 서쪽으로 이어진 울퉁불퉁한 바위와 온통 노간주나무로 뒤덮인 나지막한 산들에 밝게 빛났고, 남쪽으로 64킬로미터 정도 떨어진 샤스타산의 눈 덮인, 두 개의 높고 뾰족한 봉우리 위에 빛을 뿌렸다. 나는 동료들과 수목이 드문드문 우거진 옅은 갈색 풀밭의 가파른 비탈에 서 있었다. 편히 발을 디딜 만한 데가 없었다. 걸음을 옮길 때마다 신발 밑으로 푸석푸석한 용암석이 미끄러져 내리며 희뿌연 먼지가 땅바닥에서 일어났다. 발아래로 농경지가 격자무늬 형태로 질서 정연하게 펼쳐져 있었다. 거대한 직사각형들 안에서 익어 가는 곡식들과, 농업용수를 공급하는 대형 스프링클러들을 둥그렇게 둘러싼 초록빛 자주개자리alfalfa가 눈에 들어왔다. 저 멀리, 오리건주 경계에서 약 3.2킬로미터밖에 떨어지지 않은, 캘리포니아의 작은 시골 마을인 도리스Dorris가 보였다. 캘리포니아 상공회의소가 자랑하는 미시시피강 서쪽에서 가장 높은 약 60미터 높이의 국기 게양대 꼭대기에는 성조기가 바람 한 점 없이 축 늘어진 채 걸려 있었다. 그 너머로 세이지브러시*와

* Sagebrush. 북아메리카 서부의 건조한 초지와 산지에서 자라는 산쑥.

햇볕에 색이 바랜 풀밭이 군데군데 있었는데, 약 73제곱킬로미터의 뷰트계곡 국립 초원Butte Valley National Grassland의 일부였다.

크리스 베넘Chris Vennum이라는 한 박사과정 대학원생은 그 계곡을 둘러싸고 있는 자그마한 산들 가운데 한 곳에 높이 솟은 노간주나무 꼭대기에 올라가 엄청난 풍경을 보았다. 하지만 그의 마음은 그런 풍경을 감상할 여유가 없었다. 그가 나뭇가지로 엮은 커다란 둥지에 홀로 남아 있는 새끼 새를 잡으려고 그 위에 오르자, 거대한 황무지말똥가리 암컷 한 마리가 화가 나서 악을 쓰듯이 높고 날카로운 울음소리를 토해 내면서 그를 향해 급강하했다. 비록 보호를 위해 암벽 등반용 밝은 오렌지색 헬멧을 썼지만, 베넘은 어미 말똥가리가 공격하기 위해 방향을 틀 때마다 몸을 수그렸고, 우리는 소리를 질러 경고했다. 과거에 여러 차례 공격을 받아 본 경험이 있기에 그는 그 위협을 가볍게 생각하지 않았다.

그것은 내가 탐조가로서, 작가로서, 그리고 맹금류 연구자로서 수도 없이 경험한 그런 종류의 장면이다. 나도 이와 비슷한 상황에서 두세 번 공격을 받았다. 그러나 이날 아침, 내 마음은 여기가 아닌 다른 곳을 맴돌고 있었다. 머리 위에 떠 있는 황무지말똥가리의 모습—꺼진 촛불 심지 마냥 거무스름한 색상의 펼쳐진 양 날개, 짙은 밤색의 가슴과 머리 위에 반짝이는 아침 햇살, 그보다 약간 더 멀리서 선회하며 울부짖는 작은 몸집의 수컷—은 20년도 더 지난 과거의 강렬한 기억을 떠오르게 했다. 당시 황무지말똥가리는 매우 임박한 멸종 위기에 처해 있었고, 그들의 미래는 전혀 안전이 보장되어 있지 않았다. 그들의 이동 경로의 한 극단에 있는 아르헨티나의 대초원 지대인 팜파스에서는 살충제 때문에 황무지말똥가리 수가 급감하고 있었다. 오직 극소수의 과학자와 환경 보호 활동가들만이 이러한 생태계의 재앙을 막기 위해 애쓰고 있을 뿐이었다. 나는 당시에 그 위험을 이해하고 대응하기 위해 분투했던 아르헨티나

평원의 연구팀 옆에서 함께 일하면서 결국 승리한 그 싸움의 최전선에 있었다. 비록 그 위협의 발생도, 그것에 대한 나의 관여도 모두 지구 반대편에서 일어난 일이었지만, 그 이야기의 발단은 사실 캘리포니아 북부 뷰트계곡의 세이지브러시 평원과 농경지 사이에 있는 여기서 시작되었다. 그로부터 20년 뒤, 나는 그때 못다 한 일을 마무리 짓기 위해, 또한 어쩌면 각종 위험이 크게 증가하고 있는 오늘날 세계에서 우리가 더 좋은 세상을 위해 변화를 이뤄 낼 수 있다는 것을 재확인하기 위해, 이곳을 다시 찾아왔다.

지구상에서 황무지말똥가리만큼 멀리 이동하는 맹금류는 거의 없다. 미 서부의 초원 지대를 가로지르며, 멕시코 북부에서 북미의 대평원 지대를 거쳐 캐나다 남서부 지역까지, 그리고 서쪽으로는 코스트산맥Coast Range과 캘리포니아의 센트럴계곡Central Valley까지 둥지를 튼다. 심지어 일부는 유콘* 북부에서도 번식을 한다. 가을에는 센트럴계곡에 둥지를 튼 새만 빼고 모두 북미 대평원과 비슷한 남쪽 초원 지대인 팜파스로 이동한다. 그들은 해마다 한 초원 지대에서 다른 초원 지대로 최대 2만 9000킬로미터에 이르는 긴 여행을 한다. 그러나 20세기 대부분 동안, 그들을 자세히 추적 관찰한 사람은 아무도 없었다. 체중이 약 0.9킬로그램이나 나가는 그들조차 추적하기 위한 장비가 너무 크고 무겁기 때문이었다. 1993년 최초로 소형 위성 송신기의 출현으로 상황이 바뀌었다. 한때 맹금류 생물학자들 사이에는 가장 멋지고 화려한 육식조인 매에게 태그를 부착하는 붐이 일었다. 그러나 캘리포니아 북부의 한 생물학자는 다른 생각을 했다. 「모든 사람이 매에 달려들었죠.」 몇 년 뒤에 브라이언 우드브릿지Brian Woodbridge가 내게 말했다. 「하지만 내 마음속에 가장 먼저 떠오른 생각은 〈황무지말똥가리를 연구하기 위

* Yukon. 캐나다 북서부.

한 충분한 자금을 마련해야 한다〉는 것이었어요.」

그를 움직인 것은 단순한 호기심 이상이었다. 거의 15년 동안 브라이언은 뷰트계곡에서 황무지말똥가리를 연구해 왔다. 그는 새끼 새들의 다리에 가락지를 달기 위해 가시 많고 수지가 흘러나오는 노간주나무에 기어오르고, 다 자란 새를 잡아서 유색 가락지를 달아 주었다. 그 결과, 오리건 주경계선에서 몇 킬로미터 떨어지지 않은 약 330제곱킬로미터에 이르는 면적의 이 계곡에 둥지를 튼 수십 쌍의 황무지말똥가리들의 생활과 혈통을 알게 되었다. 황무지말똥가리는 서식 환경이 좋았다. 그 계곡의 자주개자리 밭은 들다람쥐와 들쥐로 넘쳐 났고, 노련한 사냥꾼인 황무지말똥가리는 그것들을 쉽게 잡을 수 있어서, 새끼 새들을 풍요 속에서 건강하게 많이 기를 수 있었다. 그러나 뷰트계곡은 그들의 유일한 번식지였다. 브라이언은 몇 년마다 때때로 봄에 월동지에서 돌아오는 가락지를 부착한 성조의 수가 급감하는 것을 보았다. 그는 미지의 이동 경로를 따라 멀리 남쪽 어디선가, 또는 연구가 부족한 아르헨티나의 월동지에서 아직 알려지지 않은 어떤 문제 때문에 뷰트계곡의 황무지말똥가리들이 죽고 있는 것이 아닐까 걱정했다. 그 우려는 1993년 그 계곡의 황무지말똥가리 개체 수가 엄청나게 급감하면서 극에 달했다.

그해 여름, 캘리포니아의 국유림 감독관은 브라이언이 황무지말똥가리 암컷 성조 두 마리에게 신형 위성 송신기를 다는 데 필요한 자금을 마련해 주었다. 따라서 그들이 남쪽으로 이동하는 중에 보내는 데이터를 수신함으로써 그들의 가을 여정을 관찰할 수 있었다. 두 개의 송신기 중 하나는 애리조나에서 꺼졌다. 나머지 한 마리는 멕시코 동부의 멕시코만 해안 평야 지대 아래로 비행해서 중앙아메리카의 좁은 허리를 지나 안데스산맥 동쪽 사면을 따라 남쪽으로 이동했다. 그 새는 아르헨티나에 들어서자 라팜파주La Pampa Province로 비행을 계속했다. 그 지역은 미국의 캔자스와 비슷한 환경의 드넓은 평야 지대로 사각형 격자무늬의 농경지와 목초지, 방풍림이 직각으로 교차하며 펼쳐져 있고, 이국적인 유칼립투스 나무들이 심어져 있는 작은 과수원, 또는 관목 숲들이 있는 곳이다. 그해 겨울, 브라이언은 자신을 보조할 연구원 두 명과 함께 기본적인 생태 환경 조사를 위해 그곳에 갔다. 특별히 어떤 중요한 사안이 있어서가 아니라, 단순히 그 지역의 지상 동식물의 생태를 조사하는 일이었다. 지금까지 황무지말똥가리의 비번식 지역에 대한 연구를 한 사람이 거의 아무도 없었기 때문이다. 그 세 사람은 송신기에서 보내는 좌표를 따라 팜파스 안으로 깊숙이 들어갔다. 그들은 해 질 녘 황무지말똥가리 수천 마리가 떼를 지어 숲으로 몰려드는 모습을 보고 환호성을 올렸다.

하지만 그 기쁨은 들판과 조림지에 여기저기 죽어 널브러져 있는 황무지말똥가리들이 수없이 많은 것을 발견하고는 순식간에 충격과 공포로 바뀌었다. 브라이언과 그의 친구들은 황급히 왜 이런 일이 일어났는지 지역 농민들에게 물어보았다. 그들은 황무지말똥가리들이 아르헨티나에 올 때쯤이면 그곳 농부들이 해바라기와 콩 같은 줄뿌림 작물을 재배하기 위해 방목지를 갈아엎기 때문에, 그에 따른 메뚜기의 급증을 막기 위해 모노크로토포스monocrotophos라는 유기인산화합물인 강력한 살충제를 대량으로 살포한다는 것을 알았다. 따라서 몸집이 큰 곤충들을 잡아먹는 황무지말똥가리들이 그것 때문에 무차별 살상을 당했을 가능성이 있었다. 그들은 신속히 그 증거를 수집해서 과학적 검사를 받기로 하고 그 파국적 상황에 대한 체계적인 조사를 실시했는데, 죽은 황무지말똥가리 입 안에 독극물에 중독된 메뚜기가 들어 있는 것을 발견했다. 그들은 그 피해 상황을 표로 만들기 위해 악취가 진동하는 황무지말똥가리 사체들과 곤충들에게 뜯어 먹히고 남은 사체들을 면밀히 조사했다. 그 과정에서, 우드브릿지 자신이 수년 전 뷰트계곡에서 새끼에게 가락지를 부착하고 성조로 자라 번식에 성공했다고 기록했다는 개체를 포함해서 가락지가 채워진 말똥가리들을 발견했다. 이듬해 겨울, 미국인 과학자, 아르헨티나 연구자와 정부 관리들과 공동으로 대규모 조사팀을 결성한 그들은 들판 한 군데서만 이미 죽었거나 죽어 가고 있는 황무지말똥가리 3000마리를 발견했다. 전년도에 비해 훨씬 더 많이 늘어난 숫자였다. 그 조사팀은 방대한 팜파스 초원 지대 가운데 비교적 작은 이 지역에서만 죽은 대부분 번식 적령기의 황무지말똥가리 수가 최대 2만 마리에 이를 것이라고 추산했다. 그리고 그 대학살은 아르헨티나의 황무지말똥가리 월동지 대부분, 아니 전역에서 일어나는 일이라는 사실을 알리는 조짐들이 여기저기서 나타났다. 실제로 얼마나 많은 황무지말똥가리가 죽었는지 측정할 수는 없었지만, 이와 같은 일이 몇 년 더 지속된다면, 북아메리카에서 가장 일반적이고 널리 분포되어 있는 맹금류들 가운데 오랫동안 개체군을 유지해 왔던 이 종 전체가 급속하게 멸종의 나락으로 떨어질 것은 명백했다.

하지만 그런 일은 일어나지 않았다. 1997년 1월 남반구의 한여름에, 세 번째로 팜파스를 찾아온 브라이언과 그의 연구팀에 내가 합류했을 때, 상황은 호전되고 있었다. 미국 조류 보호 협회American Bird Conservancy가 주도하는 조류 보호 단체들이 살충제 제조업체들과 협상을 통해 모노크로토포스를 시장에서 퇴출시켰다. 아르헨티나 정부는 메뚜기를 막기 위한 화학 물질 사용을 신속하게 금지하는 동시에 기존에 보유하고 있던 농약도 농민들에게 돈을 주고 회수하는 조치를 취했다. 그리고 그것이 맹금류의 생존에 끼치는 위험에 대한 대대적인 교육과 홍보 사업을 펼쳤다. 그 대학살이 마침내 잦아들 수 있을지 알기 위해 기다리며 모두가 숨을 죽이고 지켜보고 있었다.

아르헨티나에서 우리의 활동 기지는 아구스틴 라누세Agustín

Lanusse라는 중년 남성이 소유한 오래된 멋진 목장, 에스탄시아 라 차닐라오Estancia La Chanilao였다. 그는 키가 크고 마른 체격에 마음속을 꿰뚫어 보는 듯한 눈매와 검은 수염, 그리고 머리숱이 적은 외모였다. 나는 처음에 그를 지방의 목장주로 생각했다. 하지만 그의 이력이 생각보다 훨씬 더 복잡하고 범상치 않다는 것을 금방 알게 되었다.

아구스틴의 삼촌인 알레한드로 아구스틴 라누세Alejandro Agustín Lanusse는 1970년 쿠데타로 정권을 잡은 군사정권의 일원으로 아르헨티나 장군 출신이었다. 라누세 장군은 이후 2년 동안 대통령으로 일했다. 그러나 1973년 그는 다시 자유, 직접선거를 실시하고 자신도 참여했지만 크게 패배하면서 평화적인 정권 교체의 토대를 만들었다. 라누세 장군은 말년에 1970년대 중반부터 1980년대 중반까지 진행된 군인들의 〈더러운 전쟁〉에 불리한 증언을 했다. 그의 조카인 아구스틴은 정치와 완전히 담을 쌓고 가문의 유산에도 등을 돌린 채, 외딴 파타고니아에서 양치기와 공원 경비원으로 일하다 라팜파에서 목장을 하는 집안의 여성과 결혼했다. 그의 부인은 브라이언과 그의 동료들이 1995년 처음 차닐라오 목장에 찾아오기 얼마 전에 죽었다. 하지만 아구스틴은 아내를 잃은 슬픔에도 불구하고 이후 몇 년 동안 자신을 찾아온 미국인들이 살충제 때문에 발생하고 있는 치명적인 결과에 대해서 우려하는 것에 충분히 공감하며 그들과 함께 지칠 줄 모르게 열심히 일했다.

라팜파에서 나는 정말 마법처럼 황홀하면서도 기진맥진할 정도로 힘든 시간을 보냈다. 분홍색과 흰색이 어우러진 홍학flamingo 떼와 캐나다 북극 지방에서 이동해 온 도요물떼새 무리들이 어른거리며 반짝이는 호숫가 콩밭과 목초지가 드넓게 펼쳐진 라팜파의 단조로움을 깨뜨렸다. 타조ostrich의 남아메리카 사촌인 레아rhea 무리들이 공룡처럼 긴 목과 다리에 목도리 깃털을 들썩이며 우리 앞의

흙길을 가로질러 질주할 때마다 우리는 몇 차례고 차를 급정거해야 했다. 나는 목장주 집 근처에 있는 한 작은 잡목림이 드리운 그늘 아래 텐트를 설치하고 그 안에서 잠을 잤다. 굵은 낚싯줄로 엮은 올무가 달린 작은 철망형 새장덫인 발차트리bal-chatri를 설치하는 것을 돕기 위해 새벽 3시에 일어났다. 그 안에 살아 있는 생쥐를 미끼로 넣고 작은 잡목 숲 근처 들판에 그 덫들을 설치했다. 동틀 녘, 유칼립투스 향기가 천지에 진동하면, 나무 위에서 내려온 황무지말똥가리 수천 마리가 이 들판에 모여들 것이다. 그리고 해가 떠서 대지를 데우고 그들을 하늘 높이 날아오르게 할 상승 온난 기류가 생성될 때까지 가만히 기다릴 것이다. 비록 아르헨티나에서 황무지말똥가리들은 대개 몸집이 큰 곤충들, 특히 메뚜기와 잠자리를 먹지만, 그게 아닌 다른 먹을 만한 것이 보이면 잡으려고 하기 마련이다. 그래서 미끼로 덫에 넣은 생쥐를 잡으려고 하다가 그만 올무에 걸리는 황무지말똥가리들이 많다. 이 새들에게 인식 가락지를 부착하고, 나중에 그들이 어떤 독극물에 노출되는지 알아내기 위해 샘플로 그들의 혈액과 깃털 일부를 채취했다. 우리는 나중에 그들의 몸에 흡수된 화학 물질의 특성을 알아내기 위해 유기화합물 혼합 분석기인 가스 크로마토그래프gas chromatograph에 돌릴 알코올로 그들의 발을 씻기까지 했다.

그날 저녁, 우리는 합숙소에서 샤워를 끝낸 뒤, 황무지말똥가리들이 펼치는 쇼를 구경하기 위해 목장주 집 앞마당에 모였다. 무더운 열기로 병에 김이 서려 물방울이 맺힌 차가운 멕시코 맥주 세르베자cerveza를 함께 마셨다. 잠시 후면 황무지말똥가리들이 유칼립투스 숲 상공으로 점점 더 많은 수가 끊임없이 사방에서 몰려들 것이다. 때로는 거대한 얇은 천이 겹겹이 층을 이루어 바람을 맞으며 하늘에 가만히 떠 있는 것처럼 보일 때도 있고, 또 어떤 때는 뒤로 길게 목을 뺀 우리 머리 위로 현기증이 날 정도로 높은 곳으로 장엄한 기둥 모양으로 소용돌이치며 솟구치는 모습을 보일 때도 있다. 황무지말똥가리는 다른 대부분의 맹금류와 달리, 번식기 외에는 거의 집단생활을 한다. 몇 년 전, 멕시코 동부 베라크루스에서 황무지말똥가리들이 지나가는 세계에서 가장 큰 이동 관문을 상세히 보도하는 일을 도왔을 때, 우리는 남쪽으로 이동하면서 우리 머리 위로 시간당 수천 마리가 지나가는 것을 확인할 수 있었다. 우리가 차닐라오 목장에서 목격한 것은 그것보다 훨씬 더 많고 극적인 모습이었다. 날씨가 좋은 어느 밤에는 인근 지역에서 겨울을 나는 황무지말똥가리들 대부분이 차닐라오에 모여들면서, 공중에는 맹금류 새가 무려 1만 마리나 떠 있었다. 그것은 내가 지금까지 목격했던 광경 가운데 가장 경외심을 불러일으키는 장엄한 모습이었다. 여름 해가 지고 날이 어둑해지면 하늘은 주황빛으로 물들고, 황무지말똥가리들은 나뭇가지 위에서 휴식을 취하기 위해 일제히 내려앉는다. 숲속에 비치는 희미한 불빛을 받은 나무줄기 사이로 살그머니 비껴가면서, 나는 그날 밤 말똥가리들이 잠자리를 잡을 때 날개가 나뭇잎과 가지에 부딪혀서 나는 바스락거리고 철썩하고 덜거덕거리는 소리도 들을 수 있었다. 그리고 발밑에 마른 뼈가 부스러지는 소리도 들렸는데, 나뭇잎 아래에는 2년 전 모노크로토포스 살충제 때문에 죽은 수백 마리의 황무지말똥가리의 사체 잔해들이 여전히 남아 있었다.

우리는 아구스틴과 그의 처제, 전처가 낳은 십 대 딸 세 명, 그리고 우리의 현장 작업을 돕기 위해 자원한 날씬한 젊은 여성들과 함께 식사를 했다. 식탁 위에는 소고기, 감자, 끓인 다양한 채소가 담긴 접시들로 그득했다. 식사를 하면서 담배를 피우는 사람들도 있었다. 그런데 라누세 가족은 밤 10시나 10시 반이 되어서야 저녁 식사를 하기 시작했다. 우리는 현장 작업 특성상 이곳의 전통적인 낮잠인 시에스타siesta를 누릴 수 없었다. 따라서 몇 주 동안 늘 잠이 부족한 상태였던 우리는 언제나 마지막에 가서는 머리가 끈적끈적한 당밀 속에서 헤엄치고 있는 것 같은 상태가 되었다.

팜파스에서 보낸 그 한 달은 날마다 새로운 일이 일어나는 가운데 빠르게 지나갔다. 무선송신기를 장착한 황무지말똥가리들이 낮에 사냥을 하러 얼마나 멀리까지 이동하는지 추적 관찰하기 위해 아르헨티나 대학원생인 소니아 카나벨리Sonia Canavelli를 팀에 합류시켰다. 그 새들이 토해 낸 펠릿, 즉 새의 식이 분석에 쓰일 키틴질의 곤충 조각들로 이루어진 호두알 크기의 푸석푸석한 분홍빛 토사물 덩어리들을 수집하기도 하고, 평탄한 지형이 수 킬로미터에 걸쳐 뻗어나간 아무도 없는 텅 빈 흙길을 차를 몰고 다니며 다른 목장 지대에 모여서 겨울을 나고 있는 황무지말똥가리들을 찾아 나서기도 했다. 흙먼지 이는 작은 시골 마을들에는 농민들에게 황무지말똥가리를 보호하고 모노크로토포스 사용 금지를 촉구하는 포스터와 표지판들이 여기저기 붙어 있었다. 우리는 아르헨티나 환경보호 단체와 정부에서 배포한 황무지말똥가리 보호 캠페인 배지를 달고 있는 사람들도 만났다. 또한 TV 방송국이나 신문사들과 인터뷰도 하다 보니 얼떨결에 지역의 유명 인사가 되어, 거리에서 사람들이 다가와서 아는 체하는 바람에 멈춰 서는 경우도 많았다. 심지어 어떤 경우는 반가워하는 한 할머니가 악을 쓰며 울고 있는 아기의 볼에 뽀뽀해 줄 것을 요청하기도 했다.

매우 덥고 흙먼지가 많이 날리던 어느 날 조사팀의 과학자 중 한 명과 나는 예닐곱 시간의 도로 조사를 마친 뒤, 황무지말똥가리에 대해서 알아보기 위해 지역의 목장 한 군데를 방문했다. 우리가 만난 노동자는 금방 표정이 밝아졌다. 그는 환하게 웃으며 예예 하면서 마이크 골드스타인이 묻는 말에 열심히 고개를 끄덕였다. 엄청 빠르게 쏟아내는 아르헨티나 억양의 스페인어를 다 따라갈 수는 없었지만, 대화 중에 여러 차례 나온 아길루초aguilucho, 즉 〈말똥가리〉*라는 말은 알아들을 수 있었다. 그리고 우리가 황무지말똥가리에 달아 주고 있던 가락지에 대해서 그가 말하고 있다는 것도 그의 몸짓으로 이해할 수 있었다. 이 얼마나 멋진 일인가 하는 생각이 문득 들었다. 황무지말똥가리 보호의 메시지가 이렇게 먼 곳까지 강력하게 미치고 있다는 또 다른 사례였기 때문이다. 그러나 마이크는 자동차로 돌아와서 아까 그 사내가 황무지말똥가리들의 다리에 달려 있는 〈발찌〉를 수집하기 위해 그들을 총으로 사냥하는 것을 얼마나 좋아하는지 신나게 설명하고 있었다고 내게 알려 주었다. 이 먼 땅에서 단순히 화학 물질보다 더 위험한 것이 있다는 사실을 비로소 깨달았다.

우리는 하루하루 어디선가 화학 살충제로 인한 황무지말똥가리의 대량 살상 소식, 그리고 다시 그 새들이 죽어 가고 있다는 아구스틴의 동료 목장주 인맥을 통한 연락을 기다리고 있었다. 그러나 그런 연락은 전혀 오지 않았다. 그해는 비가 많이 내린 습한 해였다. 따라서 메뚜기가 그리 큰 위협이 되지 못했다. 그리고 농민들도 정부의 시책과 환경 단체의 홍보를 진지하게 받아들이고 농약도 덜 독한 것으로 교체하여 들판에 살포했다. 그로부터 몇 년이 흘러 아르헨티나로부터 들려온 소식은 긍정적이었다. 우리는 다시 긴장을 풀기 시작했다. 캘리포니아로 돌아와서, 황무지말똥가리의 상당수가 사라지곤 했던 그 겨울들은 지나간 옛날 일이 되었다. 브라이언 우드브릿지와는 계속해서 연락을 취하고 있었다. 몇 년 뒤, 나는 그가 미국 어류 야생동물 보호청에서 점박이올빼미northern spotted owl 보호 관련 업무를 맡아 뷰트계곡을 떠났다는 소식을 들었다. 점박이올빼미는 황무지말똥가리보다 훨씬 더 정치적으로 무게가 있

* 원문에 표현된 〈hawk〉는 아메리카 대륙에서 〈매〉보다는 〈말똥가리buteo〉와 거의 같은 말로 쓰인다. 여기서는 정확하게 말해서 황무지말똥가리를 가리킨다.

고 민감한 대상이었다. 그로부터 한참 뒤에 그는 검독수리 보호 관련 일을 하는 팀 소속이 되었다. 그러나 브라이언이 떠난 뒤에도 그가 오랫동안 진행해 온 황무지말똥가리 연구를 계승하고 확대한 대학원생들이 횃불을 들고 나섰다. 내가 아르헨티나를 다녀온 지 15년이 되는, 2년 전 열린 한 맹금류 연구 재단Raptor Research Foundation 학회에서 그들 가운데 한 명을 발견하고 반갑게 인사를 나눴다. 머리를 아주 짧게 깎은 금발에 근육질의 박사과정 대학원생 크리스 베넘이었다. 「내년 여름 새끼 새들에게 가락지를 달아 줄 때 꼭 오셔야 해요.」 크리스가 말했다. 「브라이언도 올 거고요, 피터 블룸Peter Bloom, 카렌, 옛 동지들이 모두 도우러 오기로 했어요. 재결합을 하는 거죠.」 그의 말에 따르면, 무엇보다도 뷰트계곡의 황무지말똥가리들이 살충제 때문에 초래된 최악의 상황에서 끊임없이 서서히 회복되면서 개체 수가 두 배로 늘어났다. 그는 이듬해에는 신기록을 경신할 것이 틀림없다고 했다.

말할 것도 없이 희소식이다. 요즘 같은 때, 철새 이동의 최전선에서 희소식을 듣기는 극히 힘들 수 있다. 그래서 나는 이듬해 여름에 오리건의 메드퍼드Medford 공항에서 렌터카를 잡아타고, 이 외딴 계곡의 철새 맹금류들을 지키기 위해 수십 년 동안 싸워 온 과학자들과 함께 승리의 기쁨을 나누기를 기대하면서, 들불 때문에 발생한 희뿌연 연무를 헤치며 남쪽으로 차를 몰았다. 그리고 그렇게 반갑게 만났다. 그러나 그 만남은 그들과 함께 불확실한 미래를 차분히 바라볼 수 있는 기회이기도 했다. 그들이 과연 얼마나 멀리까지 그들의 미래를 낙관할 수 있을지, 이렇게 빠르게 변화하고 있는 지구에서 철새들을 지키려고 애쓰는 사람이면 누구나 몹시 괴로워할 그런 걱정들을 생각하면서 말이다. 20년 전, 세계는 선명하게 윤곽이 드러난 단 하나의 위협으로부터 황무지말똥가리들을 구해 냈고, 그들을 구출하고 보호하는 데 성공한 대가로 충분히 칭송을 받을 만했다. 오늘날 황무지말똥가리들을 가장 열렬하게 옹호하는 사람들은 그 새들의 적응성을 감탄해 마지않는다. 그리고 인간이 바꿔놓은 많은 자연 풍경 속에서도 번창하는 그들의 능력에 안도의 한숨을 내쉰다. 그러나 나는 또한 새롭게 떠오르는 문제들, 이를테면 기후 변화와 점점 건조해지는 전원 지대처럼 어떤 거대하고 광범위하게 확산되는 것들에서부터 그보다 훨씬 더 구체적이고 직접적이면서 기이할 정도로 뜻밖의 상황들에 이르기까지 우려 섞인 이야기들도 들었다. 내 말은 다름이 아니라, 1년 내내 끊이지 않는 미국의 딸기 수요 때문에 맹금류를 연구하는 생물학자가 잠을 이루지 못할 거라고 누가 상상이나 할 수 있었겠느냐는 의미다.

뷰트계곡의 황무지말똥가리에 대한 이야기, 즉 아르헨티나에서 그들이 거의 멸종할 뻔한 일과 맹금류 철새의 생태에 대한 보다 폭넓은 이해를 위한 그들의 역할은 수십 년을 가로지르며 이어지는 일련의 과학자들의 계보와 조류의 혈통 보전이 서로 얽히고설킨 사연이다. 비록 지금은 브라이언 우드브릿지가 그 계곡의 황무지말똥가리들과 가장 밀접한 관계를 맺고 있는 사람이라고 해도, 그는 그들을 연구한 최초의 과학자도 아니고 마지막 과학자도 아니었다. 지난 40여 년 동안, 캘리포니아의 이 구석진 곳에서 연구에 매진해온 과학자들과 팀원들은 크게 네 세대로 나눌 수 있는데, 그들은 서로 연결되어 있다. 그들 가운데 많은 이가 지금 그 계보를 가장 최근까지 이으며 현장 연구를 하고 있는 크리스 베넘을 지원하기 위해 며칠 동안 이곳으로 모여들고 있었다. 그것은 크리스 말대로 재결합과 같은 것이었다.

그 모임에서 원로이자 서부 지역 맹금류 생물학자들 사이의 전설적 인물로 알려진 사람은 피터 블룸이었다. 그는 가장 널리 알려진 몸집이 아주 작은 아메리카황조롱이American kestrel를 비롯해서 캘리포니아콘도르California condor 등 미국 서부 지역의 거의 모든 맹금류 종을 다 연구했다. 1980년대 그가 콘도르 구조 프로그램에서 활동했을 때, 그 거대한 독수리는 납중독과 DDT로 인해 알껍데기가 얇아지는 현상 때문에 멸종 위기에 있었다. 브릭스는 캘리포니아 남부 산악지대에서 얼마 남지 않은 마지막 야생 콘도르들을 포획하는 임무를 맡은 생물학자들 가운데 한 명이었다. 그는 송아지 사체 옆에 구덩이를 파고 그 위에 위장막을 한 뒤, 그것을 먹기 위해 내려앉을 콘도르의 다리를 위장막의 좁은 틈으로 손을 뻗어 잡아챌 준비를 하고 며칠 또는 몇 주를 그 안에서 웅크리고 지냈다. 이것은 아메리칸 인디언들이 깃털을 얻기 위해 검독수리를 잡을 때 썼던 것과 거의 같은 방식이었다. 1987년 부활절 날에 블룸은 AC9로 알려진 마지막 야생 콘도르 수컷 한 마리를 생포했다. 이번에는 전통적인 원주민 방식이 아닌 송아지 사체 위에 대포 같은 사출포획망cannon-propelled net을 쏘아 잡았다. AC9는 15년 동안 새장 안에서 지냈는데, 인공 번식에 성공하여 새끼를 15마리나 낳았고, 2002년에 마침내 자신이 살았던 옛 지역으로 돌아갔다. AC9는 야생으로 돌아간 뒤에도 훨씬 더 많은 새끼를 번식시킨 뒤, 2016년에 사라졌다. 비록 사체를 발견하지는 못했지만 죽은 것으로 추정되었다. 그 무렵, 야생에 서식하는 콘도르는 270마리였고, 포획된 콘도르는 거의 200마리가 넘었다. 1987년 그날 촬영한 오래된 비디오 화면은 발사된 그물망이 반원을 그리며 날아가 큰까마귀 수십 마리와 단 한 마리의 거대한 콘도르를 덮치는 모습을 보여 준다. 그리고 호리호리하지만 강단 있게 생기고 숱이 많은 검정 머리카락과 턱수염을 한 블룸이 구덩이에서 튀어나와 그 큰 새에게로 달려가는 모습도 나온다. 카메라는 그와 두 명의 다른 생물학자 이렇게 세 명이 검은 날개에 주황색과 보라색 머리 깃털을 한 그 새를 함께 안아서 동물원으로 이송하기 전에 커다란 개집으로 옮기는 장면을 클로즈업하

캘리포니아 북부, 뷰트계곡과 주변 지역.

면서 끝난다.

블룸은 1970년대 말에 캘리포니아 어류 및 수렵동물 보호 위원회California Fish and Game Commission 주관의 주 전역을 대상으로 한 철저한 실태 조사의 일환으로 뷰트계곡에서 최초로 황무지말똥가리를 연구하기 시작했다. 그는 지금도 그들을 감시하는 일을 계속해서 돕고 있다. 지금은 비록 황무지말똥가리들을 서식지 대부분 지역에서 흔히 볼 수 있지만, 지난 세기에는 몇몇 지역 개체군에서 여러 차례 설명하기 어려운 대붕괴 현상이 있었다. 1890년대에는 그들을 서스캐처원 초원의 어디서나 볼 수 있었지만, 20년 뒤 그곳에서 자취를 감추었다. 백인 정착촌이 생긴 뒤 몇 년 안에 몬태나,

앨버타, 매니토바 일대에서도 유사한 감소나 멸종 현상이 언급되었다. 정착민들이 못살게 굴어서 그렇게 되었다는 둥, 그냥 불가사의한 일이라는 둥 그 이유가 분분했다. 그런 지역들 가운데 많은 곳에서 나중에 다시 황무지말똥가리의 수가 반등하기도 했지만, 캘리포니아만큼 확연하게 감소하거나 영구적으로 소멸한 지역은 거의 없었다. 캘리포니아에서는 뷰트계곡을 포함하는 그레이트베이슨 지역과 센트럴계곡을 제외하고 주 전역에서 황무지말똥가리가 완전히 사라졌다. 1983년 황무지말똥가리를 캘리포니아에서 멸종 위기종으로 올리게 만든 블룸의 조사 보고서는 주 전체에 서식하는 개체 수가 역사적으로 90퍼센트 넘게 감소하여 1만 7000쌍 이상에서 400쌍 수준으로 줄었다는 것을 보여 주었다. 블룸은 나중에 선견지명이었음이 밝혀진 한 예측에서, 월동지에서의 살충제 사용이 한 요인일 수 있다고 추정했다.

브라이언 우드브릿지는 1981년 캘리포니아 지역의 매를 연구하기 위해 고용되면서 무대에 모습을 드러냈는데, 매의 시즌이 끝나면 블룸의 팀에 들어가 황무지말똥가리 연구를 도왔다. 「피터가 말하기를, 〈둥지 위로 올라가는 법을 배워. 그리고 죽지 않으려면 잘해야 해〉 그러고는 긴장을 풀게 많이 도와줬어요.」 브라이언이 그때를 회상했다. 그가 하는 일은 절벽 중간에 있는 매와 독수리 둥지까지 줄을 타고 내려가는 경우가 많았다. 「그리고 매를 관찰하는 기간이 끝나면, 황무지말똥가리들을 살피며 돌아다녔어요. 나는 이곳의 산림청 생물학자들과 친구가 되었는데, 이듬해 그들이 내게 참매northern goshawk와 황무지말똥가리를 관찰하는 일을 제안했죠.」 그는 그때부터 21년 동안 맹금류를 연구하면서 계속 산림청에서 일했다. 브라이언은 자신의 재임 기간이 끝나갈 때쯤, 네바다 대학교의 석사과정의 대학원생이었던 크리스 브릭스Chris Briggs를 연구 기술원으로 채용했다. 브릭스는 나중에 박사과정 연구의 일환으로 황무지말똥가리의 새끼 새들을 발견하면 그 다리에 유색 가락지를 달아 주기 시작했다. 앞으로 알게 되겠지만, 그것은 아주 획기적인 새로운 연구 방법이었다. 브릭스가 황무지말똥가리 프로젝트를 완전히 넘겨받은 것은 우드브릿지가 미국 어류 야생동물 보호청으로 떠난 2003년이었다. 그러자 이번에는 브릭스가 또 다른 석사과정의 대학원생인 크리스 베넘을 채용했다. 내가 방문했을 때, 브릭스는 뉴욕의 한 대학에서 학생들을 가르치고 있었고, 베넘이 자신의 박사과정 연구를 진행하면서 그 프로젝트를 주도하고 있었다.

황무지말똥가리의 혈통 보전이 전부라 할 수 있는 연구가 바로 이러한 과학자들의 계보를 통해 발전해 왔다는 것은 지극히 당연한 말이다. 브라이언 우드브릿지(와 그보다 앞서 피터 블룸)가 뷰트계곡의 황무지말똥가리에 대해서 그렇게 오랫동안 꾸준히 기록을 관리해 오고, 많은 새를 포획해서 고유번호를 매긴 유색 가락지를 달아 주어 멀리서도 쉽게 식별할 수 있게 했기 때문에, 그는 아르헨티나에서 살충제 중독으로 죽은 것들이 1990년대에 황무지말똥가리에게 가하고 있었던 피해를 추적할 수 있었다. 그러나 브릭스(그리고 지금은 베넘)가 새끼 새들에게도 유색 가락지를 달아 주기 시작했을 때, 새로운 개체군이 탄생했는데, 거의 모든 황무지말똥가리에 대해서 단번에 그 새가 여러 세대를 거슬러 올라가 조상이 누구인지를 알 수 있는 가족력 추적이 가능해졌다. 지구상 그 어느 곳에서도 그런 규모로 조사가 이루어진 적이 없었다. 그 방식은 연구자들이 그동안 맹금류 철새들의 생태에 대해서 궁금해했던 많은 문제를 묻고 답할 수 있게 했다.

내가 도착했을 때, 브릭스는 벌써 블룸, 우드브릿지, 그리고 그날 저녁에 도착하기로 했던 여러 다른 동료들과 함께 일손을 거들고 있었다. 턱수염이 여기저기 희끗희끗해진 브릭스는 이제 더 이상 여름 내내 현장에 있지 않아도 된 이래로 살만 더 쪘다고 한탄했다.

그 첫날 아침, 브릭스와 나는 베넘이 뷰트계곡을 굽어보는 키 큰 노간주나무의 복잡하게 뻗어 나간 가지들 위로 기어오르는 모습을 주의 깊게 지켜보았다. 황무지말똥가리 어미 새가 급강하하는 것을 본 브릭스가 조심하라고 소리를 질렀다. 나는 어린 새가 공포에 질려 둥지 밖으로 뛰어내릴 경우를 대비해서 둥지에서 좀 떨어진 곳에 있었다. 어린 새는 잘 날지는 못하지만 꽤 멀리까지 활공하여 내려앉을 수 있다. 또 다른 쪽 측면에서는 우리 현장 팀의 네 번째 요원으로 뉴욕의 해밀턴 칼리지에서 온 브릭스의 제자 가운데 한 명인 아멜리아 보이드Amelia Boyd라는 여학생이 이 광경을 지켜보고 있었다. 그녀는 지금까지 이어져 온 이 분야의 과학자 계보에서 가장 최근에 자라난 잔가지인 셈이다. 베넘이 청색 어깨가방에 새끼 새를 넣어 나무 아래로 내려온 뒤, 아멜리아는 그 새끼 새를 무릎 위에 부드럽게 안고 가락지를 달고 체중을 재고 각 부위를 측정했다. 거의 다 자란 모습이지만, 날개와 꼬리, 몸 깃털은 아직 자라고 있는 중이었다. 새끼 새는 놀라울 정도로 침착했다. 아멜리아가 종이에 측정치를 다 적을 때까지 전자저울에 거리낌 없이 조용히 누워 있거나 그 옆에 참을성 있게 웅크리고 있었다.

산비탈에 있는 둥지에서의 작업을 마치고, 우리는 잠시 차를 몰아 래빗브러시rabbitbrush와 샐비어sage가 자라는 너른 평지에 도착한 뒤, 그곳을 가로질러 약 12~15미터 높이의 가지가 조밀하게 뻗어 나간 크고 둥근 노간주나무에 있는 또 다른 둥지까지 걸어갔다. 황무지말똥가리 성조들이 우리 머리 위를 빙빙 돌면서 꽥꽥 소리를 지르며 불만을 표시했다. 늘 그렇듯이 몸집이 유난히 큰 암컷이 가장 낮게 떠 있었다. 늦은 아침 기온이 섭씨 40도까지 올라가는 사막의 뜨거운 날씨에도, 아멜리아는 긴팔 셔츠를 입고 단추를 꽉 잠그고, 헬멧을 단단히 잡아매고, 양손에 장갑을 끼고, 그 나무 위를 기어올랐다. 「이 노간주나무들은 사다리를 오르는 것 같죠.」 베넘이 내게 말했다. 「아주 쉬워요. 하지만 성가신 게 많죠.」 그가 현장에서 입는 작업복이 그것을 증명했다. 질긴 청바지는 여기저기 찢겨 나가고 닳아 해지고, 군데군데 찢겨진 장화 틈새로 양말이 보이고, 나무에서 흘러나오는 수액이 묻은 옷에서는 고양이 오줌 같은 냄새가 났다. 나뭇가지 지붕 위로 아멜리아의 머리가 나타났을 때, 어두운 색조의 거대한 황무지말똥가리 암컷이 기회를 포착하고는 순간적으로 한 바퀴 돌더니 대각선으로 급강하하며 공격해 왔다. 「어미 새다 — 피해!」 베넘이 고함을 질렀다. 황무지말똥가리는 날카로운 울음소리를 내며 스쳐 지나가면서 아멜리아를 한두 발 차이로 비껴갔다.

「그 새는 어디 있죠?」 아멜리아가 넋이 나간 듯 주위를 돌아보며 소리쳤다. 아멜리아는 나무에 오르는 게 좋아서 연구 기술원으로 일하기로 계약한 의예과 대학생이었다. 아멜리아는 지상에서 5층 높이 되는 곳에서 칼날 같은 여덟 개의 발톱이 달린 커다란 새가 자신의 머리를 공격할 수도 있다는 이야기를 듣고 충격을 받았다고 앞서 시인한 적이 있었다. 「그 새가 당신 머리 위에 높이 떠서 맴돌고 있어요.」 베넘이 큰 소리로 외쳤다. 「알았어요.」 1~2분 뒤, 아멜리아는 둥지에서 새끼 새 한 마리를 가방에 넣어 안전한 곳으로 빠르게 내려오기 시작했다.

새끼 새가 지상으로 내려간 것을 확인한 부모 새는 그곳을 떠났다. 세 사람은 새끼 새와 관련해서 할 일을 빠르게 진행했다. 아멜리아는 날개 쪽 정맥에서 소량의 혈액을 채취했다. 나중에 기생충 검사를 하고 면역세포 비율을 분석하기 위해서인데, 그것은 일부 새들에게서 그들이 살아남아 번식을 할 수 있을지 여부를 예측하는 데 도움을 주었다. 그러나 멀리서도 쉽게 읽을 수 있도록 두 개의 흰색 문자 코드가 새겨진 왼쪽 다리에 다는 녹색 가락지는 이 장기 연구 과제에 비길 데 없는 가치를 부여하는 가장 중요한 핵심 요소였다. 연구 초창기부터 블룸과 우드브릿지는 포획한 모든 황무지말똥가리 성조들에게 유색 가락지를 매달았다. 하지만 2008년 브릭스가 왔을 때, 그는 해마다 15~30킬로미터씩 계곡을 가로지르며 그들이 발견하는 모든 둥지에 있던 새끼 새들까지 포함해서 거의 모든 황무지말똥가리에게 유색 가락지를 다는 쪽으로 연구 범위를 확대했다. 지금까지 유색 가락지를 달아 준 새끼 새는 총 1100마리 정도로, 엄청난 작업이 아닐 수 없다. 그 결과, 이 방대한 계곡에 서식하는 황무지말똥가리 성조 가운데 거의 4분의 3 이상이 현재 유색 가락지를 달고 있다. 이는 전 세계에서 새의 다리에 가락지를 달아주고 관찰하는 지역 가운데 가장 높은 비율을 자랑하는 곳 가운데 하나다. 따라서 과학자들은 어떤 새가 돌아왔는지, 어떤 새가 사라졌는지, 그리고 그들이 영역을 옮겼는지, 어느 새가 짝짓기를 하거나 갈라섰는지를 식별할 수 있다. 무엇보다, 브릭스와 베넘은 이제 이 계곡에 서식하는 황무지말똥가리들의 여러 세대에 걸친 혈통 관계를 지도로 그릴 수 있다. 이 지도는 황무지말똥가리의 생리와 행동에 대한 놀라운 통찰을 제공했다. 그중 한 가지로, 그들은 이 작은 번식 집단이 그들의 고향 땅에 매우 충실하다는 사실을 알았다. 뷰트계곡에서 유색 가락지를 단 새들은 거기서 수 킬로미터밖에 떨어지지 않은 이웃에 있는 클래머스계곡Klamath Valley을 제외하고 다른 어느 곳에도 거의 모습을 드러내지 않는다. 짝짓기를 마친 쌍들은 서식지 주변이 바뀌었기 때문에 더 이상 적합하지 않은 곳인데도 이전에 둥지를 튼 장소로 해마다 다시 돌아오기를 반복한다. 브릭스는 황무지말똥가리들이 그렇게 집요하게 둥지에 대해 집착하는 것은 그들의 특별한 이동의 결과일 수 있다고 생각한다. 「그렇게 기동성 있고 멀리 이동하는데도, 그들이 번식지로 돌아올 때쯤 그들에게 (새로운 장소를 찾을) 시간이 없다는 것은 아이러니가 아닌지 모르겠어요.」 그가 내게 말했다. 원인이 무엇인지 모르지만, 황무지말똥가리는 새로운 서식처와 기회에 반응하는 속도가 몹시 느리다. 심지어 오늘날에도 그 종은 1990년대까지 대홍수로 인해 아무것도 남은 것이 없었지만 지금은 충분히 이용되고 있지 않은 이상적인 번식 장소가 많은 뷰트계곡 남부 일대에서 서식지를 조금씩 넓혀 가고 있는 중이다.

연구자들은 또 대부분의 번식쌍은 그들의 새끼가 번식할 수 있을 정도로 성장하도록 기여하는 경우가 거의 없지만 약 3분의 1 정도의 암컷들은 거의 모든 새끼를 성조로 키워 내어 번식하게 만드는 것을 알았다. 「실제로 이 개체군을 유지하게 하는 것은 일부 소수의 새들입니다.」 베넘이 헬멧을 벗고 짧은 머리카락을 쓸어 넘기며 말했다. 「그들은 새로운 구성원 대다수를 생산하는 소수의 둥지를 지키는 슈퍼맘supermom들입니다.」 여기서 새로운 구성원이란 살아남아서 성조 집단으로 진입하는 어린 새들을 가리키는 생물학적 용어다. 「그렇다면, 그것은 일부를 제외한 대다수 나머지는 사회 유지에 별로 도움이 되지 않는 쓸모없는 존재라는 말이죠. 흥미로운 일입니다. 어떤 지역은 수십 년 동안 해마다 새들이 찾아오는 반면에, 또 어떤 지역은 세월에 따라 왔다 갔다 합니다. 어떤 쌍들은 새끼를 엄청나게 많이 낳지만, 그들 가운데 번식 능력이 있는 성조로 돌아오는 새는 극히 일부죠. 그러나 이런 슈퍼맘을 탄생시키는 것이 무언지는 우리도 몰라요. 경험 많고 건강한 수컷을 꾈 줄 아는 암컷이라서 그런 건지, 그냥 번식하기 좋은 장소를 차지해서 그런 건지, 아니면 그냥 운이 좋아서인지 잘 모릅니다. 올해 초, 〈용기인가, 행운인가Pluck or Luck〉라는 제목의 논문이 발표되었는데, 왜 어떤 새들은 좋은 부모가 되고 또 어떤 새들은 그렇지 못한가에 대한 의문을 밝히려는 내용이었죠. 그들이 내린 결론은 그것의 대부분이 운이라는 것이었어요. 하지만 전 잘 모르겠어요.」

캘리포니아의 황무지말똥가리들은 더 동쪽에 있는 개체군들과 달리, 대부분이 깃이 암색형dark morph 새인데, 여기서 〈형morph〉이란 단일 종 내에서 깃의 색조 차이를 나타내는 용어다. 황무지말똥가리가 서식하는 대부분의 지역에서 그들의 깃은 담색형light morph를 띠는 것이 일반적이다. 아랫면은 미색이고, 등과 머리 뒷면은 짙은 갈색, 턱 부위는 흰색, 날개깃은 진회색이다. 그러나 뷰트계곡에서 그런 담색형의 새는 10퍼센트도 안 된다. 나머지는 암색형이나 적갈색형의 새들로 계피나 밤, 마호가니의 아름답고 변화무쌍한 색조의 깃을 보여 준다. 왜 그런지, 그리고 붉은꼬리말똥가리나 붉은등말똥가리ferruginous hawk, 넓은날개말똥가리broad-winged hawk 같은 친척뻘 되는 여러 종류의 말똥가리들도 동쪽에서 서쪽으로 갈수록 담색형에서 암색형으로 깃 색조가 왜 바뀌는지는 브릭스가 수년 동안 답을 찾지 못한 채 고심하고 있는 문제다. 그러나 브릭스는 뷰트계곡에 서식하는 모든 황무지말똥가리의 가족사를 알기 때문에, 암컷은 짝이 될 수컷의 깃털 색깔을 신경 쓰지 않는 것처럼 보이는 데 반해, 수컷은 암컷의 색깔에 매우 신경을 많이 쓴다는 것을 증명할 수 있다. 그 계곡의 수컷들은 어미 새의 깃 색조와 같은 암컷을 짝으로 고르는 경향이 있다. 이른바 오이디푸스콤플렉스의 일종이라고 할 수 있다. 흥미롭게도, 어미 새의 깃 색조와 어울리지 않는 암컷을 짝으로 고르는 수컷들은 생전에 낳는 새끼 새의 수가 평균보다 훨씬 더 적고, 새끼 새의 수명도 훨씬 더 짧다.

「그것이 그런 수컷들의 호감도가 매우 낮아서 마음에 드는 암컷을 유혹할 수 없다는 것을 의미하는지, 아니면 [어쩔 수 없이] 그 계곡의 주변부에 위치한 번식 환경이 형편없는 지역으로 쫓겨났다는 것을 의미하는지, 아니면 그들이 매력적이라고 생각하지 않는 암컷에 대해서는 노력을 기울이지 않는다는 것을 의미하는지, 우린 모릅니다.」 브릭스가 말했다. 그러나 한 가지 가능성이 있다면, 깃 색조가 황무지말똥가리의 면역체계의 어떤 중요한 측면을 가시적으로 표현하는 것일 수 있다는 점이다. 「그것은 일종의 MHC 적합성 같은 것일 수 있어요.」 어리둥절해하는 나를 보고 브릭스가 이어서 말했다. 「MHC란 주조직적합성복합체major histocompatibility complex를 말합니다.」 그의 설명에 따르면, MHC는 신체의 후천적 면역체계가 외부의 침입자를 인지하여 반응을 촉발하게 하는 세포 속 단백질을 암호화하는 유전자 집합이다. MHC 유전자들은 극도로 다양해서 물고기에서 생쥐, 인간에 이르기까지 광범위한 유기체들에 대한 연구들을 통해 서로 MHC 집합이 가장 다른 개체들끼리 짝짓기를 하는 것이 가장 일반적임을 보여 주었다. (예컨대, 여대생들에게 남학생들이 입었던 티셔츠들을 냄새 맡게 하고 그 가운데 가장 매력적일 거라고 생각하는 사람 것을 고르라고 하면, 거의 대부분이 자기와 MHC가 가장 다른 사람 것을 고른다.) 「어쩌면 황무지말똥가리의 깃털 색조는 그들의 MHC를 간접적으로 보여 주는 것일지도 몰라요.」 브릭스가 설명했다. 지금 그것은 추측일 뿐이지만, 아멜리아가 채취하고 있던 혈액 샘플은 만일 당신이 황무지말똥가리 수컷이라면, 당신의 늙은 아버지가 결혼한 여성과 같은 그런 여성을 원하는 이유를 설명할 수 있을지도 모른다. 잘못된 면역복합체를 가진 짝을 선택하는 것은 번식 성공률을 떨어뜨릴 수도 있다. 전 세계 어디서도 맹금류 개체군을 세밀하게 추적 관찰할 수 있는 곳은 없기 때문에, 뷰트계곡은 그런 질문들, 슈퍼맘이 왜 존재하는지, 깃 색조가 건강과 관련해서 아주 중요한 어떤 것을 암시하고 있는 것은 아닌지 같은 것들에 답을 줄 수 있는 유일한 장소 가운데 하나일 수 있다.

베넘과 그의 연구팀은 그 시즌 동안 100군데 가까운 둥지를 찾아갔다. 신기록이었다. 하지만 결과적으로 생산성과 관련해서 보면 아주 성공적인 해는 아니었다. 여름 날씨가 건조해서 설치류의 수가 급감했는데, 특히 그 계곡의 야생 초지에서 대부분 둥지를 트는

데 실패하는 상황이 발생했다. 설치류와 맹금류에게 그러한 기복 현상은 일반적이다. 하지만 뷰트계곡의 황무지말똥가리들에게는 생명선이 있다. 대형 스프링클러가 농업용수를 공급하는 회전 장치들을 둥그렇게 둘러싸고 있는 자주개자리 들판이 그것이다. 그것이 없었다면 말라빠진 풍경만 있었을 곳에 연초록의 둥근 원을 그리고 있는 들판들은 들다람쥐의 완벽한 서식지다. 이곳에는 놀랍게도 들다람쥐가 0.01제곱킬로미터당 최대 133마리까지 서식하고 있다. 그들은 그곳에서 자라고 있는 자주개자리의 45퍼센트까지 먹어 치울 수 있기 때문에, 농민들에게 아주 성가신 존재다. 그래서 그곳 농민들은 사격 연습용으로 설치류를 쏘는 사냥꾼들이 매년 봄마다 수천 마리의 〈찍찍거리는 놈squeak〉(가장 흔한 종으로 벨딩스들다람쥐Belding's ground squirrel)과 〈꼬리가 긴 놈longtail〉(캘리포니아들다람쥐California ground squirrel)을 총으로 쏴 죽이는 것을 반긴다. 그러나 설치류는 황무지말똥가리를 포함해서 많은 맹금류의 먹이이기도 하다. 이것은 왜 캘리포니아 북부와 그 이웃 오리건의 이 일대가 미국에서 가장 맹금류가 많이 밀집해 있는 곳 중 하나인지를 설명해 준다.* 그날 일을 마치고 우리는 97번 도로를 타고 북쪽으로 차를 몰았다. 그 도로는 캐나다 국경까지 이어진 길로 뷰트계곡을 통과해서 달리는 트럭들이 많이 다닌다. 베넘은 도로 주변의 맹금류에 대해서 자세히 설명하기 시작했다. 「저 나무 오른쪽에 황무지말똥가리 한 쌍이 있고, 그 너머에 있는 쌍은 붉은꼬리말똥가리, 그

* 납중독은 맹금류에게 심각한 위협 요소다. 여기서 납은 말 그대로 엽총의 탄환에서 나오는 것인데, 황무지말똥가리들은 대체로 그러한 위험을 모면했다. 붉은꼬리말똥가리, 흰머리독수리와 검독수리, 큰까마귀 같은 새들은 총에 맞아 버려진 들다람쥐의 사체들을 먹는 바람에 그 결과 체내의 납 농도가 매우 높은 것으로 나타났지만, 황무지말똥가리들은 다람쥐 사냥이 한창인 때를 지나 봄에 돌아오는 덕분에 피해가 없다. 그리고 캘리포니아의 모든 맹금류에게는 다행히도, 2019년에 캘리포니아주 정부는 전국 최초로 주 전역에서 납 탄약의 사용을 전면 금지했다. — 원주.

리고…….」그는 2차선 도로 건너편을 가리키며 말했다.「미국 토지 관리국BLM 파인원Pine One으로 알려진 저기에 황무지말똥가리 지역이 한 곳 있어요. 그곳 서쪽으로 키 작은 관목은 캡틴 캥거루Captain Kangaroo로 불리는 또 다른 황무지말똥가리 둥지입니다. 그곳은 이름을 바꿔야 합니다. 우린 지금 여기서 약 90미터도 걷지 않았어요. 이 정도면 황무지말똥가리와 붉은꼬리말똥가리들은 지금 뷰트계곡에서 잘 지내고 있다고 봐야 합니다.」뷰트계곡에서 황무지말똥가리가 서식하는 지역의 평균 면적은 약 4제곱킬로미터에 이른다. 그것은 캘리포니아 다른 지역에 비해 최대 10배쯤 더 넓다. 먹이가 풍부하다는 증거다.

40년 넘게 뷰티계곡에서 연구한 결과로 입증된 것이 있다면, 그것은 말똥가리와 설치류와 자주개자리의 근본적인 연관성일 것이다. 그러나 그 계곡이 언제나 다람쥐나 그들의 포식자에게 천국이었던 것은 아니다. 모도크족, 클래머스족, 샤스타족이 이곳에 살았을 때로 거슬러 올라가면, 뷰트계곡의 약 320제곱킬로미터 땅은 세이지브러시가 무성한 초지들이 점점이 떠 있는 광대한 습지대로, 철새인 물새들에게 최적인 장소였다(당시에 아메리카 원주민들은 깃털갈이를 하느라 날지 못하는 물새들을 사냥했다). 하지만 그때 황무지말똥가리 같은 초원 지대의 맹금류들에게 그곳은 주변부 서식지에 불과했다. 그러나 1860년대 초, 백인 정착민들은 커다란 골풀이 자라는 습지에서 물을 빼내고 그곳을 농지와 목초지로 바꿨다. 원주민들은 강제로 쫓겨났지만 황무지말똥가리들에게는 문이 활짝 열렸다. 감자 농사와 건초용 목초 재배는 주변 산림에서 생산된 목재와 함께 20세기 초 상당 기간 지역 경제의 대들보 역할을 했다. 그러나 브라이언 우드브릿지가 그 계곡에 도착한 1980년대 초에는 그 시장이 기울고 있었다. 그리고 잡초가 우거진 묵은 감자밭은 말똥가리에게나 그들의 먹이가 되는 설치류에게나 아무 쓸모가 없었다. 우유 생산을 독려하기 위한 연방보조금 지급도 종료되었고, 1960년대와 1970년대 그 계곡에서 호황을 이루었던 자주개자리 생산도 그와 함께 마감했다. 그렇다. 핵심은 자주개자리다.

「자주개자리 생산성 증가는 황무지말똥가리 개체군의 증가를 의미합니다.」 그날 저녁 브리이언은 현장 팀원들이 빌려 쓰고 있는 집 마당의 야외용 접이식 의자에 앉으며 내게 말했다. 「황무지말똥가리들은 어디에 살든지 농지 환경을 이용합니다. 이 새의 농지 환경에 대한 의존도는 뷰트계곡에서 거의 100퍼센트에 가까운데, 정말 놀라운 일이죠. 황무지말똥가리와 농부, 이 두 집단은 좋든 싫든 서로에게 필요한 존재입니다.」 피터 블룸이 슬며시 의자를 들고 와서 우리와 동석했다. 숱이 많은 그의 머리와 수염은 비록 은백색으로 바뀌었지만, 아직도 현장에서 적극적으로 활동하는 근육질 체구의 생물학자였다. 브라이언의 염소수염도 내가 마지막으로 그를 보았을 때보다 훨씬 더 희끗해졌다. 그는 나이가 61세였는데, 은퇴 생활이 점점 더 좋아 보인다고 우리에게 말했다. 쾅 하고 차문이 세게 닫히는 소리가 들리고, 여러 사람들과의 포옹과 인사가 있었다. 아르헨티나로의 첫 번째 여행에서 브라이언과 동행했던 그의 오랜 현장 보조원이었던 카렌 핀리가 오리건의 윌러맷계곡Willamette Valley에서 차를 몰고 내려왔다. 그녀는 그곳에서 남편과 함께 대규모 양봉과 벌꿀 사업체를 운영하고 있다.

다음 날 아침, 나는 브라이언, 카렌과 함께 크리스 베넘이 모는 트럭에 올라탔다. 베넘이 포획하고 싶어 안달하는 아직 가락지를 달지 않은 황무지말똥가리 한 쌍을 찾으러 가는 중이다. 우리는 그 새 두 마리가 모두 가까운 전신주에 앉아 있는 것을 발견했다. 천천히 차를 몰았지만 도로는 계속해서 자갈길로 이어졌다. 우리가 그들을 지나칠 때, 베넘이 계속 차를 몰고 가면서, 브라이언은 말똥가리들을 감시하기 위해 목을 길게 빼고 있는 가운데, 카렌이 조수석 문을 열고 생쥐 한 마리가 미끼로 들어 있는 발차트리 덫을 땅바닥에 슬그머니 떨어뜨렸다. 우리가 약 45미터쯤 갔을 때, 몸집이 작은 수컷이 횃대에서 날아오르더니 길가 풀들이 높이 자란 초원 아래로 내려앉으며 모습이 보이지 않았다. 그래서 우리는 오스트레일리아산 목축견 두 마리가 우리를 보고 짖고 있는 농가 마당에서 빠르게 차를 돌려 왔던 길로 서둘러 돌아갔다. 수컷 황무지말똥가리는 발 하나가 덫에 걸려서 땅바닥에 털썩 주저앉아 퍼덕이고 있었다. 브라이언은 베넘이 차를 멈추기도 전에 먼지가 자욱한 트럭 밖으로 물 흐르듯 급히 뛰쳐나갔다. 브라이언은 입고 있던 셔츠를 벗어 그 새 위로 덮어 씌우고는 두 다리를 잡았다. 그와 크리스는 올무를 풀고, 새를 조용하게 하기 위해 우아한 매 사냥용 가죽으로 된 눈가리개 두건을 수컷의 머리에 씌웠다.

우리가 암컷을 잡기 위해 어떻게 덫을 놓을지 의논하고 있을 때, 뒤에서 사륜 오토바이 한 대가 빠른 속도로 달려왔다. 오토바이에는 햇볕에 얼굴이 그을린 나이 든 한 남자가 타고 있었는데, 뒷좌석에 푸르스름한 목축견 한 마리를 대동하고 왔다. 노란색 트럭 운전사 모자를 쓰고 커다란 잭다니엘 혁대 버클을 단 그의 이름은 톰이었다. 「당신들이 자주개자리 밭으로 가려는 게 아닌지 확인하려고 왔소. 다람쥐 사냥을 하러 온 사람들이 다툼이 많기 때문입니다.」 그가 말했다. 「그들이 쏜 총알이 튕겨 나와 저기 스프링클러 파이프들에 구멍을 냈어요. 구멍이 한 개라도 나면, 교체 비용이 300달러입니다.」 베넘은 우리가 무슨 일을 하고 있는지 그에게 설명했다. 두 사람은 황무지말똥가리에 대해서 약간 담소를 나누었다. 크리스는 이 같은 경우에 황무지말똥가리의 서사시적 이동 거리를 듣는 사람이 더 잘 이해할 수 있도록 마일이 아닌 킬로미터로 표현하고, 어린 새가 어떻게 개체군에 〈새로운 구성원으로 충원〉되는지에 대해서 이야기하는 등 너무 전문적인 대화 내용으로 빠지는 버릇이 있다. 그러다 그는 마침내 상대방이 듣고 싶어 하는 이야기를 했다. 이 맹금류는 자주개자리 농사를 짓는 농민들의 골칫덩어리인 들다람쥐를 주로 잡아먹는다고 말이다.

「잘 알았소.」 톰은 사륜 오토바이에 다시 올라타면서 말했다. 「난 여기에 누가 왔는지 알고 싶어 왔을 뿐입니다.」

우리는 이후 곧바로 암컷도 잡았다. 두 마리 모두 왼발에는 금속 가락지를 달고 오른발에는 녹색과 흰색 가락지를 달았다. 암컷을 잡고 있던 카렌은 내가 20년 전 그녀가 현장 기술자로 일했을 때 이후로 어떻게 연구가 바뀌었는지 묻자 주저 없이 대답했다.

「새끼 새들에게 유색 가락지를 다는 일은 아주 혁신적이었어요. 그전에는 이렇게 말하곤 했죠. 〈오, 저기 전신주에 금속 가락지를 단 새가 있네.〉 그것으로 끝이었죠. 그러나 지금은 유색 가락지를 보면 해독할 수 있어요. 저 새는 이러이러한 둥지에서 태어난 두 살 된 수컷이라고 말할 수 있죠. 이제는 아멜리아가 돌아가면 그 새의 유전자 정보를 읽고 그 가계에 대해서 알 수 있어요.」

「그래요. 이 새들은 가족과 같아요.」 브라이언이 암컷의 가락지가 잘 부착되었는지 점검하며 말했다.

카렌이 고개를 끄덕였다. 「맞아요! 이 새들은 내가 전에 알았던 그 새들의 손주나 증손주일 수 있어요. 아마도 그럴 겁니다.」

그날 늦게 나는 그 지역의 참매를 연구하는 미국 지질 조사국 소속 생명공학자 멜리사 헌트Melissa Hunt와 베넘의 트럭에 타고 있었다. 그녀는 시간이 나면 황무지말똥가리 관련 작업을 돕고 있었다. 우리가 한 스프링클러 위에 앉아 있는 황무지말똥가리 한 쌍을 잡기 위해 발차트리 덫을 바닥에 떨어뜨렸을 때, 남동쪽에서부터 하늘이 어두워지더니, 샤스타산이 보이지 않을 정도로 집중 호우가 쏟아지기 시작했다. 강한 바람이 높이 자란 풀들을 훑기 시작했다. 기온은 섭씨 10도대로 급락했다. 번개가 하천 바닥에 우지직우지직

소리를 내며 떨어졌다. 망막에 남은 잔상 때문에 몇 초씩이나 오랫동안 번개가 치는 것처럼 보였다. 수컷은 두 차례 내려앉았지만, 우리는 높이 자란 풀에 가려진 덫을 볼 수 없었다. 처음에 우리가 트럭 안에서 조심스레 움직였을 때, 그 새는 가까운 땅바닥에 가만히 앉아만 있다가 이내 푸드덕하고 날아올랐다. 마침내 그 새가 세 번째로 땅에 내려앉았다. 첫 빗방울이 트럭 앞 유리창에 떨어져 철퍼덕 소리가 나기 시작했을 때, 크리스와 멜리사는 그 새를 움켜잡고 두건을 씌운 다음 트럭으로 옮겼다.

이제 비가 마구 쏟아지면서 우박도 함께 섞여 내렸다. 「넓은 공간을 찾아야 해!」 베님이 시끄러운 빗소리 너머로 소리쳤다. 우리는 울퉁불퉁한 비포장도로를 따라 이리저리 흔들리고 부딪치며 차를 몰고 내려갔다. 농기구가 놓인 곳을 지나 벽이 터져 있는 천장이 높은 건초 창고 안으로 차를 급히 세웠다. 양철 지붕이라 빗소리 때문에 시끄러워 대화를 나눌 수 없을 정도였다. 그래서 일부는 몸짓으로 대화를 나눴다. 그런 가운데 황무지말똥가리 수컷 다리에 가락지를 부착했고, 모든 작업이 끝났을 때, 비와 우박도 멈추었다.

「이 녀석의 짝은 〈흠, 자기는 그렇게 비도 맞지 않고 도대체 어디에 있었던 거야?〉라고 말할걸.」 브라이언이 우스갯소리를 하더니 이내 심각한 표정을 지었다. 「저렇게 우박이 심하게 쏟아졌으니, 필시 새끼 새 몇 마리는 죽었을 거야.」 맹금류처럼 큰 새들도 뼈가 얇고 속이 비어 있기 때문에 커다란 우박을 맞으면 불구가 되거나 죽을 수 있다. 암컷이 자기 몸으로 새끼 새들을 막아 주지 않으면, 그들은 쉽게 죽을 수 있다. 포획한 수컷을 원래 있던 구역으로 돌아가서 풀어 주자, 암컷이 근처의 둥지에서 푸드덕 날아올랐다. 그사이에 베님은 트럭 화물칸에 서서 쌍안경으로 둥지 안을 들여다볼 수 있었다. 다행히도 그들의 새끼들 가운데 적어도 한 마리는 몸을 움직이고 있었고 상태도 좋아 보였다.

아르헨티나 월동지 인근의 잡목림에서 대참사를 경험하고 20년이 지난 뒤, 황무지말똥가리는 뷰트계곡뿐 아니라 그들의 서식지 대부분에서 번성하고 있다. 이동을 많이 하는 많은 철새와 달리, 황무지말똥가리의 수는 현재 안정된 상태를 유지하거나 심지어 증가하고 있는 것으로 보인다. 인간이 바꿔 놓은 자연 풍광 속에서도 번창할 수 있는 진화상의 행운 덕분이다.「이 새는 농업에 아주 잘 적응한 종입니다. 어느 지역에서는 도심에서 잘 지냅니다.」베넘이 말했다.「인구가 예측하는 대로 90억 명까지 늘어난다면, 우리는 남아 있는 땅 가운데 상당 부분을 농지로 바꿔야 할 겁니다. 그 상황에서도 여전히 잘 살아남을 수 있는 종이 있다면 바로 이들입니다.」맞는 말이지만, 1990년대의 교훈은 지금도 여전히 유효하다. 모든 땅, 모든 농지가 동등하게 생겨나는 것은 아니다. 농장 인근에 서식하는 맹금류가 오늘날 특별히 위험한 상황에 처해 있는 까닭은 단순히 유독성 화학 물질을 많이 사용해서가 아니라, 경작 방식이 바뀌고 개발 압력이 증가하거나 시장 상황이 심하게 변동하기 때문이다. 과거에 아르헨티나에서 살충제 중독이 발생한 것은 결국 따지고 보면, 콩과 해바라기 같은 줄뿌림 작물을 재배하기 위해 전통적인 방목장을 뒤집어엎는 변화 과정에서였다. 캘리포니아의 새크라멘토와 산 조아킨 계곡들에 들어선 도시들 가운데 4분의 1은 이전에 관개 농지였지만, 1990년 이래로 포도 농사를 짓는 땅이 두 배 이상 늘었고, 아몬드와 올리브에 대한 시장 수요가 폭발적으로 증가했다. 그 결과, 포도밭이나 과수원이 급증하면서 과거 센트럴계곡의 황무지말똥가리 서식지의 상당수가 파괴되었다. 동시에, 과잉 방목과 건조해진 기후가 남아 있는 방목장 서식지 환경을 악화시키면서 황무지말똥가리에게는 농경지 말고 다른 대안이 별로 없었다.

캘리포니아 북동부의 고지대 사막에서는 포도를 재배하지 않지만, 한때 황무지말똥가리를 멸종에서 되살리는 데 큰 공헌을 한 자주개자리 농사가 호황이었던 뷰트계곡에서 오늘날 새롭게 부상하는 작물이 딸기다. 그 계곡은 캘리포니아 전체에 걸쳐 연결되어 있는 딸기 재배 체인망의 한 고리에 불과하지만 매우 중요한 고리다. 딸기 재배 체인망은 미국인의 식탁에 거의 1년 내내 숙성한 딸기를 제공하는 노동과 물류, 화학 집약적 처리가 복합적으로 연결된 매우 복잡한 과정이다. 복제된 딸기 어미묘의 세포에서 자라서 처음에는 온실에서 재배되다 나중에 센트럴계곡의 뜨거운 딸기밭으로 옮겨져 재배된 딸기 새끼묘는 다시 그곳보다 훨씬 더 선선한 북쪽의 뷰트계곡으로 트럭에 실려 이식 재배된다. 이렇게 〈딸 식물 daughter plant〉이라고 부르는, 딸기의 새끼묘를 꺾어 심고 며칠간 이곳의 차갑고 따뜻한 밤낮을 지내면 꽃이 핀다. 하지만 그것들은 꽃이 피기 전에 다시 640킬로미터 떨어진 남쪽으로 이송되어 다시 그곳에 이식된다. 그렇게 해서 생산된 딸기는 슈퍼마켓들을 가득 채우는데, 딸기 알맹이는 크지만 싱거운 맛이 난다.

베넘의 말에 따르면, 뷰트계곡에서 딸기 재배를 시작한 것은 15년 전이었는데, 수요가 폭증한 것은 불과 몇 년 되지 않았다. 0.5제곱킬로미터 규모의 밭들을 사등분으로 나누어 그 위에 비닐을 덮었다. 비닐 아래에는 말 그대로 배양을 위한 토양을 살균하는 약물이 주입되었다. (나도 일부 농장에서 작은 산처럼 쌓여 있는, 채 풀지도 않고 꽉 묶어서 오랫동안 방치해 놓아 푹 주저앉은 회백색의 철 지난 비닐 더미들을 무수히 많이 보았다. 마치 땅바닥에 떨어진 아이스크림이 뜨거운 햇살 아래서 녹고 있는 모습 같았다.) 딸기밭에는 수백 명의 농장 노동자들이 일하고 있었다. 그들 중 많은 사람이 트랙터에 장착된 날개 달린 장치 위에서 땅바닥으로부터 30센티미터쯤 떨어진 곳까지 몸을 수그리고 작업을 했다. 한쪽 날개에 6명씩 타고 있었다. 기계가 가로로 대형을 맞추어 천천히 덜커덩거리며 나아가면, 노동자들은 딸기가 너무 빨리 꽃을 피우는 것을 막기 위해 신속하고 능숙하게 꽃봉오리를 싹둑 잘라 냈다.

말똥가리 연구자들이 당장 우려하는 것은 딸기 농사를 짓기 위해 밭의 토양을 살균 처리하는 문제다. 「그 밭은 어떤 것에도 쓸모가 없어요.」 베넘이 말했다. 「다람쥐도, 말똥가리도, 그 어떤 것도 그 땅은 소용이 없어요.」 현재 딸기 생산은 대개 그 계곡의 수천 에이커 면적으로 국한되어 있기 때문에 아직까지 황무지말똥가리에게 큰 피해는 없다. 하지만 딸기 재배 면적이 계속해서 늘어난다면, 상황은 바뀔 수 있다. 그리고 딸기는 자주개자리보다 훨씬 더 많은 양의 관개용수를 양수기로 퍼 올려야 한다. 브라이언 우드브릿지는 현재의 양수 수준이 겨울에 내린 눈으로 보충된다면 어느 정도 지속 가능할 것으로 예상된다고 내게 말했다. 하지만 기후학자들은 점점 따뜻해지고 있는 지구 날씨 때문에 캘리포니아의 눈덩이로 덮인 들판이 급속하게 줄어들 것으로 예측하고 있다. 「만일 물이 고갈된다면, 큰 타격이 예상됩니다.」 베넘이 말했다. 뷰트계곡에서 아르헨티나까지 황무지말똥가리의 역사는 철새가 이동해야 하는 모든 곳에서 그 경로를 따라 결정적으로 중요한 변화가 일어날 가능성이 커진다는 사실을 떠올리게 한다. 생물학자들이 황무지말똥가리의 위험성에 대해서 낙관적이라고 할지라도, 그들은 점점 따뜻해지면서 대개 매우 건조해지는 세상에서 황무지말똥가리들의 운명이 농사처럼 물의 공급과 아주 밀접한 관련이 있다는 것을 안다.

우리는 지난 40년 동안 이 외딴 계곡에서 집중적으로 연구한 덕분에 황무지말똥가리의 생활과 이동에 대해서 많은 것을 알고 있지만, 우리가 알고 있는 것에는 여전히 빈틈이 있다. 베넘과 브릭스가 정말로 궁금해하는 것은 어린 새들이 번식지를 언제 떠나서 어디로 가는지, 그리고 거기까지 어떻게 가는지 정확한 데이터를 확보하는 것이다. 지난 4반세기 동안 위성 송신기를 달아 날려 보낸 새들 대부분은 다 큰 성조 철새들이었다. 그 이유는 두 가지다. 어린 황무지말똥가리 대부분은 (다른 종류의 대부분 어린 새들과 마찬가지로) 둥지를 떠난 뒤 다른 포식자들에게 희생당하거나 굶주림, 탈진, 각종 사고들로 몇 주 또는 몇 달 안에 죽는다. 수천 달러에 이르는 위성 송신기를 철새에게 달아 줄 때, 끝까지 살아남아 나중에 데이터를 전송해 줄 가능성이 가장 큰 새에게 달아 주고 싶은 것은 인지상정이다. 그런데 그런 새란 결국 다 큰 성조를 의미한다. 그러나 그런 타산적인 생각을 버리더라도, 연구자들은 대개 어린 새들에게 송신기를 부착하는 것을 피하려고 한다. 등에 부착하는 송신기의 무게가 비록 크기는 작지만 이동 경험이 없는 미숙한 어린 새들의 생존에 영향을 줄 수 있는 또 다른 짐이기 때문이다. 이런 이유들 때문에, 어린 황무지말똥가리들 가운데 추적 관찰에 성공하는 경우는 극히 드물었다.

「우리는 현재 황무지말똥가리들에 대해서 많은 것을 알고 있어요. 특히, 여기 계곡에서 그들에게 무슨 일이 일어나고 있는지는 더 잘 압니다. 하지만 아직 다 크지 않은 어린 새들에 대해서는 모르는 것이 많아요.」 그날 저녁, 베넘이 내게 이야기했다. 「내 말은 우리가 태어난 지 2~4년 된 새들에 대해서 가장 잘 모른다는 의미예요.」 어린 새들이 봄이면 아르헨티나에서 번식지로 다시 돌아온다는 것을 확인시켜 주는 증거는 거의 없다. 하지만 베넘은 어린 물수리 osprey처럼 일부 어린 황무지말똥가리들이 번식할 수 있을 정도로 충분히 성숙할 때까지 1~2년 동안 남아메리카에 남는다는 사실을 알기에 전혀 놀랍지 않다고 말했다. 베넘은 뷰트계곡의 어린 황무지말똥가리 여섯 마리에게 위성 송신기를 부착할 수 있었다. 하지만 그들 중에서 남쪽으로 이동했다가 되돌아올 정도로 충분히 오래 생존한 새는 두 마리에 불과했다. 그들 가운데 두 마리는 계곡 밖으로 나가보지도 못했다. 그러나 그 어린 생존자들로부터 전송된 데이터는 위성 송신기를 부착한 성조들로부터 얻은 데이터와 함께 황무지말똥가리들이 남서쪽으로 통과해서 멕시코로 날아갈 때, 스프링클러로 관개용수를 공급하는 곳, 즉 팜파스 지역으로 이어지는 자주개자리와 설치류들이 많이 서식하는 지대에서 정보를 전송하고 있다는 사실을 보여 준다. 반대로 돌아올 때도 마찬가지다.

그러나 꽤나 전문적이었던 그 대화는 내게 갑자기 복부를 한 대 맞은 것 같은 충격을 주고 다른 주제로 넘어갔다. 크리스 브릭스는 10년 전 박사 학위를 따기 위한 연구를 진행할 때, 자신이 황무지말똥가리를 포획하기 위해 어떻게 아르헨티나를 여행했는지를 설명하기 시작했다. 그의 목표는 황무지말똥가리 생태의 중요한 측면을 밝혀 줄 화학적 동위원소와 스트레스 호르몬을 확인하기 위해 그들의 혈액을 검사하는 것이었다. 그러나 그런 과학적 동기는 겉으로 보이는 것일 뿐, 그 속에는 맹금류를 광적으로 좋아하는 한 괴짜 과학자의 열망이 숨겨져 있었다. 그도 언젠가는 1990년대 말 우리가 목격한 황무지말똥가리들이 소용돌이치고 솟구치며 펼치는 장관을 마침내 직접 두 눈으로 보게 되리라는 희망 말이다. 문제는 그 황무지말똥가리들을 발견할 수 없다는 것이었다. 많이도 바라지는 않았지만, 그가 최소한 기대했던 것에도 미치지 못했다. 「거기서 우리는 새들을 찾고 있었다고 할 수 없을 정도였어요. 거의 2주 동안 우리가 본 가장 큰 무리는 아마 수백 마리 정도였을 겁니다. 우리는 여기 다른 분들이 갔던 모든 곳에 갔어요. 차닐라오를 비롯해서 나머지 다른 장소 모두요. 무리의 수가 얼마 안 되었기 때문에, 전체 여행 기간에 포획한 새는 세 마리에 불과했죠. 사실, 그 세 마리를 잡는 것도 힘든 일이었어요.」

「세상에.」 나도 모르게 말이 새어 나왔다. 충격적이었다. 차닐라오 목장에서 거의 수를 셀 수 없을 정도로 많은 아길루초 무리가 모여드는 광경을 지켜보았던 그 저녁 무렵들의 기억은 일생동안 다녔던 탐조 여행 가운데 내게 가장 소중한 것이다. 내 마음속 한구석에서는 늘 그곳에 언젠가 또다시 가서 땅거미 내리는 습한 한여름 들판에 서서 그 장관을 다시 한 번 꼭 보리라는 열망이 꿈틀거리고 있었다. 하지만 이제 그런 희망이 물거품처럼 사라질지도 모른다는 생각에 이르자, 마치 뜻밖의 부고 소식을 들었을 때 느끼는 허망함 같은 통증이 가슴을 쿡쿡 찔렀다.

「유감이군요, 크리스. 그 광경은 정말 경이로운 모습이었거든요.」

「오, 그 당시에 내가 그 남쪽으로 내려가서 마침내 그 장관을 직접 볼 수 있다는 생각에 얼마나 흥분했는지 어찌 말로 다 표현할 수 있겠어요.」 브릭스는 어깨를 떨구며 말했다. 「거기서 새를 수백 마리밖에 보지 못해서 실망했다고 말하고 싶지는 않지만…….」 그의 목소리가 차츰 잦아드는가 싶더니, 이내 고개를 가로저으며 말했다. 「누가 알겠어요. 아직도 큰 무리가 남아 있는데, 그들이 어디에 있는지 다만 우리가 알지 못할 뿐일지요. 그곳에서 받은 느낌은 황무지말똥가리들이 지금은 전보다 더 널리 퍼져 있다는 겁니다. 여러분이 전에 보았던 라팜파 북부의 그 중심 구역에 있는 것이 다가 아니라는 거죠.」 그의 주장에 따르면, 황무지말똥가리들이 심각한 멸종 위기에 처했다는 어떤 조짐도 보이지 않으며, 개체 수가 감소했다는 어떤 증거도 없었다. 어쩌면 1990년대에 나와 동료들이 거기에 갔을 때가 정말 운이 좋았던 것인지도 모른다. 당시 유독한 살충제를 마구 살포하게 만든 갑작스러운 메뚜기 급증 사태와 같은 자연환경 변화와 우연히 맞아떨어지면서, 라팜파 일대에 황무지말똥가리들이 집중적으로 모여들었을 수 있다. 우리가 보통 전형적이라고 말한 것이 예외적인 것일 수 있고, 심지어 전례 없는 것일 수 있다.

우리는 모른다. 그것이 바로 우리가 철새를 연구하는 기쁨이자 또 한편으로 우리를 안달하게 만드는 것이다. 아직도 우리가 이해하지 못하는 것이 너무 많다. 놀라운 기술 발전과 SF식 원격 감지,

빅 데이터 대량 고속처리, 레이더, 위성 송신 장치 같은 모든 과학적 뒷받침에도 불구하고, 우리가 철새의 지구 여행에 대해서 모르는 것이 아는 것보다 여전히 훨씬 더 많다. 세상은 거대하다. 세상 어디에도 인간이 없는 곳은 없지만, 그렇다고 인간이 세상 모든 것을 아는 것도 아니다. 지구상에는 많은 땅이 있고 그 위를 나는 철새들은 아주 멀리까지 비행한다. 그리고 아길루초들이 자기들만 알고 숨겨 둔 비밀들은 여전히 많다.

8장

대륙붕 너머

지도를 보면, 미국 동부 해안선을 따라 있는 아우터뱅크스섬은 마치 허리케인이 그곳을 지나갈 때마다 허공에 대고 마구 주먹을 휘두르는 거만한 권투선수의 턱처럼 툭 불거져 나온 모양을 하고 있다. 버지니아 남동부에서 노스캐롤라이나까지 약 320킬로미터 이상 뻗어 내려가고, 북쪽으로 알베말만Albemarle Sound과 커리턱만Currituck Sound에서 더 남쪽으로 미국 동해안에서 가장 큰 석호인 거대한 팜리코만Pamlico Sound에 이르기까지 장장 7500제곱킬로미터의 해양을 둘러싸고 있다. 이 가느다란 목걸이처럼 생긴 보초도는 오랜 세월에 걸쳐 끊임없이 휘몰아치는 수많은 폭풍을 견뎌냈다. 코롤라Corolla와 낵스헤드Nags Head, 로댄스Rodanthe, 벅스턴Buxton을 통과하는 12번 고속도로를 따라 남쪽으로 한참 차를 몰고 내려가다 보면, 그런 폭풍의 흔적들을 쉽게 발견할 수 있다. 아우터뱅크스섬은 폭이 약 800미터도 안 되고 해수면보다 몇 미터 높지 않은 장소들이 이미 여러 곳 존재한다. 해수면이 상승하고 폭풍이 거세지면, 농사에 필요한 물을 고지대로 끌어올리기 위해 건설된 배수로와 배수관을 통해 바닷물이 섬 내륙으로 밀려들면서, 해안가 숲 지대는 사라지고 그 자리에는 삭막한 잿빛의 〈물에 잠긴 죽은 나무들〉만 남는다. (그리고 허리케인이 불면 12번 도로는 자주 군데

군데 유실되는데, 그럴 때마다 아우터뱅크스섬 관광의 유일한 생명선 역할을 하는 이 도로는 서둘러 보수 공사가 진행된다.)

이 구부러진 손가락처럼 생긴 보초도는 그 지세 때문에 허리케인과 열대성 폭풍우에 그렇게 취약할 수밖에 없지만, 오히려 그 덕분에 그 섬은 바닷새 이동에 관심이 있는 사람들이라면 누구나 가보고 싶어 하는 동경의 장소가 되었다. 대륙붕 가장자리와 그 너머 심해가 육지와 가장 가까운 위치에 있고, 해안에서 멕시코 만류Gulf Stream의 세찬 흐름에 가장 쉽게 다가갈 수 있는 곳이 바로 여기, 특히 아우터뱅크스섬의 남단 근처에 있는 마을 해터러스Hatteras이기 때문이다. 여기서 완전히 다른 세계, 즉 먼 바다를 건너 이동하는 원양 바닷새들의 세계로 가는 가장 짧은 경로가 시작된다. 1년에 8~9개월을 계속해서 하늘을 날며 지내는 유럽산 칼새 같은 철새들은 육지와 거의 어떤 연관성도 맺지 않고 지낸다. 그런 새들, 예컨대 슴새shearwater, 알바트로스, 바다제비 등이 1년 동안 어떻게 이동하는지는 철새 이동과 관련해서 아직 풀지 못한 수수께끼 가운데 가장 신비스러운 내용이다. 우리는 그 새들이 어느 반구에 서식하는지 정확히 알지 못한다. 게다가 더 놀라운 것은 거기에 아직까지 알려지지 않은 어떤 종이 존재하는지도 모른다는 사실이다.

관광객이 많이 몰리는 8월에는 주중에도 아우터뱅크스섬 도로를 따라 남쪽으로 내려가는 자동차 행렬이 긴 줄을 잇는다. 섬의 북쪽은 관광지 시내와 신호등, 콘도, 음식점, 해변 상점들이 밀집해 있어서 한참 동안 느린 거북이 행보를 이어 가지만, 피아일랜드 국립 야생동물 보호 구역Pea Island National Wildlife Refuge과 약간 더 남쪽으로 약 110킬로미터를 뻗어 나간 해터러스곶 국립 해안Cape Hatteras National Seashore의 시작 지점에 이르면 고단한 차량 행렬의 정체는 한풀 꺾인다. 그곳은 해양 쪽의 높은 모래언덕이 쇄석 도로를 위협하듯 에워싸고, 어마어마한 해수 소택지와 하구들이 건너편

수평선을 향해 달려 나가는 형세를 하고 있다. 날이 어둑어둑해지기 시작할 때쯤 마침내 해터러스섬 남단, 말 그대로 도로의 끝에 도착해서 호텔에 들어갔다. 차에서 가져온 약간의 음식과 냉장박스 하나, 간단한 여행가방, 쌍안경과 카메라가 들어 있는 배낭 하나 등 소지품과 장비를 내렸다. 그때 대학생 나이쯤 되어 보이는 청년 세 명이 자신들의 짐을 부렸다. 차 트렁크에는 맥주 박스가 가득 차 있었다. 그들은 그것들을 자기네 방으로 날랐다. 그들의 방이 아래층에 있고 내 방에서 약간 떨어진 곳이라는 것을 확인하고 안심했다. 아무래도 그들이 잠들기 전에 내가 먼저 깰 것 같은 느낌이 들었기 때문이다.

나는 새벽 네 시에 일어났다. 귀마개를 한 덕분에 조용하게 잠을 잤다. 다섯 시에 차를 타고 몇 킬로미터를 몰고 가서 자그마한 해터러스만Hatteras Inlet에 바로 인접해 있는 한 나룻배 선착장에 도착했다. 주차장에는 이미 십여 대의 다른 차들이 서 있었다. 짙은 구름 때문에 하늘의 별들을 볼 수는 없었지만, 기온은 이미 섭씨 26도 초반이었다. 거세게 부는 해풍에도 불구하고, 대기가 너무 후텁지근하고 습기가 많아서 마치 젖은 수건을 얼굴에 덮고 숨을 쉬는 것 같은 느낌이 들 정도였다. 북쪽으로 번개가 번쩍했다. 너무 멀리 떨어져 있어서 천둥소리는 들리지 않았다. 「습한 캐나다 야생동물 보호청에 오신 걸 환영합니다.」 브라이언 패트슨Brian Patteson이 환영 인사를 했다. 약 18미터짜리 〈바다제비 2호〉라고 명명한 그의 배 앞 갑판에 나를 포함한 탐조가 10명이 모여 있었다. 탐조가들은 모두 대체로 나보다 나이가 제법 많은 남성이었다. 우리는 조타실에서 나오는 붉은 조명을 받으며 서 있었는데, 반바지와 빛깔이 바랜 민소매 티셔츠를 입은 패트슨이 한 손으로 머리카락을 넘기며 안전수칙에 대해서 설명하기 시작했다. 그는 구명복과 수상 구조 훈련에 대해서 설명하면서 가끔씩 손전등으로 자신의 클립보드를 비추었다.「아무도 바다에 떨어진 적은 없지만, 특히 이런 날에는 미리 만반의 준비를 하는 게 더 좋습니다.」 그는 수십 년 동안 아우터뱅크스에서 길든 버지니아 억양으로 말했다. 그는 여기서 낚싯배 영업을 하고 있지만, 멕시코 만류의 원양 바닷새 탐조 전문가였다. 패트슨은 대개 장기간 심해 유람선 여행을 하지 않으면 결코 볼 수 없는 새들의 모습을 잠시라도 관찰할 수 있기를 바라는 전 세계의 탐조가들을 끌어모은다.

「저 밖으로 나가면 약간 배가 흔들릴 겁니다. 모래톱을 지나자마자, 가볍게 파도를 타면서 출렁이죠.」 패트슨이 설명했다.「썰물 때는 해터러스만에서 더 멀리 나가야 합니다. 약 40분 정도 더 걸리죠. 그리고 거기서 대륙붕의 끝부분까지 가는 데 약 두 시간 정도 더 나갑니다. 우리 배는 날이 밝아 시야가 확보되는 대로 몇 분 안에 출발할 예정입니다.」

우리는 배 안의 작은 객실에 있는 긴 의자 밑에 각자 가져온 가방들을 집어넣고, 갑판 주위에 나와 섰다. 패트슨은 오랫동안 함께 일한 여행 담당자 케이트 서덜랜드Kate Sutherland와 수염을 기른 붉은 머리의 에드 코리Ed Corey의 도움을 받아 밧줄을 풀어 던지며 출항 준비를 마쳤다. 에드 코리는 몇 주씩 안내를 돕기 위해 노스캐롤라이나 주도인 롤리Raleigh에서 달려오는 주정부 소속 야생동물학자였다. 그 배는 수면 아래 숨겨진 모래톱들 사이로 난 구불구불한 물길을 표시하는 부표들 가운데로 복잡하게 이어진 해로를 따라갔다. 바람과 파도에 실려 배가 더 멀리 밖으로 나갔을 때, 그 부표들 가운데 일부는 하얗게 보였다. 이 해역은 대서양의 공동묘지Graveyard of the Atlantic로 유명한 곳이다. 수세기 동안 5000척이 넘는 선박이 그곳에서 좌초하고 침몰했는데, 그중 600척 정도가 해터러스에서 사고를 당했다. 팜리코만 위로 내리치는 엄청난 뇌우를 보기 위해 뒤를 돌아보았다. 해터러스만의 검푸른 잿빛 바닷물을 가르며 나아가는 자그마한 흰 낚싯배 한 척을 불과 수백 미터 떨어진 곳에서 폭풍우를 에워싼 먹구름이 집어삼킬 듯한 기세로 뒤쫓아 오고 있었고, 멀리 만 쪽에서는 그 먹구름의 중심에서 몇 킬로미터에 걸쳐 투명한 빗줄기가 억세게 퍼붓고 있었다.

점점 높아지는 파도의 너울이 뱃전에 부딪혀 물보라를 흩뿌리기 시작하던 바로 그때, 오른쪽 하늘에서는 들쑥날쑥한 구름들 사이로 짙고 강렬한 붉은빛이 도는 주황색의 아침 햇살이 무심히 내리비치고 있었다. 확성기에서 패트슨의 음성이 흘러나왔다. 「자, 이제 우리는 곧 모래톱 구역에 다가갈 예정입니다. 모두 객실 안으로 들어가시기 바랍니다. 남서풍이 불어서 물보라가 일기 때문에 우현 출입문을 완전히 닫을 것입니다.」 갑판을 마지막으로 떠난 사람이 나였다. 객실 안 의자는 꽉 찼다. 그래서 객실 천장에 길게 이어진 나무 손잡이들 가운데 하나를 잡으려고 손을 뻗었다. 바로 그때 배가 좌우상하로 마구 흔들리기 시작했다. 선체가 점점 더 격렬하게 요동치는가 싶더니 갑자기 파도가 선미 갑판을 덮쳤다. 나는 열린 좌현 출입문에서 몇 피트 떨어지지 않은 곳에 서 있었다. 그 문을 통해 나는 해가 떠오르는 멋진 광경을 볼 수 있었는데, 금방 구름 속으로 사라지고 말았다. 객실이 거의 폐쇄된 상태에다 많은 사람이 가득 차 있었기 때문에 실내가 숨이 막힐 정도로 엄청나게 덥고 습했다. 두 손은 끈적끈적하고 땀방울이 팔뚝을 따라 흘러내렸다. 금세 흠뻑 젖은 셔츠 속으로 등과 옆구리에 땀이 구불구불 흘러내리는 것을 느낄 수 있었다. 그러나 손을 하나라도 손잡이에서 떼는 것은 위험했다. 두 손으로 손잡이를 꽉 잡고 매달려 있었음에도, 골이 깊은 파도가 배에 부딪혀서 선실 위로 물보라가 폭포수처럼 쏟아지며 좌현 갑판 아래로 강물처럼 흐를 때, 여러 차례 균형을 거의 잃을 뻔했다.

꽤 오랫동안 이런 상황이 지속되었다. 팔과 손에 통증이 오기 시작하고 종아리 근육은 쥐가 나려고 했다. 주름진 눈가에 맺히는 땀방울을 떨어뜨리려고 두 눈을 깜박거려도 잘 되지 않았다. 도대체 이런 상황에서 어떻게 쌍안경을 사용할 수 있단 말인가? 차가운 바깥 공기를 마시고 싶은 마음이 굴뚝같았지만, 시간이 지나도 선실 밖으로 나갈 수 있을지는 의문이었다. 그러나 선착장을 떠난 지 약 두 시간 반이 흐르자, 바다는 극적으로 잠잠해졌다. 대륙붕 끄트머리를 지나서 멕시코 만류가 흐르는 지점에 진입한 것이었다. 우리는 한 사람씩 조심스레 선실을 나왔는데, 밝게 빛나는 햇살 때문에 모두 눈을 깜박였다. 해는 우리의 뒤에 남겨진 구름을 뚫고 조금씩 모습을 드러내고 있었다. 마치 흑백의 토네이도에서 나와 총천연색의 오즈의 나라로 발을 내딛는 도로시 같다는 생각이 잠시 들었다. 바닷물은 선명하고 맑고 짙은 남빛 어린 청색이었다. 해안가 가까이 검고 회색빛 나는 바닷물 색깔과는 완전히 달랐다. 열대의 대양을 떠다니는 모자반의 일종인 사르가소sargasso가 강렬한 황색 대열을 이루며 구불구불 가지런히 수 킬로미터를 길게 뻗어 있었고, 햇볕을 받아 황금빛으로 반짝였다. 은색과 무지갯빛 청색이 어우러진 날치들은 뱃전에 부딪히는 파도에서 솟아올라 마치 수면 위로 던진 돌이 통통 튀며 나아가는 것처럼 해수면을 따라 재빠르게 오르내리기를 반복하면서, 마침내 그들의 쭉 뻗은 날개 같은 지느러미 아래로 부는 바람을 받으며 순풍의 돛단배처럼 수백 미터를 달려 나갔다.

나는 이런 갑작스러운 변화가 잘 이해가 되지 않았다. 「보통 이런가요?」 무거운 고무장갑을 양손에 끼고 조심스럽게 단지에 역한 냄새가 나는 노란색 생선 기름을 붓고 있는 케이트에게 물었다. 보통 바닷새는 망망대해에서 먹이를 찾기 위해 특별한 후각을 사용하기 때문에, 그들을 유인하는 유막을 해수면에 만들기 위해 그 생선 기름이 담긴 단지를 선미에 매달아서 바다에 방울방울 떨어뜨린다.

「여기 바람 때문에 그래요.」 그녀는 단지 뚜껑을 단단히 조이고 난 뒤, 냉장박스에서 꽁꽁 언 생선 부스러기 덩어리를 하나 가져와서 선미에 매달려 있는 철망 새장 안에 넣었다. 「오늘은 남서쪽에서 바람이 붑니다. 그리고 멕시코 만류는 현재 북동쪽으로 흐릅니다. 같은 방향이죠. 그래서 그 바람 덕분에 파도가 잠잠하죠. 많이 나아졌죠, 그렇지 않나요?」

그것은 절제된 표현이었다. 이제 우리는 조금만 조심하면 넓은 갑판 주위를 쉽게 이동할 수 있게 되었다. 그래서 험난한 뱃길 때문에 조금 전까지만 해도 엄두도 내기 힘들었던 인사를 서로 나눌 수 있었다. 그들 중에는 영국에서 온 사람, 플로리다 국립 하구 연구 센터의 책임자, 롱아일랜드 출신의 화려한 문신을 한 환경 교육자, 그리고 14세기 유럽 시가와 그의 현재 연구 분야인 랩 사이의 4비트 유사성에 대해 설명하기를 좋아하는 75세의 미시간 대학교 영어시학 교수 같은 사람들이 있었다. 영어시학 교수는 자신의 주장을 펼치기 위해 랩에서 약간 세속적인 가사를 몇 개 인용했다.

그 교수의 이름은 맥클린 스미스Macklin Smith였는데, 특정 탐조 모임들에서 유명 인사이기도 하다. 그는 북아메리카 대륙의 새 900종 이상을 관찰해서 미국 탐조 협회American Birding Association로부터 북미 대륙에서 최고로 많은 새를 관찰한 사람으로 인정받았고, 그 지위를 수년 동안 유지했다. 스미스는 패트슨의 탐조 여행의 고정 고객이다. 「70대에 여기 오기 시작했어요. 다른 사람들이 거기 뭐가 있는지 모를 때였죠.」 선미 갑판에서 새를 찾기 위해 하늘을 훑어보며 기우뚱거리고 서 있을 때 그가 말했다. 「오늘 어떤 새로운 것을 보리라 기대하진 않지만, 누가 알겠어요.」

맞는 말이다. 앞으로 일어날 일을 누가 알겠는가. 해터러스에서 배를 타고 나오는 브라이언 패트슨의 탐조 여행은 전 세계의 경계를 뛰어넘는 여러 원양 탐조 여행업체들과 마찬가지로 그동안 우리가 바닷새와 그들의 이동에 대해서 안다고 생각했던 것을 끊임없이 고쳐 쓰고 있다. 원양 탐조 여행은 철새 이동에 관한 그 어떤 다른 측면들보다 더 놀라운 발견과 환상적이고 진귀한 경험들로 가득한 현장이다. 나 자신이 그 여행을 통해 너무도 잘, 너무도 힘들게 많은 것을 배웠다. 지난해 겨울, 패트슨에게 연락해서 세상에 잘 알려지지 않은 원양 바닷새 이동과 관련해서 나의 관심을 설명하고 예기치 못한 일들을 만날 수 있는 최적의 시기가 언제인지를 물어보았다. 그는 곧바로 기묘한 일이 가장 많이 일어나는 때가 5월 말이라고 알려 주었다. 하지만 유감스럽게도 그때는 내가 해마다 디날리의 현장 연구를 위해 알래스카를 가는 시기였기에 대신 8월에 두 차례 여행을 예약했다. 따라서 5월 말에 패트슨의 탐조선 가운데 한 척이 폭이 좁지만 커다란 날개와 검정색 머리 깃털을 한 타히티슴새Tahiti petrel를 발견했다는 말을 들었을 때 전혀 놀라지 않았다. 바닷새 기준으로 놓고만 보더라도, 이것은 매우 놀라운 사건이었다. 새의 이름으로 알 수 있듯이, 타히티슴새는 마르퀴즈Marquesas, 소시에테Society, 프렌치 폴리네시아French Polynesia 같은 태평양 남서부의 섬들에서 번식을 하는데, 열대우림 바닥에 파낸 굴속에 알을 낳기 위해 해안으로 온다. 하와이 근해에서도 일부 발견되었다는 기록이 있으며, 바하 멕시코*와 코스타리카에서도 드물게 볼 수 있다. 노스캐롤라이나 연해에서는 여태껏 목격된 적이 전혀 없을 뿐 아니라, 대서양 전체 인근 해역 안에서도 그 새를 봤다는 사람은 아무도 없었다.

「어떤 이들은 그 새가 폭풍에 밀려서 파나마를 건너 날아온 게 아닐까 생각한다고 말하더군요.」 이 아주 드물고 희귀한 사건을 마찬가지로 목격하지 못한 스미스가 말했다. 그러나 태평양의 바닷새가

* Baja Mexico. 멕시코의 바하 칼리포르니아반도를 말한다.

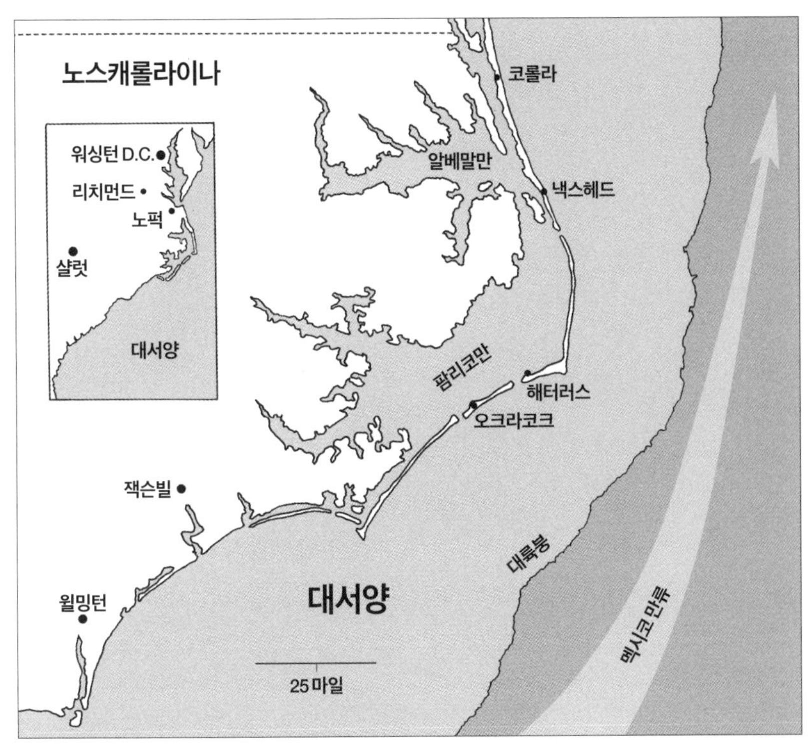

멕시코 만류는 대서양의 어느 지점보다 해터러스만과 아우터뱅크스섬의 해안에 가깝게 흐른다. 따라서 그곳은 탐조가들과 조류 연구자들이 보통 접하기 어려운 원양 바닷새들에게 특별히 용이하게 다가갈 수 있는 여건을 제공한다.

어떻게 건너편의 엉뚱한 대양으로 넘어오게 되었는지는 순전히 그들의 추측에 불과하다. 그리고 대서양이 실제로 그 새들에게 〈엉뚱한〉 대양인지도 우리는 모른다. 대서양은 면적이 무려 약 1억 제곱킬로미터에 이른다. 그리고 그 바다에서 배를 타고 가면서, 첫째로 그 희귀한 바다제비를 알아보려고 애쓰거나, 둘째로 그것이 무엇인지 식별할 줄 아는 사람의 수는 터무니없을 정도로 극히 적다. 게다가 그 극소수의 사람들도 대체로 육지에서 배를 타고 나가 대양에 머무는 시간이 극히 제한되어 있다. 브라이언과 그의 팀원들 같은 전문 안내인들을 제외하고, 1년에 바다에서 며칠 이상을 지내는 사람은 별로 없다. 미국 동부 해안에서 여섯 차례 미만 목격되었던 깃털이 온통 검은 자그마한 바다제비swinhoe's storm-petrel는 오직 일본과 황해 인근 서태평양 지역에서만 번식을 하고, 인도양보다 더 서쪽으로는 서식하지 않는 것으로 여겨졌다. 하지만 최근에 모로코 연안 셀바젬 제도Selvagem Islands에서 둥지를 틀고 있는 소수의 바다제비가 발견되었다. 더 최근 들어 최소한 쇠부리슴새short-tailed shearwater 한 마리가 코드곶Cape Cod에서 사진에 찍혔다. 쇠부리슴새는 오스트레일리아 연안 섬들과 태즈메이니아섬에 둥지를 트는 커다란 제비갈매기 크기의 거무스름한 회색의 바닷새로, 보통 비번식기에는 북태평양과 베링해에서 보내기 때문에 대서양에서 그 새가 발견된 것은 그것이 세 번째였다. 그것은 뜻밖의 사건이긴 했지만, 남극, 아메리카 남단, 아프리카 남단의 중간쯤에 위치해 있고 가장 가까운 서식지에서 약 1900킬로미터 넘게 떨어진 남빙양의 부베섬Bouvet Island에서 이들이 번식하고 있는 것이 발견된 것을 감안하면 어느 정도 이해될 수 있는 일이었다.

그래서 맥클린과 나 둘 다 타히티슴새를 볼 기회를 놓치기는 했지만, 목욕물처럼 따뜻한 해류에서는 다른 희귀한 일들이 터지기를 기다릴 만했다. 브라이언의 온도계들은 약 섭씨 29도에 고정되어 있었다. 여름날 후덥지근한 공기보다 아주 조금 선선할 뿐이었다. 우리는 약 900미터 넘는 깊은 바다 위에 있었다. 갈수록 점점 더 깊어지고 있었다. 남동부 해안 상당 부분을 따라, 대륙붕은 실제로 육지가 끝나고 해저로 수백 킬로미터에 걸쳐 층층계단과 단구들로 이어지는데, 해안 가까이 얕은 곳에서 깊은 심연까지 단계적으로 내리막 지형을 이룬다. 그러나 해터러스 연안은 갑자기 수심이 깊어진다. 우리가 해안에서 약 400킬로미터쯤 나갔을 때, 벌써 수심이 약 1800미터 가까이 되었다. 「검은머리슴새black-capped petrel다! 2시 방향, 검은머리슴새, 오른쪽으로 이동 중!」 케이트가 소리치고 있었다. 우리는 배의 우현 측면으로 떼 지어 가서 난간 쪽에 모여들었다. 길고 점점 가늘어지는 형태의 날개를 가진 작은 말똥가리 크기의 새 한 마리가 맞바람을 받아치며 높이 솟아올랐다. 그러다 잠시 멈추는가 싶더니 흰 배를 휙 내보이며 바다 쪽으로 빠르고 낮게 활공하기 시작했다. 목덜미와 엉덩이 부분의 흰색 깃털이 검은 바다에 대비되어 더 선명하게 보였다. 그 새는 다시 높이 솟아오르더니 활공을 반복했다. 이것은 동적 활공dynamic soaring이라는 비행 기법으로, 해수면에 가까운 지점과 해수면 위 높은 지점 사이의 풍속 차이를 이용하는 교묘한 비행 방식이다. 동적 활공은 이렇게 작동한다. 바다제비는 돛이 바람을 받듯이 날개를 젖히며 바람이 부는 쪽으로 난다. 맞바람을 받으며 날아오르는 연처럼 느리지만 급속하게 고도를 높이면서 날아오른다. 몇 초 동안 상승한 뒤, 방향을 바꾸어 공기의 흐름이 느린 해수면 가까이로 하강한다. 고도를 낮춰도 속도는 빨라진 상태가 된다. 그러고는 다시 한 번 맞바람을 맞으며 상승한다. 이러한 비행 방식은 그 새가 대양을 가로질러 지그재그로 날면서 끊임없이 반복된다. 그동안 날갯짓도 거의 하지 않기 때문에 에너지 소모도 거의 없다.*

특히 마지막 사실은 매우 중요하다. 바다제비나 알바트로스 같은 원양 바닷새들은 해마다 수만 킬로미터의 대양을 바람을 타고 가로지르며 다른 집단의 철새들보다 더 먼 곳까지 이동하기 때문에 그렇다. 흑꼬리도요와 같은 도요물떼새들은 망망대해와 같이 그들에게 완전히 적대적인 환경을 며칠 내에 가로질러 이동하기 위해, 남아 있는 모든 에너지를 쏟아부어 죽기 살기로 전력 질주하는 경기

* 내 친구 롭 비에르가드Rob Bierregaard는 어린 물수리들을 추적 관찰하기 위해 고성능 GPS 추적 장치를 사용했는데, 이들이 뉴잉글랜드 해안에서 남아메리카까지 서대서양을 가로질러 약 3200킬로미터를 논스톱으로 비행한 것뿐만 아니라 동적 활공으로 비행하는 것을 발견하고는 깜짝 놀랐다. 이는 맹금류가 이러한 비행 방식을 보이는 최초의 기록이다. — 원주.

의 달인이다. 반면에 원양 바닷새들은 한 번에 몇 달, 심지어 몇 년까지도 육지 근처에 얼씬도 않은 채 필요한 만큼 공중에 떠서 환경에 맞추면서 쉬엄쉬엄 비행한다. 특히, 이상하게 생긴 기다란 관 모양의 콧구멍 때문에 명명된 슴새*들이 그런 류의 바닷새들이다. 그들이 마시는 바닷물에서 고농도의 염분 용액을 추출하여 흘려 버리기 위해서 튜브 형태의 콧구멍을 가진 것이다. 슴새목에는 이와 같은 바다제비와 매우 유사하게 생긴 슴새들, 날개 길이가 최대 3.3미터에 이르는 알바트로스, 제비만 한 크기와 섬세함을 지닌 바다제비들이 포함된다.

우리가 난간에 몰려들어 보았던 검은머리슴새는 〈프테로드로마 *Pterodroma*〉 속(屬)에 속하는데, 〈날개 달린 경주마〉라는 의미다. 순식간에 수평선 너머로 사라지는 모습을 보았을 때, 그 이름은 적절해 보였다. 다행히도, 곧이어 두 번째로 모습을 나타냈는데, 이번에는 조금 더 오래 떠 있었다. 오늘날 검은머리슴새는 멸종 위기종이지만, 20세기에는 아예 거의 찾아볼 수 없을 정도였다. 그들은 한때 카리브해에 있는 여섯 개 섬에서 많은 수가 둥지를 틀었다. 그곳의 스페인계 식민지 주민들은 그들을 〈디아블로틴diablotín〉이라고 불렀는데, 〈작은 악마〉라는 뜻이다. 어둠이 내려앉은 깜깜한 한밤중에 그들이 굴을 파서 만들어 놓은 둥지를 오갈 때 내지르는 기괴한 울음소리 때문에 그런 이름이 붙었다. 그러나 19세기 중엽, 그들은 사냥과 외래종 포식자들에 의해서 멸종된 것처럼 보였다. 그들 가운데 아직 살아남은 것이 있다는 증거는 종종 그들과 매우 닮은 모습을 한 바다제비를 해상에서 발견했다는 보고들이 유일했다. 그러다 1963년 히스파니올라섬 산악지대에서 둥지를 틀고 있는 소수의 새들이 발견되었다. 현재 검은머리슴새의 총 개체 수는 2000마리 미

* tubenose. 공식적인 학명에서 목(目)은 〈procellariliform〉이다.

만으로 추정된다. 레이더를 이용한 연구들에 따르면, 도미니카섬에서도 최근에 아주 적은 수이지만 검은머리슴새가 발견되었다. 이전에도 여러 차례 조사를 했지만 그곳에서 마지막으로 그 새가 발견된 때는 1862년이었다. 그들은 어쩌면 현재 쿠바와 자메이카에도 둥지를 틀고 있을지 모른다. (히스파니올라섬에서 디아블로틴을 발견한 바로 그 젊은 생물학자 데이비드 윈게이트David Wingate가 멸종된 줄 알았던 희귀한 또 다른 바닷새인 버뮤다슴새Bermuda petrel를 1951년에 재발견했다. 특이한 울음소리 때문에 커하우cahow라고 부르기도 하는 그 새는 1600년대에 멸종된 것으로 알려졌지만, 오늘날 여전히 120쌍 미만이 존재하고 있다.)

커하우는 아우터뱅크스섬 연안에서 종종 발견되지만, 검은머리슴새는 희귀성에도 불구하고 해마다 5월에서 10월 사이에 볼 수 있는데, 패트슨의 탐조 여행을 따라가면 수백 마리를 관찰할 때도 있다. 그들은 노바스코샤같이 북쪽으로 멀리 멕시코 만류가 흐르는 지역에 분포되어 있는 것으로 알려져 있다. 하지만 위성 송신기가 장착된 태그를 단 일부 검은머리슴새들은 콜롬비아와 뉴저지 해안 사이에 있는 바다의 대륙붕 인근 심해 지역에 머물면서 대부분의 시간을 보냈다. 거의 370만 제곱킬로미터에 이르는 면적이라 엄청나게 방대한 지역처럼 보일지 모르지만, 망망대해를 오가는 철새들에게 그런 거리를 이동하는 것은 이웃 동네를 얼씬거리는 정도로나 여겨질 수 있을 것이다. 슴새들이 끊임없이 부는 해풍에 올라타서 힘들이지 않고 날아오르는 동안 그들에게 거리는 무의미할 수밖에 없다. 따라서 그들의 여행은 거리가 아무리 멀어도 엄청 풍족한 먹이가 있는 곳을 찾아가기 마련이다. 날개 너비가 최대 3미터에 이르는 떠돌이알바트로스wandering albatross는 2년에 한 번 번식을 하는데, 알을 낳지 않는 이른바 〈안식년〉 동안 약 11만 9000킬로미터를 비행하기도 한다. 이는 육지가 보이지도 않는 남극 대륙을 2~3회

일주하는 거리다. 원양 바닷새는 계절의 변화에 따라 증감하는 바다의 풍요로움을 따라다니다, 1년이나 2년에 한 번 육지로, 대개 본토에서 멀리 떨어져 포식자들로부터 격리된 아주 작은 섬이나 외딴 군도로 돌아온다. 그들은 거기서 알을 항상 딱 하나 낳고 새끼를 한 마리 키우는 데 필요한 최소한의 시간을 보낸다. 그들은 이렇게 극도로 낮은 번식률의 대가로 장수를 누린다. 야생조류 가운데 가장 나이가 많은 새는 위즈덤Wisdom이라 명명된 레이산알바트로스Laysan albatross다. 그 새는 1956년에 성조일 때 가락지를 부착했다. 적어도 나이가 69세로 추정되며, 지금도 해마다 하와이 제도의 미드웨이 환초Midway Atoll에 둥지를 틀기 위해 돌아오고 있다.

바닷새를 안다는 것은 보통 사람이 잘 모르는 낯선 지리와 지형을 거침없이 말할 수 있게 된다는 것을 의미한다. 지구상에서 몇 안 되는 바닷새 번식지로 알려진 후안페르난데스 제도Juan Fernandez Islands, 트린다데섬Trindade Island, 마틴바즈섬Martin Vaz Island, 데제르타스 제도Desertas Islands, 로드하우섬Lord Howe Island, 매리언섬Marion Island, 안티포데스 제도Antipodes Islands 같은 이름을 지도에서 한 번이라도 찾아보기는커녕, 듣기라도 해본 사람은 거의 없다. 남대서양의 그야말로 텅 빈 망망대해 한복판에 있는 작은 섬들로 이루어진 트리스탄다쿠냐Tristan da Cunha 제도의 화산섬 세 곳이 바로 대표적인 그런 장소다. 트리스탄은 지구상에서 사람이 거주하는 가장 외딴 군도로, 남아프리카공화국에서 약 2400킬로미터, 브라질에서 약 3200킬로미터 이상 떨어진 곳에 있으며, 수백 명의 영국 시민들이 정착해 살고 있다. 그 제도의 두 개의 섬과 거기서 남쪽으로 약 400킬로미터 더 아래 외로이 떠 있는 고프섬Gough Island은 락호퍼펭귄rockhopper penguin, 여러 종의 알바트로스, 다양한 바다제비, 슴새, 바다제비, 그리고 잠수바다제비diving-petrel들을 포함해서 온통 바닷새들의 세상이다. 고프는 대개 지구상에서 가장 큰 바닷새 섬으로 알려져 있는데, 그곳에 둥지를 틀고 있는 새는 고유종이자 심각한 멸종 위기종인 트리스탄알바트로스Tristan albatross와 회색알바트로스sooty albatross를 포함해서 모두 500만 쌍이 넘는다. 그 숫자는 충격적이 아닐 수 없다. 특히 회색알바트로스는 장작 연기 같은 회색 깃털에 검은색 부리 양옆을 따라 살포시 미소를 짓는 것처럼 노란 줄무늬가 가느다란 곡선을 그리며 살짝 올라간 모습에다 두 눈 주위에 하얀 테두리가 쳐진 빼어나게 아름다운 새다. 고프섬에는 고래새prion(자그마한 바다제비로 대부분 텃새다)가 200만 쌍이나 둥지를 틀고 있는데, 2014년까지 별개의 종으로 공인되지 않았던 맥길리브레이고래새MacGillivray's prion가 그 가운데 100만 마리나 된다. 또 브라질과 아프리카 남부 사이를 이동하는 대서양슴새Atlantic petrel 100만~150만 쌍, 남반구의 겨울 동안 먹이를 찾아 코드곶에서 스코틀랜드 북서부 지역까지 북대서양으로 북상하는 큰슴새 100만 쌍도 그 섬에 둥지를 틀고 있다. 그러나 고프섬처럼 그렇게 외딴 곳에 있어 겉으로는 안전해 보이는 장소에 있지만, 이 바닷새들도 오늘날 예기치 못한 완전히 새롭고 기이한 위협에 직면해 있다.

고프섬은 외부 방문객을 일체 받지 않는다. 그곳에 있는 유일한 전초기지는 남아프리카공화국의 작은 기상관측소 한 곳이다. 다행히도 바닷새가 서식하는 모든 섬에 접근이 완전히 불가한 것은 아니다. 해터러스 탐조 여행에 참여하기 몇 년 전에 나는 모터 달린 고무보트에 장비를 싣고, 두 명의 동료와 함께 아르헨티나 남단 연안의 포클랜드 제도Falkland Islands(아르헨티나는 그곳을 말비나스 군도Islas of Malvinas라고 부른다)에 있는 0.3제곱킬로미터 면적의 아주 작은 키드니섬Kidney Island의 조약돌 해변으로 조심스레 나아갔다. 나무 한 그루 없는 그 섬은 그 지역에서 단지 처녀림의 울창하게 우거진 풀이라고 묘사될 수 있는 투삭tussac으로 뒤덮여 있다. 우리

북대서양과 남대서양에 있는 바닷새 주요 번식지 섬.

는 2.7~3미터 높이로 우뚝 솟은 풀들이 빽빽하게 하늘을 가린 풀밭을 통과해서 앞으로 밀고 나아갔다. 나는 당시 포클랜드 제도 보호구역 책임자였던 크레이그 도크릴Craig Dockrill의 뒤를 따랐다. 젖은 개에게서 나는 특유의 비린 냄새가 천지를 진동하는 가운데, 우리를 온통 둘러싸고 으르렁대며 우렁찬 소리를 내고 있는 체중이 약 270킬로그램이나 나가는 성난 바다사자 수컷들과 부딪치지 않기 위해 그의 뒤만 따라갔다.

우리는 쏜살같이 달려가서 땅거미가 내릴 때쯤 작은 빈터 한 곳에 텐트를 쳤다. 그런 다음, 크레이그의 뒤를 따라 섬의 반대쪽 끝까지 갔다. 새들이 하늘 위로 열대성 태풍이 몰아치듯이 하나 가득했다. 빠르게 어두워지는 하늘을 배경으로 회색슴새 수만 마리가 회오리바람처럼 이동하는 광경은 마치 혼돈에 빠진 세상을 보는 것 같은 인상적인 모습이었다. 그들 가운데 약 10만 마리는 울창하게 우거진 그 거대한 풀밭에 둥지를 틀고 있었다. 그 새들은 시계 방향으로 끊임없이 빙빙 돌며 이동하면서 어둠이 짙어지기를, 그리고 그들의 수가 계속해서 늘어나기를 기다렸다. 그들은 아무리 희미하더라도 남의 눈에 띌 수 있는 불빛이 여전히 남아 있는 동안에 너무 일찌감치 바닥에 내려앉으면, 그들 주변을 순찰하듯 감시하고 있는 육중한 몸집과 다부진 체형의 갈매기처럼 생긴 갈색도둑갈매기 brown skua나 알바트로스만큼 거대한 큰풀마갈매기giant petrel에게 낚아채일 위험이 컸다. (며칠 전, 나는 큰풀마갈매기 두 마리가 머리와 목에 온통 피범벅을 한 채 작은 사냥개 비글 크기의 젠투펭귄 gentoo penguin 한 마리를 죽이고 신속하게 사체를 해체하는 광경을 목격했다. 그것을 보니 회색슴새들이 그렇게 경계하는 모습을 충분히 이해할 만했다.) 안개가 자욱하게 퍼지면서 몇 분도 안 되어 높이 솟은 풀무더기의 흐릿한 윤곽 너머로 아무것도 보이지 않았다. 회색슴새들이 기다려 왔던 바로 그 순간이었다. 축축한 어둠 속에서 우리 주위로 누군가가 감자를 쏟아붓고 있는 것처럼 육중한 것들이 쿵쿵 떨어지는 소리를 들었다. 회색슴새들이 뭔가 어색하게 땅바닥에 내려앉는 소리였다. 하늘에 떠 있을 때는 우아함의 화신이었지만, 땅에서는 어설픈 신세였다. 한 마리가 내 머리를 스치고 지나갔다. 머리에 쓴 전조등이 그 새를 비췄다. 오리만 한 크기에 윤이 나는 잿빛 갈색 깃털로 덮여 있고 부리는 가느다란 갈고리 모양이었다. 아직 날개를 채 접지 못한 새는 반짝이는 검은 눈으로 나를 흘끗 뒤돌아보더니 이내 굴 아래로 파고들었다.

회색슴새는 지구상에서 가장 개체 수가 많은 바닷새 중 하나로, 유일하게 대서양과 태평양 유역에 모두 서식하는 것으로 알려져 있다. 내가 방문하기 몇 년 전, 과학자들은 키드니섬에 서식하는 회색슴새 몇 마리에게 위성 송신기를 부착했다. 그러고 나서 그 새들이 키드니섬을 떠나서 약 3주 동안 매우 빠르게 북쪽으로 장장 1만 9000킬로미터에 이르는 거리를 비행했다는 사실을 알아냈다. 처음에는 남대서양 한가운데로 날아간 뒤, 90도 좌회전을 하여 남동쪽에서 불어오는 무역풍에 올라타고 브라질 동쪽의 툭 튀어나온 지역을 거의 스치듯 날아간다. 그런 다음, 대서양 한가운데를 반으로 가르는 거대한 심해 균열인 대서양중앙해령Mid-Atlantic Ridge의 서쪽 경사면을 따라 북상해서, 마침내 뉴펀들랜드의 그랜드뱅크스Grand Banks 동쪽에서 북반구의 여름을 보낸다. 그러나 그들은 그 길에서 오래 머물지 않는다. 이 새들은 다른 많은 육지 철새가 그러는 것처럼 중간 기착지에서 휴식을 취하지 않지만, 포클랜드를 떠나기 전에 지방을 많이 비축하지도 않는다. 그들을 추적 관찰한 데이터에 따르면, 그들은 대신에 〈날면서 먹이를 잡아먹는〉 방식을 취한다. 그들은 비행을 계속하면서 기회가 날 때마다 먹이를 잡아먹을 줄 안다. 하지만 먹이가 많은 북쪽 바다에 도달했을 때 주로 지방이 풍부한 빙어류 물고기나 오징어, 크릴새우 따위를 잡아먹고 기력을 보충한다. 그런 믿기 어려울 정도의 먼 거리를 그런 방식으로 날아갈 수 있는 것은 동적 활공이라는 비행 기법으로 에너지 소모를 최소화할 수 있기 때문이다.

키드니섬의 회색슴새들은 이동의 지리적 연결성이 매우 강하다는 것을 보여 주었다. 태그를 부착한 모든 새가 매우 유사한 비행경로를 따라 이동했고, 뉴펀들랜드 연안의 아주 작은 동일 구역에서 북반구의 여름을 보냈다. 흥미롭게도, 태평양에 서식하는 회색슴새의 경우는 그것과 다르다. 일부는 오스트레일리아 남동부, 또 일부는 칠레 해안을 따라 둥지를 트는 반면, 약 2100만 마리로 추산되는 대부분의 새는 뉴질랜드에서 번식을 한다. 그런데 뉴질랜드 원주민 마오리족은 전통적으로 1년에 36만 마리의 새끼 새들을 잡는다. 살아남은 새들은 1년 동안 태평양 주위를 8자 형태로 이동해서 총 7만 4000킬로미터를 비행하는데, 이는 대서양의 포클랜드 회색슴새의 이동 거리에 비해 거의 두 배에 해당한다. 그리고 뉴질랜드에서 서로 다른 두 집단의 회색슴새 두 쌍에게 지오로케이터를 부착하고 추적 관찰한 결과, 그들은 매우 개별적인 이동 경로를 취한다는 사실을 알아냈다. 한 쌍은 칠레 남부 해안까지 정동향으로 날아간 뒤, 각자 서로 다른 경로로 이동했다. 한 마리는 남아메리카 해안을 바짝 붙어 이동해서 바하반도와 캘리포니아 연안에서 남반구의 겨울(북반구의 여름)을 보낸 반면에, 그의 짝은 동쪽에서 불어오는 무역풍을 타고 북서쪽으로 일본까지 날아간 뒤, 시베리아 캄차카반도 앞바다까지 갔다. 또 다른 한 쌍 가운데 한 마리는 일본과 캄차카까지 조금 더 직선 경로를 택한 반면에, 그의 짝은 알래스카만에서 북반구의 여름을 보냈다. 그들에게 지오로케이터를 부착한 연구자들의 말에 따르면, 그 회색슴새들은 〈남극 바다에서 베링해에 이르기까지 (……) 일본에서 칠레까지 (……) 태평양 전체를 이용했다〉[18] 고 한다.

내가 해터러스 연안에서 회색슴새를 보기를 바라기에는 시기적으로 너무 늦었다. 그들은 여기서 봄새이기 때문에 8월 삼복더위에 보기는 어렵다. 솔직히 말해서, 그날은 캐나다 야생동물 보호청 기준으로 볼 때, 매우 더딘 하루였다. 뉴저지, 롱아일랜드, 매사추세츠 앞바다에서 전하는 보도들에 따르면, 평소 아우터뱅크스에 모습을 드러내는 많은 새가 그해 여름 알 수 없는 이유로 수백 킬로미터 북쪽으로 이동했다. 그러나 우리는 계속 바삐 움직였다. 슴새들 가운데 몸집이 작은 종에 속하는 오듀본슴새Audubon's shearwater 한 마리가 버드나무 잎 같은 날개 끝으로 해수면을 가르듯이 날며 뱃전을 쌩하고 지나갔다. 그 새는 미끄러지듯 활공을 하다 방향을 바꾸더니 해수면 위에 헝클어져 떠 있는 밝은 황갈색 해초 사르가소 다발 속으로 곤두박질해서 무언가를 잡았다. 이 바닷새가 무엇을 먹는지 확실히 아는 사람은 현재 아무도 없다. 한때 만새기dolphinfish가 토해 낸 오징어 조각을 먹는 모습이 관찰되기는 했지만, 대체로 물고기와 오징어, 원양 갑각류를 사냥해 먹는 것으로 추정된다. 어쨌든 사르가소 다발은 자연이 차려 놓은 뷔페로, 멕시코 만류가 흐르는 대양에 떠다니는 생물 다양성의 섬이다. 그 안에는 아주 작은 갑각류와 벌레, 연체동물, 그리고 나중에 바다에서 가장 큰 물고기 중 하나로 자라는 청새치marlin를 포함해서 수백 종의 물고기 유생과 치어들이 놀랄 만큼 많이 서식한다. 오듀본슴새가 물속으로 곤두박질치면 자그마한 날치 몇 마리가 수면 위로 튀어 올랐다. 시간이 갈수록, 나는 경쾌하게 솟구쳐 날아오르며 헤엄치는 이 작고 경이로운 물고기들과 만화경처럼 변하는 그들의 비늘 색깔과 복잡한 〈날개〉 무늬, 그리고 관찰자들이 그들에게 붙인 기발한 이름들에 점점 푹 빠져들고 있음을 깨달았다. 사르가소난쟁이sargassum midget, 보랏빛띠날개purple bandwing, 대서양주술사Atlantic necromancer, 장밋빛줄무늬유리날개rosy-veined clearwing, 악마diablo, 조각날개patchwing, 딸기날개berrywing 따위가 그런 이름들이다. 식별이 불가능할 정도로 아주 작은 비부유성 날치 유생에게는 〈스머프〉라는 별명을 붙였는데, 내가 보기에는 아주 완벽한 작명이었다.

또한 사르가소 다발에는 종종 지느러미발도요의 작은 무리들이 내려앉아 있을 때도 있다. 그들은 참새보다 조금밖에 더 크지 않은 데도 불구하고 망망대해에서 겨울을 보내는데, 인간계는 아직 여름일지라도 이미 한창 〈가을철〉 이동 중에 있는 아주 여린 도요물떼새다. 지느러미발도요는 여러 측면에서 특이한 새다. 그들은 (잠시 마음을 가라앉히고) 성적으로 암수의 행동이 서로 역전되어 있다. 주로 일부일처이지만, 점점 일처다부 형태로 변하게 되는 것이 일반적이며, 일부다처로 진행되는 경우는 드물다. 조류학적 관점에서 말하면, 암컷이 수컷보다 몸집이 더 크고 화려하며, 북극에서 짝짓기를 할 때, 같은 시기에 암컷은 여러 마리의 수컷을 짝으로 맞을 때도 있다. 반면에, 수컷은 한 암컷 이외에 다른 암컷과 짝짓기를 하는 경우는 극히 드물다. 지느러미발도요가 번식지에 도착하는 때인 5월 말에서 6월 사이에 암컷들의 목 주변은 밝은 밤색이고 깃털은 전체적으로 청회색을 띤다. 반면에 수컷은 비슷한 색깔이지만 윤기가 없고 눈에 잘 띄지 않게 위장하는 경우가 많다. 이것은 지느러미발도요 암수의 성 역할이 서로 역전되어 나타나는 현상이다. 암컷은 수컷 짝을 찾기 위해 적극적으로 경쟁에 나서고 자기 짝이 될 수컷을 다른 수컷들로부터 지킨다. 그리고 툰드라 초목 사이에 숨겨진 컵 모양의 작은 둥지에 네 개의 알을 낳은 뒤, 양육은 수컷에게 맡긴 채, 또 다른 짝을 찾아 나선다. 그러면 지느러미발도요 수컷은 알을 품고 새끼 새를 기르는 책임을 홀로 도맡는다. 지느러미발도요 수컷은 보통 모성의 돌봄과 관련이 있는 것으로 알려진 표면상 여성호르몬인 프로락틴의 농도가 다른 대부분의 수컷 새들과 비교할 때 엄청나게 높다.

지느러미발도요는 북반구 전역을 가로지르는 북극 지방과 인근 지역에서 번식을 한다. 유라시아에서 번식하는 새들은 아라비아해, 동인도제도 섬들, 비스마르크 군도Bismarck Archipelago의 동쪽 지역에서 겨울을 난다. 그런데 북아메리카에서 번식하는 새들은 좀 더 복잡하다. 북극 서부에서 남아메리카의 태평양 앞바다로 이동하는 새들은 주로 차가운 훔볼트 해류가 페루와 만나고, 영양분이 많은 바닷물을 해수면으로 끌어올려서 온갖 플랑크톤을 생성시키는 곳에서 겨울을 난다. 캐나다 북극 지방의 동부에서 번식하는 지느러미발도요들은 해마다 가을이면 펀디만 어귀, 특히 메인과 뉴브런즈윅 경계에 있는 패서머쿼디만Passamaquoddy Bay에 집중적으로 최대 300만 마리까지 모이곤 했다. 그것은 1907년 초에 조류학자들이 주목했던 현상이었다. 당시 수많은 지느러미발도요를 그리로 모여들게 만든 것은 펀디만의 강력한 조수에 의해 만 어귀로 심해의 바닷물이 밀려들어 오면서 함께 쓸려 들어온 〈칼라누스 핀마르키쿠스*Calanus finmarchicus*〉라는 동물성 요각류 플랑크톤이었던 것으로 보인다. 그러나 그 지느러미발도요들이 거기서 어디로 갔는지 당시에는 아무도 몰랐다. 이후 대서양에서 겨울에 그렇게 많은 지느러미발도요가 집중적으로 모인 곳이 발견된 적은 없었다. 일부 생물학자들은 그 지느러미발도요들이 중앙아메리카를 가로질러 태평양의 서쪽 새들과 합류한 것이 틀림없다고 추측했다. 반면에 다른 학자들은 중앙아메리카에서 그 새들이 유입되었다는 기록이 거의 전혀 없는 점을 감안할 때 그럴 가능성이 없다고 생각했다. 그러나 1980년대 말, 이 의문은 훨씬 더 크고 더 긴급하게 걱정스러운 수수께끼로 대체되었다. 펀디만의 지느러미발도요 다수가 태양 아래 눈 녹듯이 점점 사라지고 있었기 때문이다.

훗날 서구 도요물떼새 보호 지역 네트워크WHSRN의 책임자가 된 내 친구 찰스 덩컨Charles Duncan은 당시 외딴 마키어즈Machias에 있는 메인 주립대학교의 화학 교수였다. 그는 여름휴가를 보내며 친구가 된 그 지역의 선장이 한 명 있었기 때문에 당시 지느러미발도요의 수가 점점 줄어들다 사라지는 모습을 직접 목격할 수 있었다. 「그는 패서머쿼디만과 그랜드머낸섬Grand Manan 앞바다에서 고래 감시 겸 유람 여행을 할 때 내가 동행할 수 있게 해주었지.」

찰스는 그때를 회상했다. 「특별히 어떤 목적이 있어서 기록하는 것은 아니었지만 그날도 평소처럼 일일 탐조 점검표를 들고 갔어.」 뭔가 잘못되고 있다는 생각이 서서히 고개를 들기 시작했다. 1985년, 패서머콰디만에서 수십 마리에서 수천 마리까지 무리를 지어 날아다니는 지느러미발도요를 하루에 최대 2만 마리까지 관찰하고 있었다. 그러나 이듬해, 그가 하루에 최대로 관찰한 새의 수는 2000마리로 급락했다. 한 자릿수가 줄어든 것이다. 또 그 이듬해에는 그 숫자가 200마리로 또 한 자릿수가 줄었고, 또 그 이듬해에는 20마리로 줄어들더니 마침내 완전히 사라져 버렸다.

「처음에는 우리가 뭔가 놓치고 있는 것이 있다고 생각했지. 조수가 바뀌었거나 전과 다른 바람이 분 게 아닐까 하고 말이야. 점점 상황이 악화되는 가운데, 그런 여름을 세 번째 맞이했을 때, 무슨 큰일이 일어났다는 것을 알았지. 우리는 한 종 전체 또는 개체군 전체가 붕괴하고 있는 모습을 보고 있는데, 다른 사람들은 알아채지도 못하고 있는 건 아닐까? 우리는 누군가에게 이 사실을 알려야 한다고 느꼈어. 그런데 누구에게 알려야 하는 거지?」 찰스는 미국 어류 야생동물 보호청, 캐나다 야생동물 보호청, 메인주 내수 어업 야생동물 관리부Maine Department of Inland Fisheries and Wildlife에 편지를 보냈다. 「그곳에는 내가 아는 사람이 아무도 없었어.」 그가 내게 말했다. 「난 화학 교수로는 전문가이지만, 탐조는 취미일 뿐이었지. 솔직히 말해서, 우리는 어떤 일이 일어나고 있는지, 그리고 우리가, 또는 누구라도, 그것에 대해서 어떻게 대처해야 하는지 전혀 알지 못했지.」

지금까지도 당시 무슨 일이 일어났는지 정확하게 말할 수 있는 사람은 아무도 없다. 일부 생물학자들은 1980년대 초와 중반에 태평양에서 발생한 일련의 강력한 엘니뇨 현상 때문에, 만일 펀디만의 새들이 실제로 그 바다에서 겨울을 났다면 모두 죽었을지도 모른다고 주장한다. 엘니뇨 현상은 태평양의 해수면 온도를 급격히 상승시켜 해양 먹이사슬을 붕괴시키고 바닷새 수백만 마리의 떼죽음을 불러왔던 것이다. 하지만 찰스를 포함해서 다른 이들은 그러한 설명을 믿지 않는다. 다른 것보다 엘니뇨 현상이 발생한 시점은 그러한 붕괴 과정이 5년 동안 단계적으로 발생한 이유에 대해서 설명하지 못한다. 이러한 사실은 해양 먹이사슬 붕괴에 좀 더 근본적인 이유가 있음을 암시한다. 엘니뇨 때문이라는 주장이 지느러미발도요들이 한때 몰려들었던 패서머콰디만의 해수면에서 칼라누스 동물성 플랑크톤도 동시에 사라진 것에 대해서 설명하지 못하는 것도 마찬가지다. 찰스의 말처럼, 〈이 레스토랑에는 이제 더 이상 먹을 수 있는 음식이 없다〉. 여러 해가 흐르고 바닷새들이 그 밖의 다른 어디서도 그렇게 대규모로 모이는 현상이 발생하지 않자, 그때의 사건이 일시적인 일탈 현상이 아니라는 것이 명확해졌다. 찰스는 지금도 지느러미발도요 수십만 마리가 그들과 밀접한 관련이 있는, 아프리카 서해안 앞바다에서 겨울을 날 공산이 큰 붉은배지느러미발도요red phalarope들과 함께 일부 칼라누스 플랑크톤이 여전히 집중해 있는 펀디만의 다른 부분에 모여 있는 것에 주목한다. 내가 〈바다제비 2호〉를 타고 유람하고 있는 곳에서 가까운 북미 남동부 해안 앞바다에서 지느러미발도요 수백 마리가 겨울을 나는 것으로 밝혀졌다. 그러나 그렇게 많은 철새가 그렇게 갑자기 설명할 수 없는 방식으로 홀연히 사라지는 것은 전 세계 어디서도 기본적으로 전례가 없는 일이다.

그러나 펀디만 새들에 대한 수수께끼 하나는 풀린 것으로 보인다. 비록 기이한 반전이지만, 그 해답은 거기서 거의 4800킬로미터 떨어진 북해North Sea 한복판에 있었다. 유럽에서 번식을 하는 지느러미발도요의 대부분이 아라비아해에서 겨울을 나는 반면, 스칸디나비아와 스코틀랜드, 아일랜드에서 번식을 하는 무리는 그렇게 하

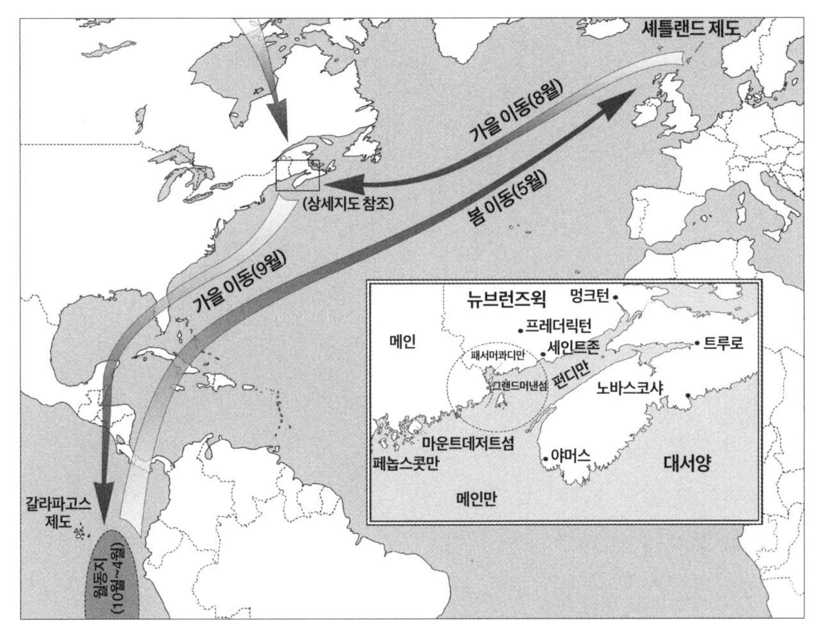

지오로케이터 추적 관찰은 셰틀랜드 제도의 지느러미발도요가 남아메리카 북서부 연안에서 겨울을 나기 위해 대서양과 중앙아메리카를 가로질러 가는 길에 펀디만에 머문다는 사실을 밝혀냈다. 캐나다 북극 지방의 동부에서 번식하는 지느러미발도요들의 월동지가 여전히 수수께끼로 남아 있지만, 그것도 그들이 비슷한 경로를 따라서 태평양으로 이동할 가능성이 커 보인다.

지 않는다. 그들이 어디로 가는지 아는 사람은 아무도 없었다. 그래서 2012년, 스코틀랜드 북부 셰틀랜드 제도Shetland Islands에서 과학자들은 지느러미발도요 아홉 마리에게 지오로케이터를 부착했다. 이듬해, 그중에서 그들이 다시 발견한 새는 단 한 마리였다. 그러나 그 새는 뜻밖에도 대서양을 가로질러 미국 동부 해안을 따라 남하해서 멕시코만과 중앙아메리카를 가로질러 남아메리카 북서부 연안에서 겨울을 났다. 셰틀랜드의 지느러미발도요들에게 추가로 태그를 부착한 결과, 그 이듬해에 계속해서 동일한 경로를 따라 이동했고, 그린란드와 아이슬란드에서 태그를 부착한 새들도 마찬가지 경로를 따랐다. 그 지역들에서 번식을 한 새들이 대서양과 태평양을 오가고 있다면, 펀디만의 지느러미발도요들도 그 경로를 따라 이동했다고 믿는 것은 합리적인 판단으로 보인다.

이제 멕시코 만류가 흐르는 쪽으로 깊숙이 진입하자, 패트슨은 〈바다제비 2호〉를 반대로 돌리기 시작했다. 우리는 지나온 항적과 나란히 왔던 길을 되돌아가며 생선 기름을 떨어뜨린 지역으로 몰려드는 새들을 관찰했다. 습한 공기 속에서 역한 냄새를 풍기며 해수면에 떠 있는 생선 기름을 볼 수 있었다. 에위니아제비갈매기bridled tern와 검은등제비갈매기sooty tern가 둘 다 뭔가 살피는 것처럼 두세 마리씩 무리를 지어 상공을 날아갔다. (그들은 카리브해 지역에서 번식하고 멕시코 만류를 따라 북쪽을 배회하는 종이다.) 그들은 슴새들과 달리 시각으로 먹이 사냥을 한다. 따라서 역한 냄새를 풍기며 수면에 떠 있는 생선 기름은 그들의 주목을 받지 못했다. 그러나 그 냄새는 몇 마리 윌슨바다제비 무리들을 유인하는 데 성공했다. 그들은 그 주위로 모여들어 맴돌더니 길고 연약한 다리와 물갈퀴로 바닷물을 튀겨서 살짝 기름 맛을 보았다. 윌슨바다제비는 대개 지구상에서 가장 수가 많은 야생조류로 알려져 있다. 그것은 사실이 아니지만(아프리카산 방울새인 홍엽조red-billed quelea의 개체 수가 15억 마리 정도로 추산), 남빙양의 제도와 군도, 반도에서 대개 번식하는 윌슨바다제비의 개체 수는 전 세계적으로 최대 1000만 쌍에 이를 것으로 추산되기 때문에, 둥지를 틀지 않는 성조와 어린 새들까지 포함시키면, 적어도 그 새를 결코 드물다고 할 수는 없다. 윌슨바다제비는 또한 지구상에 가장 광범위하게 분포된 새 가운데 한 종으로 비번식기에는 북태평양을 제외한 거의 모든 주요 대양과 바다, 만에서 볼 수 있다. 몸통 길이가 약 17센티미터에 불과하고 전체적으로 블랙커피 색깔의 깃털에 꼬리와 등 아래 사이를 밝은 흰색 깃털이 감싸고 있다. 스파게티 생면 가락처럼 가는 다리를 한 윌슨바다제비는 너무 앙증맞게 생겨서 바다 생활을 견뎌 낼 수 없을 것처럼 보인다. 이 장난꾸러기 작은 요정 같은 바닷새는 다른 어떤 바다 철새보다 바닷가 사람들의 미신과 경외의 중심에 있었다. 바다제비를 말하는 〈petrel〉은 〈Peter(베드로)〉의 약칭이다. 갈릴리 바다 위를 신앙으로 성큼성큼 걸은 베드로처럼, 그들이 해수면을 가볍게 건듯이 경쾌하게 움직이는 모습이 마치 바다 위를 걷는 것처럼 보인다고 해서 그렇게 이름 붙인 것이다. 캐나다 해안에서는 그들을 〈Carey(캐리)〉라고 부르는데, 옛날 영국에서 바다제비의 별명으로 부르던 〈Mother Carey's chicken(마더캐리스치킨)〉의 약칭이다. 본디 성모 마리아에서 나온 〈경애하는 어머니〉라는 의미의 (아마도 이탈리아어에서 파생된) 〈Mater Cara(메이터 카라)〉가 변형된 말이다. 험한 파도의 한가운데 있는 어부가 할 수 있는 일이란 신의 도움을 바라는 것일 게다. 옛날 어부들 가운데는 신의 도움을 받지 못하고 윌슨바다제비를 보았을 때 바다에 빠져 죽은 동료의 영혼이 환생한 것으로 믿는 사람들도 있었다.

「우와! 모두 잠깐 이 새 좀 보세요! 흰허리바다제비band-rumped storm-petrel예요!」 케이트가 크게 소리쳤다. 「저기 바로 뱃고물 쪽이요. 몸집이 더 크고 날개도 더 긴 녀석입니다.」 그 새는 윌슨바다제비가 스테로이드 주사를 맞은 것처럼 보였다. 무리의 다른 새들보다 몸통이 3분의 1 정도 더 크고, 허리 쪽 줄무늬는 더 넓고 밝은 색이며, 비행할 때 뻣뻣하게 날개를 움직이는 윌슨바다제비에 비해 날갯짓이 부드러웠다. 그 새는 몇 차례 상공을 날아다니더니 재빠르게 남색 너울 속으로 사라져 버렸다. 나는 우리가 본 다른 종의 새들과 함께 그 새에 대해서 몇 자 빠르게 적었다. 탐조 기록을 한 새의 수가 점점 늘어날 때까지도 나는 내가 본 새가 정확히 〈무엇〉인지 정말 확신할 수 없었다. 내가 그때까지 발견한 바닷새 거의 대부분은 (이런 비유를 들어도 괜찮을지 모르지만) 분류학적으로 잘 정리되지 않은 채 바다를 떠다니고 있다. 잠깐만, 헷갈리기 시작한다.

흰허리바다제비로 돌아가자. 이 새는 북쪽으로 아조레스 제도

Azores Islands에서 포르투갈 연안의 베르렌가스 제도Berlengas Islands까지, 남쪽으로 마데이라 제도Madeira Islands와 아프리카 북서부 연안의 카나리아 제도Canary Islands까지 호를 그리는 약 7200킬로미터와 남대서양 한복판에 있는 어센션섬Ascension Island과 세인트헬레나섬St. Helena Island, 그리고 아마도 기니만의 상투메São Tomé 인근 작은 섬들까지 또 다른 약 3800킬로미터에 이르는 대서양 동부 해양 지대에 둥지를 튼다. 갈라파고스, 하와이, 일본에서 번식을 하는 개체군도 있다. 그런 외딴 서식지들이 지리적으로 매우 광범위하게 분포한다는 것은 우선 그들 모두를 하나의 종으로 묶는 것이 과연 가능한 것인가에 의문을 제기하게 할 수 있다. 하지만 그렇게 넓은 지역에 분포하는 그들 사이에 그저 아주 사소한, 예컨대 꼬리 모양 같은 상대적으로 미미한 차이만 있음을 보여준다. 이 새들에게는 거리가 큰 의미가 없다는 점을 상기하라. 그러나 과학자들이 각 개체군의 DNA를 분석한 결과에 따르면, 개체군 사이의 유전자 이동, 즉 유전자 확산gene flow이 있다는 증거를 거의 발견하지 못했다. 따라서 흰허리바다제비는 비번식기에 광범위하게 분산될 수 있지만, 기본적으로 자신들의 출생지에 철저하게 충실한 것으로 보인다.

더 나아가, 그들이 번식하는 많은 섬에서 뚜렷이 서로 다르게 둥지를 사용하는 개체군이 둘 있다. 그 두 개체군은 한 해에 같은 둥지를 나눠 쓰지만, 사용 시기가 다르다. 한 번은 더운 계절에, 다른 한 번은 선선한 계절에. 말하자면, 새들 방식의 둥지 공동 사용이랄까. 그 두 개체군은 신체적으로 서로 다르다. 더운 계절의 개체군은 대개 꼬리 끝이 깊게 두 갈래로 갈라져 있고, 선선한 계절의 개체군은 꼬리 깃털이 네모진 모양을 하고 있으며, 일부는 울음소리가 특이하다. 아조레스 제도에서 번식하는 더운 계절의 새들은 공식적으로 다른 종인 몬테이로바다제비Monteiro's storm-petrel로 분리되었다.

이들의 계절적 차이를 최초로 추적 관찰하고 얼마 안 지나 비행기 추락 사고로 사망한 포르투갈 조류학자의 이름을 따서 명명되었다. 흰허리바다제비에 대한 유전자 연구 결과는 이처럼 설명이 복잡한 다른 종들이 더 있다는 것을 보여 준다. 현재 흰허리바다제비로 여겨지는 것 안에서도 아직 밝혀지지 않은 종이 북대서양에만 3종, 아마도 전 세계적으로 10종이 더 있을 것으로 추정된다.

「저게 그랜트바다제비Grant's storm-petrel였나요?」 흰허리바다제비가 파도 사이로 사라진 뒤, 나는 에드와 케이트에게 물었다. 그랜트바다제비는 선선한 계절에 아조레스와 카나리아, 마데이라 제도 같은 아프리카 북서부와 포르투갈 앞바다에서 번식하는 새 가운데 하나로 복잡한 흰허리바다제비의 계열에 속하는 종일 수도 있고, 아닐 수도 있다. 아직까지 아무도 그 종을 공식적으로 설명하고 학명을 부여하는 조치를 취하지 않았다.

「자세히 보지 못했어요.」 케이트가 말했다. 「그런데, 덩치가 커 보였어요. 그랜트바다제비는 해마다 이때쯤 기대할 만하죠.」 그랜트바다제비는 늦봄부터 8월까지 멕시코 만류 지역에서 꽤 흔한 종인데, 때때로 북쪽으로는 코드곶까지, 서쪽으로는 멕시코만에서도 볼 수 있다. 이때의 그랜트바다제비는 더운 때 나타나는 개체군보다 머리가 더 크고 부리도 더 육중하다. 울음소리도 서로 다르다. 하지만 솔직히 말해서, 전문가들도 둘을 식별할 수 있는 단서를 찾아내려고 애쓰고 있기 때문에, 내가 기껏 할 수 있는 것은 내 탐조 노트에 있는 그의 이름 옆에 커다란 물음표를 찍는 것이었다.

하지만 그게 다가 아니다. 아까 지켜보았던, 사르가소 다발이 떠 있는 해수면 위로 곤두박질하는 오듀본슴새는 정말 먹이를 찾아 그렇게 한 것일까? 이 새는 흰허리바다제비와 마찬가지로, 개체군이 매우 복잡한 종으로 알려져 있다. 그들의 DNA는 개체군들 사이에 매우 다양한 친족 관계가 있음을 보여 준다. 일부 전문가들은 이미 오듀본슴새를 세 갈래로 분리했다. 그들은 카리브해 지역에서 번식하는 개체군을 〈정식〉 오듀본슴새로 분류했다. 카보베르데 제도Cape Verde Islands(옛날의 버뮤다)에 둥지를 트는 개체군을 〈보이드슴새Boyd's shearwater〉라고 부르고, 아조레스 제도에서 카나리아 제도에 이르는 곳에서 번식하는 개체군은 〈바롤로슴새Barolo's shearwater〉라고 명명했는데, 이 새는 북아메리카 연안에서도 몇 차례 발견되었다는 기록이 있다. 그리고 이 세 갈래의 예비 종들은 각각 더 작은 개체군들로 쪼개진다. 정식 오듀본슴새로 분류될 수 있는 카리브해 지역의 개체군 내부에는 세 종류의 작은 개체군이 있고, 바롤로슴새의 산하에는 그보다 몇 개 더 많은 종류의 작은 개체군이 있다. 여름철 북미 동부 해안에서 흔히 볼 수 있는 커다란 담갈색 바닷새인 코리슴새Cory's shearwater에서는 여러 개의 새로운 종이 분리되어 나왔다. 아프리카 대륙 서부의 툭 튀어나온 지역 연안 섬들에서 번식하는 카보베르데슴새Cape Verde shearwater와 지중해 지역에서 번식하는 스코폴리슴새Scopoli's shearwater가 그런 종에 속하는데, 둘 다 해터러스에서 배를 타고 나가는 해양 탐조 여행 때 볼 수 있다. 2017년, 어떤 도감에도 나오지 않은 바다제비 한 마리가 패트슨의 탐조 여행에서 한 차례 모습을 드러냈다. 그것이 잡종인지, 기존의 종인데 이전에 알려지지 않은 특이한 깃털을 가진 새인지, 지금까지 학계에서 발표된 적이 없는 완전히 희귀한 바닷새인지는 아무도 몰랐다. 동일한 새이거나 그와 같은 종류의 다른 새인지 모르지만, 2년 뒤에 다시 나타나자, 패트슨 쪽 사람들은 그 새를 위스키탱고폭스트롯슴새*라고 부르기 시작했다. 캘리포니아 출신 조류학자로 바닷새 전문가인 스티브 N. G. 호웰Steve N. G.

* Whiskey Tango Foxtrot petrel. 〈Whiskey Tango Foxtrot〉은 〈What The Fuck?(미쳤군, 도대체 이게 뭐야?)〉를 순화해서 표현한 것.

Howell은 해마다 몇 차례씩 패트슨 탐조 여행에서 가이드 일을 한다. 그는 북아메리카 바다의 원양 바닷새에 대한 최고의 안내서를 썼는데, 그 책에서 많은 바닷새의 분류 체계를 〈골치 아픈 사안〉이라고 언급한 것은 상황을 너무 절제해서 표현한 것이라고 볼 수 있다. 물론 새들 입장에서는 그 상황이 아무 문제가 되지 않는다. 그것은 이 새들 사이의 관계를 (따라서 그들의 진화사를) 엄밀히 조사, 분류하려고 애쓰다가 서로 앞뒤가 안 맞는 상황이 발생하면 너무 좌절한 나머지 〈미쳤군, 도대체 이게 뭐야?〉라고 내뱉는 멍청한 인간의 문제일 뿐이다.

그러나 원양 바닷새의 많은 종이 매우 작은 또 다른 개체군들을 산하에 두고 있고, 해상과 번식지인 섬에서 모두 많은 위협에 직면해 있기에, 그들의 분류 체계를 이해하는 것은 바다 철새의 보전을 위해 매우 중요한 일이다. 따라서 어떤 종이 널리 분포하고 있어 안심해도 되는 상태인지, 아니면 실제로 특정 지역에 엄청나게 밀집되어 있는 매우 희귀한 잠재종인지를 알아내는 것이 매우 시급한 과제다. 브라이언 패트슨과 그의 탐조선 팀원들이 아는 검은머리슴새는 두 가지 형태가 있는데, 하나는 얼굴색이 검고, 다른 하나는 좀 더 희다. 전자는 몸집이 약간 더 작고, 히스파니올라섬과 아마도 자메이카에 둥지를 트는 것으로 알려진 반면, 얼굴이 흰 종류는 몸집이 더 크고 날개깃 깃털갈이를 하기 때문에 얼굴이 검은 종류보다 일찍 번식할 수도 있다는 주장이 있고, 소앤틸리스 열도에서 둥지를 틀기도 하기 때문에 검은머리슴새가 히스파니올라섬 밖에서 번식하는 것으로 아는 사람도 있다. 전문가들 가운데 이 두 형태의 검은머리슴새가 서로 별개의 종일 수 있다고 생각하는 사람이 있는 것은 당연한 일이다. 또 얼굴색이 그 둘의 중간색인 새도 있는데, 아직 알려지지 않은 새로운 다른 개체군이거나, 그냥 그 두 종류 중 하나인데 아직 미성숙한 상태인 새일 수도 있다. 해상 조사를 기반으로 추산하건대, 검은머리슴새의 총 개체 수는 (두 형태를 모두 포함해서) 1000마리에서 2000마리 사이일 것으로 본다. 그러나 과학자들이 히스파니올라섬에서 발견한 둥지는 약 50개에 불과하다. 그렇다면, 나머지는 어디에 있는가?

오늘날 과학자들은 이 모든 수수께끼를 풀기 위해 애쓰고 있지만, 바닷새와 관련된 문제를 다루는 일은 그 자체가 지닌 특유의 어려움이 있다. 케이트가 내게 말했다. 「작년에 미국 조류 보호 협회가 검은머리슴새 몇 마리를 포획해서 그들에게 위치 추적기를 달아 어디서 번식하는지를 알아내기 위해 우리와 함께 바다로 나왔어요.」 〈아니, 어떻게 망망대해에서 새를 잡으려는 생각을 했을까?〉 내가 충격을 받은 것 같아 보였는지, 그녀는 내가 묻지도 않은 질문에 대답했다. 「그들은 해수면 위에 띄워 놓을 새그물과 그것을 조작하고 새를 잡을 사람들을 위해 카약을 가지고 왔죠. 우리는 한밤중, 보름달이 뜬 날에 바다에 나갔어요. 검은머리슴새들이 어디서 먹이를 먹는지 보기 위해서죠. 그러나 우리는 한 마리도 보지 못했어요. 우리는 애초에 그런 방식이 제대로 될 리 없다고 생각했죠. 새들은 매우 똑똑하거든요.」

결국, 미국 조류 보호 협회, 미국 지질 조사국의 사우스캐롤라이나 어류 야생동물 협력단USGS South Carolina Cooperative Fish and Wildlife Unit, 클렘슨 대학교, 전미 어류 야생동물 재단National Fish and Wildlife Foundation 사람들을 포함해서 연구자들은 이듬해 다시 패트슨과 그의 탐조선 팀원들의 도움을 받아 마침내 작업에 성공했다. 이번에는 북뉴질랜드 바닷새 기금Northern New Zealand Seabird Trust의 전문가 한 명을 데리고 왔는데, 그는 수면에 떠 있는 미끼 냄새를 맡고 찾아온 온 검은머리슴새들을 공중에서 그대로 낚아챌 수 있도록 특별히 고안된 그물총을 발사했다. 그 연구팀은 자신들이 위성 송신기를 부착한 검은머리슴새 10마리—얼굴색이 희고, 검고, 중간색인 새들을 두루 섞어서—가 카리브해 지역에서 아직까지 밝혀지지 않은 번식지의 위치를 과학자들에게 알려 주어, 그들을 둘러싼 많은 수수께끼를 풀 수 있게 해주기를 바란다.

한때 나는 쥐를 없애기 위해 기금을, 그것도 〈많은〉 돈을 모금하는 계획에 가담했다. 바닷새, 그것도 〈많은〉 바닷새를 구하기 위해서였다.

적절한 표현이 아닐지 모르지만, 쥐를 잡으려면 미끼가 필요하듯이, 쥐들을 없애는 데 필요한 기금을 마련하기 위해서는 기부자들을 유인할 미끼가 필요하다. 당시 경우는 쥐들이 바닷새 서식지들을 파괴하고 있는 상황이었다. 새에 관심이 있고 개발 전문가들이 완곡하게 말하는 〈상당한 능력〉을 가진 사람들을 유인하기 위한 미끼는 북아메리카에서 가장 유명한 탐조가이며 도감 저자인 데이비드 앨런 시블리David Allen Sibley였다. 네이처 컨서번시의 알래스카 지부는 미국 어류 야생동물 보호청과 협력해서 그 계획을 준비했다. 그들은 새를 좋아하고 조류 보호에 열정이 있는 매우 부유한 사람 10여 명을 초청해서, 북반구에서 가장 외딴 장소 가운데 한 곳인 알래스카 서부 알류샨 열도Aleutian Islands로 데리고 간 다음 바닷새 번식지로 아주 중요한 섬들에서 쥐를 박멸하는 것이 필요하다는 것을 확신시켜 그들로부터 100만 달러 기금을 받아내기를 바랐다. 수많은 새와 고래, 바다사자, 해달이 들끓는 놀랍도록 아름다운 야생의 바다 여행만으로 충분치 않은 경우, 거기서 데이비드 시블리와 함께 한 주 정도 머물며 탐조할 수 있는 시간을 갖는다면 계획을 성공적으로 마칠 수 있을 거라고 생각했다. 그 대가로 시블리는 화려한 얼굴 깃털과 단추처럼 생긴 흰 눈, 그리고 오렌지 크기의 몹시 귀여운 땅딸막한 흰수염작은바다오리whiskered auklet를 보게 될 것이었다. 이 새는 북태평양의 이 외딴 구석 말고는 지구상 어디서도 볼 수 없으며, 그도 여태껏 야생에서 보지 못한 북아메리카 새들 가운데 하나였다. 초빙된 부자들은 그 과정에서 오래전 난파선들에서 살아남은 쥐들이 한때 번성했던 바닷새 서식지들을 완전히 파괴해 버린 섬 한 곳과, 제2차 세계 대전 중에 정착한 쥐들을 박멸하면 수천만 마리의 바닷새 번식 집단을 구할 수 있을 키스카Kiska 같은 섬들을 모두 보게 될 예정이었다. 그들은 또한 러시아와 미국의 모피상들이 들여온 여우들을 엄청난 노력과 비용으로 박멸시킨 섬들도 방문할 계획이었다. (거기서 내가 할 일은 일행과 멀리 떨어져서 사진을 여러 장 찍고 모든 내용을 기록해서 협회지에 기사를 쓰는 것이었다.)

알류샨 열도의 끝에서 두 번째 섬인 세미아Shemya를 향해 서쪽으로 날아가고 있는 시끄러운 터보 프로펠러가 돌아가는 비행기 안에 내가 앉아 있었던 이유가 바로 그 때문이었다. 우리는 거기서 연방정부의 해양조사선을 타기로 되어 있었다. 세미아는 우리가 출발한 앵커리지에서 서쪽으로 약 2900킬로미터 떨어진 곳에 있다. 내슈빌에서 로스엔젤레스까지의 거리로, 알래스카의 그 어느 지점보다 아시아에 훨씬 더 가깝다. 그 먼 곳까지 가는 길에는 몹시 춥고 황량한 바다와 무인도들만 있을 뿐이다. 조종사가 세미아의 날씨가 비행 한계 상황에서 최악의 상황으로 돌변하고 있다고 방송했을 때, 그 모든 상황은 시급한 계획 변경을 요구했다. 그래서 우리는 방향을 돌려 에이닥섬Adak Island으로 경로를 변경했다. 하지만 얼마 후, 똑같은 이유로 에이닥섬에서 우날래스카섬Unalaska Island의 더치하버Dutch Harbor로 다시 경로를 바꾸고 있었다. 그러나 그 뒤에도 더치하버의 상황도 악화되고 있다는 이야기가 전해졌지만, 우리는 어쨌든 간에 착륙 중이었다. 연료가 거의 바닥 상황이었기 때문이다. 그렇게 여행은 끝났다.

우리는 결국 세미아섬에도 가지 못했고, 쥐가 들끓는 최악의 섬에도 가지 못했다. 잠시 승객과 물자 수송 관련해서 논의를 한 뒤, 우리는 결국 미국 어류 야생동물 보호청 소속 연구선 〈알브이 티글랙스R/V Tiglax호〉를 타고 알류샨 열도 중앙을 탐사하며 며칠을 보냈다. 나는 생물학자들이 급경사면을 이루고 있는 섬들의 측면 수백 피트 높이에 있는 바닷새 둥지를 조사하는 일을 도왔다. 그곳에는 수많은 작은바다오리auklet, 바다쇠오리murrelet, 바다제비가 발밑의 무성한 해변 잡초들 사이로 판 굴속에서 알을 품고, 새끼 새들을 보살폈다. 새벽 1시나 2시쯤 한여름의 짧은 어둠이 내리기 전 오랫동안 지속되는 황혼의 하늘 상공에서 깜짝 놀랄 정도로 많은 바닷새를 보았다. 대강 50만 마리 정도가 엄청나게 거대한 무리를 이루어 한 휴화산 주위를 빙빙 돌며, 안전하게 내려앉을 수 있는 어둠의 시간이 오기를 기다리고 있는 모습을 지켜보았다. (캐서토치Kasatochi라는 그 화산은 우리가 생각했던 그런 활동을 중단한 휴화산이 아니었다. 3년 전 화산이 폭발하는 바람에, 거기서 조사 중이던 생물학자 두 명이 거의 소각당할 뻔했다.) 그리고 우리는 데이비드에게 약속했던 흰수염작은바다오리들도 발견했는데, 그중 한 마리가 한밤중 조타실의 희미한 불빛에도 방향을 잃고 허둥지둥 헤매다 갑판으로 굴러떨어졌다. 그 바닷새는 뚤뚤 말린 검정 볏과 긴 실 모양의 흰 〈수염들〉을 익살맞게 까닥거리며 한 생물학자의 손안에 부드럽게 안겨 우리를 한 사람 한 사람 바라보았다.

그 와중에 나는 쥐와 새에 대해서 많은 것을 생각했다. 「정말로 밤에도 잠 못 들게 만드는 것은 기름 유출이 아니야.」 몇 년 전 베링해 먼 바다에 있는 프리빌로프 제도Pribilof Islands 세인트조지섬St. George Island에서 자연 그대로의 해안 절벽을 가득 메운 수십만 마리의 바닷새를 지켜보면서 한 생물학자 친구가 내게 한 말이다. 「아무리 심각한 기름 유출이 발생하더라도, 원상으로 회복될 가능성은 있지만, 쥐 유출은? 쥐는 영원하다고.」

바다 철새의 삶에서 가장 위험한 때는 바람과 폭풍우 앞에 속수무책인 망망대해를 날 때라고 생각하기 쉽지만, 대양은 그들에게 거의 공포의 대상이 아니다. 오늘날 많은 종에게 가장 큰 위험들은 육지에서 그들을 기다린다. 인간, 그리고 쥐와 생쥐, 개와 고양이, 염소와 양처럼 인간 주위를 어슬렁거리는 동물들이 그들을 발견하지 못할 정도로 먼 곳이 육지에는 이제 없기 때문이다. 인간이 떠난 뒤에도, 이 인간의 공생체들은 뒤에 남아 그곳을 사정없이 황폐화시킨다. 수천 년 동안 인간 세상과 멀리 떨어져 고립된 덕분에 바닷새들에게 안전을 보장해 주었던 섬이 이제는 거꾸로 죽음의 덫이 될 수 있다. 그들은 타고난 자기 방위 능력이 전혀 없기 때문에 고립된 섬의 해안에서 포식자를 만나면 피할 곳이 없다. 〈티글랙스호〉에 함께 탄 생물학자들 가운데 한 명은 키스카섬에서 쥐와 새의 상호작용에 대해서 연구하고 있는데, 쥐가 살아 있는 새의 뇌를 어떻게 파먹을 수 있는지 끔찍할 정도로 자세하게 설명했다. 한 개뿐인 알을 보호하기 위해 둥지를 뜨지 않고 고수하고자 하는 본능 때문에 그 새는 머리를 갉아 먹히는 고통조차도 감내하다가 결국 죽음에 이른다고 했다.

망망대해 남대서양에 있는 트리스탄다쿠냐 제도의 일부인 고프섬보다 더 기이하고 극적인 형태로 그런 장면을 보여 주는 곳은 없다. 앞서 말한 것처럼, 고프섬은 지구상에서 바닷새들이 둥지를 트는 가장 중요한 섬들 가운데 하나로, 다른 곳에서는 절대 번식하지 않는 고유종 몇 종을 포함해서 총 22종의 바닷새 수백만 마리의 고향이다. 그중의 한 종이 트리스탄알바트로스다. 현재 총 개체 수는 고작 5000쌍을 넘는다. 그 새는 체중이 약 6킬로그램이 넘고 날개 길이는 약 3미터에 이르는 세상에서 가장 큰 새 가운데 하나이기에, 거의 어떤 위험에도 영향을 받지 않을 것처럼 보일 것이다. 하물며 고프섬에서 그 새의 존재를 위협하는 존재가 생쥐라는 것은 더더욱 상상도 하지 못할 것이다.

19세기 바다표범 사냥꾼들이 고프섬에 생쥐를 전파시킨 것은 분명한 사실이다. 거기서 생쥐들은 포식자가 없는 세상을 발견했다. 처음에는 그들도 겨울이 오면 곤충과 씨앗 같은 먹이를 얻기 힘들어 고난의 시기를 겪었다. 그런데 고프섬의 바닷새들이 둥지를 틀기 위해 돌아오는 때가 바로 그 겨울이다. 시간이 흐르면서, 고프섬의 생쥐들은 점점 육식성으로 진화했을 뿐 아니라, 몸집도 점점 더 커져 현재는 보통 생쥐의 1.5배 크기이며, 고프섬에서 해마다 약 300만 마리의 바닷새 새끼들을 죽인다. 모든 알바트로스 새끼 다섯 마리 가운데 네 마리, 멸종 위기종인 대서양슴새의 3분의 2가 그 대학살로 사라지고 있다. 그리고 2014년에 비로소 학계에 알려진 사실에 따르면, 굴을 파서 둥지를 만드는 멸종 위기종 바닷새 맥길리브레이고래새는 거의 모든 알과 새끼를 생쥐에게 희생당했는데, 현재 추세대로 간다면, 수십 년 안에 멸종될 것이다. (한때 고프섬에 엄청나게 많이 서식했던 굴을 파서 둥지를 트는 다양한 작은 슴새와 고래새, 바다제비들이 이제는 과학자들이 그들에 대한 많은 데이터를 얻지 못할 정도로 매우 적어졌다.) 생쥐들은 먹이를 야금야금 조금씩 먹을 수밖에 없기 때문에, 새들에게는 그 죽음이 특별히 더 끔찍하지 않을 수 없다. 그들은 새끼 새들을 여기저기 물어뜯어 먹는데, 육지 포식자에 대한 본능적인 방어 능력이 없는 새끼 새들은 여러 마리의 쥐들이 며칠 동안 자기를 뜯어 먹을 때 가만히 그 자리에 앉아서 고통을 참으며 피를 흘리고 기력을 상실하다가 마침내 죽는다. 비둘기만 한 고래새의 경우, 알을 깨고 나온 뒤 며칠 이상 생존하는 새끼는 거의 없었다. 트리스탄알바트로스는 2년에 한 번 알을 한 개씩만 낳기 때문에, 새끼를 한 마리라도 잃는다는 것은 그 종의 존속 여부에 심대한 타격을 준다. 그 새는 또한 긴 낚싯줄에 낚시 바늘을 여러 개 달아 물고기를 잡는 원양연승어업으로부터도 위협을 받고 있는데, 알바트로스 개체군들에 전반적으로 큰 충격을 주었다. 더 최근에는 고프섬에서 생쥐들이 알바트로스 성조들도 공격하기 시작했다는 소식이 학계에 전해졌다. 그런 걱정스러운 상황으로 발전할 경우, 끔찍하게도 이 지극히 아름답고 장대한 새는 2030년쯤 멸종할 수 있을지도 모른다.

놀랍게도, 고프섬은 바닷새들이 둥지를 트는 섬들 가운데 생쥐들이 그들의 생존을 위협하는 존재로 성장한 유일한 섬이 아니다. 인도양에 있는 남아프리카공화국 해안 앞바다의 매리언섬에는 육지에서 건너온 생쥐, 양, 염소를 포함해서 다양한 포유동물이 있다. 1950년대, 생쥐들을 잡기 위해 집고양이 다섯 마리를 그 섬에 풀었다. 그러나 결과는 쥐보다 훨씬 더 번식률이 높은 고양이의 숫자가 급속도로 늘어나면서 해마다 50만 마리에 이르는 슴새들이 그 섬에서 죽어 나가기 시작했다. 결국 그 고양이들은 1970년대 말부터 시작해서 16년에 걸친 박멸 작업으로 섬에서 완전히 사라졌다. 고양이 박멸 작전은 성공했지만, 생쥐들은 다시 그 섬에서 활개치고 다닐 수 있게 되었다. 고프섬에서처럼, 생쥐들은 엄청난 수의 바닷새 새끼들과 성조들을 파먹으며 죽이기 시작했다. 생쥐는 뉴질랜드에서 남쪽으로 약 750킬로미터 떨어진 남극 연안의 화산섬 군도인 안티포데스 제도에서도 골칫거리였다. 그곳에는 안티포데스알바트로스Antipodes albatross를 비롯해서 고유종 도요새인 꺅도요류snipe, 종다리류, 잉꼬parakeet 같은 멸종 위기에 처한 바닷새 약 20여 종이 둥지를 틀고 있는데, 생쥐들이 섬 생태계에 끼친 영향은 그들 모두의 생존을 위협했다. 그러나 그 오래전 알래스카에서 내 오랜 친구가 했던 말 가운데 한 가지 중요한 사실이 틀렸다. 쥐는 영원하지 않다. 이제 더 이상은 아니다. 뉴질랜드는 섬 생태계를 위협에 빠뜨리는 쥐처럼 육지에서 유입된 종들을 제거하는 방법들을 찾아내어 섬의 생태계를 복원시키는 데 선구자 역할을 했다. 그러한 기법은 점점 더 전 세계로 널리 퍼져 나가고 있다. 2016년, 전문가들은 안티포데스 제도의 주요 섬과 주변을 둘러싸고 있는 바위섬들에 헬리콥터를 이용해서 70톤의 쥐약을 체계적으로 살포했다. (〈백만 달러짜리 생쥐Million Dollar Mouse〉 기금 모금 운동의 성공으로 자금을 마련했다.) 그 뒤, 살아남은 나머지 생쥐들을 잡기 위해 냄새로 쥐가 있는 곳을 찾아내는 훈련받은 개들을 데리고 토벌 작전을 벌였다. 그 결과, 2년 뒤 안티포데스 제도는 생쥐의 완전 축출 성공을 선포했다. 태즈메이니아섬에서 남쪽으로 약 1600킬로미터 떨어진 곳에 있는 또 다른 남극 연안 섬 매쿼리Macquarie도 7년 동안 오스트레일리아 돈으로 2500만 달러(미화 1700만 달러)를 투입하여 쥐와 생쥐, 토끼처럼 바닷새를 위협하는 유해 동물들을 완전히 박멸하는 데 성공했다.

지금까지 가장 야심찬 유해 동물 박멸 운동은 남아메리카 대륙과 남극 대륙 사이에 있는 극도로 아름다운, 바위 많은 산악지대와 생태적으로 풍부한 섬인 사우스조지아South Georgia 제도에서 실행되었다. 몇 년 전, 사우스조지아에서 가장 가깝고 사람들이 거주하는 포클랜드섬에 갔을 때, 100톤이 넘는 청록색 미끼 덩어리들과 함께 배치되어 있는 헬리콥터들을 보았다. 매쿼리섬 면적보다 8배나 더 큰 약 950제곱킬로미터에 이르는 그 섬 전체에 3년 동안 여름철에 한 번씩 대대적으로 쥐약을 살포하는 계획을 처음으로 실시하기 위해 준비된 것들이었다. 그때까지 시도되었던 박멸 계획 가운데 가장 큰 대규모 프로젝트였다. 2015년 쥐약 살포 작전을 끝내고 나서 2년 뒤, 연구팀들은 사우스조지아에 다시 돌아와서, 이번에는 미끼용으로 땅콩버터나 식물성 기름을 바른 〈씹는 마분지〉*와 밀랍을

* chew card. 쥐나 담비, 주머니쥐, 고슴도치 같은 포식자들을 유인해서 거기 찍힌 이빨 자국으로 종류를 확인하기 위한 도구.

묻힌 태그를 전역에 살포했다. 그 마분지는 쥐가 그것을 갉아 먹을 때 남기는 이빨 자국을 기록했다. 쥐의 발자국이 찍히도록 안에 도장을 하고 미끼를 놓아둔 통들을 그들이 나타날 법한 장소들에 설치했다. 안티포데스 제도에서처럼, 훈련받은 개들이 섬 안을 샅샅이 뒤지고 다녔다. (개들이 자칫 잘못해서 호기심 많은 펭귄을 물지 않도록 하기 위해 입마개를 씌웠다.) 쥐가 한 마리도 발견되지 않고 그 흔적도 보이지 않게 되었을 때, 환경 보호 활동가들은 그 섬에서 멸종 위기에 처해 있었던 새들이 포식자의 압박에서 해방되자마자 새로운 환경에 얼마나 빠르게 반응하는지를 확인하고는 감탄하며 즐거워했다.

몇 년의 준비 과정을 거쳐, 엄청나게 멀리 떨어진 거리 때문에 몇 차례 지체는 있었지만, 이와 유사한 쥐 박멸 캠페인이 2020년 고프섬에서 시작할 준비를 갖추고 있었다. 이것이 성공하면, 그다음 차례는 새를 갉아먹어 죽이는 생쥐들의 천국 매리언섬이 될 것이다. 섬에서 유해 포유류 박멸의 혜택을 가장 많이 받은 곳이 어딘가에 대한 최근 평가에 따르면, 유해 동물이 제거될 경우, 멸종 위기에 처한 종이 가장 많은 곳에 가장 큰 혜택이 돌아간다는 점에서 (멕시코의 소코로섬Socorro Island과 산호세섬San José Island에 이어) 고프섬을 3위에 올렸다. 그러나 어떤 이들은 〈정말로〉 큰 것을 생각하고 있다. 뉴질랜드에는 본디 토종 포유류 포식자가 없었다. 담비와 쥐, 주머니쥐 같은 포유동물의 유입은 섬의 새들을 파멸 상태로 몰아넣었다. 뉴질랜드인들도 연안의 많은 섬에서 포유동물을 몰아내는 데 큰 진전을 이루었지만, 2016년 당시 총리였던 존 키John Key는 2050년까지 나라 전체에서 모든 외래 포식자를 박멸하겠다는 목표를 세웠다. 그것은 꿈같은 일이지만, 얼마 전 사우스조지아 크기의 면적에 대해서 그런 씨름을 할 때도 어림없는 일이라고 생각하는 사람이 많았다. 앞서 말한 섬의 유해 포식자와 관련된 세계적 평가에 따르면, 인간은 전 세계 169개 섬에서 외래 포유동물을 박멸할 경우, 현재 멸종 위기에 처한 모든 척추동물, 즉 조류, 토종 포유류와 파충류, 양서류의 10분의 1을 구할 수 있을 것이라고 추산했다.

그리고 데이비드 시블리와 내가 관여했던, 알류샨 열도로 부자들을 데려가서 기금을 유치하려 했던 그 쥐 박멸 계획은 어떻게 되었는가? 비록 수송 문제가 의도한 대로 맞아떨어지지는 않았지만, 궁극적인 목표는 달성했다. 당초 목표했던 기금은 모였다. 몇 년 뒤, 미국 어류 야생동물 보호청은 머리에 떠올릴 수 있는 가장 적절한 목표물인 알류샨 열도 서부에 있는 약 25제곱킬로미터 면적의 〈래트Rat〉*라고 부르는 섬에서 시궁쥐Norway rat를 박멸하기 위해 그 기금에 훨씬 더 많은 돈을 보태서 총 250만 달러 정도를 썼다. 그 섬은 1780년대 일본 선박이 난파되어 쥐들이 해안 전역에 퍼진 곳이었다. 그 효과는 아주 컸다. 삼색부리바다쇠오리puffin, 작은바다오리 같은 바닷새들이 수백 년 만에 처음으로 다시 그 섬으로 돌아왔다. 그 섬에서 유해 포식자가 사라지면서, 그 지역의 원주민 알류트Aleut족 지도자들의 요청에 따라, 미국 지명 위원회US Board on Geographic Names는 2012년에 공식적으로 그 섬의 이름을 전통적으로 내려오던 명칭인 화와댁스Hawadax로 복원했다. 알류샨 열도의 나머지 16개 섬에는 아직도 쥐들이 남아 있다. 원래의 먹이사슬 관계에 있지 않은 섬들에 서식하는 쥐, 여우, 토끼, 그리고 심지어 소를 추방하기 위한 추가적인 시도들은 현재 정부의 예산 삭감 때문에 멈춰진 상태다. 하지만 이것은 이제 시작일 뿐이다.

* 〈쥐섬〉이라는 뜻.

9장
수난 시대

새벽 2시, 전반적으로 따뜻했지만 약간 무더운 밤이었다. 안드레아스Andreas는 연식이 오래된 낡은 트럭을 거칠게 몰고 있었다. 굽은 길을 지나갈 때도 속도를 늦추지 않고 달리는 바람에 왼편 조수석에 앉은 나는 그때마다 혹시 넘어지거나 미끄러지지나 않을까 무의식적으로 두 다리를 감싸 안으며 긴장을 늦출 수 없었다. 그렇게 심하게 흔들리며 달리던 트럭이 마침내 직선도로를 만나면서 요동이 잦아들자 비로소 느긋하게 의자에 등을 기댈 수 있었다. 우리는 갈 길이 멀었다. 키프로스Cyprus의 건조한 가을 나지막한 산들과 먼지가 허옇게 덮인 올리브 과수원들이 트럭의 전조등 불빛에 모습을 드러냈다. 경찰관들을 오래 기다리게 할 수는 없었다.

내 옆자리에서 운전하는 친구 안드레아스는 실명이 아니다. (앞으로 알게 될 여러 가지 이유로) 나는 그의 외모나 배경에 대해서 많은 것을 공유하지 않을 것이다. 다만 그가 한밤중에 적막강산의 시골길을 신나게 차를 몰고 달리는 일을 찾기에 충분할 정도로 젊다는 것은 말할 수 있다. 그는 버드라이프 인터내셔널Birdlife International의 키프로스 지부인 버드라이프 키프로스에서 일한다. 이 지중해 동부에 있는 섬의 몇 안 되는 환경 보호 활동가들처럼, 그는 전 세계의 철새들이 직면하고 있는 가장 절박한 문제 가운데 하나인 식용을 위한 대량 살육에 매우 직접적으로 대응하는 데 발 벗고 나섰다.

남쪽으로 차를 몰고 있을 때, 희뿌연 주황색 초승달이 동쪽에서 떠올랐다. 그 모습은 키프로스의 수도 니코시아Nicosia 바로 건너편 키레니아산맥Kyrenia Mountains의 경사면을 따라 밝게 빛나는 전등 불들로 구성된 수백 미터 길이의 거대한 튀르키예(터키) 국기의 초승달과 별이 거울에 반사된 것 같았다. 그것은 오늘날 키프로스의 정치적 혼란상을 가장 잘 보여 주는 상징이다. 우주 공간에서도 그 모습은 아주 뚜렷하게 보인다. 그리스계 키프로스인과 튀르크계 키프로스인은 여러 세대에 걸쳐 평화롭게 공존하며 살아오다, 1974년 그리스와의 합병을 원하는 세력들에 의한 쿠데타가 발생한 뒤, 그 두 민족 사이의 갈등이 폭발했다. 이후 곧바로 두 차례에 걸친 튀르키예의 침공과 전투가 벌어지면서 결국 섬의 북쪽 3분의 1이 튀르키예의 지배 아래 들어갔다. 그 전쟁의 결과로, 수십만 명의 난민들은 민족과 종교에 따라 자신들을 분류했다. 동방정교회 그리스계 키프로스인은 키프로스공화국이 있는 남쪽으로 이주하고, 이슬람 튀르크계 키프로스인은 튀르키예가 점령한 〈북키프로스 튀르키예공화국Turkish Republic of Northern Cyprus〉으로 이주했다. 그곳을 국가로 인정하는 나라는 튀르키예밖에 없다. 유엔 평화 유지군은 정전 40년이 넘는 지금까지도 양측의 충돌을 막기 위해 철조망 울타리를 쳐놓은 〈비무장지대〉를 순찰하고 있다. 그리고 그 거대한 국기—낮에는 햇빛을 받아 흰색 페인트칠을 한 국기가 희미하게 빛나고, 밤에는 전등 불빛이 켜지며 밝게 빛난다—는 지금도 니코시아의 국경 지역을 따라 시내를 내려다보고 있다.

그러한 정치적 상황에도 불구하고, 오늘날 키프로스섬은 관광지로 인기가 높다. 키프로스공화국은 유럽연합 회원국으로, 드넓은 해변과 깨끗한 바닷물을 찾아서, 그리고 트루도스산맥Troödos

Mountains을 트래킹하거나 키프로스 전통 만찬인 메제meze를 맛보기 위해 휴가를 즐기려는 인파가 대륙에서 몰려온다. 그러나 지중해 동쪽 끝이면서 튀르키예 바로 남쪽과 레바논 서쪽에 위치한 이 섬은 중부 유럽에서 아프리카와 중동 지역으로 이어지는 거대한 철새 이동 경로들이 서로 만나는 지점이기도 하다. 해마다 두 차례씩 맹금류, 물새, 메추라기quail, 비둘기, 도요물떼새, 연작류 등 수백만 마리의 철새들이 이 섬을 통과한다. 하지만 그들 가운데 많은 새가 섬에 잠시라도 내려앉지, 그냥 지나치지는 않는다.

한밤중, 불법적으로 덫을 놓는 새 사냥꾼들은 올리브 과수원이나 외래종인 아카시아나무 산림지대에 새그물을 설치했다. 특히 아카시아나무 산림지대에는 정성스레 물을 공급했는데, 그곳은 이 메마른 땅을 통과해서 남하하는 지친 철새들에게는 아주 매력적인 오아시스와 같았다. 사냥꾼들이 디지털 녹음기를 켜면, 지직거리는 확성기에서 흘러나오는 노래지빠귀song thrush나 유럽검은머리솔새의 울음소리가 밤하늘에 울려 퍼진다. 나와 동료들이 알래스카에서 명금류 새들을 그물로 잡아 지오로케이터와 함께 태그를 달아 주었을 때 썼던 것과 똑같은 방식이다. 그러나 지나가는 새들이 그 부름에 응해서 어둠 속에서 가던 길을 멈추고, 새그물이 쳐진 덤불숲에 내려앉으면서 새벽녘 그 수가 점점 늘어나면, 그들은 알래스카의 새들과는 매우 다른 운명에 직면한다. 어슴푸레 여명이 비치며 새벽이 밝아 오면, 불법 사냥꾼 무리는 자갈돌을 한 움큼씩 수풀 속으로 집어던지기 시작한다. 그러면 지친 새들이 그물이 쳐진 쪽으로 푸드덕 날아든다. 사냥꾼들은 그물에 걸린 새들을 죽여서 피범벅인 양동이에 던져 넣는다. 관목 덤불과 키 작은 나무들 사이에서 먹이를 찾고 있던 다른 철새들도 결국은 꿀과 그곳에서 나는 과일을 졸여서 만든 극도로 끈적끈적한 천연 접착제를 바른 〈라임 막대〉에 달라붙어 옴짝달싹 못 하게 될 것이다. 사냥꾼들이 라임 막대에서 그 새들을 가차 없이 뜯어내면, 그 막대에는 새의 살점과 깃털이 달라 붙기 마련이다. 그들이 어떤 방식으로 잡히든, 사람들은 하루가 가기 전에 가정과 음식점에서 그 새들을 은밀하게 기름에 튀기고 소금을 살짝 뿌려서 대개 머리가 그대로 달린 채 식탁 위에 올릴 것이다. 이 요리는 키프로스에서 앰벨로풀리아ambelopoulia라고 알려져 있는데, 뼈와 내장을 한꺼번에 조금씩 아작아작 씹어서 먹는 새 요리로 식도락가들이 좋아하는 음식이다.

앰벨로풀리아 요리와 명금류 새 사냥은 키프로스의 오랜 전통이다. 여러 세대에 걸쳐 전승되어 온 라임 막대를 이용한 참혹한 새 사냥 방식은, 오늘날 밀렵꾼들이 점점 선호하는 새그물을 이용해서 무자비하게 대량으로 잡는 것과 비교하면 효율적이지 못하다. 코네티컷 면적의 3분의 2도 안 되는 크기의 섬에서 앰벨로풀리아 요리를 위해 불법 사냥으로 잡히는 철새의 수는 충격적이다. 2016년 버드라이프는 철새 사냥꾼들이 키프로스에서 해마다 죽이는 철새의 수가 130만 마리에서 320만 마리 사이라고 추산했다. 이 작은 섬이 지중해 지역에서 철새를 대량으로 살육하는 곳 가운데 하나가 된 것이다. 실제로 키프로스는 상대적으로 적은 인구라는 점을 감안할 때, 1인당 기준으로 〈최악〉의 철새 살육 국가다. 또한 지중해 지역에서 철새를 가장 많이 잡아 죽이는 장소 10곳 가운데 3곳이 키프로스에 있다. 그곳에서 해마다 죽는 명금류 철새들은 무려 230만 마리에 이른다. 그러나 그런 죽음의 덫이라 부를 수 있는 곳으로 키프로스가 유일한 국가는 아니다. 시리아에서는 해마다 390만 마리의 철새가 불법 사냥으로 희생되고, 레바논에서는 240만 마리, 이집트에서는 540만 마리가 대량 살육을 당한다. (버드라이프의 연구자들에 따르면, 실제 숫자는 그것의 2배는 족히 될 것이라고 말한다.)

시리아와 이집트처럼 전쟁의 상흔이 크고 분쟁이 진행되는 지역인 곳에서 그런 일이 일어난다는 것이 그다지 놀랄 만하지 않다고 생각하는가? 그렇다면 새 입장에서 실제로 유럽에서 가장 위험한 단 한 곳을 들라고 할 때, 그곳은 단언컨대 평화롭고 문명화된 이탈리아라는 사실을 기억하라. 이탈리아에서 해마다 죽는 연작류의 수는 약 560만 마리에 이르는데, 주로 명금류 새 꼬치 요리인 멈블리mumbulì나 옥수수죽에 통째로 구운 명금류 새고기를 얹은 뽈렌따에 오쎄이polenta e osei 같은 전통 요리의 식재료로 쓰인다. 프랑스인들이 게걸스럽게 먹는 새 또한 50만 마리에 가깝다. 예컨대, 그들은 지빠귀를 진홍색 마가목 열매 송이를 미끼로 유인해서 벨기에와의 국경선 근처 아르덴Ardennes 지역의 특산품인 말총으로 만든 올가미를 이용해 잡는데, 해마다 약 10만 마리의 지빠귀가 이러한 사냥 방식으로 잡혀 죽는다. 프랑스 당국은 이것을 알면서도 눈감아준다.

그러나 프랑스인들이 회색머리멧새ortolan bunting를 오랫동안 즐겨 먹었다는 것은 아주 널리 알려진 사실이다. 그 새는 잘생기고 길이가 약 15센티미터이며 복숭앗빛 가슴과 연노랑 목덜미에 검은 수염 표시가 있다. 눈 주위를 동그랗게 두른 노랑 테두리는 약간 놀란 듯한 표정을 연출하지만, 프랑스인들이 전통적으로 귀히 여긴 것은 회색머리멧새의 고기였지 외모가 아니었다. 프랑스인들은 8월과 9월에 계절의 변화에 재빠르게 순응하기 위해 밤하늘을 날아 계속해서 아프리카로 이동하는 도중에 덫에 걸려 잡힌 새들에게 지방이 축적되어 배가 불룩해질 때까지 끊임없이 먹이를 먹인다. 그런 다음 아르마냑 브랜디에 푹 담갔다 털을 뽑고 매우 뜨거운 도기 까솔레cassole에 넣어 굽는다. 그 요리를 먹는 사람들은 커다란 흰 냅킨으로 머리와 어깨를 덮는다. 전해 내려오기를 〈신의 눈에 띄지 않게 숨기 위해서〉라고 하지만, 사실은 음식 향내를 충분히 음미하고 뼛조각을 뱉을 때 튀는 것을 막기 위해서다. 그들은 먼저 앞니로 머리를 딱 부러뜨린 다음, 새의 나머지 몸통을 통째로 씹으면서 살짝 그슬린 지방과 육즙을 빨아먹고 뼈와 고기를 함께 가루가 될 때까지 씹는다. 이 멧새 요리는 프랑스 전통 미식의 전형으로 여겨진다. 1996년에 사망한 전 프랑스 대통령 프랑수아 미테랑이 생전에 마지막으로 한 식사에 회색머리멧새 두 마리가 요리되어 나왔는데, 그는 이후 모든 식사를 거부하고 8일 뒤에 마침내 숨을 거두었다. 요리 전문가인 고 안소니 부르댕Anthony Bourdain은 이 멧새 요리를 〈희귀하고 금지된 식사의 최고봉〉[19]이라고 부르며, 많은 동료 식도락가와 함께한 불법적인 만찬에 대해서 자세히 이야기했다. 「씹을 때마다 얇은 뼈와 지방, 고기, 껍질, 그리고 내장들이 다져지면서 액즙이 흘러나오며 다양하고 기묘한 오래된 풍미가 입안 가득 느껴집니다. 무화과 열매와 아르마냑 브랜디 맛이, 날카로운 뼛조각들이 입안을 찔러서 나는 피의 짠맛이 약간 스며든 진한 고기맛과 어우러진 것 같았죠.」[20] 이 회색머리멧새는 적어도 문서상으로는 1999년 이래로 프랑스에서 법적인 보호를 받게 되었다. 하지만 그 법은 대개 무시되었는데, 프랑스 남서쪽 대서양 해안에 있는 랑드Landes에서는 특히 심했다. 랑드는 회색머리멧새 요리를 광신적으로 좋아하는 사람이 가장 많은 곳이다. 그곳의 사냥꾼들은 매톨르matole라고 하는 포획 장치를 쓴다. 유인용 새로 쓰이는 살아 있는 회색머리멧새가 든 새장을 중앙에 하나 놓고 그 둘레에 30개 넘게 작은 철망으로 된 새장을 설치한다. 그 철망 안에 미끼로 뿌려 놓은 곡물 알갱이를 먹으러 새가 들어오면 문이 닫히는 구조다. 최근까지, 1년에 30만 마리 정도가 잡혔는데, 암거래시장에서 한 마리당 150유로에 팔린다. 최근 몇 년 사이에 회색머리멧새 사냥이 줄기는 했지만, 그 종의 개체 수는 급격하게 감소했다. 서유럽에서 번식하고 프랑스를 통과해서 이동하는데, 점점 더 줄어들어 얼마 남지 않은 이 작은 개체군은 유럽의 다른 명금류 철새들에 비해 특히 더 그 피해가 심각해서 1980년 이래로 총 개체 수가 80퍼센트 이상 감소했다.

회색머리멧새는 그런 사냥의 집중 표적이 된 여러 종 가운데 하나일 뿐이다. 환경 보호 활동가들의 추산에 따르면, 전체적으로 1100만 마리에서 3600만 마리에 이르는 철새들, 이를테면 명금류, 섭금류, 오리, 메추라기, 황새, 맹금류를 포함해서 기본적으로 날개 달린 모든 것이 해마다 지중해 유역을 통과해서 이동하는 중에 죽는다. 그 지역에서 오직 두 나라, 지브롤터와 이스라엘만이 상대적으로 그 문제에서 자유롭다. 이 숫자에 〈합법적〉으로 살육당하는 철새 숫자도 더해져야 한다. 여기에는 물새 같은 전통적인 사냥감만 포함되는 것이 아니라, 일반 명금류 철새들도 엄청나게 많다. 유럽연합이 1979년 제정한 조류 보호 명령Birds Directive은 유럽연합에서 가장 오래된 환경 보호 규제법으로서 일반적으로 그런 살육을 금지하지만, 〈부분적 법의 개폐〉를 통해 기본적으로 그 명령을 어겼을 때의 처벌을 면제해 주었다. 따라서 정확한 숫자는 확인이 어렵지만, 버드라이프의 추산에 따르면, 합법적 사냥으로 희생되는 철새의 수는 핀치류 약 50만 마리, 지빠귀 약 30만 마리를 포함해서 140만 마리 정도 된다. 키프로스는 유럽연합에 가입할 때, 전통적으로 내려오는 크리스마스 식사를 위해 지빠귀 6종을 계속해서 엽총 사냥할 수 있도록 허용할 것을 요구했다. 이 모든 것을 종합해 볼 때, 도대체 어떤 새가 이런 상황에서 어떻게 유럽을 살아서 빠져나올 수 있을지 상상이나 할 수 있겠는가.

거의 모든 유럽에서 철새의 개체 수가 감소하는 모습을 점점 불안해하며 지켜보던 환경 보호 활동가들이 이제 그러한 철새 살육에 적극적으로 반대하고 나서기 시작했다. 그들은 지난 몇 년 동안 적어도 키프로스에서 상당한 성과를 거두었다. 철새를 잡기 위해 덫을 놓는 행위가 건잡을 수 없이 기승을 부렸던 영국군 관할 아래 있는 거대 군사 기지 두 곳처럼, 이전에 전혀 반응을 보이지 않던 당국이 대거 인력을 투입해서 야간 투시 장비와 적외선 카메라가 장착된 정교한 드론을 이용해서 적극적으로 순찰을 강화했다. 전하는 바에 따르면, 이러한 성과는 대체로 찰스 황태자를 포함해서 환경 보호 활동가들의 거듭되는 요구와 함께 영국 국방부에 조직화된 편지 보내기 운동의 영향이 컸던 것으로 보인다. 버드라이프는 새그물과 라임 막대 설치 같은 불법 사냥 활동을 추적 감시하고 키프로스의 조류 보호 관련법을 알리기 위해 수백 킬로미터에 걸쳐 체계적인 현장 조사를 은밀하게 수행한다. 조류 대량 살육 방지 위원회Committee Against Bird Slaughter, CABS 같은 또 다른 기관은 거기서 한 단계 더 나아가 키프로스와 지중해 지역 전체에서 새덫을 놓거나 사냥하는 사람들에 대한 게릴라식 단속을 개시했다. 왕립 조류 보호 협회Royal Society for the Protection of Birds, RSPB에서 파견된 야생동물 범죄 전문가들은 사냥꾼 안내인 옷을 입고 위장한 채, 몰래 감시 카메라를 설치한 뒤, 비디오 영상을 증거로 삼아 불법으로 덫을 놓은 사냥꾼들에게 엄청난 액수의 벌금을 부과하고 법에 따라 처벌한다.

내가 며칠 동안 안드레아스를 따라다녔던 것은 바로 이런 일을 하느라 그런 것이다. 그가 올리브 과수원으로 급히 몸을 숨기거나 뒷마당에 라임 막대로 쓸 나무를 심어 놓았는지 확인하기 위해 남의 집 뒤로 몰래 다가가면 나도 그 뒤를 따라갔다. 그럴 때면 짖는 개가 있는지, 또는 무장했을 가능성이 큰 사냥꾼이 성난 모습으로 나타나지 않을까 늘 경계했다. 2018년 내가 이곳을 방문했을 때, 상황은 철새들에게 유리한 방향으로 바뀌고 있는 듯했다. 그러나 키프로스는 전에도 이 길을 걸었다. 1990년대, 이 섬에서 해마다 덫에 걸려 잡히는 새의 수는 명금류가 무려 1000만 마리에 이르는 것으로 추산되었다. 하지만 유럽연합 가입을 고려 중이었던 키프로스공화국 정부는 2000년대 초에 새를 잡기 위해 덫을 설치하는 행위를 엄중 단속했다. 특별 밀렵 단속반이 현장에 배치되었는데, 버드라이프의 표준화된 현장 조사 결과, 2005~2006년 새덫을 놓는 행위는 거의 80퍼센트 가까이 급감했다. 환경 보호 활동가들은 매우 중대한 전환점을 맞은 것에 대해서 조심스레 자축했다. 그러나 유럽연합 가입이 2004년 확실시되자, 분위기가 바뀌면서 그런 단속 노력이 약화되었다. 가장 공격적인 밀렵꾼들 가운데 일부는 영국군 기지가 있는 지역들로 이동했는데, 그곳은 키프로스공화국 당국의 사법 관할 지역이 아니었기 때문이다. 특히 라르나카Larnaca 인근 남부 해안에 있는 데켈리아Dhekelia 기지 인근으로 많이 몰려갔다. 그곳은 파일러곶Cape Pyla으로 명명된 반도가 지중해 쪽으로 돌출되어 있는데, 아프리카와 중동으로 이동하기 위해 남하하는 새들이 집중적으로 모이는 곳으로 깔때기 모양의 지형을 하고 있다.

「모든 사람이 이곳은 몇 년 안에 문제가 해결될 거라고 생각하고 있었습니다.」 그날 일찍 타소스 시알리스Tassos Shialis가 내게 말했다. 호리호리하고 검은 수염을 기른 타소스는 한때 안드레아스가 했던 일을 했는데, 똑같이 은밀하게 불법으로 덫을 놓는 행위를 조사하는 임무를 수행했다. 그는 익명으로 일하는 것을 오래전에 그만두었고, 지금은 버드라이프에서 덫을 설치하는 것에 반대 운동을 벌이는 공인으로, 텔레비전과 신문에 정기적으로 등장한다. 「그런데 기대와 달리, 불법적으로 덫을 놓는 행위가 재개되기 시작했죠. 특히 영국군 기지 두 곳에서 말이에요. 그동안 꽤 많이 늘어났어요. 2014년에 우리는 2002년 때 수준으로 되돌아갔습니다. 1년에 250만 마리가 덫에 잡히는 수준으로요. RSPB 사람들이 1000만 마리라고 추산했던 1990년대와 비교했을 때, 큰 진전을 이룬 것은 틀림없지만, 따지고 보면 오늘날 위험한 것들이 훨씬 더 많아요. 관광지 개발, 기후 변화, 서식지 소실 같은 문제들이 지금 철새들이 직면하고 있는 이동의 문제를 가중시키고 있죠. 지금 이런 철새의 수가 1990년대와 비교할 때 상대적으로 훨씬 낮아 보인다고 해도 이제 더 이상 용인될 수 없는 것은 바로 이런 이유 때문입니다.」

키프로스에서 불법으로 덫을 놓아 새를 잡는 행위를 중단시키는 일은 이미 두더지 잡기 놀이로 바뀌었다. 밀렵꾼들이 고발을 피하기 위해 새를 잡는 방식과 위치를 바꾸고 있기 때문이다. 키프로스 공화국이 처음에 엄중 단속에 나섰을 때, 밀렵꾼들은 영국군 기지 지역들로 장소를 옮겨 덫을 놓았다. 그러나 지금은 영국군 기지에서 그에 대한 조치를 취하기 시작하자, 키프로스공화국과, 보도 내용이 정확하다면, 튀르키예가 점령한 북키프로스 지역 양쪽에서 모두 덫을 놓을 새로운 장소를 물색하기 시작했다.

안드레아스가 빠르게 방향을 바꿨다. 우리가 데켈리아에 있는 영국군 기지를 향해 가고 있을 때, 흥분된 마음에 그나마 잠들지 않을 수 있어서 다행으로 생각했다. 벌써 19시간째 계속 뜬눈으로 지내고 있었다. 전날 아침, 나는 새그물을 이용해서 불법적으로 새를 잡는 사람들과 싸우는 일을 돕기 위해 지난 몇 년 동안 이 나라를 찾아온 영국인 자원봉사자인 로저 리틀Roger Little과 함께 차를 얻어 탔다. 키가 크고 건강한 몸매에 회색 머리카락을 짧게 자른 로저는 은퇴한 금융 전문가다. 그는 맨체스터 유나이티드 프로 축구팀이 정신적 활력이 필요하다고 느끼면 먼 곳에 있어도 빨간 양말을 신는 버릇이 있는 축구광이기도 하다. 그러나 그가 정말로 열정을 가지고 있는 것은 자연이다. 안드레아스를 만나기 위해 우리가 차를 타고 버드라이프 사무실에 가는 도중에 그는 내게 이렇게 말했다. 「단지 새뿐이 아니라, 자연이 완전히 멈춥니다.」 로저는 내가 그의 이름을 공개하는 것에 아무런 이의를 제기하지 않았다. 그는 1년에 5~6주 동안만 키프로스에 있기 때문이다. 반면에 안드레아스는 경찰에게 도움을 주는 지역사회에 살고 있는 키프로스 원주민 출신이

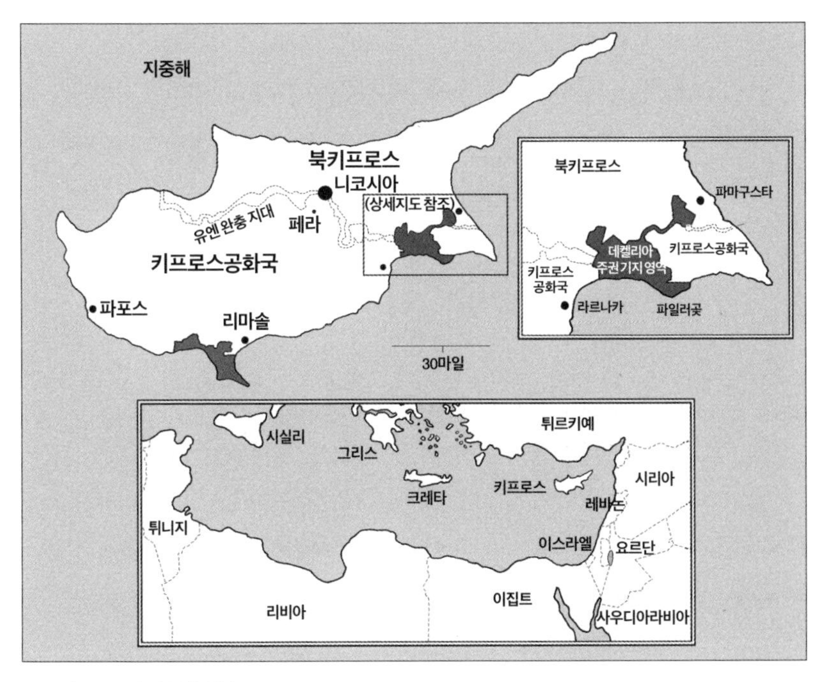

키프로스와 지중해 동부.

다. 그는 덫을 놓아 새를 잡아 죽이는 것을 막기 위해 애쓰는 많은 섬사람과 마찬가지로, 자기가 하는 일을 공개적으로 하는 것을 꺼려한다. 한편으로는 보안 때문인데, 밀렵꾼들 다수가 조직범죄에 연루되어 있거나 다반사로 수류탄이나 수제폭탄, 방화로 보복한다. 다른 한편으로는 은밀한 활동이 오히려 현장 활동을 더 쉽고 효율적으로 만들기 때문이다.

해마다 가을이면 버드라이프는 대부분의 불법 덫 설치 행위가 일어나는 키프로스 남부의 400제곱킬로미터를 훨씬 넘는 면적에 걸쳐 1제곱킬로미터 단위 면적으로 구역을 나눠 60군데를 무작위로 선정해서 불법 덫 설치 현황을 조사한다. 2002년에 RSBP가 처음으로 시작했는데, 2004년부터 버드라이프 키프로스가 그 일을 맡아 관리하고 있다. 그날 아침 우리가 할 일은 라르나카 서쪽 해안의 한 구역을 확인하는 작업이었다. 안드레아스는 운전대를 잡고, 로저는 태블릿 컴퓨터로 덫을 놓는 장소들이 모두 저장된 지도를 찾아 길 안내를 했다. 또한 안드레아스의 무릎 위에는 맹금류 조사를 위한 데이터 기록 용지들이 끼워져 있는 클립보드가 하나 있었다. 그것은 쌍안경을 목에 멘 낯모르는 사내 몇 명이 시골길에서 무언가 찾고 있는 것을 의아해하는 현지인이나 땅주인들과 마주치게 되었을 때, 둘러댈 거리로 쓰기 위한 도구였다. 「그때그때 상황을 봐서 행동을 하죠.」 안드레아스가 내게 말했다. 「만일 상대방이 흥분해서 차로 달려들어 열이 받은 상태면, 그에게 맹금류 이야기를 꺼냅니다. 그런데 단순히 호기심 차원이면, 길을 잃었다고 말합니다. 그리고 어디로 가야 할지를 물어봅니다. 사람들은 대개 남에게 길을 알려 주는 것을 좋아해요. 그들은 갑자기 전문가가 되죠. 그러면 대개는 상황이 진정되거든요.」

우리는 바다에서 약 90미터쯤 떨어진 한 경작지 가장자리에 차를 세웠다. 단조로운 햇살이 암말의 꼬리처럼 생긴 상층 구름을 통해 내리비치며 지중해 먼 바다 수면 위에서 눈부시게 반짝거렸다. 칼새들이 십자형으로 대형을 이루어 하늘을 날았다. 수년 동안 이어진 이 버드라이프의 조사 활동과 CABS 활동가들의 불시 단속은 환경 보호 활동가들이 밀렵 장소로 알려진 곳들에 대한 더욱 자세한 데이터베이스를 구축할 수 있게 했다. 우리는 밭고랑 사이로 흙먼지를 일으키며 경작지를 가로질러 걸었다. 몇 년 전까지만 해도 이곳은 적극적으로 새그물을 치는 곳으로 유명한 곳이었지만, 지금 여기서 우리가 발견한 것은 강가 갈대밭 가장자리 바닥에 불쑥 튀어나온 무릎 높이의 녹슨 금속 막대 하나뿐, 한때 불법 새그물 장대로 쓰였던 닻이었다. 오랫동안 거기 누군가 있었다는 흔적은 전혀 보이지 않았다. 그 금속 막대 주위의 관목들이 여기서 자란 지는 여러 해 되었다고 안드레아스는 판단했다. 「내가 보고 싶은 것이 바로 이런 거예요.」 그는 만족스러운 표정으로 말했다. 「폐기된 밀렵 장소요.」 차가 세워진 곳으로 돌아가면서, 그는 머리 위로 맵시 있게 날아가는 매 한 마리를 발견했다. 「황조롱이kestrel예요. 로저, 받아 적으세요.」 누군가에게 둘러댈 필요가 생겼을 때, 맹금류 조사지에 맹금류 새가 한 마리도 적혀 있지 않으면 그 누구도 속이지 못할 것이다.

한낮의 태양은 점점 더워지고 있었다. 10월 초, 후텁지근한 저지대의 낮 최고기온은 대개 섭씨 26도 이하다. 움직이는 새들은 거의 없었다. 밀렵꾼들도 몇 시간 전에 일을 멈췄을 것이다. 일부러 그 시간대를 택한 것이었다. 안드레아스와 로저는 실제로 밀렵꾼들과 마주치는 것을 원치 않았다. 그들의 입장에서는 밀렵 현장의 위치만 확인하고 그곳을 빠져나와 키프로스 당국에게 알리면, 나중에 경찰이 불법으로 덫을 친 사람들을 잡아서 기소하는 것이 더할 나위 없이 좋은 방식이었다. 밀렵꾼들의 눈에 띈다는 것은 적어도 그들이 짐을 싸서 빠르게 도망쳐서 체포를 피할 가능성이 높다는 것을 의미한다. CABS는 훨씬 더 정면 돌파 방식을 써서 밀렵꾼들이 그물을 설치하고 새들을 유인하고 있는 한밤중이나 새벽에 현장에 팀원들을 내보낸다. 때로는 설치된 그물을 찢거나 라임 막대들을 부러뜨리고, 할 수 있다면 덫에 걸린 새들을 풀어 주기도 한다. 따라서 당연하게도 밀렵꾼과 활동가들 사이의 대치는 쉽게 폭력적으로 바뀔 수 있다. 2010년, 키프로스에서 『뉴요커』에 기사를 송고하는 미국인 작가이자 열혈 탐조가인 조너선 프랜즌Jonathan Franzen은 키프로스 밀렵꾼 여러 명이 함께 있던 CABS 활동가들을 폭행하는 사이에 사력을 다해 도망쳐 나왔다. 활동가들 가운데 한 명은 빼앗긴 비디오카메라로 머리를 맞았고, 나머지 사람들도 피투성이가 되도록 구타를 당했다.

라임 막대를 말할 때, 〈라임〉이라는 단어는 아랍어나 페르시아어에서 유래한 우리가 잘 아는 초록 감귤류 과일에서 나온 것이 아니라, 〈끈적거리는〉 또는 〈끈적끈적한〉이라는 의미의 고대 인도유럽어에서 유래되었다. 밀렵꾼들은 끈적거리고 달콤한 혼합물을 만든다. 어떤 지역에서는 주로 호랑가시나무 껍질을 끓여서 만들고, 또 어떤 지역에서는 겨우살이의 끈끈한 열매를 끓이기도 한다. 오늘날 스페인 같은 일부 유럽 지역에서는 인조 합성 물질을 대체해서 쓰는 것이 일반적이다. 하지만 키프로스 사람들은 지금도 여전히 시리아산 자두를 써서 새잡이 끈끈이를 만든다. 안드레아스가 옆에 있는 한 나무에서 열매를 송이째 따서 내게 건네주었다. 손으로 꽉 누르자, 단단한 껍질의 구슬만 한 열매들에서 콧물 같은 맑은 수지가 흘러나왔다. 하지만 이내 입에서 욕지거리가 흘러나왔는데, 한참 동안 물에 씻어야 겨우 손가락에 묻은 그 끈적끈적한 진을 제거할 수 있다는 것을 너무 늦게 깨달았기 때문이다. 그것을 꿀을 비롯해 기타 여러 첨가물과 함께 끓이면 놀라울 정도로 점착성이 강한 천연 접착제가 만들어지는데, 밀렵꾼들은 그것을 곧게 뻗은 긴 나무 장부촉에 바른다. (이 용도로 석류나무의 새로 나온 가지를 선호한다.) 햇볕에 말린 막대들은 다발로 묶어서 특별한 방식으로 엮은 높은 바구니에 똑바로 세워서 운반된다. 밀렵꾼들은 남자든 여자(키프로스에서 가장 악명 높은 밀렵꾼 가운데 한 명이 여성이다)든 그 끈적끈적한 다발에서 라임 막대를 하나씩 뜯어내어, 크고 작은 나무들의 윗부분에 있는 나뭇잎들은 남겨두고 그 아래의 가지들을 쳐서 라임 막대를 걸칠 공간을 만들고 그 사이에 그 라임 막대들을 수평으로 배치한다. 라임 막대를 만들어 파는 것은 키프로스 가내 공업의 일부인데, 밀렵꾼들은 대개 자기들이 직접 만든다.

먹이를 찾아 나무들을 옮겨 다니던 명금류 새는 날개 끝이나 꼬리깃, 부리, 발톱 같은 신체의 일부분만 라임 막대에 스쳐도 거기에 달라붙는다. 일부는 몸부림을 치다가 날개나 다리가 탈구된 채 비참하게 매달려 있기도 하고, 또 어떤 새들은 도망가려고 이리저리 몸을 움직이다 여러 부위가 막대에 단단히 달라붙는 바람에 옴짝달싹하지 못하는 상태가 되기도 한다. 때로는 길이가 약 60센티미터 되는 긴 라임 막대 하나에 여섯 마리 이상의 새가 달라붙기도 한다. 물론 이 방식은 완전히 무차별적이다. 버드라이프의 조사에 따르면, 이 방식으로 잡힌 새는 솔새와 지빠귀에서 말똥가리, 매, 벌잡이새, 쏙독새nightjar, 때까치, 올빼미에 이르기까지 155종에 이르렀다. 가까스로 거기서 빠져나온 몇 안 되는 새들도 대개 몸에 붙은 끈끈이 때문에 결국 날지도 못하고 부리에 끈끈이가 묻은 경우 먹이를 먹거나 물을 마시지 못하는 상태가 된다. 밀렵꾼들도 그 라임 막대에 붙은 새들을 떼어 낼 때, 거기 붙은 깃털과 가죽을 찢어야만 한다. 라임 막대를 설치한 장소를 급습하는 활동가들은 때때로 자신의 침으로 끈끈이 덫에 달라붙은 새들을 떼어 내려고 하는데, 아주 심하게 달라붙은 끈끈이를 제거하기 위해 엉겨 붙은 깃털들을 입으로 빨기도 한다. 환경 보호 활동가들에게 이 모든 것은 야만적으로 보인다. 〈라임 막대의 친구들Friends of the Lime-stick〉로 알려진 새 사냥에 우호적인 현지 단체는 그것이 자기네 전통이라고 주장한다. 옛날에 마녀를 화형에 처했던 독일에서 온 CABS의 한 리더가 그것에 대해서 이렇게 응수했다. 전통이라고 모두 보전할 가치가 있는 것은 아니다.

중천에 떴던 해가 기울기 시작할 때, 우리는 방향을 틀어 작은 도로들을 지그재그로 달렸다. 포장도로도 있고 흙길도 있었는데, 차를 천천히 몰면서 혹시 그물을 친 흔적이 있는지 확인하기 위해 길게 늘어선 감귤과 올리브 나무들 사이를 세심히 살펴보았다. 정성껏 가지치기를 한 나무들과 그 사이로 만들어진 넓은 통로는 농장 주인이 성실한 농사꾼임을 보여 주는 증표일 수 있었다. 그것은 또한 주인이 새그물이 나뭇가지에 걸리는 것을 원하지 않는다는 것을 의미할 수도 있다. 안드레아스와 로저는 금속 장대와 말뚝, 또는 짧은 장대가 하나 박힌 콘크리트로 채워진 타이어가 있는지 눈을 밝히고 찾았다. 그것들은 이동하기 쉬운 새그물 장비로 쓰일 수 있기 때문이다. 의심스러운 것이 눈에 띄면, 그들은 차 밖으로 나가 바닥에 떨어진 깃털이 있는지, 버려진 새 사체나 머리 부분이 있는지 찾았다. 여기서는 잡으려던 새가 아닌 새가 그물에 걸리더라도 죽여 버리는 것이 전통이다. 그물에 걸린 채 살아서 버둥거리는 새를 어떻게 처리할지 고심하는 것보다 그냥 죽이는 것이 더 간단하고 빠른 일처리이기 때문이다. 여러 차례, 지나가는 차량에 탄 남성들이 속도를 늦추며 우리를 의심스러운 눈초리로 노려보았다. 이곳은 외지인들이 자주 돌아다니는 그런 곳이 아니었기 때문이다. 유럽에서 그물길*로 알려진 그런 통로가 있는지 찾아보았지만 전혀 발견하지 못했다. 예전에 그물을 쳤던 장소로 보이는 곳에서 미처 치우지 못한 것 같은 낡은 라임 막대를 몇 개 찾았을 뿐이었다. 그 막대들은 여전히 새들에게 위험했기 때문에, 로저는 끈적끈적한 부분에 마른 풀과 흙을 덮고 그것들을 땅바닥에서 꽁꽁 묶어서 새들이 다치지 않도록 잘게 쪼갰다.

올리브 과수원들은 대개 울타리가 쳐져 있었다. 그중 한 곳이 특히 그들의 눈에 들어왔는데, 울타리 위로 가시가 돋친 철조망이 쳐져 있고 울타리는 내부가 보이지 않게 촘촘하게 엮은 녹색 그물망으로 가려져 있었기 때문이다. 「좀 이상한데요, 저기.」 안드레아스가 조용하게 말했다. 「길에서 아무도 안을 들여다보지 못하게 하려고 애쓰는 이유가 궁금하지 않나요?」 여러모로 방법을 찾아보았지만, 안에 무엇이 있는지 알아낼 수 없었다. 로저는 다시 찾아올 생각으로 위치를 기록했다. 키프로스공화국에서 법적으로 유일하게 무

* net-ride. 새그물을 펼칠 수 있게 양쪽으로 나무가 길게 늘어선 통로.

단출입을 금지하는 곳은 이처럼 울타리를 친 땅이다. 그러나 내 옆에 있는 두 사람의 동물적 감수성이 꿈틀거리고 있었다. 그들은 약간 멀리 떨어져서, 온실들이 늘어선 곳 옆에 한 그루 외롭게 서 있는 캐롭나무* 꼭대기에 약 3미터 높이로 솟아 있는 기다란 금속 장대 하나를 발견했다. 그냥 안테나? 어쩌면 그럴지도 모르지만, 전선이 없었다. 「벌잡이새를 잡는 밀렵꾼들은 기다란 대나무 장대를 세우고 옆으로 비스듬히 라임 막대들을 세워 놓아요.」 안드레아스는 그 말을 하면서도 지금 보고 있는 것이 그런 덫인지는 확신하지 못했다. 우리가 차에 올라타 그 자리를 뜰 때, 벌잡이새 한 쌍이 옆에 있는 나무에 내려앉기 위해 급강하했다. 적갈색과 청색의 깃털이 햇빛을 받으면서, 매가 나는 것처럼 길게 펼쳐진 날개가 반짝였고, 종소리 같은 그들의 울음소리가 따뜻한 대기를 가로지르며 울려 퍼졌다.

또 다른 좁은 길을 따라가다, 바위자고새chukar 한 마리가 우리 앞을 총총걸음으로 달리는 모습을 보고 안드레아스가 속도를 늦췄다. 아까 본 그 올리브 과수원을 굽어보는 둔덕에 작은 집이 한 채 있었다. 안드레아스는 그 집으로부터의 시선이 차단된 곳에 차를 세우고, 로저는 주변을 감시하도록 놔둔 채, 트럭 밖으로 빠져나와 나무들 사이에 몸을 숨기고 좌우를 둘러보았다. 나도 짙은 남색의 과일이 매달려 있는 키 작은 올리브나무들 사이로 그의 뒤를 따라갔다. 차 소리가 나자 그는 걸음을 멈추고 내게 잡목들이 빽빽이 들어선 곳으로 들어가라고 몸짓을 했다. 그 차는 약간 떨어진 곳에 있는 포장도로를 지나가고 있는 것처럼 보였다. 그러나 안드레아스는 돌아서서 트럭이 있는 곳으로 되돌아가다가 갑자기 멈춰 섰다. 「라

* carob tree. 콩과 식물로 암갈색 꼬투리 열매는 초콜릿 맛이 나며 지중해 지역이 원산지다.

임 막대 하나.」 그는 작은 언덕을 가리키며 속삭이듯 말했다. 그 집 바로 뒤 작은 캐롭나무에 기묘하게 수평으로 뻗은 나뭇가지 하나가 눈에 보였다. 「전화기 좀 빌려주세요. 내 것을 깜박 두고 왔어요. 사진을 찍어야 해요.」 그가 말했다. 그는 언덕 비탈에 있는 나무 계단 위로 급히 달려 올라가 그 키 작은 나무와 그 주변을 자세히 들여다보고 사진을 몇 장 찍은 다음, 다시 내려와서 나를 데리고 빠르게 걸었다. 「캐롭나무에 라임 막대가 일곱 개 있었어요. 그 집 주위에 있는 나무들 모두를 살펴보면 더 많이 있을 거예요. 다행히도 아직 그 덫에 걸린 새들은 없어요.」 그는 트럭으로 돌아가서 로저에게 상황을 전달하고 신속하게 그 자리를 빠져나왔다. 일단 그 지역을 벗어나자, 그는 아까 찍은 사진들을 경찰에게 전송했다. 경찰이 최대한 빨리 후속 조치를 취해 주기를 조심스레 바라면서 말이다. 「일곱 개가 많은 것은 아니지만, 거기에 훨씬 더 많은 것이 있을 수 있어요.」

「경찰과의 협조 관계는 어때요?」 나는 전에 그 내막에 대해서 키프로스의 환경 보호 활동가들로부터 비난하는 말을 들은 적이 있어서 그에게 물었다.

「그것에 대해서는 〈의견이 엇갈린다〉는 말을 많이 하죠.」 로저가 슬쩍 지나가는 말로 대답했다. 2000년대 초, 키프로스가 유럽연합 회원국이 되려고 애쓰고 있을 때, 키프로스의 야생동물 보호국 Game and Fauna Service(야생동물 관련 법을 집행하는 정부기관)은 밀렵 단속반을 적극적으로 운영하면서 밀렵꾼들을 매우 냉혹하게 처리한 것으로 명성이 자자했다. 그러나 최근 몇 년 사이에 버드라이프 같은 환경 보호 단체들의 견해에 따르면, 그 기관은 그런 불법 행위에 점점 무관심한 태도를 취하는 쪽으로 입장이 바뀌었다. (야생동물 보호국은 비록 라임 막대의 경우는 아니지만, 새그물 설치에 대해서는 처벌이 증가했음을 지적하면서, 이러한 주장에 이의를 제기한다.) 부분적으로는 영향력이 막강한 거대 사냥 단체들의 정치적 로비 때문이기도 하지만, 경찰이 기본적으로 해당 지역사회 출신들이어서 밀렵꾼들이 대개 그들의 친척이거나 친구인 경우가 많기 때문이다. 일부 관료들은 비공개로 그것을 용인했는데, 밀렵꾼들 가운데 일부가 폭력 조직범죄 단체들과 연계되어 있어서 당국자들이 다소 겁을 먹고 있기 때문이다. 그 이유가 무엇이든 간에, 오늘날 밀렵꾼들은 거의 처벌을 받지 않고 활동하고 있는 것으로 보인다. 안드레아스는 자신의 태블릿을 꺼내서 전자펜으로 한 지역을 찍어 화면을 확대했다. 작년 1월에 CABS가 발견한, 명금류 지빠귀들을 잡기 위해 불법으로 그물이 설치된 장소로, 지빠귀를 유인하기 위해 틀어 놓은 울음소리가 밤새도록 커다랗게 울려 퍼졌다. 「그리고 이것 보세요.」 그는 벌판 건너편에 있는 한 건물을 가리켰다. 「현지 경찰서입니다. 거기서 200미터도 떨어지지 않은 거리죠. 밤새도록 요란하게 울려 퍼지는 그 소리를 어떻게 그들이 듣지 못했겠어요?」

새덫을 놓는 밀렵 기간에 환경 보호 활동가들은 밀렵꾼들과 쫓고 쫓기는 게임을 한다. 「밀렵꾼들은 멍청이가 아닙니다. 때때로 그들은 아주 확실하게 눈에 띄는 장소에 라임 막대를 몇 개 설치합니다. 만일 그 막대들이 사라진다면, 주변에 CABS가 있다는 것을 그들이 알게 되는 거죠.」 안드레아스가 말을 이어 갔다. 「또 때로는 밀렵 장소에 아주 가늘고 얇은 실을 길게 이어 놓기도 합니다. 만일 그 줄이 끊어지면, 누군가 거기를 통과했다는 것을 알게 되죠.」

그날 일과를 마친 뒤, 나중에 안드레아스와 둘이서 야간 순찰을 도는 군사 기지 경찰들을 만나기 위해 남쪽으로 차를 몰고 가기로 약속되어 있었다. 그때까지 나는 두 시간 정도 여유가 있었다. 배에서 꼬르륵 소리가 나기 시작했다. 나는 니코시아에서 약 15킬로미터 떨어진 키프로스 중부의 구릉지 페라 오리니스Pera Orinis라는 마을에서 타소스와 그의 이탈리아 생물학자 여자 친구인 사라Sara

가 운영하는 아주 훌륭한 민박집에 머물고 있었다. 페라의 옛날 중심가는 길이 좁다. 오랜 여행에 기진맥진한 탓인지, 첫날 저녁 그곳에서 소형 렌터카가 충분히 지나갈 만한 작은 골목들 사이를 지나다 오른쪽의 돌담에 안 닿으려고 신경 쓰느라 그만 왼쪽에 있는 집의 열린 문짝에 사이드미러를 긁히고 말았다. 그러나 황혼의 부드러운 햇살을 받으며 다시 그 골목길을 걷다 보니, 그 좁다란 가로는 연회색 돌, 연철 걸쇠와 경첩이 달리고 오래되어 색깔이 짙어진 목재로 만들어진 주택의 문들로 둘러싸인 협곡을 연상시켰다. 길 한 구석에서 나이 든 남성 네 명이 도로 경계석 옆 작은 탁자에 둘러앉아 프라페frappe라는 냉커피를 마시며 타블리*라는 키프로스식의 백개먼** 놀이를 하고 있었는데, 보드에서 말을 옮길 때마다 딸깍거리는 소리가 났다. 백발에 숱이 많은 흰색 콧수염을 한 신사는 내가 옆을 지나갈 때 놀라는 표정을 감추지 않고 빤히 쳐다보며, 보이지 않을 때까지 지켜보았다. 또 다른 좁은 길로 들어서자 마을 광장이 보였다. 그 한편에 오래된 천사장미카엘교회Archangel Michael Church가 있고 그 옆에 남학교가 있었다. 한 아버지가 두 딸이 노는 모습을 지켜보고 있었다. 동네는 놀랄 정도로 정말 조용했다. 고르지 않은 커다란 자갈돌을 밟을 때면 발자국 소리가 길가에 울릴 정도였다.

나는 장작 연기와 고기 굽는 냄새를 맡으며 모퉁이를 돌아 작은 선술집이 있는 곳까지 내 코에 의지해서 따라갔다. 맥주 냉장고가 하나 있는 자그마한 실내 벽면에는 옛날 그리스 영화배우 포스터가 몇 장 붙어 있고, 바깥에는 차양이 달린 테라스가 있는데, 짧고 검은 머리에 뿔테 안경을 쓴 30대 중반의 남성 코스타스Costas가 운영하

* tavli. 그리스어로 〈보드board〉라는 뜻.

** backgammon. 고대 메소포타미아와 이집트 문명권에서 유래된 주사위를 이용한 전통 서양식 보드 게임.

는 주점이었다. 나는 꼬챙이에 끼워 두툼하게 구운 돼지고기 덩어리에 레몬즙을 살짝 뿌리고 신선한 토마토와 오이를 가운데 넣고 감싼 피타빵을 함께 먹는 그리스 전통 꼬치 요리인 수블라키souvlaki를 주문했다. 「30분 걸려요, 친구.」 코스타스가 말했다. 내가 이 마을에 온 첫날, 타소스가 늦은 저녁 식사를 위해 나를 데리고 갔을 때부터 우리는 친구였다. 타소스는 끝내야 할 일이 있었다. 그래서 내가 지글지글하는 뜨거운 꼬치구이를 먹고 있을 때 옆에 앉아서 이야기를 했다. 「새요? 아, 그래요. 그 녀석들은 맛있죠.」 한 시간 동안 잡담을 나눈 뒤, 그가 한 말이었다. 「뜨거운 기름. 뜨거운 기름에 튀겨야만. 그리고 바다소금. 아니, 아니…….」 그는 식탁용 소금 그릇을 붙잡고 자기 손에 약간 쏟았다. 그러고는 고개를 절레절레 흔들더니, 그것을 바닥에 털어 버렸다. 「오로지 바다소금. 그래야 맛있어요.」

오늘밤 코스타스는 내 주문을 받아 요리를 하고 있었고, 옆의 작은 식탁에 앉아 마찬가지로 주문한 것이 나오기를 기다리며 맥주를 마시고 있던 그의 형이 내게 자기와 합석하자고 제안했다. 그는 그의 동생보다 더 속내를 알 수 없는 사람이었다. 그는 담뱃재를 털면서 반쯤 감은 듯한 눈으로 나를 관찰했다. 그의 영어는 기초 수준이었고, 나는 그리스 말을 전혀 할 줄 몰랐지만, 그럭저럭 서로 이해할 수 있었다. 어디서 살아요? 날씨는 어때요? 직업은 뭐죠? 그는 경찰이었다. 「중범죄만 다뤄요. 일종의 형사 같은 사람이죠.」 담배를 또 한 개비 가느다랗게 말면서 그가 말했다. 페라에는 왜 왔나요? 〈탐조〉는 가장 설명하기 쉬운 답변이었다. 그리고 전날 저녁, 그의 동생이 그랬던 것처럼, 그는 그 말을 듣자마자 금방 앰벨로풀리아 요리에 대한 이야기를 꺼냈다. 「정말 맛있죠. 키프로스에서 본 많은 새가 맛있지 않나요, 안 그래요? 우리는 새들을 많이, 아주 많이 먹어요.」 「그렇게 많이 먹어치우면 새들이 사라질 수 있다는 것을 걱정하지 않나요?」 내가 묻자, 양어깨를 으쓱하며 살짝 웃었다. 「그렇게 수가 줄면, 가격이 오르죠. 12마리에 80유로. 과거엔 60유로, 지금은 80유로.」 그는 머리를 절레절레 흔들었다. 그 모든 게 비극. 공급이 줄면, 가격이 오른다. 그러나 가격 상승은 일부 밀렵꾼들에게는 아주 좋은 일. 하지만 앰벨로풀리아 요리는 불법이 아니냐고 내가 묻자, 그는 또 한 번 어깨를 으쓱하더니, 이번에는 얼굴에서 미소가 사라졌다. 그는 내가 버드라이프 소속 말썽꾼 타소스네 집에 머물고 있다는 것을 틀림없이 알고 있다. 그는 식사가 나오자 그것을 들고 바깥 테라스에 나가 먹었다. 이번에는 합석하자고 제의하지 않았다.

철새를 죽이는 행위는 지중해 지역에서 거의 문제 삼지 않는다. 해마다 수백만 마리의 새가 북유럽과 특히 코카서스 지역에서 불법적으로 살육을 당한다. 물새 같은 일부 철새는 스포츠 사격용으로 던져지는 접시만큼이나 많이 표적물로 총에 맞아 죽고, 지빠귀 같은 철새는 프랑스에서 올무에 목이 걸려 죽는 경우가 많은데, 순전히 잡아먹기 위한 용도다. 맹금류는 유럽의 많은 지역에서 지금도 사냥의 대상이다. 2004년과 2016년 사이에 위성 송신기를 부착한 스코틀랜드의 검독수리 41마리가 사체나 송신기 흔적도 없이 사라졌는데, 붉은뇌조red grouse를 잡아먹는 검독수리에 분개한 사람들이 죽여서 없앴을 것이라는 주장이 강력하게 제기되었다.

아시아가 많은 철새에게 죽음의 덫이라는 것은 놀라운 사실이 아니다. 어쨌든, 그물을 치고 덫을 놓는 행위는 넓적부리도요가 멸종될지도 모르는 파멸적 붕괴 상황을 만든 주요 원인일 가능성이 컸다. 그러나 넓적부리도요가 국제적인 보호의 상징이 된 반면에, 또 다른 아시아 새, 검은머리촉새yellow-breasted bunting는 훨씬 더 많이, 그리고 더 빨리 개체 수가 감소했고 세간의 주목도 상대적으로 거의 받지 못했다.

프랑스에서 식용으로 유명한 회색머리멧새와 매우 가까운 친척 관계인 검은머리촉새는 핀란드에서 러시아 극동 지역까지 약 1570만 제곱킬로미터에 이르는 방대한 면적을 번식지로 쓰면서 엄청나게 많은 알을 둥지에 품었다. 과학자들은 그 엄청난 규모의 개체 수를 강조하기 위해 〈남아돌 정도로 많은〉이라는 표현을 썼다. 수컷의 깃털 무늬는 경탄할 만큼 화려한데, 선명한 흰색의 날갯죽지를 시작으로 해서 가슴은 담황색, 얼굴은 검정, 머리와 등은 밤색 깃털이다. 암컷과 아직 미성숙한 어린 새는 흔히 그런 것처럼, 깃털 무늬가 보다 미묘하고 복잡한데, 갈색 줄무늬가 있어 마치 사프란 차에 푹 담겼던 것처럼 보인다. 이 드넓은 지역에서 태어난 검은머리촉새들은 대부분 엄청난 무리를 형성해서 중국 해안을 통과해서 이동하는데, 이동하다가 중간에 쉴 때도 수백만 마리가 함께 모여서 휴식을 취하고, 동남아시아의 월동지에 도착해서도 특정 지역에 모여서 함께 서식한다.

검은머리촉새는 엄청나게 많은 개체 수, 함께 모여 서식하는 습성, 통통하고 맛있는 고기 때문에 전통적으로 새 사냥을 생업으로 하는 사람들의 집중 표적이 되었다. 그러나 최근 몇십 년 동안, 중국에 실질소득이 증가한 중산층이 형성되고, 야생동물 고기가 단순히 단백질 공급원이 아닌 신분 상승의 상징이 되면서, 검은머리촉새를 식용으로 쓰기 위해 사냥하는 속도가 극도로 빨라졌다. 앰벨로풀리아 요리처럼, 검은머리촉새 요리는 중국에서 사치품이 되었다. 약 15센티미터 크기의 검은머리촉새 한 마리가 미화로 30~40달러에 팔린다. 2001년, 과학자들은 중국 광둥성에서만 해마다 100만 마리 정도가 식용으로 소비되고 있다고 추산했다. 중국에서 야생조류 고기를 시장에 내다 파는 것을 법으로 금지한 것은 1997년이지만, 현실에서는 기본적으로 무시되고 있다. 검은머리촉새의 번식 개체군들이 줄어들고 있다는 조사 내용이 1980년 초부터 꾸준히 보도되었다. 그러다 2000년부터 그 붕괴 상황이 거의 전 세계적으로 확대되면서, 끔찍할 정도로 큰 규모로 급속하게 퍼져 나갔다. 그 결과, 검은머리촉새의 이동 범위는 동쪽으로 약 4800킬로미터 이상 줄어들었다. 현재 추세대로면, 한때 세계에서 가장 흔했던 육지 새가 몇 년 사이에 멸종될지도 모른다. 2015년, 한 국제적인 과학자 연구 단체는 〈여행비둘기를 빼면, 그 감소의 규모와 속도는 비슷한 수준의 이동 범위를 가진 다른 새들과 비교할 때 전례 없는 수준이다〉라고 경고했다.

북아메리카인들이 생각하기에 명금류 새를 식용으로 잡아먹는다는 것은 충격적이고 혐오스러운 행동이다. 하지만 조금만 더 생각해 보면, 그것은 우리가 건망증이 심하다는 것을 단적으로 보여 줄 뿐이다. 검은머리촉새 관련 보도를 한 필자들이 지적한 것처럼, 우리는 이미 여행비둘기들을 잡아먹어 멸종시켜 놓고 까맣게 잊어버렸다. 철도와 전신주에 연결된 전선의 결합은 북미 대륙을 떠도는 여행비둘기의 서식지를 찾아다니는 직업적인 새 사냥꾼과 판매 중개인들이 그 새들을 대량으로 살육하고 쉽게 시장에 내다 팔 수 있게 했다. 뉴욕의 플래츠버그Plattsburgh의 한 번식지에서만 시장에 팔기 위해 선적된 여행비둘기 수가 180만 마리에 이른 때도 있었다. 19세기와 20세기 초 미국에서 시장에 내다 팔기 위한 사냥의 시대 역사는 대개 오리나 기러기 같은 매우 전형적인 사냥감 종에 가해진 대량 살육에 초점이 맞춰져 있다. 노스다코타의 고독한 사냥꾼이 몇 시간 만에 캐나다기러기 46마리와 캐나다두루미sandhill crane 37마리를 포함해서 약 317킬로그램의 물새를 도축했는데, 한 달 동안 그 속도를 유지했다거나, 1870년쯤에 롱아일랜드 해협Long Island Sound에서 한 포수가 거대한 2연발 4구경 산탄총으로 단 한 번 발사로 검은머리흰죽지오리scaup 127마리를 죽이거나 심각한 상처를 입혔다는 따위의 내용이었다. 뇌조와 메추라기는 톤 단위로 기차를 통해서 수송되었는데, 1874년에 네브래스카에서 실려 나간 화물에는 큰초원뇌조prairie chicken 약 3만 마리와 콜린메추라기bobwhite 1만 5000마리가 포함되어 있었다. 19세기 말 야생비둘기와 뇌조를 점점 보기 힘들어지면서, 포수와 조류 밀매업자들은 도요물떼새로 눈을 돌렸는데, 그중에서도 특히 에스키모쇠부리도요와 미국검은가슴물떼새를 집중적으로 노렸다. 그러나 도요물떼새의 과에 속하는 새들은 모두 맛이 좋고 미끼에 잘 걸려들기 때문에, 종에 상관없이 모든 새가 사냥의 표적이 되었다. 크기가 작다고 해서 사냥감에서 제외되는 것은 아니었다. 무게가 약 14그램에 불과한 종달도요도 포수에게 걸리면 시장에서 〈싸구려 작은 새mud peep〉로 팔렸다.

명금류 새도 마찬가지로 사냥꾼들의 주요 표적이었다. 그 시기를 들여다볼 수 있는 창으로, 1867년 토머스 F. 드보Thomas F. De Voe라는 뉴욕의 도축업자가 발간한 『시장 조력자*The Market Assistant*』라는 책보다 더 좋은 것은 없을 것이다. 〈뉴욕, 보스턴, 필라델피아, 브룩클린의 공설시장에서 팔리는 모든 음식에 대한 약술A Brief Description of Every Article of Human Food Sold in the Public Markets of New York, Boston, Philadelphia, and Brooklyn〉이라는 책의 부제에서 그 내용을 유추해 볼 수 있을 것이다. 몇몇 장은 너구리와 스컹크를 비롯해 북미산 순록 카리부caribou와 큰뿔야생양bighorn sheep, 그리고 물새, 칠면조, 뇌조, 도요물떼새까지 다양한 야생 사냥감에 대해서 길게 설명하고 있다. 계절에 따라 상점에서 쉽게 구할 수 있는 것, 희귀한 것, 맛이 좋은 것들로 분류해 놓았다. 그러나 드보는 또한 딱따구리에서 참새에 이르기까지 북미 동부 시장에서 고정적으로 거래되는 수십 종의 명금류 새들에 대해서 자세히 기술했다. 〈갈대숲에 서식하는 새〉나 미식조 같은 일부 새들은 한창 많을 때, 수백만 마리씩 도심 지역으로 팔려 나간 반면에, 해안참새로 알려진 〈회색해안핀치gray shore-finch〉 같은 새들은 가끔씩 시장에 나왔다. 드보는 〈그 새는 때때로 여름 몇 달 동안 시장에서 볼 수 있는데, 식감이 별로 좋지 않고 약간 생선 먹는 느낌이 난다〉[21]고 주의를 당부했다.

그런 경고를 받을 만한 새는 몇 종에 불과했다. 드보가 높은구멍딱따구리high-hole woodpecker나 황금날개딱따구리golden-winged woodpecker라고 부른 쇠부리딱따구리northern flicker는 〈가을철에 시장에 흔했다.[22] 살이 통통할 때, 고기 맛이 꽤 좋다. (……) 지금까지 나도 수백 마리를 잡았다. 때로는 하루 동안 오후에 한 나무에서 20~30마리를 쏘아 떨어뜨릴 때도 있었다〉.[23] 종다리는 〈거의 메추라기만큼 맛있었지만, 그다지 통통하지 않고 크지도 않았다〉.[24] 그리고 그는 자신이 〈현재 뉴욕의 24번가 옆 동네에서〉[25] 종다리를 여러 마리 쏘아 떨어뜨렸던 기억을 떠올렸다. 『시장 조력자』에서 언급된 수많은 다른 명금류 새 가운데 북미뿔종다리horned lark와 밭종다리American pipit도 있다. 또 흰멧새snow bunting(〈흰눈새는 (……) 1~2월에 훨씬 더 살이 통통하게 올라 맛있는데, 식도락가들이 그 고기를 아주 좋아하는 때다〉[26])와 붉은머리딱따구리red-headed woodpecker(〈황금날개딱따구리만큼이나 아주 맛있지만, 크기가 작다〉[27]), 애기여새cedar waxwing(〈가끔 시장에 대량으로 나올 때가 있다. 양이 아주 적지만 맛있고 가을에 먹기 좋다〉[28]), 회색고양이새gray catbird(〈매우 작지만 고기가 달고 맛있다〉[29]), 붉은옆구리검은멧새eastern towhee, 북미검은멧새, 알락솔잣새, 노랑부리뻐꾸기, 검은부리뻐꾸기black-billed cuckoo(〈고기가 모두 달지만, 겉으로 보기와 다르게 몸집이 작다〉), 붉은양진이purple finch(〈보존 상태가 좋으면 매우 맛있다〉[30]) 같은 새들에 대한 설명도 나온다. 그리고 붉은꼬리지빠귀는 고기가 달기는 하지만, 〈아무리 배고파도 총을 쏴서 잡을 만한 가치는 없다〉고 쓰여 있다.

실제로, 책에서 드보가 북미 명금류 새들의 맛에 대한 품평을 하면서 사이사이에 객관적인 정보 제공자로서의 자신의 역할을 제쳐두고 새들에게 우호적인 개인 의견을 표명한다는 것은 놀라운 일이 아닐 수 없다. 그는 애기여새 고기가 맛있다는 말을 하면서, 〈나는 그들을 잡아 죽이면 안 된다고 생각한다. 그 새들은 아마도 현존하는 어떤 새보다도 해충들을 더 많이 잡아먹기 때문이다〉[31]라고 썼다. 당시에는 생태학적 이해도가 별로 높지 않았음에도, 그는 〈수천 마리의 작은 새들이 스포츠 명목으로, 또는 몇 푼 안 되는 돈 때문에 마구 살육되고 있다. 이렇게 대량 살육된 새들이 살아 있다면 수백만 마리의 곤충과 파리, 벌레, 민달팽이 같은 해충들을 잡아먹었을 텐데〉[32]라고 한탄했다. 그는 책을 읽는 독자들에게 미국꾀꼬리 Baltimore oriole를 (〈수집품인 경우를 제외하고〉[33]) 사지 말고, 울새들이 짝짓기를 하고 있을 봄에는 그들을 사 먹지 말 것을 호소했다. 〈그러나 나는 이 새들이 죽는 것보다 살아 있는 것이 인간에게 더 유익하다고 생각한다〉[34]고 그는 주장했다.

미국울새American robin는 대부분의 다른 작은 새들을 식탁에 올릴 때 맛이 있는지, 흔한지, 상대적으로 가격이 싼지 비교하는 기준이었다. 예컨대, 푸른어치는 맛은 좋지만 〈미국울새보다 냄새가 그다지 좋지 않다〉[35]고 하면서, 쇠부리딱따구리는 〈미국울새만큼 육질이 부드럽지 않다〉[36]는 식이었다. 미국울새에 대해서, 드보는 〈우리가 잘 아는 이 새는 시장에서 엄청나게 많이 팔린다. 그리고 그들이 통통하게 살이 올라 감칠맛이 날 때인 9월과 10월이면 새 사냥을 스포츠로 즐기는 〈온갖〉 종류의 사람들이 수천 마리씩 그들을 쏘아 떨어뜨린다〉[37]고 전했다. 남부에서도 미국울새들은 식용과 시장에 내다 팔기 위한 주요 표적이었다. 20세기 초, 테네시 중부 지역에서는 겨울에 미국울새 수십만 마리가 한밤중 휴식을 위해 내려앉으면, 사냥꾼들이 그들을 잡기 위해 팀을 짜서 사냥을 했다. 손전등을 든 한 사람이 높은 나무 위로 기어오르면, 몽둥이와 장대를 든 사람들이 잠자고 있는 새들을 깜짝 놀라게 해서 날아오르게 했다. 전등 불빛에 이끌린 미국울새들은 결국 잡혀서 목이 잘린 채 큰 자루 속에 던져졌다. 한 팀이 대개 하룻밤에 300~400마리의 미국울새를 잡을 수 있었다. 한 목격자에 따르면, 〈100명 이상의 사냥꾼들이 손전등과 몽둥이를 들고 사냥하는 때가 많은데〉,[38] 죽은 미국울새들로 채워지는 마차들이 여러 대 세워져 있었다고 했다. 미국울새를 사냥감 새로 분류하는 주가 많은 남부 전역에 걸쳐 미국울새 사냥이 광범위하게 행해지고 있었기 때문에, 전미 오듀본 협회National Association of Audubon Societies(오늘날 미국 국립 오듀본 협회의 전신)는 새들에 대한 〈연민〉을 가르칠 목적의 초등학교 모임을 활성화하기 위해 그 지역의 교사들과 협력했다. 이 초등학생 대상 오듀본 프로그램은 놀랄 만한 결실을 맺으며 크게 성공했다.

토머스 드보가 당시에 주목한, 대량 살육되어 시장에 나온 또 다른 새는 미식조였다. 1912년, 매사추세츠 조류학자 에드워드 하우 포부시Edward Howe Forbush는 가을에 줄무늬가 있는 갈색 깃털을 하고 이동하는 미식조에 대해서 이미 들어 알고 있었기에, 연례행사로 이루어지는 〈쌀먹이새rice bird〉의 대량 살육을 직접 보기 위해 사우스캐롤라이나의 저지대로 갔다. 포부시의 기록에 따르면, 그해에 조지타운 한 도시에서만 선적된 미식조의 수는 12마리씩 한 묶음으로 해서 약 6만 묶음, 즉 거의 100만 마리의 4분의 3에 해당하는 수량이었다고 한다. 〈사냥꾼들은 총으로 쏘아 잡은 12마리 한 묶음에 25센트를 받아 시장에 넘겼고, 상인들은 그것을 75센트에서 1달러까지 받고 팔았다. 새들이 한창 많을 때는 뉴욕, 필라델피아, 파리 같은 거대 시장에 대량으로 선적되어 팔려 나갔는데, 그 대부분을 부자이거나 식도락에 돈을 아끼지 않는 미식가들이 사 먹었다.〉[39] 단편적이나마 새 보호를 위해 사냥을 금지한 주가 몇 군데 있었다. 캘리포니아는 1895년에 미국울새 사냥을 8개월 동안 한시적으로 금지했다. 그러나 캘리포니아 사냥꾼들이 시장에 내다 파는 또 다른 주요 사냥감이었던 붉은날개검은지빠귀에서 멕시코양진이house finch에 이르기까지 다른 많은 종은 그런 보호 조치에서 빠져 있었다. 그러다 1918년, 연방정부가 캐나다와 철새 보호 조약법Migratoty Bird Treaty Act을 통과시키면서, 미국울새, 미식조, 애기여새 같은 야생조류 대부분이 법적인 보호를 받게 되었고, 북아메리카에서 새를 사냥해서 시장에 내다 파는 시대는 끝났다. 그해 8월 18일 『뉴욕 타임스』 1면 머리기사 제목은 〈새로운 엽조법, 상업적 사냥 금지하다〉[40]였다. 〈캐나다와 맺은 조약 아래서 이제 철새는 시장에서 사거나 팔려고 내놓을 수 없다.〉 (〈철새〉라는 표현은 오늘날 다소 오해의 소지가 있다. 현재 이 법은 각 주의 법에 따라 보호되는 계절 이동을 하지 않는 사냥감 종과 집참새, 혹고니mute swan 같은 외래종 경우는 제외하고, 북아메리카 토종인 모든 새를 보호한다. 하지만 초기에는 일부 맹금류 새들을 보호 대상에서 배제했다.)

유럽은 북아메리카와 매우 다른 경로를 택했다. 1902년 파리에서 11개 유럽 정상들이 모여 서명하면서, 야생동물 보호를 위한 최초의 다국적 협정으로 인정받는 〈농업에 유용한 조류 보호를 위한 국제 협약International Convention for the Protection of Birds Useful to Agriculture〉 같은 다양한 협정이 일찍부터 존재했다. 그러나 이것 또한 맹금류, 왜가리, 까마귀, 아비새 같은 새들을 보호받을 만한 가치가 없는 〈유해한〉 새로 걸러냈다. 잉글랜드에서는 20세기 전반기에 쏟아져 나와 때때로 서로 충돌하던 관련 법들이 1954년 다양한 야생조류(까마귀와 까치 같은 〈유해〉 종은 대개 제외)에게 매우 중요한 보호 장치를 제공한 조류 보호법Protection of Birds Act으로 대체되었다. 그 법은 1981년에 다시 야생동물 전원법Wildlife and

Countryside Act으로 대체되었는데, 지금까지 영국에서 조류를 보호하는 기본법으로 남아 있다. 그러나 유럽 전역에 걸쳐 영향력이 있는 법령은 1979년 제정되어 2009년에 수정된 유럽연합의 조류 보호 명령으로 유럽연합에서 가장 오래된 환경 보호 규제법이다.

2000년대 초, 키프로스가 그때까지 자행되고 있던 명금류 사냥을 처음으로 금지하는 쪽으로 나아간 것은 바로 이 조류 보호 명령의 영향 때문이었다. 유럽연합의 회원국이 되려면 반드시 그 조건을 충족시키는 조치를 취하기 시작해야 했다. 키프로스에 대해서 덫을 놓아 새를 사냥하는 문제를 해결할지, 유럽연합 가입을 취소할지 정하라는 유럽연합의 공식적 요구 같은 어떤 명시적인 요구 조건이 있었던 것은 아니지만, 전해 들은 소식에 따르면, 키프로스 정부에 대해 수없이 많은 은밀한 압력이 있었다. 「유럽연합위원회가 먼저 나서서 〈키프로스는 이 문제를 해결하지 못하면, [유럽연합에] 들어오지 못할 것이다〉라고 결코 말하지 않았어요.」 버드라이프 키프로스의 책임자 마틴 헬리카Martin Hellicar가 내게 이야기했다. 「우리는 그들이 그렇게 말하길 바랐지만, 그들은 하지 않았어요. 거기서 일을 처리하는 방식이 그렇다는 것을 이해합니다. 하지만 보이지 않는 곳에서 많은 압력이 있었다는 것은 여러 소식통을 통해서 알고 있죠.」 2000년에 키프로스에서 밀렵 단속 활동을 벌이기 시작한 RSPB의 선임 조사관 가이 쇼록Guy Shorrock은 처음에 자신과 동료들이 키프로스공화국의 야생동물 보호국과 영국군 군사 기지의 영국 대표부와 매우 좋은 협력 관계를 유지했다고 기억했다. 「밀렵 단속이 시작된 뒤, 키프로스의 유럽연합 가입 신청과 함께, 조류 밀렵이 매우 크게, 대략 70~80퍼센트 정도 감소했죠. 우리는 제대로 방향을 잡고 나아가고 있다고 생각했어요.」

그러나 시간이 흐르면서, 그리고 아마도 2004년 유럽연합 가입이 확실시되고 정부 당국에 대한 압력이 완화되면서, 덫을 놓는 밀렵이 재개되었다. 키프로스공화국의 유능한 밀렵 단속반이 사실상 해체되었다. 영국군 기지 지역들로 대규모 밀렵꾼들이 점점 더 많이 몰려들기 시작했다. 그들은 거기다 전보다 훨씬 더 효과적으로 사냥을 펼칠 수 있는 그런 환경을 새롭게 조성했다. 2011년, 키프로스 라르나카에서 불법적인 조류 밀렵에 대한 유럽 회의가 개최되었다. 그 결과, 유럽인들에게 〈불법 밀렵에 대한 불관용 원칙과 이런 불법 행위와 맞서 전면적이고 주도적으로 싸울 것〉[41]을 촉구하는 이른바 라르나카 선언Larnaca Declaration이 발표되었다. 하지만 그 유럽 회의가 처음으로 개최된 바로 그때에, 새들에 대한 살육이 다시 급증하기 시작했는데, 데켈리아 기지 지역이 특히 심했다. 한편으로는 조류 보호 활동가와 영국 본국으로 전달되는—영국 국방부에 보내는 수많은 탄원서와 항의 서한으로 가득한 우편 행낭으로 표현되는—들끓는 여론으로부터 압력을 받고, 다른 한편으로는 밀렵 단속 활동에 반대하는 키프로스인들의 폭력적 대응에 직면한 영국군 기지 지휘관들은 자신들이 그야말로 자칫 잘못하면 크게 폭발할 수 있는 문제를 다루고 있음을 깨달았다.

나는 숙소에서 수불라키를 먹고 잠시 누웠지만, 잠에 빠지지 않으려고 애썼다. 새벽 2시에 데켈리아로 함께 떠나기 위해 버드라이프 사무실에서 안드레아스를 만났다. 영국과 키프로스 간에는 길고 복잡한 역사가 있다. 1878년부터 1914년까지 그 섬은 영국의 보호령이었다. 1914년부터 1925년까지는 군사 점령 지역이었다. 그러다 영국군에 대한 폭력적 반발이 일어난 1925년에서 1960년까지는 영국 정부의 직할 식민지였다. 독립된 이후에도, 영국은 총면적이 약 250제곱킬로미터에 이르는 두 개의 거대한 군사 기지, 데켈리아와 아크로티리Akrotiri에 대한 지배권을 놓지 않았다. 현지에서는 그 두 지역을 자체적인 사법 관할권과 법률 집행권을 가진 영국령 주권 기지 영역SBA이라고 부른다. 이 SBA 지역들은 우리가 일반적으로 머릿속에 떠올리는 군사 기지와는 맞지 않는다. 그 지역은 대개 울타리가 없고, 공공도로가 십자형으로 나 있으며, 엄밀히 따지면, 키프로스공화국의 일부인 그리스계 키프로스인 마을들이 드문드문 자리 잡고 있다. 하지만 거기 사는 주민들이 농사를 짓는 땅은 대개 기지에서 임차한 토지다. 따라서 밀렵 사냥꾼들이 활동을 시작하는 한밤중에는 특히 손쉽게 그 지역에 몰래 잠입할 여지가 많다. 게다가 그 기지들은 키프로스인 입장에서 분노와 불만이 상당히 높은 곳이기 때문에, 오랫동안 영국군 당국은 점점 늘어나고 있는 밀렵 문제에 대해서 의도적으로 모른 체함으로써 현지 주민들과 불화를 피하려고 했다.

「그 기지들은 늘 엉거주춤한 태도를 취했죠. 그들이 여기서 환영받지 못하고 있다는 걸 알기 때문이죠. 그래서 가능하면 현지 주민들을 화나게 하지 않으려고 합니다. 수십 년 동안 밀렵은 그들이 전혀 대면하고 싶지 않은 문제였어요.」 하루쯤 전에 마틴 헬리카가 말해 주었다. 그 기지 지역의 복잡한 정치 상황 때문에 법 집행이 느슨해질 수밖에 없었고, 그로 인해 훨씬 더 집중적인 형태, 다시 말해서 조직적인 범죄가 뒷받침하고 환경 보호 활동가들이 산업적 규모라고 일컬을 정도로 대규모의 밀렵이 그곳에서 꽃필 수 있었던 과정을 대체적으로 이해할 수 있게 내게 설명해 주었다. 새 밀렵이 암흑가 출신들이 뛰어들기에는 너무 작은 시장이 아닌가 하고 의심이 든다면, SBA 경찰에서 하는 말을 새겨들을 필요가 있다. 성공한 밀렵꾼은 한 해에 7만 유로까지 벌어들일 수 있는데, 야생동물 보호국의 추산에 따르면, 키프로스에서 앰벨로풀리아 요리 관련 산업 규모는 전체적으로 연간 1500만 유로에 이른다. 그곳에서 암흑가 출신들의 활동이 점점 활발해지면서, 데켈리아 기지가 위치한 파일러곶은 (가이 쇼록이 내게 이야기한 것처럼) 〈키프로스의 블랙홀〉이 되었다. 〈오늘날 키프로스가 지중해 지역의 블랙홀인 것처럼〉 말이다.

환경 보호 관련 비영리단체들은 거의 지난 10년 동안 SBA 경찰 측에서 밀렵 행위와 관련해서 불법성을 인지하고도 처벌을 주저하는 바람에, 밀렵꾼들이 기지 지역을 마음대로 활개 치고 다닐 수 있도록 방치하는 모습을 보면서 좌절할 수밖에 없었다. 그러나 그 기지들의 책임자가 바뀌고, 조류 보호 단체들이 영국 본국에 공식적으로 수차례 강력하게 항의하면서, 기지 지역에 적용되는 법, 즉 영국인이 제정하지만 키프로스공화국 법규를 반영하는 법이 개정되어, 마침내 내가 이곳에 오기 2년 전에 상황이 극적으로 바뀌었다. 그때부터 SBA 당국은 밀렵 문제를 처리하기 위해 많은 인력과 자원을 투입해 왔다. 영국군 기지 당국은 밀렵꾼들에게 무거운 벌금을 부과하고 보석금을 요구하고, 밀렵꾼들의 차량을 압류할 수 있다. 그리고 기지 주위를 작은 마을들이 둘러싸고 있고, 주민들은 농사를 짓기 위해 기지 땅을 임차하고 있기 때문에, 그런 임대차 계약서를 통해서 임차인이 밀렵을 하다 걸리면 계약을 무효화할 수도 있다. 이것은 밀렵을 막는 또 다른 강력한 수단으로 작용한다.

그래서 안드레아스와 내가 설레는 마음으로 한밤중에 그 키프로스의 블랙홀을 향해 빠르게 차를 몰았던 그 시기는 조류 보호 활동가들 사이에서 조심스럽지만 낙관론이 고조되고 있던 때였다. 새벽 4시, 안드레아스는 주황색 타일 지붕의 길고 나지막한 벽돌 건물 앞에 늘어서 있는 야자수들 아래 차를 세웠다. 그 둘레에는 이중으로 가시철망을 위에 두른, 다이아몬드 모양으로 철사를 엮은 높다란 울타리가 쳐져 있었다. 데켈리아 SBA 경찰서였다. 버저 소리가 나더니 출입문이 열렸다. 우리는 뒤에서 호위를 받으며 복도를 이리저리 통과해서 니코스 알람브리티스Nicos Alambritis 경위 사무실로 갔다. 그는 아주 짧게 자른 머리에 까칠하게 자란 턱수염을 한 건장한 키프로스 출신 장교였다. 그가 이끄는 밀렵 단속반의 모든 팀원과 마찬가지로 녹색 티셔츠와 군용바지, 흰색으로 크게 경찰이라고 써진 검은색 방탄조끼를 입고 있었다. 벨트에 달린 권총 지갑에 꽂힌 노란색 전자충격기가 그들이 가지고 다니는 유일한 무기였다. 밀렵꾼들이 엽총이나 소총으로 무장한 경우에도 마찬가지였다. 우리는 알람브리티스의 부하인 경사 한 명, 순경 두 명과 악수를 나누었다. 그들은 모두 키프로스인들로 사전에 자신들의 이름을 밝히지 말아 달라고 요청했다. 안드레아스처럼, 그들도 자신들이 순찰을 도는 바로 그 지역사회에서 살면서 일하는데, 밀렵 단속이 점점 강화되자 그에 따른 밀렵꾼들의 폭력적 저항과 보복도 한층 더 거세졌기 때문이다.

알람브리티스가 앉아 있는 책상 뒷벽 전체는 데켈리아 SBA 지역을 찍은 거대한 위성사진 한 장으로 채워져 있었다. 그 위에는 녹색이나 붉은색의 기하학적 문양들이 100개 이상 서로 포개져 표시되어 있었는데, 대부분이 파일러곶 해안 주변에 무리 지어 있었다. 「이것들은 아카시아나무들입니다.」 알람브리티스는 몇 개 구역들을 손으로 이리저리 가리키며 말했다. 밀렵꾼들이 남하하는 철새들을 유인하기 위해 이 건조한 서식지에 버들잎황금아카시아golden-wreath wattle로 알려진 외래종 호주산 나무를 대량으로 심어 놓은 수풀 지대들이었다. 그런 아카시아나무의 대량 조림은 수 제곱킬로미터를 뒤덮는 거대한 인공림이 이곳의 토착 식물인 프리가나phrygana를 대체하고 있음을 의미한다. 프리가나는 점점 멸종 위기에 직면하고 있는 키 작은 관목으로 지중해 연안에 군락을 이루고 있는데, 수많은 희귀한 야생초가 함께 서식한다. 이 아카시아 덤불들은 불법으로 판 우물들에서 파일러곶을 가로지르며 구불구불 셀 수 없을 정도로 많이 뻗어 나온 관개용 검정색 비닐호스들을 통해 물을 공급받지 못했다면 살아남지 못했을 것이다. 키프로스에서 앰벨로폴리아 사업의 경제성을 의심하는 사람이 있다면, 파일러곶의 밀렵꾼들이 명금류 철새를 그물로 잡아 팔기 위해 자연환경을 재구성하는 데 얼마나 엄청난 노력을 기울였는지 알고 나면 그런 말이 안 나올 것이다.

그리고 여기서는 새그물이 가장 중요한 요소다. 집 뒷마당 같은 수준에서는 라임 막대가 효과적일지 모르지만, 파일러곶처럼 방대한 규모로 밀렵이 행해지는 곳에서는 그것이 적절치 않기 때문에 그곳의 밀렵꾼들은 새그물을 쓴다(새그물은 키프로스에서 불법이지만, 〈낚시〉 그물로 밀반입되고 있다). 아카시아나무 조림 지대에는 유럽에서 그물길로 알려진 긴 통로들이 늘어서 있는데, 그 통로에는 수백 미터에 이르는 새그물을 길게 매달 수 있었다. 버드라이프의 설명에 따르면, 그곳은 지중해 지역에서 가장 크고 가장 집중적으로 새그물을 설치하는 장소다. 그러나 SBA 당국의 밀렵꾼 체포와 기소가 극적으로 증가하면서, 파일러곶과 기지 주변에서 전체적으로 밀렵 행위가 급속하게 줄었다. 2017년, SBA 경찰은 불법으로 새그물을 놓다 체포된 사건 80건 이상을 기소했다. 2018년 봄에는 기소 건수가 35건으로 줄었다. 내가 방문한 그해 가을에는 야간 순찰에도 불구하고 체포 건수가 다섯 건에 불과했다. 그러나 그러한 강력한 법 집행은 밀렵꾼들의 반발에 직면했다. 일부는 폭력적으로 저항했다. CABS 대원들 가운데 일부는 총격을 받았고, 그들의 차량도 심하게 부딪히거나 파손되는 경우도 발생했다. (「그때는 그래도 사람이 타지 않은 차에 대해서만 그렇게 했죠.」 안드레아스가 보충 설명을 했다.) 2017년에는 산림청 직원과 그의 가족 소유 집 한 채와 차량 네 대가 방화로 불에 탔다. 한 밀렵 감시관의 집은 폭탄 공격을 받았다. 오토바이를 탄 한 괴한은 새벽 3시에 SBA 본부 건물 울타리 너머로 마당을 향해 수류탄을 던졌다. 창문들이 깨지고 파편들이 사방으로 튀었는데, 경찰관 한 명은 기적적으로 막

건물 안에 들어온 덕분에 경미한 상처만 입었다. 보복을 위해 폭발물을 던지는 행위는 키프로스 범죄 집단들의 전형적인 앙갚음 방식이었다. 다 과거에 군대에서 배운 기술이었다.

「수류탄을 던진 사내는 수류탄 던지는 법을 잘 알고 있었습니다.」 SBA 경찰서를 나와 그 수류탄이 터진 지점을 지나가면서 앞으로 내가 이오르고스Yiorgos라고 부를 순경이 말했다.「그는 수류탄을 쥐고 하나 둘 숫자를 세다가 그것이 땅에 떨어지자마자 폭파할 시점에 맞춰서 던졌어요.」안드레아스와 나는 이오르고스가 운전하는 경찰 표시가 없는 순찰 트럭 뒷좌석에 앉은 니콜라스(이 또한 가명) 순경 옆에 끼여 앉았다. 그의 왼쪽에는 산탄총이 세워져 있었다. 순찰은 여러 팀이 교대로 돌아가며 근무한다. 이오르고스의 말에 따르면, 그날 밤까지 탐지된 밀렵 현장은 한 건에 불과한데, 우리는 그 현장에서 멀리 떨어져 있을 것이라고 했다. 가이 쇼록과 동료 한 명이 현장에 몰래 감시 카메라를 설치해 놓았기 때문인데, SBA가 밀렵꾼들을 체포하자마자 기소를 위한 확실한 영상 증거를 확보하기 위한 조치였다. 쇼록과 그의 동료는 위장 복장을 하고 기지 지역 주변을 은밀하게 돌아다니며 새그물을 설치하는 곳으로 알려져 있거나 의심되는 장소에 몰래카메라를 설치하고 다녔다. 거기서 나온 영상 덕분에 재판에서 유죄 선고를 받아 내는 비율이 극적으로 증가했다. 쇼록은 그 전년도에 자신들이 밀렵 현장에 있던 불법 사냥꾼 19명을 필름에 담았는데, 그들 대부분이 주요 밀렵꾼으로 인정받는 자들이었다고 내게 말했다. 그 19명은 영상 증거 덕분에 모두 유죄 선고를 받았다. 그래서 현재 불법적으로 새그물을 치는 밀렵꾼들은 자신들의 정체를 드러내지 않기 위해 방한모를 쓰고, 몰래카메라를 찾아내기 위해 금속 탐지기를 사용한다. 영국군 기지 지역은 기본적으로 영국 법의 적용을 받기 때문에, 영국에서 어디를 가나 볼 수 있는 감시 카메라를 법률적으로 문제 삼는 일은 전혀 없다. 그러나 키프로스공화국에서는 몰래카메라로 찍은 영상은 법정에서 인정받지 못하기 때문에, 영국과 상황이 매우 다르다고 쇼록이 말했다. (그들이 그해 가을에 확보한 영상에는 한 무리의 밀렵꾼들이 어느 과수원에 새그물을 설치하고 거기 걸린 명금류 새들을 뜯어내 죽인 뒤, 그 사체들을 여러 개의 장보기용 비닐봉지에 채우는 장면들이 담겨 있었다. 결국 그 영상이 재판에서 증거로 채택됨으로써, 밀렵꾼들 가운데 세 명이 징역형 집행유예를 받았다. 또한 그들은 앞으로 10년 동안 그 기지 지역에서 사냥이 금지되고, 막대한 벌금을 내야 하는 동시에, 그 기간 중 다시 한 번 체포되면, 바로 감옥에 수감되고 징역 기간도 늘어날 것임을 경고받았다.)

우리가 탄 트럭은 기지를 둘러싼 전 지역이 바퀴자국으로 움푹 팬 시골길을 상하좌우로 심하게 덜컹거리며 달렸다. 운전대를 잡은 이오르고스는 구불구불한 길을 굉음을 내며 질주하면서 전조등도 켜지 않고 달리며 우쭐대기를 좋아하는 또 한 명의 젊은 운전자였다. 그때 그가 갑자기 정지하기 힘든 높은 언덕에서 차를 멈추더니 창문을 열고 차창 밖으로 귀를 기울였다. 밀렵꾼들은 유럽검은머리솔새나 노래지빠귀 같은 새들을 유인하려고 녹음한 그들의 울음소리를 밤하늘에 울려 퍼지게 하기 위해 간단한 장치, 즉 MP3 재생장치, 자동차 배터리, 긴 전선, 스피커 등을 사용한다. 밤새도록 오랫동안 날아다니느라 지친 철새들은 이 소리를 듣고 많은 무리가 모여 있는 안전한 오아시스가 근처에 있다고 생각하고는 그 소리가 나는 곳에 내려앉는다. 새벽녘 동이 트기 시작하면, 밀렵꾼들은 매끌매끌한 해안의 자갈들을 한 움큼씩 움켜쥐고—바로 이 목적을 위해 트럭에다 자갈들을 실어 운반한다—나무와 덤불들 사이로 집어던진다. 그러면 화들짝 놀란 새들이 푸드덕 날아오르다 그물에 걸린다.

철새들을 유인하기 위해 녹음된 새 울음소리는 반대로 경찰들에게 밀렵꾼들의 위치를 알려 주기도 한다. 그러나 연거푸 차를 세우고 귀를 기울였지만 조용했다. 「메추라기 부르는 소리도 안 들리는데.」 니콜라스가 말했다. 해마다 가을이면 유럽에서 아프리카로 날아가는 명금류 새들과 마찬가지로, 그때 메추라기를 사냥하는 것은 합법이지만, 녹음된 울음소리로 유인하는 것은 불법이다. 이오르고스는 트럭의 시동을 걸고 전조등을 켜더니 골짜기 아래쪽으로 내려가기 시작했다. 호시탐탐 눈과 귀를 집중하고 있는 것은 우리만이 아닐 것이었다. 조심성 많은 밀렵꾼은 보통 밤중에 아무도 없는 기지 지역의 구릉들을 바라보며, 멀리서 비치는 불빛이 있는지, 자동차 엔진 소리가 들리는지 촉각을 곤두세울 것이다. 새들을 유인하는 일부 장치들은 원격 조정이 가능하다. 그래서 밀렵꾼들은 그물을 쳐놓은 현장에서 멀리 떨어진 안전한 곳에서 장치를 작동시킬 수 있다. 그러다 경찰이 나타날 기미가 보이면, 곧바로 소리를 끈다.

저 멀리서 라르나카의 불빛들이 보였다. 머리 위로는 별들이 반짝였다. 큰개자리Canis Major가 하늘 높이 어렴풋이 보이고, 그것의 머리 쪽에 아주 작은 천랑성Sirius이 반짝거렸다. 우리가 탄 트럭이 지나면서 원숭이올빼미barn owl 한 마리가 낡은 도로 표지판 위에서 푸드덕 날아올랐다. 전조등에서 발사되는 빛줄기를 통해서 잿빛 유령처럼 쏙독새들이 날개를 퍼덕거리는 모습을 볼 수 있었다. 우리는 미리 약속되어 있었던 또 다른 순찰대 경찰관 세 명을 만났는데, 그들은 그날 밤새 순찰을 도는 동안 의심스러운 것을 아무것도 만나지 못했다. 「지루했어요. 정말요.」 그들 가운데 한 명이 내게 말했다. 「그건 분명 좋은 일이지만, 그럴 때면 정말 별로 할 일이 없죠.」

이오르고스도 그 말에 동의했다. 「아직까지 남아 있는 밀렵 장소가 몇 군데 없어요. 그곳에는 대부분 카메라를 설치해 놓았죠. 때로는 아무 일 없이 긴 밤을 보내기도 합니다. 블랙캡 밀렵 시즌이 끝날

날을 손꼽아 기다리고 있습니다.」

「하지만 그 뒤에 노래지빠귀 시기가 오잖아요.」 안드레아스가 그를 상기시켰다. 늦가을, 밀렵꾼들의 사냥 표적은 그때쯤 이미 아프리카로 이동한 블랙캡같이 자그마한 연작류 철새에서, 유라시아 서부 지역에서 번식하고 지중해 지역과 중동에서 겨울을 나는 노래지빠귀로 이동한다. 크리스마스 때 노래지빠귀 요리를 먹는 것은 키프로스의 또 다른 전통이며, 노래지빠귀를 총으로 쏘아 잡는 것은 합법이다. 하지만 새그물로 노래지빠귀를 잡는 것은 불법이다. 따라서 그때가 오면 순찰대원의 업무량이 늘어난다. 「아내는 우리가 도대체 언제나 같은 침대에서 같은 시간에 함께 눈을 뜰 수 있느냐고 따졌죠.」 거기 모인 경찰관들 가운데 한 명이 말했다.

우리는 다시 헤어져서 고개를 하나 넘었다. 흙길이 사라지고 포장도로가 나왔다. 평소 하던 대로 차를 몰면서 전조등을 껐다. 그러나 좌회전을 하면서 차의 전조등이 꺼져 가고 있을 때, 희미하게 남은 전조등 불빛이 승용차 한 대와 픽업트럭 한 대를 비췄다. 그 두 대의 차량은 약 90미터 앞 도로 옆에 일렬로 서 있었다. 이오르고스는 그들을 지나치며 전조등을 다시 켰다. 승용차 안에는 꺼져 가는 주황색 담뱃불로 비쳐진 몇 사람 얼굴 표정이 살짝 보였다. 이오르고스는 〈좀 수상한데〉라고 말하며, 좁은 도로에서 직진과 후진을 반복하며 지나친 차량들이 서 있는 곳으로 빠르게 차를 돌렸다. 정말로 수상했다. 픽업트럭은 벌써 쌩하고 서둘러 달려가고 있었다. 이오르고스는 신속하게 승용차를 가로막았다. 그와 니콜라스가 차 밖으로 나가서 승용차 안에 탄 사람들을 심문하기 시작했다.

「여기서 뭘 하고 있습니까?」 니콜라스가 물었다. 안드레아스는 그 내용을 내게 작은 목소리로 통역해 주었다.

「음, 우리는 여기 있습니다. 왜냐하면, 우린 그냥 있는 거예요.」 운전자가 대답했다. 경찰관의 불신을 피하지 못할 것 같은 그런 수

상쩍은 답변이었다. 그들은 차에 탄 세 사람에게 밖으로 나오라고 했다. 니콜라스가 그들의 신분증을 확인하는 동안, 이오르고스는 차량 내부를 살폈다. 거기서 그는 전자 음향기기 한 대와 스피커 여러 대를 발견했다. 그 세 사람은 그다지 사실일 것 같지 않았지만, 그 장치를 이용해서 음악을 듣고 있었다고 주장했다. 그러한 장비를 소유한 것 그 자체는 범죄가 아니다. 따라서 그들을 그냥 가게 하는 것 말고는 달리 조치할 게 없었다.

「달아난 그 트럭에 새그물이 있었다고 생각하나요?」 그들이 차를 몰고 떠났을 때, 나는 이오르고스에게 물었다.

「꼭 그렇다고 말하기 힘듭니다. 그들은 대개 밀렵 장소에 그물과 지지대를 숨기거든요. 그래서 차에 아무것도 싣고 있지 않았을 수 있습니다. 그 승용차를 몰던 사내는 이름이 낯이 익어요. 하지만 그것이 밀렵과 관련된 건지, 마약과 관련된 건지 기억이 안 납니다. 돌아가서 확인해 봐야 합니다.」

동쪽 수평선에는 띠처럼 길게 이어진 희미한 빛이 번져 나갔다. 우리는 가파른 절벽의 솟아오른 모서리를 따라 차를 몰고 올라가서 바퀴자국이 깊게 팬 흙길을 덜커덩거리며 갔다. 뒤편 서쪽으로는 반원형으로 길게 펼쳐진 라나르카만Lanarca Bay이 보이고 도시의 마지막 불빛들이 어둠 속에서 반짝이고 있었다. 바다는 잔잔하고 칠흑같이 검었다. 그것을 보고 〈짙은 와인색〉 같은 지중해를 나타내는 그런 상투적 표현을 떠올리지 않으려고 애썼지만, 호머가 바라본 지중해의 이미지는 아주 적절했음을 인정하지 않을 수 없었다. 구멍이 숭숭 뚫리고 비바람에 씻긴 모래 빛 석회석 바위들이 밝아오는 여명의 내면에 감추어진 빛을 먼저 받아 반사하는 듯 아직도 깊은 어둠에 잠겨 있는 관목 숲을 조심스레 비추며 정돈되지 않은 어수선한 모습으로 바다를 향해 바리케이드를 형성했다.

구릉지 꼭대기에서 알람브리티스 경위와 7~8명의 SBA 경찰관들은 담배를 피며 담소를 나누었다. 그들의 야간 순찰 업무가 종료되었다. 그들 가운데 두 명은 드론을 조종하고 있었다. 드론은 수 킬로미터 높이의 상공에 떠 있어서, 드론 카메라가 나를 조준할 때까지 나는 그것이 어디에 있는지 보지도 듣지도 못했다. 그러나 드론 조정 장치에 달린 컴퓨터 화면을 봤을 때, 차가운 감청색 바탕에 불에 달아오른 듯한 황백색의 아주 작은 물체들이 움직이고 있는 모습은 우리들의 움직임이 적외선으로 감지되고 있음을 보여 주었다. 드론을 조종하는 경찰관은 스위치를 위아래로 움직이며 화면을 점점 확대하더니 내 머리와 상체만으로 화면을 꽉 채웠다. 슬쩍 고개를 돌려 위를 쳐다보았지만 드론이 시야에서 사라졌다. 어슴푸레 밝아온 하늘 위로 다시 모습을 감췄다. RSPB가 감시 카메라를 활용하는 것처럼, SBA 경찰은 드론을 매우 효율적으로 사용하고 있었다. 알람브리티스 경위는 앞서 놀랄 정도로 선명한 영상을 하나 보여 주었다. 적외선이 아닌 가시광선으로 촬영한 것이었다. 과거에 이미 여러 차례 불법 새그물 설치로 체포된 적이 있는 한 노인 남성이 하나뿐인 자신의 새그물을 펼쳤다 치우는 모습이 찍혀 있었다.

「이분은 매우 완고한 사람입니다.」 알람브리티스가 그 노인에 대해서 설명했다. 「그도 참 안됐다고 생각할 수 있어요. 이건 그가 여기서 자라며 배운 방식이기 때문입니다. 그의 할아버지가 그에게 가르쳐 준 방식이죠. 당시에는 그게 생존을 위한 것이었지만, 지금은 값싼 변명일 뿐입니다. 닭고기를 먹고 싶으면 시장에서 살 수 있으니까요. 이번에 그는 감옥에 가야 할 겁니다.」 가장 큰 범법 행위를 저지른 사람에게는 최대 6000유로까지 막대한 벌금이 부과되고 차량 몰수와 농지 임대차 계약도 해지당할 수 있는 상황에서, 그런 위험을 감수하고 감히 밀렵을 하려고 하는 사람은 이제 마침내 점점 사라지기 시작했다. 나중에 버드라이프 키프로스에서 발표한 바에 따르면, 2019년 키프로스섬에서 밀렵의 진행 속도는 17년 만에 최저 수준으로 떨어졌다.

그럼에도 불구하고, 그것은 영국인들에게 정치적으로 우려되는 문제로 남아 있다. 영국군 기지 지휘관들은 인공적으로 조성된 아카시아나무 숲을 제거하는 데 처음에는 일부 성공했다. 그러나 2016년 10월, 그들은 파일러곶에서 더 많은 나무를 베어 내기 위한 은밀한 작전에 150명의 병사를 투입했다. 그런데 누군가가 그들을 발견했다. 밀렵에 호의적인 분쟁 지역인 크시로파우Xylofagou의 인근 마을에 있는 교회 종이 깊이 잠든 현지 주민들을 깨우며 새벽 3시에 울리기 시작했고, 수백 명의 주민들은 영국군 보병대원들을 무리 지어 공격했다. 영국군 병사들은 6~7시간 동안 팽팽한 긴장 상태를 유지하며 꼼짝 못 하고 고립되어 있었다. 오늘날 영국군 기지 지휘부는 아카시아나무 숲을 없애는 것이 실질적으로 성공 가능성이 없다는 것을 인정한다. 「우리 군인들이 현지인들과 대립 관계에 있으면 안 됩니다. 그것은 대민 관계를 파국으로 몰기 때문입니다.」 데켈리아 기지 경찰서 부서장인 존 워드Jon Ward 경찰차장이 내게 이야기했다. 「우리가 하려고 하는 일에 반대하기 위해 무슨 일이든 할 강경파 집단이 있어요.」 그러나 비록 지금 아카시아나무 숲 자체는 건들지 않지만, 거기에 물을 공급하는 것은 상황이 다르다. 지난해쯤부터, (공식적으로는 키프로스섬의 부족한 식수 공급 상황을 보호한다는 명목으로) 기지 당국은 수 킬로미터에 이르는 불법 관개수로관을 제거하기 시작하면서, 많은 아카시아나무가 저절로 시들어 말라 죽게 내버려 두었다. (자체적으로 상황을 집계하고 있는 RSPB는 경찰관들이 0.2제곱킬로미터 면적의 아카시아나무 숲을 없앴다고 하는데, 사실은 그보다 작은 면적이며, 기지 당국이 100킬로미터 길이의 파이프를 제거했다고 주장하는데, 실제로는 그에 훨씬 못 미친다고 믿는다. 「하지만 중요한 것은 그들이 다량의 불법 수로관을 제거했다는 사실입니다.」 가이 쇼록이 말을 이어 갔다. 「엄청나게 많은 아카시아나무가 현재 죽어 가고 있습니다. 따라서 새들이 그곳에 잘 몰려들지 않고, 밀렵꾼들에게도 내키지 않은 상황입니다. 그러면 됐죠.」)

거의 지난 20년 동안 이 문제로 골머리를 썩였던 쇼록은 전반적으로 상황이 불과 몇 년 전보다 훨씬 더 밝다고 생각한다. 「2017년, 감시 카메라를 설치할 장소를 찾는 데 많은 문제가 있었다는 것은 엄연한 사실이었죠. 그 전년도에 밀렵꾼들을 포착했던 7개 지점의 카메라들이 모두 망가져 있었어요. 지금 이곳 상황은 환경 보호의 성공 사례 중 하나입니다. 그렇지 않았다면, 아프리카로 날아간 수십만 마리의 새들이 거기에 도달하지 못했을 겁니다. 그런데 지금도 그런 압박을 계속 유지하려고 애쓸지에 대해서는 저도 잘 모르겠군요.」 그러나 비록 영국군 기지 지역에서의 밀렵의 강도가 줄어들기는 했지만, 한 곳을 누르면 다른 곳이 부풀어지는 풍선처럼, 키프로스공화국의 그 밖의 다른 지역에서는 오히려 밀렵이 증가했다는 조짐이 일부 나타나고 있다. 게다가 라임 막대를 이용한 불법 사냥에 대한 키프로스 당국의 벌칙이 2017년부터 효력을 발휘한 법규 개정으로 처벌 수위가 낮아졌다. 요즘은 새 사냥이 한창인 가을에 전통적인 소규모 사냥으로 인정받는 기준치인 최대 72개의 라임 막대로 덫을 놓아 붙잡히면, 대체로 가벼운 경고 수준의 벌금인 200유로만 내면 된다. (밀렵 현장에서 발각되었을 때, 만일 새를 잡아서 가지고 있거나 라임 막대가 72개를 넘으면 추가적인 벌칙이 있지만, 그렇게 한다고 해도 그것이 전체적으로 큰 억제력을 발휘하지는 못한다.)

「지금 키프로스공화국의 사정은 엄청나게 우울한 상황입니다.」 쇼록이 말했다. 「그들은 한때 CABS와 협력도 잘하고 매우 유능한 밀렵 단속반으로 보였던 조직이 있어서 밀렵꾼들을 많이 잡은 적이 있었지만, 지금은 그 문제를 해결할 정치적 의지가 전혀 없는 것처럼 보입니다.」

키프로스 체류 기간이 끝나갈 때쯤, 나는 키프로스의 야생동물 보호국 책임자인 판텔리스 하디시예로Pantelis Hadjiyerou를 만날 기회를 얻었다. 니코시아에 있는 그의 집무실에는 한쪽 벽에 사자 가죽이 걸려 있었다. 그는 자기가 사냥한 것이 아니라는 점을 강조하기 위해 몹시 애를 썼다. 반대편 벽면에는 유럽불곰European brown bear의 생가죽이 걸려 있었는데, 그것은 자기가 사냥한 거라고 흔쾌히 말했다. 그의 책상 뒤에 박제된 아메리카원앙wood duck이 있는 것을 보고 깜짝 놀랐다. 알고 보니, 그는 뉴저지에서 대학원을 나왔고, 내 고향 펜실베이니아에서 사냥을 하며 몇 주를 보내기도 했다.

그는 내게 말하기를, 키프로스에서 새들에게 가장 큰 위협은 밀렵이 아니라 개발이라고 했다. 「새들을 위해, 모든 것을 위해. 불행히도 당신이 할 수 있는 것은 아무것도 없습니다.」 그는 야생동물 보호국이 밀렵 단속 노력을 중단했다는 주장에 대해서 전혀 인정하지 않았다. 하디시예로는 그의 부하 직원들이 바로 전날 새그물 두 개를 설치한 남성 한 명을 붙잡았다고 했다. 만일 그자가 유죄로 판결나면, 벌금은 총 9600유로가 될 것이며, 만일 30일 내에 벌금을 내지 않으면, 다시 그 금액의 50퍼센트가 추가로 더 부과될 것이라고 했다. 처벌 축소와 관련해서는 새그물을 설치하는 것은 처벌이 더 강화되었고, 그것이 새들에게 실질적 위협이기 때문이라고 그는 주장했다. 라임 막대를 써서 〈자기들이 먹기 위해 소규모로 새를 잡는 전통적인 방식의 사냥〉은 그렇지 않다고 했다.

그것은 세련되기는 해도 화기애애한 대화는 아니었다. 대화를 시작하고 45분이 지난 뒤, 나는 그에게 시간을 내줘서 고맙다고 말하고 마지막 질문을 던졌다. 「그동안 키프로스에서 덫을 놓아 새를 잡는 일을 하지 않았던 적이 있나요?」

「어쩌면 그것을 규제할 수 있는 방법이 있다면 한 가지 있지요.」 그는 전보다 약간 더 활기차게 대답했다. 「만일 사람들에게 자기가 먹을 만큼만 블랙캡을 잡을 수 있는 할당량을 정해 준다면, 불법적인 밀렵은 사라질 겁니다.」 그의 말에 따르면, 현재 덫을 놓아 새를 사냥하는 일은 80퍼센트가 중단된 상태였다. 그러나 앰벨로풀리아 요리 때문에 새의 가격이 상승하는 바람에, 아직도 여전히 밀렵을 계속하고 있는 그런 밀렵꾼들에게는 불법 사냥을 오히려 더 열심히 할 이유가 생긴 셈이다. 검은머리솔새는 현재 개체 수가 계속해서 늘어나고 있는 종이라고 그는 말했다. 그 말은 사실이다. 세계 자연보전 연맹에 따르면, 전 세계 블랙캡 개체 수는 최소 1억 마리에 이르며, 지금도 계속 증가하고 있다.

「따라서 생태학적으로 그것을 조금도 먹지 말아야 할 이유는 전혀 없습니다.」 그는 계속 말을 이어 갔다. 「[사냥꾼들이 놓은 덫에 걸린] 다른 새들은 의도치 않게 잡힌 새들입니다. 따라서 새그물이나 라임 막대가 아닌, 표적인 새만 잡을 수 있는 다른 사냥 도구가 있어야 합니다. 비비탄총 같은 거로 사냥할 수도 있지 않을까요? 어쨌든 사람들은 언제나 앰벨로풀리아를 먹고 싶어 할 겁니다. 비록 그것이 불법일지라도, 밀렵은 조금이나마 늘 있게 마련입니다. 그러면 총을 사용해서 사냥을 하게 하는 거죠. 그것은 영원히 중단시킬 수 있는 그런 것이 아닙니다.」

어쩌면 〈율리시스 더 블랙캡Ulysses the Blackcap〉*이 그것을 바꿀 수 있을지도 모른다. 다음 날 아침, 나는 니코시아의 아살라사 공원 Athalassa Park에 있었다. 그곳은 화창한 하늘에 산들바람이 살랑거리는 기분 좋은 날씨의 주말, 산책로를 걷고 유모차를 밀거나 오솔길을 따라 자전거를 타고 가는 가족들로 붐볐다. 버드라이프 키프

* 4.57밀리미터 구경의 공기총.

로스는 시민들을 대상으로 정기적으로 실시하는 조류 관찰 후원의 날 행사를 위해 숲의 그늘진 곳에 야외용 식탁들을 여기저기 펴놓았다. 타소스는 알록달록한 행사 현수막 거는 일을 돕고 있었다. 단체의 로고인 키프로스 토종 검은등사막딱새Cyprus wheatear에 어울리는 멋진 암청색 셔츠를 입은 많은 회원과 자원봉사자는 차가운 음료와 새를 주제로 한 색칠하기 그림책, 정보 전단지들을 무료로 배포하고 있었다. 아이들은 실물보다 더 큰 홍학 포스터에 색칠을 하거나 집에 가져갈 화분들을 새집처럼 칠하고 있었다. 어른들은 옷깃에 에나멜을 입힌 율리시스 더 블랙캡 핀을 꽂고 있었는데, 율리시스라는 블랙캡은 버드라이프 키프로스가 벌이는 밀렵 반대 운동의 마스코트로, 철새 이동과 밀렵의 위험성에 대해 알리는 인기 만화영화 시리즈의 주인공이다. 마틴 헬리카와 젊은 직원 여러 명이 호숫가를 따라 설치된 망원경들에 배치되어 있었다. 그곳에는 새를 몰래 숨어서 관찰할 수 있는 공간이 있었는데, 30~40명쯤 되는 어른과 아이들이 그리로 몰려가고 있었다. 호수는 건조한 가을 날씨 때문인지 약간 칙칙해 보였다. 널따란 호수 가장자리는 수위가 낮아지면서 바닥이 드러났는데, 그 위로 죽은 나무들이 어지럽게 널브러져 있었다. 어떤 면에서 이 행사는 꽤 성공적이었다. 호숫가에 너무 많은 사람이 모이는 바람에 겁이 많은 새들은 멀리 달아났지만, 쌍안경 조작이 서툴러 도움을 많이 받아야 하는 사람들도 만족스럽게 새 관찰을 할 수 있을 정도로 물닭Eurasian coot, 쇠물닭common moorhen, 가마우지cormorant, 백로egret 같은 새들이 많이 있었다. 전체적으로 황갈색 깃털이지만 머리와 죽지 부분이 담황색인 잿빛개구리매marsh harrier 암컷 한 마리가 위로 치켜 올라간 가느다란 양 날개를 앞뒤로 흔들며 나무 끄트머리 위로 날아올랐다.

키프로스가 지중해 지역의 밀렵의 블랙홀이라는 오명을 떨쳐 버릴 수 있다면, 그것은 강화된 법 집행과 더불어 인구 통계의 변화로부터 비롯될 가능성이 크다. 「덫을 놓아 새를 잡는 밀렵 행위가 완전히 사라질 거라고 생각하지는 않습니다.」 아이들이 망원경을 통해 백로를 자세히 관찰하기 위해 나지막한 의자 위에 올라서는 모습을 지켜보면서 헬리카가 내게 말했다. 「그런 걸 기대하기는 무리라고 생각해요. 아마도 현실적으로 이루어지기 힘들 겁니다. 우리가 바라는 수준은 중대한 영향을 끼치지 않는 정도로 밀렵이 줄어드는 겁니다. 그리고 키프로스공화국의 어린 세대들을 볼 때, 우리가 그들의 인식을 높이기 위해 기울인 여러 노력에 그들이 의미 있게 반응하고 있다는 점에서 매우 고무적입니다.」 밀렵으로 잡은 새들이 암시장에서 거래되는 규모가 당연히 무관세로 무려 1500만 유로 상당에 이르지만, 앰벨로풀리아의 매력은 일부 지역에서 벌써 사라지고 있는 것으로 보인다. 키프로스인들이 점점 도시화되면서, 시골의 풍습에 자꾸 얽매이지 않으려고 하기 때문이다. 그 작은 새 요리를 그렇게 비싼 돈을 주고 사 먹는 행위가 어리석고 구닥다리 같다고 생각하는 사람들이 점점 많아지고 있다.

그러나 철새를 죽이는 것이 단순히 점점 도시화되는 사회에서 사라져 가는 하나의 전통이 아니라, 그렇지 않으면 먹고살기가 어려운 시골 사람들의 가장 중요한 소득원일 때, 우리는 이 문제를 어떻게 바라봐야 할까? 철새 보호라는 명목이 가난한 사람들의 생계와 충돌할 때, 그리고 그것이 수적 균형을 이루어야 하는 어떤 종 전체의 운명과 충돌할 때, 우리는 어떻게 해야 할까? 그래서 나는 지금까지 방문했던 장소들 가운데 가장 외딴 곳 한 군데를 마지막으로 찾아가기로 했다. 한때 그곳에서 일어난 철새에 대한 무차별 살육과 그 위기를 이겨 내고 다시 회복한 이야기가 그럴듯하게 너무도 대단해서 믿기 힘들 정도였기에 두 눈으로 직접 목격하고 싶었다. 여태껏 아무한테서도 들어 본 적이 없는 세상에서 가장 경이로운 철새 이동의 장관 가운데 하나를 포함해서 말이다.

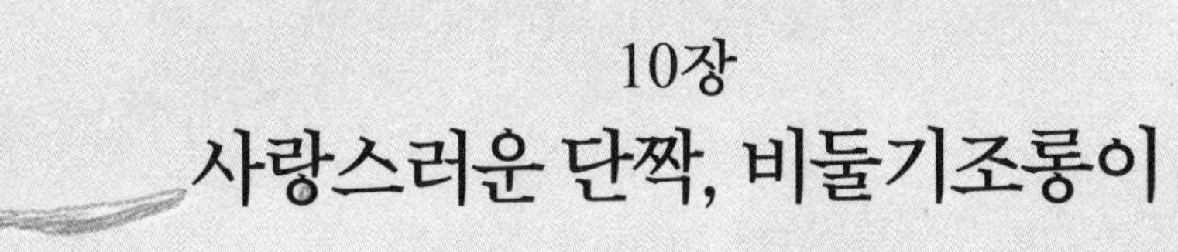

10장
사랑스러운 단짝, 비둘기조롱이

여러 시간 동안, 우리는 해가 서서히 기우는 것을 초조하게 바라보면서, 나지막한 산맥을 통과하는 바퀴자국이 깊이 팬 진흙탕 1차선 도로를 따라 이리저리 미끄러지고 거칠게 덜컹거리며 차를 몰았다. 복잡하게 얽혀 있는 작은 시내들과 유속이 빠른 강들이 흐르는 완만한 골짜기 숲으로 뒤덮인 나가힐스Naga Hills는 늦은 오후의 부드러운 햇살을 받으며 아름다운 자태를 뽐냈다. 그러나 그런 겉모습과 달리, 우리는 미얀마 국경에서 멀지 않은 인도 북동부 지역의 이 외딴 분쟁 지대의 노상강도와 무장 반군들의 위협을 감안할 때, 어두워지기 전에 도로를 벗어나야 한다는 경고를 여러 차례 반복해서 들었다.

우리는 앞으로 얼마나 더 가야 우리가 가고자 하는 팽티Pangti 마을이 나오는지, 또 해가 지기 전에 그곳에 도착할 수 있을지 전혀 알지 못했다. 우리가 달리고 있던 움푹 팬 질퍽한 저습지 도로는 손에 들고 있는 인도 북동부 지도 어디에도 표시되어 있지 않았다. 몇 주 전, 나는 구글어스의 위성사진들을 통해 그 지역을 살펴보면서 하늘을 뒤덮은 울창한 숲 아래 가려져 있는 길을 드문드문 어렵게 가까스로 찾아낼 수 있었다. 게다가 더 좋지 않은 것은 하늘에 새가 거의 보이지 않았다. 그것은 탐조 여행에서 겪을 수 있는 일반적인 실망감을 뛰어넘는 기분이었다. 내가 동료들과 이곳, 나갈랜드주에 온 이유는 지구상에서 맹금류 철새의 단일 최대 집합지로 평판이 나 있는 곳을 찾아가기 위해서였다. 최근에 세상에서 가장 경이로운 철새 이동의 장관을 감상할 수 있는 장소 가운데 하나로 알려졌던 곳이 어떻게 철새 살육의 매우 충격적인 비극의 현장이 되었는지, 그리고 그것이 어떻게, 전해지는 것처럼 놀랍게도 아주 짧은 시간 내에 철새를 적극적으로 보호하는 상황으로 뒤바뀌게 되었는지에 대해서 더 많은 것을 알고 싶었다. 전 세계의 철새들이 현재 처해 있는 심각한 상황을 고려할 때, 어디선가 조금이라도 좋은 소식이 들려오길 바랐다.

사람들 말대로라면, 하늘은 분명 낫 모양으로 유연하게 휘어진 날개를 가진 비둘기조롱이들로 뒤덮여 있어야 했다. 지구상에서 가장 먼 거리를 이동하는 맹금류 철새인 비둘기조롱이는 한 편의 서사시처럼 동아시아에서 남아프리카까지 오랜 시간을 이동하는 중에 이곳에 잠시 들러 휴식을 취한다. 하지만 시간이 지나도 하늘 상공에 보이는 것은 제비 몇 마리밖에 없었다. 「모를 일이군요. 분명 비둘기조롱이들이 사방에 가득해야 하는데.」 지난해 가을에 이 지역을 방문했던 젊은 조류학자 아비두르 라만Abidur Rahman이 말을 꺼냈다. 이마에 주름까지 잡히며 걱정스러운 표정이 역력했다. 「이곳은 비둘기조롱이가 반드시 지나가야 하는 고속도로입니다.」 우리는 이제 수력발전을 위한 댐 건설로 만들어진 인공호인 도양저수지 Doyang Reservoir를 둘러가고 있었는데, 보통은 수십만 마리의 비둘기조롱이들이 거기서 쉬고 있어야 마땅했다.

그날 아침, 우리가 나갈랜드에 진입한 것은 틀림없었다. 우리는 이미 아삼Assam을 통과해서 여러 시간을 운전하고 있었다. 때때로 눈 덮인 흰 봉우리가 북쪽의 지평선을 쿡쿡 찌르는 것처럼 보이는 히말라야산맥 기슭의 낮은 산들을 끼고 북으로 흐르는 거대한 브라마푸트라강Brahmaputra River 계곡을 차지하고 있는 아삼은 문화적으로 인도의 한 주다. 우리를 태우고 가는 여러 대의 차량 운전기사들은 끊임없이 눈과 귀를 어지럽히는 소음과 색깔, 그리고 사람과 각종 차량, 가축 행렬—승용차와 모페드, 자전거와 오토바이, 암소와 염소, 개, 당나귀, 그리고 달구지, 고물 삼륜차와 깡마른 체구지만 다부진 몸매의 사내들이 끄는 전통 인력거들—사이를 요리조리 누비며 갔다. 우리는 걸어서 또는 자전거를 타고 등교하는, 밝은 색상의 사리를 걸치거나 교복을 차려입은 여학생들과 빳빳하게 다린 셔츠와 넥타이를 맨 남학생들 사이를 지나쳤다. 교복은 학년별로 색깔이 달랐는데, 한 무리의 10대 소녀들은 청록색이었고, 또 다른 무리의 소녀들은 담황색이었다. 또한 키 작은 소년들의 무리는 흰 운동복 셔츠에 고동색 넥타이를 매고 있었다. 녹색 체크무늬 교복을 입은 저학년 여학생들 뒤로 시원한 아침 공기와 딱 어울리는 갓 다림질한 암청색 셔츠를 입은 고학년 남학생들이 마치 여학생들을 호위하는 것처럼 자전거 한 대에 두 명씩 나란히 앉아 그 뒤를 따랐다.

아삼과 나갈랜드의 경계선은 우주 공간에서도 충분히 알 수 있을 정도로 극명하게 나뉜다. 그것은 논농사를 위해 거의 완벽하게 경지 정리가 되어 있는 평평한 저지대인 아삼과 대부분이 울창한 숲을 이루고 있는 구릉지인 나갈랜드 사이의 고도 차이에 따라 구불구불 이어진 지형도상의 첫 번째 등고선과 정확하게 일치한다. 그것을 확인하기 위해 굳이 지형을 자세히 살펴볼 필요는 없었다. 도로 사정만으로 충분히 알 수 있었다. 우리가 아삼 마을인 메라파니Merapani를 빠져나와 검문소를 통과해서 작은 강을 하나 건넜을 때, 다리를 건너기 전에는 완벽하게 괜찮은 포장도로였던 길이 건너와서는 순식간에 곳곳이 무너져 내리고 깊이 팬 엉망진창인 도로로 바뀌었다. 우리는 장맛비로 노면이 완전히 뜯겨 나가 심하게 도로가 유실된 지점의 가장자리를 둘러서 차바퀴가 겨우 지나갈 정도의 공간에 위태롭게 깔려 있는 쇄석 조각들을 밟으며 간신히 그곳을 빠져나왔다. 그런데 얼마 안 가서, 대형 산사태로 황토색 속살을 드러낸 채 수백 피트 높이의 산비탈에서 흘러내린 토사가 도로를 막아섰다. 그러나 현지인들은 그냥 무심하게 금방 다시 토사가 무너져 내릴 것 같은 구역을 가로질러 아직 정리되지 않은 구역으로 불도저를 밀고 들어갔다. 그곳은 진흙이 서로 뒤엉켜 수렁이 되어 있었는데, 그 중앙에 왼쪽으로 심하게 기울어진 커다란 대형 트럭 한 대가 옴짝달싹 못 하고 갇혀 있었다. 불도저가 마침내 트럭을 세게 잡아당겨 수렁에서 빼내자, 우리가 탄 차량들을 비롯해서 소형 차량들이 일렬로 줄을 지어 새로 뚫린 그 좁은 길을 바퀴가 진흙에 미끄러져 이리저리 휙휙 돌아가면서도 필사적으로 빠져나가느라 일대 소동이 벌어졌다. 서둘러 빠져나가는 차량 행렬은 마치 코르크 마개를 딴 병에서 흘러나가는 물 같았다. 산사태가 일어난 곳에 쓸데없이 1초라도 더 머물고 싶어 할 사람은 우리 중에 아무도 없을 것이다. 언제 다시 토사가 흘러내릴지 모르기 때문이다. 차창 밖을 내다보니 수직으로 약 60미터 아래로 깎아지른 듯한 벼랑 말고는 아무것도 보이지 않았다. 나는 지금 우리가 질척거리고 미끄러운 좁은 벼랑길을 차를 몰고 가고 있다는 생각을 하지 않으려고 애썼다.

지역의 경계선을 넘었다는 것을 실감케 하는 것은 도로만이 아니었다. 아삼에 있을 때 어디서든 보았던 힌디어 표시와 힌두교의 이미지들이 여기서는 보이지 않았다. 모든 곳에서 영어를 썼다. 나갈랜드가 공식 언어로 영어를 채택한 것은 수십 년 동안 스스로 인도에서 분리되고자 그 주가 시도했던 여러 방법 가운데 하나였다. 나갈랜드는 인도 안에 있는 비인도 지역을 당당하게 자처한다. 그래서인지, 지나치는 사람들의 외모와 옷차림도 불과 수 킬로미터 떨어진 아삼 지역 사람들과 극명하게 차이가 났다. 나갈랜드 사람은 민족적으로 티베트-미얀마족에 속한다. 그들은 사리를 걸치지 않았다. 수염을 길게 기르고 머리에 흰 두건을 두른 회교도 남성들도 보이지 않았다. 나갈랜드의 나이 든 여성들은 메칼라mekhala로 알려진 긴 전통 치마와 흰 블라우스를 입고, 마을과 부족, 사회적 지위에 따라 형태가 다양한 화려한 색깔의 숄을 둘렀다. 그들은 종종 머리에 두르기도 한다. 그러나 무엇보다 시선을 사로잡는 것은 남성들이었다. 길가를 걷고 있거나, 오토바이 한 대에 세 명씩 타고 가거나, 트럭 범퍼에 매달려 가는 등 우리가 지나친 남성들 가운데 많은 사람이 무장한 상태였는데, 소구경 소총이나 2연발 산탄총을 느슨하게 등에 가로질러 메고 있었다.

마침내 팽티에 도착하자 해가 지평선 너머로 막 떨어졌다. 모두 기진맥진한 상태였지만, 그동안 긴장했던 마음도 풀렸다. 약 500가구가 사는 이 마을은 외부의 침입을 막기 좋은 널따란 산등성이 꼭대기에 자리 잡고 있었다. 나갈랜드의 부족들은 대대로 인간 사냥꾼이었다. 그들은 끊임없이 이웃 부족들과 전쟁을 했다. 오늘날 그들은 대부분이 침례교도인데, 인도에서 상상하기 힘든 또 다른 비인도적 특성이다. 우리가 묵을 집의 주인이자 마을의 보조 교사인 은잠 초포에Nzam Tsopoe는 두 손으로 우리 손 하나를 감싸 안고 약간 고개를 숙이며 차례로 돌아가며 인사했다. 그와 그의 아내는 다음 주까지 방이 세 개인 집을 우리와 함께 쓰기로 했다. 초포에 부인은 바닥이 맨땅인 부엌에서 저녁 식사를 들고 왔다. 모닥불 장작 연기로 몇 주 동안 훈제한 맛있는 돼지고기, 찹쌀과 달dahl이라는 기다란 콩을 섞어 지은 밥, 그리고 김이 모락모락 나는 삶은 호박이었다. 우리는 밥을 먹으면서 긴장해서 경직된 몸을 풀려고 애썼다.

그런데 밥보다 더 시급한 문제가 있었다. 집주인이 아침에 우리를 안내할 사람들이라면서 청년 두 명을 소개했다. 우리는 여기에 비둘기조롱이는 있는지, 얼마나 많이 있는지 물었다.

「음, 1000~2000마리 정도.」 두 청년 가운데 한 명이 대답했다. 우리는 그의 말을 확실히 이해하지 못했다. 하지만 아니었다. 그것은 우리가 기대했던 하늘을 가릴 정도로 많은 수와는 거리가 멀었다. 그 청년은 지금은 나무에 내려앉아 쉬는 새들이 거의 없다고 말했다. 대개 9월 말이면 장마가 끝나기 마련인데, 이번에는 10월에도 몇 주 동안 비가 계속 내렸고, 남서풍이 부는 바람에 북동쪽에서 남하하는 비둘기조롱이들의 이동이 지연되고 있었다. 2년 동안 계획하고 며칠 동안 고생하면서 여기까지 왔는데, 이번 여행은 모두 헛수고가 될 것처럼 보였다.

그날 밤, 나는 잠을 푹 잘 수 없었다. 나가족이 매트리스를 사용하지 않아서 나무판자로 된 침대에 얇은 면 담요 하나만 깔고 자야 했기 때문이기도 했지만, 더 큰 이유는 팽티까지 온 모든 노력이 완전 허사가 될 가능성이 있었기 때문이다.

내가 몇몇 친구와 이곳에 온 것은 오랜 세월 동안 외부와 접촉이 없어 잘 알려지지 않은 곳, 나갈랜드의 비둘기조롱이에 대한 이야기에 솔깃했기 때문이다. 그 이야기는 너무 대단해서 거의 사실이 아닌 것처럼 보였기 때문에 직접 가서 확인해 보고 싶었다. 그 이야기의 전말은 이렇다. 이전에는 전혀 몰랐던 아마도 지구상에서 맹금류 철새가 가장 많이 모이는 곳을 우연히 발견한 환경 보호 활동가들은 나중에 그곳의 현지 사냥꾼들이 그 새들을 야생에서 지속 불가능한 수준으로 대량 살육하고 있다는 사실을 알게 된다. 그러나 거의 1년 만에 그 마을 사람들은 그 새를 보호하고 보전하기로 결정한다. 학살의 현장이 보호 구역으로 탈바꿈되고, 사냥꾼들은 새를 지키는 경비원과 파수꾼이 된다. 그리고 마을 주민들은 탐조가들을 맞을 준비를 한다.

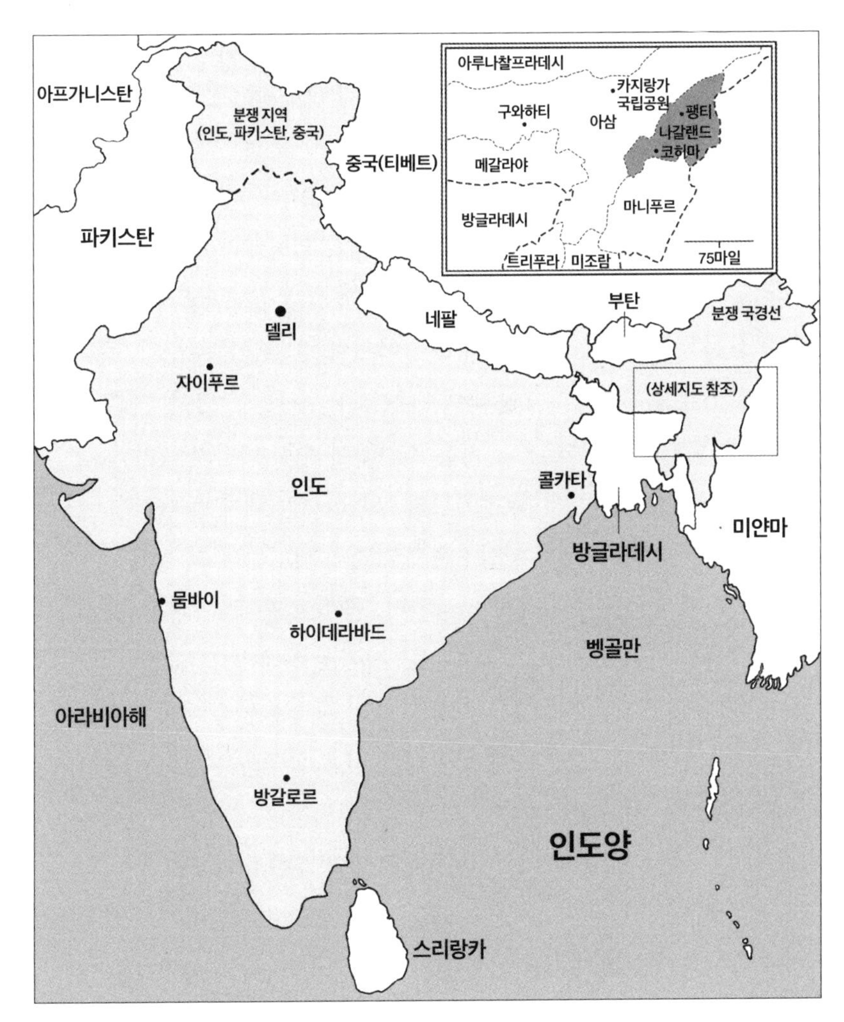

나갈랜드와 인도 북동부 지역.

이후 며칠 동안 이곳에서 지내면서 알게 된 것처럼, 그 이야기의 기본 뼈대는 기본적으로 전해 들은 것과 일치한다. 2012년, 바노 하랄루Bano Haralu라는 나갈랜드의 환경 보호 활동가는 두 명의 인도인 동료와 함께, 무슨 이유 때문인지는 아직 밝혀지지 않았지만, 엄청난 수의 비둘기조롱이들이 밤마다 도양저수지 근처에 수십만 마리씩 떼를 지어 빽빽하게 내려앉으며 모여들기 시작한다는 소문이 사실임을 확인했다. 이 계곡 한 군데에만 무려 100만 마리가 넘는 비둘기조롱이가 모여 있었다. 그들은 또한 그곳에서 물고기를 잡아먹고사는 주민들이 새들이 내려앉는 나무들 사이에 낚시 그물을 쳐서 철새 이동이 한창인 때에는 10여 일 사이에 비둘기조롱이를 14만 마리까지 잡아 죽이고 있다는 사실을 알아냈다. 그들은 사냥해서 죽은 새들의 털을 뽑아 고기가 상하지 않게 모닥불에 훈제해서 보관한 다음, 중소도시에 내다 팔아서 생계 자금에 보탰다. 하랄루와 동료들이 찍어 배포한 비디오에는 사냥꾼들이 그물에 걸린 비둘기조롱이들을 떼어 내고, 작은 소년들이 수백 마리의 죽거나 죽어 가는 새들을 묶어서 매고 가느라 무거워서 어깨가 축 늘어진 모습이 나온다. 그 이야기가 입소문으로 널리 퍼지면서 전 세계 환경보호 운동가들을 격분하게 만들었다. 곧바로 봄베이 자연사학회 Bombay Natural History Society와 버드라이프 인터내셔널 같은 인도와 해외의 주요 조류 보호 단체들은 그러한 학살을 일제히 성토했고, 온라인에서는 정부가 행동에 나설 것을 요구하는 청원이 연일 쏟아졌으며, 전 세계에서 그 영상을 본 사람들이 경악하며 반발했다. 「나는 이 자그마한 비둘기조롱이들이 거대한 무리를 이루어 남아프리카공화국의 크래덕Cradock이라는 소도시로 날아가서 하룻밤 묵어가기 위해 내려앉는 모습을 목격했어요.」 유튜브에 나온 그 영상 아래 한 사람이 댓글을 달았다. 「수십만 마리쯤 되었어요. 나는 경외감 속에서 그 자리에 서 있었죠. 그런데 그들이 인도에서 이같이 대량 살육된다는 사실을 믿을 수 없습니다. 이런 못된 인간들을 위해 마련된 특별한 지옥이 있어야 합니다.」

물론, 실상은 사람들이 상상하는 것보다 약간 더 복잡했다. 윤리적인 관점에서도 그렇게 쉽게 단정할 문제는 아니었다. 실제로 비둘기조롱이를 사냥하는 사람들이 대부분 살고 있는 팽티와 그 인근 마을들은 놀랄 정도로 아주 짧은 시간 내에 비둘기조롱이 사냥을 중단하는 데 동의했다. 이후 1년여 동안 그 마을들은 비둘기조롱이 고기가 제공했던 소득을 포기함으로써 심각한 경제적 고통을 겪었다. 한편으로 그렇게 하는 것이 옳은 일이었기 때문이기도 했고, 또 한편으로 정부 당국이 이미 저지른 불법적인 사냥 행위에 대해서는 눈감아 주겠지만, 더 이상은 봐주지 않겠다고 명확한 입장 표명을 했기 때문이며, 또 다른 한편으로는 비둘기조롱이를 보러 오는 관광객들이 그 손실을 메꿔 줄 것이라는 환경 보호 활동가들의 조언을 믿었기 때문이다.

그러나 우리가 거기서 확인한 것처럼, 겁이 많은 소심한 사람들은 팽티에 갈 수 없었다. 따라서 관광객들이 적을 수밖에 없었다. 축축하고 냉기가 도는 한밤중에 나무 침대에 누워 어둠 속에서 생각했다. 실제로 이루어질지 모르지만, 설사 그런다고 해도 몇 년이 걸릴지도 모를 소득을 기대하면서 고통스러운 결정을 내릴 때 과연 어떤 일이 일어날까?

새벽 3시, 몸이 뻣뻣해져 침대에서 힘겹게 내려왔을 때, 뜨거운 물과 인스턴트커피, 그리고 차가 우리를 기다리고 있었다. 트래킹을 위해 아비두르와 우리를 목적지까지 태우고 갈 운전기사들과 함께, 내 친구 케빈 로플린Kevin Loughlin이 나와 있었다. 그는 비둘기조롱이를 보고 싶어 하는 미국인 관광객들을 팽티로 데리고 올 수 있는지 가능성을 탐색 중인 와일드사이드 네이처 투어스Wildside Nature Tours의 소유주였다. 그에게는 나처럼 기꺼이 실험 대상이 될 사람들이 필요했다. 자이스 스포츠 옵틱스Zeiss Sports Optics가 스폰서로 여행 자금을 제공한 캘리포니아 버드아티스트 캐서린 해밀턴Catherine Hamilton, 캘리포니아의 탐조가 피터 트루블러드Peter Trueblood와 그의 사촌으로 제때 비자가 나오지 못하는 바람에 출발이 늦어져 다음 날 우리와 합류할 예정인 메릴랜드의 탐조가 브루스 에반스Bruce Evans도 그런 사람들이었다.

도양저수지 옆 아래쪽 비둘기조롱이들이 주로 모여 있는 곳까지 차량으로 이동하는 데 45분이 걸렸다. 이동 시간과 무거운 분위기를 감안할 때, 차 안에서 대화를 나눌 여력이나 의향이 있는 사람은 아무도 없었다. 이동 중에 어두운 숲속에서 갑자기 튀어나온 문착* 이라고 알려진 작은 사슴이 경계성으로 〈짖는 소리〉에 화들짝 놀란 적이 한두 차례 있었다. 최종 목적지까지 남은 500미터는 걸어서 갔다. 머리 위를 뒤덮는 높다란 코끼리풀elephant grass과 휘늘어진 대나무 숲 아래를 지나면서도 여전히 아무 말 없이 걸었다. 날씨는 선선했다. 산들바람이 약하게 나부끼고 하늘에는 별 하나 보이지 않는 깜깜한 밤중이었지만, 얼마 안 가서 탐조 방문객들을 위해 목재로 새로 지은 약 12미터 높이의 전망대의 검은 윤곽이 눈에 들어왔다. 희뿌옇게 밝아 오는 하늘 위로 솟아오른 전망대가 보일 때쯤 호수의 가장자리를 따라 걷고 있는 우리의 모습도 점점 뚜렷이 보이기 시작했다. 우리 모두가 간신히 들어갈 수 있는 지붕이 덮인 전망대 위로 올라가 때를 기다렸다.

개구리들의 떠들썩한 울음소리와 전망대 아래쪽에서 숨죽여 말하는 안내인들의 목소리를 제외하면, 산들바람에 대나무가 흔들리며 나는 것 같은 바스락거리는 소리 말고는 아무것도 들리지 않았다. 그러나 캐서린이 쌍안경을 들어 어슴푸레 밝아 오는 새벽의 여명 속을 유심히 살펴보더니, 갑자기 숨이 막힌 듯한 소리를 냈다.

「세상에나. 보세요, 저것 좀 봐요!」

맨눈으로는 아직 보이지 않았지만, 쌍안경을 들자 그 실체가 모습을 드러냈다. 여전히 어둑한 창공에는 수만 마리의 비둘기조롱이들이 가득 찼다. 수백 미터 떨어진 그들의 보금자리에서 빽빽하게

* muntjac. 동남아시아 원산의 개만 한 크기의 작은 사슴으로 일명 〈짖는 사슴〉이라고도 부른다.

무리를 이룬 곤충들처럼 어둠을 박차고 날아오르며 하늘 높이 흩어졌다. 날이 점점 밝아지면서, 새들의 수도 점점 늘어났고, 저 멀리 속삭이듯 들리던 날갯짓 소리는 빠르게 흐르는 물처럼 어느새 사방으로 퍼지며 하늘이 온통 날개 펄럭이는 소리로 가득했다. 아무도 말을 하지 않았다. 이번에는 실망해서가 아니라 경외심 때문이었다.

「음……, 1000마리가 훨씬 넘지 않을까요.」 마침내 조금 분위기가 진정되면서, 내가 먼저 말을 꺼냈다. 「아마도, 뭐랄까? 1만 5000마리? 하늘에 떠 있는 것만 말이죠.」

「아마 그 두 배는 될 겁니다.」 갈라진 목소리로 캐서린이 말했다. 케빈은 점점 밝아 오는 하늘을 향한 카메라의 뷰파인더에서 눈을 떼지 않았다. 피터는 눈을 크게 뜨고 마냥 그 장관을 응시했다. 이후 한 시간 동안 비둘기조롱이들은 거대한 물결이 넘실대는 것처럼 보금자리를 박차고 날아오르며 그들의 날개와 움직임으로 우리를 감싼 뒤, 마침내 하늘을 텅 비운 채, 다시 각자의 보금자리로 내려앉았다. 그 뒤 무언가, 한번은 비둘기조롱이들이 앉아 있는 나무들을 향해 급강하하는 큰부리까마귀jungle crow 한 마리가 자꾸 다시 비둘기조롱이들을 날아오르게 하곤 했다. 그러면 길고 가느다란 날갯짓을 하는 수만 마리의 날렵한 새들이 겹겹이 연속적으로 새로운 물결을 일으키면서 시계 반대 방향으로 나선형을 그리며 소용돌이쳤다. 그것은 마치 최면에 걸려 방향을 잃고 갈피를 잡지 못하고 움직이는 것 같았다. 그러한 흐름에 사로잡혀 정신을 빼앗긴 것처럼, 나도 모르게 그들이 움직이는 대로 서서히 몸이 따라가고 있음을 문득 깨달았다.

나는 전에 맹금류 철새가 세상에서 가장 많이 모인다고 하는 곳의 광경을 본 적이 있었다. 지구상에서 볼 수 있는 맹금류 철새가 이동하는 모습 가운데 최고의 장관이라고 널리 알려진 것이었는데, 그들은 해마다 가을이면 멕시코 동부에 있는 주인 베라크루스의 좁은 해안 평원 지대를 통과해서 지나간다. 앞서 언급했듯이, 거기에 모인 새의 숫자를 세기 위해 훈련받은 전문 요원이 단 하루 동안 50만 마리의 새가 지나가는 것을 집계하는 경우는 흔히 있는 일이다. 그 새들은 너무 많아서 대개 하늘에 떠 있는 아주 작은 점들처럼 보인다. 그들은 강력한 상승 온난 기류를 타고 하늘 높이 날기 때문에 쌍안경으로도 잘 보이지 않는다. 게다가 그들은 오래 머무르지도 않는다. 과학자들의 견해에 따르면, 일부는 이동 중에 배를 채우기 위해 잠시 멈추지도 않고 남쪽으로 치고 내려가기 위해 가능한 한 빨리 멕시코와 중앙아메리카를 통과한다고 한다. 하지만 그렇게 엄청나게 많은 맹금류 철새가 이동 중에 한 곳에 몇 주 동안 모여서 우리가 두 눈으로 직접 보고 있었던 지구상 최고의 장관을 연출하는 곳은 나갈랜드가 유일하다.

풍경을 가로지르며 산들바람에 떠밀려 가는 연기처럼, 얇게 펼쳐진 대형을 이룬 수천 마리의 비둘기조롱이들이 밤새 휴식을 취했던 보금자리에서 솟아오르며 그날 아침 처음으로 마주친 상승 기류에 올라타고는 바람이 부는 대로 방향을 틀었다. 몇 시간 동안 이런 광경이 계속되었다. 새들이 보금자리를 박차고 날아오를 때마다 그들이 차지했던 자리는 텅 빌 것이 확실해 보였지만, 망원경을 자세히 들여다보면, 그들이 앉았던 나뭇가지들은 전과 다름없이 여전히 비둘기조롱이들이 잔뜩 차지하고 있었다.

비둘기조롱이는 날씬하고 비둘기만 한 작은 맹금류로, 아메리카황조롱이보다 약간 더 크다. 수컷은 전체적으로 회색 깃털인데, 윗부분은 진회색이고 아랫부분은 연회색이다. 날개 안쪽의 흰색과 엉덩이와 꼬리 아래 은밀한 부위의 주황색 얼룩이 우아하게 대조를 이룬다. 암컷과 어린 새는 수컷과 매우 다른데, 몸 밑면에는 흰색 바탕에 검은 줄무늬가 있고 가슴 부위는 옅은 담황색으로, 얼굴은 대부분의 매처럼 〈콧수염 무늬〉가 선명하게 나 있다. 나이와 성별에 상관없이 다리와 발이 모두 밝은 암적색이다. 비둘기조롱이는 서부와 중앙 유라시아의 붉은발조롱이*와 매우 유사하여 오랫동안 하나의 집단으로 묶어 분류되었다. 그러나 비둘기조롱이는 미국 본토의 3분의 1에 해당하는 면적인 중국 동부와 북한에서 시베리아와 몽골 지역까지 그 일대의 숲 주변부와 사바나 대초원의 가장자리에서 번식을 하고, 가을이 오면 겨울을 나기 위해 거기서 아프리카 남쪽까지 편도로 약 1만 2800킬로미터에 이르는, 지구상의 어떤 맹금류 철새보다 가장 먼 거리를 이동한다.

인도 동부 지역을 통과하는 다른 철새들 가운데 일부는 가장 빠른 직선 경로를 택하는데, 그들이 극복해야 할 장애물이 만만치 않게 많다. 앞서 본 것처럼, 인도기러기는 해발 약 7200미터가 넘는, 코피가 터질 정도로 높은 고도로 날아 히말라야를 통과해서 인도 남부로 이동하고, 황오리도 동일한 경로—세상에서 가장 높은 철새 이동 경로—를 통해 이동하는데, 다른 점이 있다면, 고도만 약간 더 낮다는 것뿐이다. 비둘기조롱이는 그런 몹시 춥고 산소가 부족한 히말라야산맥 경로를 피하기 위해 동쪽과 남쪽으로 선회한다. 티베트 고원의 끄트머리를 돌아서 중국 북서부의 저지대 산악지대와 베트남 북부, 라오스를 통과한 뒤, 북서쪽으로 방향을 돌려 미얀마를 지나 인도의 이 지역으로 온다. 그러나 목적지까지 이동하면서 만나는 엄청난 장애물 가운데 하나를 피한 그들은 훨씬 더 벅찬 또 다른 난관에 봉착한다. 인도를 출발한 그들은 이제 맹금류 철새가 수면을 가로질러 나는 것 가운데 최장 거리인 아프리카까지 약

* red-footed falcon. 비둘기조롱이는 날개깃 밑면이 흰색인 반면, 붉은발조롱이는 회색이다.

3800킬로미터에 이르는 인도양을 횡단해야 하기 때문이다. 맹금류 철새들이 육상에서 이동할 때 오랜 시간 공중에 떠 있게 도와주어 체력을 아낄 수 있게 하는 상승 온난 기류와 굴절 작용은 해상에서는 대체로 나타나지 않는다. 이것은 비둘기조롱이들이 인도양을 건너는 동안 계속해서, 대개 4~5일 동안 쉬지 않고 날갯짓을 해야 한다는 것을 의미한다. 따라서 그들이 살아남기 위해서는 육지를 떠나기 전에 그들의 연료 탱크를 채우는 일이 절대적으로 중요하다.

10월 말과 11월 초에 비둘기조롱이들이 나갈랜드에 몇 주 동안 잠시 머무르는 것은 바로 이런 이유 때문이다. 장마가 끝난 직후인 바로 이 시기에 땅속에서는 흰개미 군락들이 짝짓기 철을 맞아 한바탕 대소동이 일어난다. 이 흰개미들은 아시아나 아프리카의 여타 지역에 서식하는 개미들처럼 지상에 개미총을 쌓지 않고, 거의 1년 내내 땅 밑에서 밖으로 나오지 않고 산다. 그러나 가을이 오면 일개미들이 지표면으로 굴을 판다. 그 굴을 통해 유시충(有翅蟲)이라고 알려진 날개 달린 약 2.5센티미터 크기의 통통한 성충 수조 마리가 짝짓기 비행을 위해 하늘로 날아오르면, 그들의 투명한 날개들이 햇빛을 받아 사방이 온통 반짝거린다. 지방이 풍부한 흰개미들은 마침 인도양을 건너기 위해 배를 채워야 하는 식충성 조류인 비둘기조롱이에게 완벽한 먹잇감이다. 비둘기조롱이들은 이 흰개미들을 실컷 포식한다.*

비둘기조롱이가 이동 중에 항상 인도 북동부 지역에 잠시 내려앉

* 최근 연구에 따르면, 수백만 마리의 잠자리도 해마다 가을이 오면 인도에서 아프리카로 이동한다고 한다. 따라서 비둘기조롱이들은 (인도와 아프리카를 오가는 다른 여러 철새들, 즉 유럽파랑새, 여러 종의 벌잡이새, 뻐꾸기, 새호리기hobby, 황조롱이 같은 철새들과 함께) 이동 중에 잠자리들을 먹을 수도 있을 것이다. 잠자리들은 거꾸로 탁월풍에 함께 실려 온 수많은 더 작은 곤충을 잡아먹을 수 있다. 아프리카 해안까지 이동하는 중에 하늘 상공에서 형성된 공중 먹이사슬인 셈이다. — 원주.

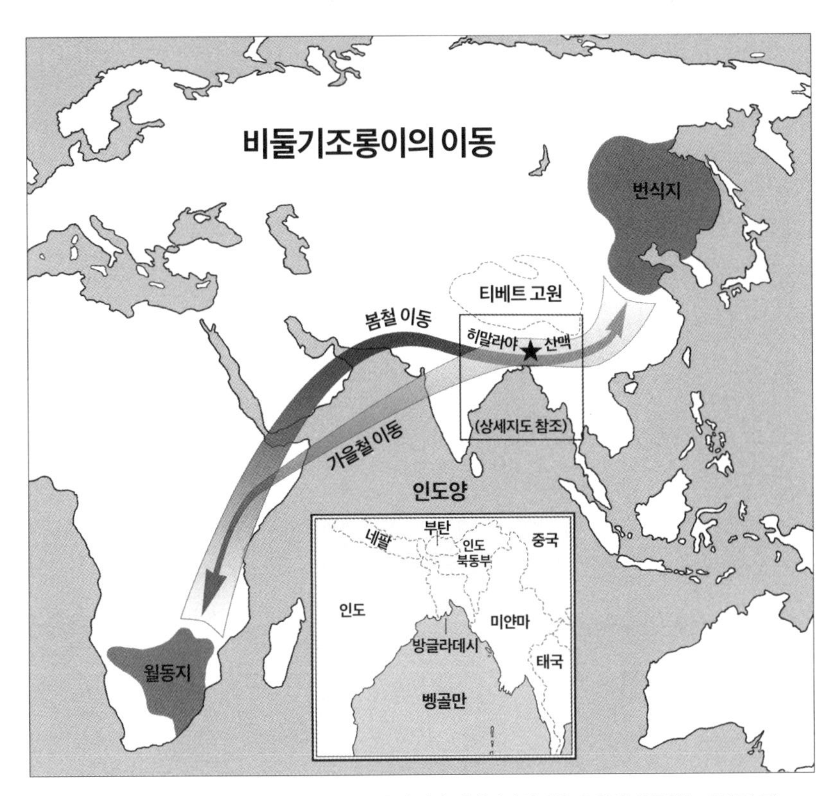

해마다 가을이 오면, 중국, 몽골, 러시아를 출발해서 히말라야산맥을 우회해 이동하는 수백만 마리의 비둘기조롱이들은 맹금류 철새 가운데 바다를 건너는 최장 거리 이동 경로인 최종 목적지 아프리카 남부까지 가기 전에 배를 채우기 위해 인도의 북동부 지역에 모인다.

았던 것은 흰개미들을 먹기 위한 것으로 보인다. 그러나 2000년에 도양저수지가 완성되면서 비둘기조롱이뿐 아니라 현지 주민들에게도 상황은 극적으로 바뀌었다. 나가족은 산기슭 마을에 살고 있지만, 그들의 계단식 밭과 과수원, 논은 주로 계곡에 있었다. 팽티 마을의 경우는 도양강의 좁다란 범람원 지대에 있었다. 약 26제곱킬로미터의 면적의 인공호는 그 지역에 고마운 전기를 제공했지만, 그 대가로 팽티 주민들이 일구어 놓은 8제곱킬로미터가 넘는 경작지를 포함해서 많은 농장을 침수시켜야 했다. 산기슭 경사면에 새로 조성한 밭은 생산성이 낮았고, 야생 코끼리들이 종종 작물들을 밟아 짓뭉갰다. (일부 마을들은 코끼리들을 저지하거나 죽이기 위해 폭약을 쓰기도 했다.) 과거에 농사를 짓던 주민 수백 명이 고기잡이로 전업했지만, 물에 잠기기 전에 베어 내지 않은 나무들이 여전히 호수 수면에 솟아 있는 바람에 낚시 그물들이 찢겨 나가는 일이 다반사였다. 그런데 현지의 어부들도 전에 전혀 본 적이 없는 어떤 일이 벌어지고 있는 것을 눈치챘다. 가을이 되자 인공호 주변의 나무들이 울창한 작은 숲에 밤마다 엄청나게 많은 수의 비둘기조롱이들이 모여들어 흰개미들을 사냥하기 위해 사방으로 흩어지고, 낮에는 다른 곤충들을 잡아먹는다는 것을 알게 된 것이다.

처음에는 그 비둘기조롱이들이 야간에 저수지 주변에 왜 그렇게 밀집해서 모여들어 보금자리를 형성하는지 그 이유를 아는 사람은 아무도 없었다. 그 지역의 특별한 기후 변화 때문인지, 새들이 물을 마시려고 그런 것인지, 아니면 먹이를 구하기 좋은 지역이라서 그런 것인지 몰랐다. 비둘기조롱이는 다른 대부분의 맹금류와 달리, 번식기만 빼고 매우 사교적인 새다. 그들은 엄청나게 큰 무리를 이루어 이동하는데, 대개 작은황조롱이lesser kestrel들과 함께 움직인다. 그리고 그들의 월동지인 아프리카 남부 지역에서는 공동으로 조성해 놓은 보금자리에 밤마다 수백, 수천 마리가 모여 있다. 그러나 도양저수지에 모이는 숫자는 세상 어느 곳하고도 달랐다. 나가족도 오래전부터 비둘기조롱이가 모이는 것을 익히 알고 있었지만, 이전에 보았던 것과는 비교가 안 될 정도로 엄청난 규모였다. 그리고 낚시 그물은 찢겨 나가고 경작지는 침수된 상황에 처한 (대다수가 침례교인인) 나가족에게 그것은 정말 말 그대로 하늘에서 떨어진 만나*로 보일 수밖에 없었다. 2003년, 현지 어부들은 화학섬유

* manna. 성경에서 모세가 이스라엘 백성을 이끌고 이집트를 탈출할 때 하느님이 내려준 신비로운 양식.

로 제작된 낚시 그물을 비둘기조롱이들이 앉아 있는 나무들 근처와 호숫가 협곡을 가로질러 길게 이어서 매달았고, 아침에 그곳에 가서 수백 마리의 비둘기조롱이들을 수거하기 시작했다.

「내가 4월에 처음으로 탐조가 친구들과 이 지역에 왔을 때가 2010년이었어요. 비둘기조롱이에 대한 대량 살육에 대해 처음으로 들은 것도 바로 그때입니다.」(나갈랜드는 공식적으로 금주 지역이기 때문에 불법이지만) 바노 하랄루는 우리에게 와인을 부어 주며 당시 기억을 떠올렸다. 그녀는 주정부가 『나갈랜드의 새*Birds of Nagaland*』라는 책을 발간하는 데 도움을 주고 있었다. 「사람들은 우리가 시기를 잘못 맞춰서 왔다고 했어요. 그런데 그들은 이번에 〈엄청나게 많은〉 새를 수확했다고 했지요. 자루마다 새들이 가득가득했다고 말이에요. 나는 제발 허풍 좀 부리지 말라고 했어요. 그렇게 많을 리 없다고요! 그러나 함께 간 탐조가 친구들은 아니라고 했어요. 비둘기조롱이들이 틀림없다고 하더군요.」

첫날 도착했을 때는 어둠이 내린 뒤였다. 우리는 그날 아침 보았던 장관을 체계적으로 정리하느라 여전히 애를 먹고 있었다. 바노는 우리가 도착할 때 그곳에서 만나기로 되어 있었다. 하지만 약속이 뒤로 미루어졌다. 그녀의 남동생이 암에 걸린 것으로 진단을 받았기 때문이다. 그녀는 동쪽으로 몇 시간 걸리는 거리에 있는 갈라랜드에서 가장 큰 도시인 디마푸르Dimapur에 있는 그녀의 집에서 방금 이곳으로 왔다. 우리는 그 마을에 있는 목재로 지은 작은 집에서 그녀를 만났는데, 그 집은 그녀가 설립한 비영리단체인 나갈랜드 야생동물 생물 다양성 보전 기금Nagaland Wildlife and Biodiversity Conservation Trust의 본부로 쓰이는 건물이었다. 우리는 차가운 밤공기를 피해 향긋하지만 익숙하지 않은 음식 냄새로 가득한 따뜻한 실내로 걸어 들어갔다. 방 옆의 작은 부엌에 있는 조리용 철판과 부글부글 끓는 도기 냄비들에서 풍겨 오는 냄새였다.

나갈랜드 출신인 바노는 태생적으로 사회 운동가의 성향이 있었다. 그녀의 아버지 테포푸리야 하랄루Thepofoorya Haralu는 1962년 중국과 국경 분쟁 때 정부 관리로 복무하면서 인도 최고의 시민훈장 가운데 하나를 받았다. 그녀의 어머니 루시Lhusi는 열렬한 사회 운동가로 인도적십자의 나갈랜드 분회를 창립했고, 2015년 세상을 떠날 때까지 나갈랜드 평화 센터Nagaland Peace Centre를 이끈 저명한 평화 활동가였다. 바노는 수녀원 부속학교에 다녔다(「아일랜드계 수녀들이 많았어요.」 그녀가 말했다). 그 뒤, 뉴델리에서 대학원을 나와 20년 동안 존경받는 방송 저널리스트와 영자지 『동양의 거울*Eastern Mirror*』 편집장을 역임했다. 이제 50대 중반인 그녀는 2009년에 텔레비전 뉴스를 그만두고 환경 보호 운동에 전념했다.

비둘기조롱이 대학살에 대한 그런 발언들은 그녀에게 충격을 주었다. 그러나 그녀는 2년 뒤 2012년 10월, 바로 몇 달 전에 인도 환경 보호Conservation India 단체를 공동 설립한 방갈로르Bangalore에 기반을 둔 자연 전문 사진작가 람키 스리니바산Ramki Sreenivasan, 인도 북동부 지역 전문 연구자이자 탐조가 샤샨크 달비Shashank Dalvi, 팽티에서 남쪽으로 약 40킬로미터 떨어진 마을의 한 젊은 동식물 연구가 등 여러 동료와 함께 그 실태를 조사하기 위해 그곳을 다시 찾아왔다. 도양에서의 첫날 아침, 그들은 저수지 근처의 축 늘어진 전기선 위에 어깨를 서로 맞대고 빽빽하게 앉아 있는 비둘기조롱이 수천 마리를 발견하고는 모두 입을 딱 벌린 채 말을 못 했다. 그들은 새들을 영상에 담고 있을 때, 뭔가 짐을 나르고 있는 나가족 여성 두 명을 우연히 만났는데, 바노는 처음에 내장을 빼고 다듬은 닭고기를 가지고 가는 걸로 생각했다. 그러나 바노가 가까이 가서 확인해 보니, 그것은 60마리 정도 되는 털이 뽑힌 맹금류 새였다. 그 여성들은 수력발전소 노동자들이 거주하는 댐 아랫동네로 그 새들을 나르고 있다고 했다. 「우리가 거기서 전깃줄 위에 앉은 새들을 지켜보고 있는 동안에, 그들이 또 새들을 한 짐 가득 들고 돌아왔어요.」 바노가 말했다.

상황이 심각하다는 것을 인지한 그들은 팽티로 차를 몰았다. 「거의 모든 집에서 새들을 봤어요. 엄청났지요.」 수백 마리의 비둘기조롱이들이 털이 뽑히고 꼬챙이에 머리가 꿰인 채 모닥불 위에 걸려 훈제되고 있었다. 지퍼 달린 모기장 안에서 도살될 때까지 산 채로 보관되고 있는 비둘기조롱이들이 또 수백 마리 더 있었다. 바노와 그녀의 친구들은 비둘기조롱이를 그물로 잡아 파는 것이 팽티에서는 일상적인 생계 수단이라는 것을 금방 알아챘다.

「어디서부터 시작할지, 무엇을 해야 할지, 무슨 말을 할지, 주민들을 불쾌하게 하지 않고, 소란이 일어나지 않게 하기 위해 어떻게 해야 할지 몰랐어요.」 바노가 우리에게 말했다. 그들은 지역 책임자에게 여러 차례 연락을 해서 비둘기조롱이에 대한 공식적인 보호를 강제하는 훈령을 내려 달라고 촉구했다. 산림을 담당하는 부서에서 경비원들을 배치하고 몇 사람이 체포되었다. 위성 송신기를 장착한 최초의 비둘기조롱이들을 추적하고 있던 유럽의 과학자들은 걱정 때문에 제정신이 아니었다. 가장 최근에 위성 송신기를 통해 알려 온 위치는 그 새가 도양 지역에 있다는 것을 보여 주었다. 「우리도 공황 상태에 빠졌지요. 그 새가 여기서 죽는 것을 바라지 않았기 때문이죠. 절대 원치 않았어요. 우리는 그물을 끌어내리는 것을 비롯해서 할 수 있는 모든 일을 했어요. 그런데 그때 그 새가 그 대량 살육의 현장을 떠났다는 신호를 보내왔어요. 우리는 이것이 바로 우리가 이 마을 주민들과 함께할 수 있는 아주 훌륭한 일이라고 생각했어요. 그 멋진 일이 정말 일어났습니다. 이번에 살아남게 된 이 한 마리 새. 이 새가 자유로운 세상으로 나아갈 수 있는 것은 이번 계절에 사냥을 중단했기 때문입니다.」

이런 일이 있고 나서 몇 달 동안, 환경 보호 활동가들은 마을 지도

자들을 만나 비둘기조롱이의 전 지구적 이동을 설명했다. 지역의 야생동물 보호 단체와 인도 환경 보호 말고도, 버드라이프 인터내셔널과 야생동물 보전 협회Wildlife Conservation Society, 오랜 역사가 있는 봄베이 자연사학회, 왕립 조류 보호 협회Royal Society for the Protection of Birds 같은 여러 다양한 단체가 지지를 보냈다. 그들은 공동으로 팽티와 인근 지역 마을들과 어린이들이 참여하는 환경 모임을 시작했다. 그리고 비둘기조롱이를 보호하기로 맹세한 이들에게 〈비둘기조롱이 대사 여권Amur Ambassador Passport〉을 발급하고, 다른 지역에서 멸종 위기종 야생동물을 보호하는 데 성공을 거둔 지역 명물 보호 운동 같은 캠페인을 전개했다. 그들은 비둘기조롱이 기념 축제도 열고, 정부 고위 관리들을 초빙해서 〈전 세계 비둘기조롱이의 수도〉 선포식과 함께 초등학생들이 스스로 만든 비둘기조롱이 보호 노래를 합창하는 행사도 개최하며, 마을 주민들에게 〈비둘기조롱이의 친구〉라는 글자가 새겨진 배지도 나누어 주었다. 침례교 성직자들을 설득해서 구약성경 레위기 11장 13~19절에 나오는 〈 새 중에 너희가 가증히 여길 것은 이것이라. 이것들이 가증하니 먹지 말지니……〉* 구절을 인용하여 비둘기조롱이를 보호하는 설교를 하고, 특별 예배를 보게 했다. 이전에 그물 같은 덫을 놓거나 사냥꾼이었던 주민들은 비둘기조롱이 보금자리 지역 연합Amur Falcon Roost Area Union, AFRAU을 결성해서 감시원을 배치하고 안내원을 양성하며, 비둘기조롱이가 보금자리를 형성하는 땅의 주인들과 협력해서 우리가 방문했던 곳과 같은 전망대를 세우는 일을 했다.

2013년, 이전부터 비둘기조롱이와 매우 밀접한 관계인 붉은발조롱이와 관련해서 협력하고 있던 헝가리와 인도의 국제적인 과학자

* 혐오스러운 새에 속하기 때문에 먹지 말라는 말.

집단은 전에 사냥꾼이었던 주민들의 협조를 받아 도양저수지 인근에서 비둘기조롱이 세 마리를 포획했다. 수컷 성조 한 마리는 나가, 암컷 성조 두 마리는 워카Wohka와 팽티로 명명했다. 아주 작은 위성 송신기를 장착한 그 세 마리의 맹금류는 아프리카 남부 지역까지 추적되었다. 거기서 워카가 보내는 신호는 사라졌지만, 팽티와 나가는 이듬해 봄에 그들이 둥지를 튼, 내몽고의 가장자리를 따라 중국 북부의 서로 다른 지역에서 위치 추적이 되었다. 이 두 마리 비둘기조롱이는 그들의 신호가 끊어지기 전까지 번식지와 월동지를 세 차례 더 왕복 이동하는 보기 드문 모습을 보여 주었다. 그것은 세상에서 가장 위대한 철새 이동에 대한 극적인 통찰을 제공했을 뿐 아니라, 나갈랜드의 신문들이 그 새들의 최근 행방에 대해 가슴 조이며 보도한 것처럼, 지역의 명물이자 자랑으로서 비둘기조롱이 보호를 더욱 장려하는 또 다른 계기가 되었다.

하지만 이 가운데 어느 것도 팽티와 그 인근의 아샤Ashaa와 선그로Sungro 같은 마을들이 사냥을 멈춤으로써 경제적으로 엄청난 타격을 입었다는 사실을 감출 수는 없었다. 바노의 말에 따르면, 옛날에 마을 주민들은 비둘기조롱이 네 마리를 100루피를 받고 팔 수 있었다. 미화로 1달러 50센트보다 약간 많지만 그 지역에서 반나절 임금에 해당되는 금액이었다. 해마다 14만 마리의 비둘기조롱이가 잡혀 죽어 나가고 있었다고 가정할 때, 그것도 한창 이동할 철에 10일 동안의 추정치에 불과하므로 아주 최소한으로 잡은 수치이지만, 비둘기조롱이 사냥 중단은 현지 주민들이 해마다 350만 루피를 포기해야 한다는 것을 의미했다. 그 금액은 미화로 약 5만 6000달러로 금전적으로 어려운 그런 외딴 지역에서는 엄청나게 큰 액수였다. 특히 그 지역의 많은 사람이 그 돈으로 자녀 교육비를 충당했기 때문에 더더욱 귀중한 소득이었다. 「그것은 금전적으로 엄청나게 큰 손실입니다.」 바노도 그 사실을 인정했다. 그러나 일부 사람들은 관광의 가능성을 보았다. 팽티의 여러 가정이 돈을 들여 집을 수리했다. 그들의 집을 관광객들을 위한 홈스테이로 제공하기 위해서였다. 우리가 머무르고 있었던 초포에의 집도 칸막이를 쳐서 방을 두 개로 만들고, 흙바닥이긴 하지만 부엌에 싱크대도 있었다. 게다가 옆 마당에 수세식 변기를 갖춘 서양식 욕실도 지었다. (바가지로 물을 퍼서 붓는 약간의 수고는 있었지만, 쭈그려 앉아서 대소변을 봐야 하는 그 지역의 일반 재래식 변소에 비하면 엄청난 개선이었다). 인도 야생동물 기금Wildlife Trust of India이 얼마 전 팽티에 관광객을 위한 작은 게스트 하우스를 한 채 지었다. 그러나 우리가 방문했을 때는 아직 내부 시설을 끝내지 못해 손님을 받을 준비가 되어 있지 않았다.

사냥 금지로 아주 힘든 생활을 하게 된 사람들 가운데 한 명이 초포에의 이웃집 사람으로 호리호리하고 말소리가 조용한 은추모 오듀오Nchumo Odyuo였다. 그는 이전에 비둘기조롱이를 잡아 생활하던 사람이었는데 이제는 보호 단체에서 활동하고 있고, 팽티에서 우리의 주된 안내인 역할을 했다. 어느 날 아침, 수백 마리의 비둘기조롱이가 그들이 주로 모여 있는 장소에서 몇 킬로미터 떨어진 작은 티크나무 조림지의 가장자리에 내려앉기 위해 날아오는 모습을 지켜보고 있는데, 그는 비둘기조롱이를 팔아서 버는 돈을 포기하는 일은 참 힘들다고 내게 말했다. 비둘기조롱이들은 공중에 떠서 나선형으로 돌다가 제자리를 빙빙 돌고, 맑고 파란 하늘로 질주하면서 햇빛을 받아 한껏 우쭐하다가 이따금씩 커다란 사마귀나 메뚜기를 낚아채기 위해 급강하하기도 했다.

은추모와 그의 아내는 집에서 아이들을 여러 명 기르고 있었고, 큰 아이 두 명은 도시에 있는 기숙학교에 다녔다. 그것은 팽티 같은 시골 마을에서 초등학교를 마치고 계속 교육을 받으려면 할 수 있는 유일한 선택이었다. 팽티 마을은 저수지가 건설되면서 그 지역에서 가장 좋은 농지들을 상당 부분 잃었다. 그래서 비둘기조롱이들이 그곳에 몰려들었을 때, 그들을 그물로 잡는 것은 신의 은총처럼 보였다. 어른이든 아이든 일부 남성들은 이전부터 새총과 엽총으로 비둘기조롱이를 사냥하고 있었다. 하지만 그물이 새들을 잡는 훨씬 더 효율적인 수단이라는 것을 알게 되었다. 사냥꾼들은 저수지 가장자리에 산재해 있는 어부들의 작은 오두막에 머물러 있곤 했는데, 늦은 오후가 되면 은추모 같은 사람들이 새들의 보금자리 근처에 있는 날씬한 나무들을 빠르게 타고 올라가 더 높은 나뭇가지 위로 돌을 묶은 밧줄을 던져 걸고 잡아당겨서 거기 연결된 낚시 그물을 위로 들어올렸다. 그리고 또 비둘기조롱이들이 날아다니는 좁은 협곡을 가로질러 저수지 수면 아래로 그물들을 줄지어 늘어뜨려 놓기도 했다. 다음 날 아침이면, 약 15미터 높이의 그물들에는 한 군데에 비둘기조롱이가 150마리 넘게 걸려 있었는데, 꿈틀거리고 몸부림치는 그들의 무게 때문에 모두 축 늘어져 있었다. 1주일에 수만 마리가 잡혔는데, 그들은 그 새들을 마을로 가져가서 털을 뽑고 훈제 보관했다가 대부분 워카 같은 소도시들에 내다 팔았다. 그것은 엄밀히 따지면, 불법 행위였지만, 나갈랜드에서의 사냥은 대부분이 불법이었다. 그것을 막을 수 있는 방법은 없다고 해야 할 것이다. 우리가 거기 있을 때에도 숲에서 엽총 없이 다니는 성인 남성이나 새총 없이 다니는 사내아이를 본 적이 거의 없었다.

그러나 비둘기조롱이는 달랐다. 모든 사람이 주목하고 있고 대중의 시선이 집중되면서 과거에 느슨했던 법 집행이 갑자기 강화된 까닭에 그런 대량 살육이 그렇게 순식간에 중단된 것은 놀랄 일이 아니다. 「처음에는 [주민들이] 화가 났어요. 정부가 우리에게 아무 보상도 하지 않았기 때문이었죠.」 은추모가 말했다. 「그러나 시간이 흐르면서 우리도 이해했어요.」

「비둘기조롱이를 사냥하던 때가 그리운가요?」 내가 물었다.

「우린 그들을 이니눔*, 〈사랑하는 단짝〉이라고 불러요. 그들은 같이 앉아 있는 것을 좋아하기 때문입니다.」 그는 손가락으로 둘이 딱 붙어 있는 모습을 표현했다. 「저기 보이는 녀석들처럼.」 어린 비둘기조롱이 두 마리가 나뭇가지에 나란히 앉아 있는 모습을 가리키며 그가 말했다. 「비둘기조롱이가 보호를 받는 것은 기쁜 일이죠. 그러나…….」 그는 말을 끝맺지 못했다. 내가 눈살을 찌푸리자, 은추모는 약간 주저하듯 웃으며 말했다. 「다시 먹을 수 있다면 좋겠어요! 〈정말〉 맛있거든요.」

이튿날 아침, 우리가 호숫가 전망대에서 비둘기조롱이들의 아침 비행을 관찰하고 있을 때, 데븐 메타Deven Mehta는 비둘기조롱이 사냥이 그 지역의 거의 모든 이에게 이익을 안겨 주었다면, 관광을 기반으로 하는 새로운 패러다임은 일부 사람들에게만 유익하다고 내게 이야기했다. 데븐은 인도 야생동물 연구소Wildlife Institute of India에서 비둘기조롱이의 식습관에 대해 연구하고 있는 일반 연구원이었다. 그는 비둘기조롱이가 보금자리에 토해 놓은 작은 음식 알갱이들을 모아서 알코올을 잔뜩 부어 담아 놓은 유리병 수십 개를 내게 보여 주었다. 나중에 그는 비둘기조롱이가 흰개미 말고 무엇을 또 먹이로 먹는지에 대해서 더 많은 것을 알아내기 위해 바삭바삭해진 토사물 알갱이들의 키틴질 조각들을 해부 현미경으로 낱낱이 살펴볼 예정이라고 했다. 아직까지 곤충의 신체 부위를 확인하는 더 정밀한 작업이 많이 남아 있다고 했다.

옛날에는 비둘기조롱이를 통해서 많은 사람이 돈을 벌었다면, 지금의 주된 수혜자는 은추모 같은 관광 안내원, 전망대가 있는 땅을 소유하고 있고 그날 아침 신선한 바나나를 들고 우리에게 주려고 온 은추모의 삼촌 자니모Zanimo 같은 땅주인, 홈스테이를 운영하

* eninum. 타밀어로 둘씩 짝을 지어 나는 새. 비둘기조롱이Amur Falcon를 말한다.

기 위해 투자할 여분의 현금이 있는 초포에네 같은 집들이다. 팽티는 오늘날 일부러 고색창연하게 만들어 놓은 표지판들이 보여 주는 것처럼 〈비둘기조롱이의 수도〉가 될 수도 있지만, 지역 전체 차원에서 가난은 비둘기조롱이 보호의 앞날을 위협하는 주요한 요소라고 데븐은 믿는다. 일부 보상과 지원이 있다고 해도, 그것으로 현지 주민들이 장기적으로 최선의 결정을 내릴 거라고 보장할 수는 없다. 데븐이 전하는 말에 따르면, 지난번 비둘기조롱이들이 몰려들 때부터 자니모는 티크나무 모종을 심기 위해 비둘기조롱이가 내려앉는 숲 가장자리의 나무들을 베어 냈다. 그것은 일반적으로 농림업을 하는 곳에서의 관행이지만, 그로 인해 비둘기조롱이들이 불안한 보금자리를 피해 팽티를 포기한다면, 그것은 지역 전체를 위협에 빠뜨릴 수 있는 행위였다.

현재 팽티가 관광지와는 거리가 먼 상황임에도 불구하고, 우리가 그곳의 유일한 방문객이 아니라는 뜻밖의 사실을 알고는 기뻤다. 우리가 머무는 동안 외부 지역의 인도인들이 두세 명씩 모여서 전망대에 올라가 있는 모습을 볼 수 있었다. 그들이 탐조 장비를 갖추고 있지 않은 것으로 볼 때, 대다수가 탐조가들이 아니었다. 한 인도인 다큐멘터리 영화 제작자와 그의 친구들이 거기서 며칠을 보냈고, 인도 남부 방갈로르의 거대한 온라인 탐조 모임 비엔지버즈 BNGBirds에서 대규모로 온 열성적인 회원들도 며칠 동안 있었다. 나는 그들 가운데 한 명인 울라스 아난드Ulhas Anand와 대화를 나누었는데, 그가 필라델피아에 살았을 때부터 우리가 서로 알고 있는 탐조가 친구들이 여럿 있다는 것을 알게 되었다. 「방갈로르에서의 새 관찰은 정말 멋져요. 거기에는 새가 정말 많은 구역이 있어요. 그러나 이런 데는 〈처음〉 봤어요.」 그는 보금자리에서 날아오르는 엄청나게 많은 비둘기조롱이를 몸짓으로 나타내며 말했다. 그러고는 그는 가버렸다. 누군가가 호수 가장자리에서 보기 드문 노랑때까치Philippine shrike를 발견하고는 그를 소리쳐 불렀기 때문이다.

환경 보호 활동가들은 지구상 어디든 야생 지대에 도로를 놓는 것에 대해 개탄한다. 그러나 바노 하랄루 같은 사람들은 종종 인도에서 최악이라고 언급되는 나갈랜드의 심각한 도로 사정을 환경 보존과 그것을 뒷받침할 수 있는 관광을 저해하는 가장 중요한 걸림돌이라고 본다. 「우리 도로 상태를 알잖아요.」 그녀가 말했다. 「지구상에서 최악의 도로입니다. 달에서도 나갈랜드의 도로를 볼 수 있어요. 제 생각에는 너무 나빠요.」 비둘기조롱이들의 이동이 한창일 때는 계절적으로 장마가 끝나고 아삼에 있는 카지랑가 국립공원Kaziranga National Park의 개장 시점과 거의 일치한다. 카지랑가 국립공원은 전 세계에서 방문객이 찾아오는 유네스코 지정 세계문화유산이다. 그것을 빌미로 일주일 뒤, 나는 카지랑가의 풀로 덮인 범람원을 보러 가서, 쌍안경을 통해 단번에 멸종 위기종인 인도의 외뿔코뿔소one-horned rhino를 무려 59마리나 보았다. 또한 야생 코끼리와 물소, 야생 돼지, 바라싱가사슴swamp deer이 풀을 뜯어 먹고, 팔라스바다수리Pallas's fish-eagle가 머리 위로 높이 날아오르는 모습도 보았다. 그 두 곳을 결합하면, 아주 훌륭한 생태 관광이 될 것이다. 만일 그 두 곳 사이를 지금처럼 8~9시간을 마라톤 하듯이 힘겹게 이동하는 것이 아니라, 잘 포장된 도로로 두 시간 정도 편안하게 갈 수만 있다면 말이다.

하지만 그런 힘든 여정을 기꺼이 감수하는 사람들이라면, 세상에서 가장 위대한 맹금류가 펼치는 장관들 가운데 하나를 볼 수 있는 것 이상의 대가를 받을 것이다. 아시아에서 가장 오랫동안 진행된 게릴라 전쟁의 전장이었던 나갈랜드는 수십 년 동안 공식적으로 (인도 내의 다른 지역 사람들을 포함해서) 외지인의 출입이 막혀 있었다. 지금은 그 제한이 많이 풀렸지만, 험준한 지형과 끔찍한 도로 사정 때문에 아직도 그곳을 아득히 먼 변방으로 생각하는 사람들이 많다. 나갈랜드 주정부의 관광 담당 공무원들은 부족 문화를 마케팅 포인트로 잡고 주요 소도시들에서 1년 내내 전통 의상과 전통 춤을 소재로 하는 수많은 대형 축제를 시행했다. 연례 축제 행사들은 12월에 키사마Kisama에서 10일 동안 열리는 코뿔새 축제Hornbill Festival를 마지막으로 끝을 맺는다. 식도락가들도 나갈랜드와 그곳의 요리를 새롭게 발견했다. 팽티에 거주하는 로타Lotha족 같은 나갈랜드의 부족들 사이에는 다양한 요리가 존재한다. 유령고추ghost pepper라는 뜻의 부트졸로키아bhut jolokia는 이 지역의 특산물인데, 매운 정도를 나타내는 스코빌 지수Scoville heat-unit에서 거의 세계 최고를 자랑한다. 하지만 바노는 나가족의 요리가 일반적으로 혀가 얼얼할 정도로 맵다는 주장을 인정하지 않았다. 확실히, 초포에의 집에서 조리한 음식은 보통 매운 정도에 불과할 뿐, 하나같이 다 맛있었다.

나갈랜드는 이제 더 이상 인도의 다른 지역들로부터 격리되어 있지 않지만, 아직까지도 그곳을 방문하는 사람들은 경찰서에 신고해야 한다. 그곳에서 낯선 사람들은 누구든 여전히 매우 진기한 구경거리다. 하물며 미국인 무리는 더할 나위 없이 신기한 존재다. 우리는 그런 경험을 여러 차례 했다. 아삼을 지나서 이곳에 들어온 첫날, 우리는 맨 처음 만난 꽤 큰 마을에 있는 경찰서 앞에 차를 멈추었다. 법에 따라 출입 신고를 하기 위해서였다. 경찰서는 높은 언덕 꼭대기에 있는 3층 건물이었다. 아비두르가 우리들 여권을 들고 경찰서 안으로 들어갔을 때, 비번인 경찰관들이 위층 숙소의 창가에 모여서 호기심 어린 눈으로 우리를 내려다보았다. 안으로 들어간 아비두르가 오랫동안 나오지 않아서, 우리는 간식을 조금씩 먹으면서 구름 낀 높은 하늘에 맹금류들이 지나가는 모습을 살펴보았다. 그러다 오토바이 한 대가 울퉁불퉁한 도로를 덜컹거리며 빠른 속도로 달려오는 소리를 들었다. 짧게 깎은 머리에 티셔츠를 입은 다부진 근육질의 남성 한 명이 오토바이를 세우더니 경찰서 안으로 뛰어 들어갔다. 비번이라 쉬고 있었던 경찰서장은 외국인들이 자기 구역에 들어온 이 처음 겪는 당혹스러운 상황을 처리하기 위해 연락을 받고 달려온 것이다. 또 한참 시간이 흐르고, 마침내 아비두르가 우리들 여권을 들고 경찰서장의 뒤를 따라 밖으로 나왔다. 경찰서장은 자기 가족에게 보여 주기 위해 우리와 함께 셀카를 찍고 싶어 했다.

아직도 여전히 정치적으로 긴장된 상황에 있는 지역을 돌아다니는 것은 늘 그렇게 쉽지 않았다. 방문 며칠 째 되는 날, 우리는 다시 새벽 3시에 일어났다. 하늘은 무겁게 구름으로 뒤덮여 있었고 세상은 안개가 꽁꽁 감싸고 있었다. 캐서린은 감기에 걸려 마을에 그냥 남아 있기로 했다. 그것은 현명한 결정이었다. 그날 비둘기조롱이들의 아침 비행은 안개가 안개비로 바뀌더니 이내 가랑비가 내리기 시작하면서 무산되었다. 게다가 당초 우리가 인도의 아는 사람으로부터 받기로 한 차량들이 사륜구동인 줄 알고 있었는데, 실제로는 후륜구동에 가까운 차였기 때문에, 저수지에서 오랫동안 계속 올라가야 하는 가파른 비탈에다, 이제는 비가 내려 질척하기까지 한 진흙길을 차를 타고 오를 수 없었다. 우리는 차에서 내려서 차바퀴 뒤에 커다란 돌들을 괴어서 차가 뒤로 밀리지 않게 했다. 그러고 나서 시동을 걸면 차는 우리 쪽으로 진흙을 흩뿌리며 몇 피트 앞으로 밀고 올라갔다. 그러면 다시 차바퀴에 커다란 돌들을 괴고 시동을 거는 힘든 과정을 무려 한 시간 넘게 반복하며 언덕 꼭대기까지 서서히 올라갔다.

온몸이 흙탕물에 흠뻑 젖고 기진맥진해진 우리는 마침내 꼭대기에 있는 AFRAU 초소에 도착했다. 팽티로 가는 주도로의 진입로였다. 그런데 그곳에는 전투복을 입은 인도 병사 20여 명과 근처에서 공회전하고 있는 커다란 무개 트럭 한 대가 있었고 그 위에 50구경

기관총이 세워져 있었다. 처음에는 우리를 보고 놀랐던 병사들이 곧바로 너도나도 셀카를 찍느라 분주했다. 장교들은 빙그레 웃으며 우리 차량 운전기사들에게 자기 핸드폰을 넘겨주고는 우리와 함께 단체 사진을 찍어 달라고 요청했다. 그러나 어두운 표정으로 우리를 지켜보고 있는 AFRAU 안내원들은 그들이 입고 있는 붉은 티셔츠와는 전혀 어울리지 않는 우울한 모습이었다. 준군사경찰조직인 아삼라이플스Assam Rifles라는 단체는 1958년 인도 정부가 그들에게 합법적으로 이른바 보호 구역으로 지정된 곳에서 거의 무한정 누구라도 체포, 구금, 사살할 수 있는 전권을 위임하면서, 오랜 세월 동안 나갈랜드에서 대량 학살과 고문 같은 수없이 많은 인권 유린 행위를 저지른 집단으로 꾸준히 고발되었다. AFRAU 안내원들은 공개적으로 그 병사들과 우리들을 노려보고 있었다.

「이봐요, 우리 너무 다정하게 행동하면 안 될 것 같아요.」 끊임없이 함께 사진을 찍고 있는 동료들에게 입을 씰룩거리며 은밀하게 말했다.

「무슨 문제가 있어요?」 피터가 물었다.

「북아일랜드에 있는 영국군을 생각해 봐요.」 내가 낮은 목소리로 말하자, 그의 얼굴에서 웃음이 사라졌다. 현재 양측의 긴장감이 고조되어 있는 상황이다. 수십 년 간 지속된 평화협상 과정에도 불구하고 아삼라이플스는 여기저기 빈틈이 많은 미얀마 국경선을 통해 잠입하는 인도 마오주의 공산당 반군들과 전투를 계속하고 있다. 우리가 도착하기 바로 1~2주 전, 인도 군대는 우리가 방문하고 있던 지역에서 50킬로미터도 떨어지지 않은 곳의 국경선을 건너던 무장 반군 40명을 사살했다고 주장했다.

우리는 마침내 그곳을 빠져나왔다. 빨리 돌아가서 몸을 씻고 매우 늦었지만 아침 식사를 하고 싶은 마음이 간절했다. 그러나 한낮이 다 되어 초포에 집으로 돌아갔을 때, 30대 초반의 단정하게 빗질

한 머리에 매우 호리호리한 몸매의 한 남성이 현관 앞에서 기다리고 있는 것을 발견했다. 집 주변이 온통 주황색 진창 바닥인데도 그는 빳빳하게 주름을 잡아 다림질한 회색 양복과 티 하나 없이 반질반질한 검정 구두를 신고 있었다. 그리고 흰색 원피스에 새빨간 립스틱을 하고 미장원에 다녀온 듯한 한 젊은 여성이 다소곳하게 시선을 깔고 캐서린 옆에 가까이 앉아 있었다. 그 여성의 얼굴 표정은 확실히 불안해 보였다.

너무도 터무니없는 광경이었다. 비가 쏟아붓기 시작했다. 순간적으로 어리벙벙해진 우리는 폭우 속에 그냥 서 있었다. 그 남성은 벌떡 일어서더니 내게 악수를 청하며 물었다. 「안녕하세요, 당신은 누구십니까?」 한편으로 짜증나고 화도 나면서 또 한편으로 어리벙벙한 채로 그의 손을 한 번 흔들고 나서 그를 밀치듯이 비를 피해 현관으로 들어서며 짧게 대답했다. 「스콧입니다. 〈당신〉은 누구십니까?」 캐서린이 겁먹은 표정을 짓자, 그 남성은 가볍게 웃으며 자신이 코히마Kohima에 있는 특수첩보대 소속이라고 밝혔다. 경찰인지 군인인지 우리는 전혀 알지 못했다. 그는 이곳의 규칙을 따르지 않은 매우 의심스러운 외국인들이 있다는 보고를 받고 조사하러 온 것이라고 알렸다. 우리는 도착하자마자 경찰에 신고했다고 생각했는데, 그 경찰서가 〈올바른〉 신고처가 아니었던 것이다. 나갈랜드에 들어와서 첫 번째로 만난 소도시에서 차를 멈출 것이 아니라, 지역의 행정도시인 워카까지 몇 시간 더 갔어야 했다. 우리가 없는 동안, 이미 캐서린이 우리가 왜 여기 왔는지에 대해 설명했지만, 그는 새? 정말? 하면서 전혀 믿지 않았다. 그는 아침부터 긴 시간 동안 친근하게 농담하는 척하기도 하고 대놓고 협박하기도 하면서 캐서린이 섬뜩할 정도로 심문했다. 정말로 당신들이 여기 온 이유가 무엇이냐? 신고를 안 했기 때문에 당신을 체포해야 할지도 모른다. 하하, 사실은 그냥 농담으로 한 말이다. 아니, 어쩌면 당신을 지금 코히마로 압송해서 가둘지도 모른다. 하하. 이런 식이었다.

실제로 서양인들이 나갈랜드에 몰래 들어와서 반군들과 결합한 사례가 몇 차례 있었다. 따라서 그의 의심은 전적으로 부당하다고 볼 수만은 없었다. 그는 우리에게 여권을 보여 달라고 했다. 우리가 서류들을 꺼내자, 그는 실제 여권 말고 사진 복사물만 달라고 했다. 우리는 피터만 빼고 모두 서류 복사물만 여러 장 가지고 있었다. (도난이나 망실을 예방하기 위한 합리적인 조치였다.) 피터는 휴대용 컴퓨터에 여권 사진을 스캔해 놓은 것이 있었다. 이 마을에는 복사기가 없었다. 스캔한 것을 인쇄할 방법도 없었다. 그 특수첩보대 요원이 모두 코히마까지 함께 갈 것을 제안했을 때, 피터가 제동을 건 것은 당연했다. 거기까지 가는 데만 최소 하루가 꼬박 걸리는 거리였기 때문이다. 일이 이렇게 흘러가자, 우리들의 표정에서 여유로운 모습은 싹 사라졌다. 진퇴양난의 상황에 처했다. 그는 무슨 이유에선지 피터의 실제 여권에 전혀 관심을 보이지 않았다. 오직 사진 복사물만을 요구했다. 나는 휴대용 저장 장치 하나를 꺼내 그 안에 있는 자료들을 모두 삭제한 뒤, 거기에 피터의 휴대용 컴퓨터에 저장된 여권 스캔 파일을 복사해서 줄 수 있다고 그에게 말했다. 왜 그런지는 그와 관료주의의 신들만이 알 수 있겠지만, 그는 갑자기 내 제안을 만족해하며 받아들였다. 번지르르한 미소가 다시 얼굴에 번졌고, 돌아가며 악수를 나눈 뒤, 그는 방문한 동안 말 한마디 하지 않고 시선 한번 마주치지 않은 그의 아내와 갑자기 커다란 검정 우산을 확 펼치더니 빗속으로 걸어 나갔다.

「정말 지독히 〈끔찍〉했어요.」 그들이 멀어져 가는 모습을 보며 케빈이 말했다.

「끔찍하고 겁도 났어요.」 캐서린이 말했다. 「저기서 잠시 동안, 나는 정말 여러분이 돌아왔을 때 내가 체포되었다는 것을 알게 될 것이라고 생각했어요. 내가 당신들이 오는 걸 보고 얼마나 기뻐했는지 모를 겁니다.」

이런 힘든 상황을 감안할 때, 이 나갈랜드 내륙 지역에 외지인이 이렇게도 드문 까닭을 충분히 이해할 수 있다. 휴대폰도 터지고, 팽티의 일부 가정은 위성안테나를 통해 텔레비전도 시청할 수 있는 등 세상과 완전히 격리되어 있지는 않지만, 마을 주민들은 외지에서 온 사람들을 거의 만날 기회가 없다. 어느 날 오후, 새벽의 축축한 한기가 사라지고 소매 사이로 산들바람이 살랑대는 날씨에, 초포에 씨는 팽티 마을의 동네 길로 우리를 이끌었다. 길을 걷다가 우연히 마주친 로타족 사람들과 자연스럽게 눈인사도 나누고 서로 포옹도 나눌 수 있었던 것은 초포에 씨가 옆에서 인사를 시켜 주었기 때문이다. 가로와 골목길은 구불구불 이어지다 예상치 않은 곳에서 꺾어지기도 하고, 촘촘히 붙어 있는 집들 사이로 돌아 나오기도 했다. 높다란 돌담과 난초, 천수국과 베고니아, 큰금계국 같은 꽃들이 심어져 있는 꽃밭들이 골목을 돌 때마다 다채롭고 싱그러운 색깔을 뽐내고 있었다. 담요와 이불들이 말리기 위해 양철지붕 위에 널려 있었고, 약초와 콩, 고추, 쌀가루 등이 햇볕에 건조되고 있었다. 문착의 두개골이 담장에 매달려 있는 집들이 많았는데, 그것은 사냥의 행운을 비는 상징물이었다. 초포에 씨는 지금도 여전히 나가힐스를 돌아다니는 거대한 반야생 소 가운데 하나인 짧지만 육중한 뿔이 달린 미툰mithun의 두개골을 손가락으로 가리켰다. 「저것은 작년에 마을에서 벌인 신년 잔치 때 먹고 남은 뼈입니다!」 그는 자랑스럽게 우리에게 이야기했다.

부유한 정부 관리가 지은 환하게 빛나는 4층짜리 건물에서부터 대나무 매트를 얼기설기 엮어 만든 담벼락과 흙바닥으로 된 전통 나갈랜드 가옥들까지 동네 전체에 집들이 즐비하게 늘어서 있었다. 그런 전통 가옥들 가운데 한 집에서 거기 사는 주부와 그녀의 어머니가 우리를 초대했다. 우리가 만난 모든 동네 사람들처럼, 그들은 캐서린에 대해서 특별한 호기심을 보였는데, 그녀가 팽티에 나타난 최초의 서양 여성이라는 말을 거듭 강조했다. 새끼 고양이 한 마리가 우리를 따라 안으로 들어와서는 연기가 피어오르는 화덕 옆에서 야옹거리고 있었다. 그 화덕 위로 대나무를 격자 형태로 엮어 만든 선반이 있고, 밑에서 계속해서 피어오르는 연기에 훈제되고 있는 고기와 채소들이 그 위에 얹혀 있었다. 그 방의 반대편에는 침대용 받침대가 있었는데, 역시 대나무로 얽어 만든 것이었고, 가족이 함께 자는 자리였다. 바깥에는 우리의 무게 때문에 휘어진 대나무로 만든 덱이 있었고, 그 위로 쳐놓은 줄에 매달린 빨래들이 바람에 팔랑거렸다. 우리는 팽티를 층층이 감싸고 있는 깊은 계곡과 뾰족한 산들 너머로 펼쳐진 놀랍도록 아름다운 경치를 바라보며 술을 한잔 했다.

흰색과 녹색이 어우러진, 뾰족탑이 있는 거대한 침례교회당은 언덕 꼭대기에 자리 잡고 있었는데, 가톨릭 성당과 하나님의 성회 교회들은 그에 비해 비교적 훨씬 수수했다. 나가족은 본디 정령신앙 문화였다. 그들은 1830년대에 시작된 영국의 식민 통치에 격렬하게 저항했다. 이후 반세기 동안 그 반발은 특히 더 폭력적이었다. 어느 학자는 영국군과 나가족 사이의 충돌을 영국의 잔혹한 인도 지배의 역사에서 가장 피를 많이 흘린 싸움이었다고 불렀다. 팽티는 도망가지 않았다. 1875년 영국의 한 조사단이 공격을 받아 지휘관이 살해된 뒤, 영국군은 그 보복으로 마을을 완전히 불태워 버렸다. 그러나 19세기 중반에 시작한 미국 침례교 선교사들의 전도는 진행 속도가 더디더니 20세기 들어 급격하게 전파 속도가 빨라졌다. 영국에서 독립한 신생 인도 정부의 외국인 선교사 추방 결정은 역설적이게도 나가족의 침례교로의 개종을 폭발적으로 높이는 결과를 초래했다. 일부 학자들은 나가족이 싫어하는 인도 정부의 교회와 성직자에 대한 공격에 대한 나가족의 즉각적인 반발이 그런 결과를 낳았다고 주장했다. 한 전문가의 견해에 따르면, 나가족의 전면적인 개종은 〈필리핀의 경우를 빼면, 아시아에서 가장 큰 기독교로의 대규모 이동〉[42]이었다. 오늘날 미얀마에서 국경을 넘어오는 마오주의 공산당 반군들도 대부분이 침례교도인 것은 나갈랜드의 이러한 기묘한 역사가 배경으로 깔려 있다.

그날 일찌감치 한 무리의 여성들이 허리와 머리에 맞춤한 진홍색 숄을 매듭지어 묶고 은색과 진홍색 띠로 짠 감청색 메칼라를 입고 초포에의 집에 몰려와서 〈노래〉를 불렀다. 쌀은 아시아의 많은 지역과 마찬가지로 이곳에서 주식인데, 쌀겨를 제거하고 알곡을 털어서 가루로 만들기 위해서는 찧어야 한다. 여섯 명의 여성이 통나무를 깎아서 만든 약 1.8미터 길이의 나지막한 절구통을 사이에 두고 셋씩 서로 마주 보고 일렬로 서 있었다. 평평한 윗면에 커피 깡통 크기의 구멍이 세 개 나 있었다. 다른 한 여성이 이 구멍들에 쌀을 부으면, 여섯 명의 여성이 자기보다 더 큰 무거운 절굿공이를 들어 올렸다. 그들은 로타족의 전통 노랫가락에 맞춰 서로 번갈아 가며 절구통 구멍 속 쌀알을 절굿공이로 정확하게 내리치기 시작했다. 노래가 끝나면, 그들은 절구질을 잠시 멈추고 찧은 쌀알을 퍼내서 바깥쪽 끝이 트인 삼각형 모양의 커다란 키에다 담았다. 그러면 또 다른 여성이 키를 허리춤에 갖다 대고 마찬가지로 노랫가락에 박자를 맞춰 가며 위아래로 흔들면서 쭉정이와 검불들을 바람에 날려 까불렀다. 혹시라도 땅바닥에 떨어진 쌀알들을 찾으려는 닭들이 그녀의 발 주위로 잽싸게 몰려들었다.

〈노래〉를 처음 시작할 때는 모두가 좀 딱딱하고 격식을 차렸다. 그 여성들은 평소보다 더 옷을 격식에 맞춰 차려입었는데 우리에게는 그들의 전통을 이해하는 데 더 좋았다. 그러나 시간이 흐르면서, 긴장이 풀린 그들은 노래 부르는 중간에 농담도 하고 바나나 잎을 정교하게 접어서 만든 일회용 컵에 물을 따라 마시기도 했다. 한 여성은 약간 남의 주목을 받고 싶어 하는 사람이었는지, 쌀을 찧는 일이 끝나자, 낡은 기타를 달라고 하더니 (조율도 안 하고 매우 열심히) 기타를 치면서 로타족 언어로 된 찬송가를 사람들이 따라 부르게 했다.

그러나 무엇보다 나가족의 전통을 보여 주는 과거의 흔적은 그야말로 뒷마당에 있었다. 묘비들이었다. 우리가 마을 길을 걷다가 촌키오 로타Chonchio Lotha의 묘비에 써진 내용을 읽기 위해 걸음을 멈추었다. 그는 1947년 7월 13일에 사망했다. 묘석에는 위험한 사냥의 삶을 기리기 위해 호랑이 5마리, 표범 2마리, 코끼리 1마리와 전쟁에서 고인의 활약을 기리는 인간의 머리 5두의 형상이 단순하게 새겨져 있었다. 사람의 머리를 자르는 인간 사냥은 1940년대 영국인들에 의해 금지되었지만, 적어도 1960년대와 1970년대까지는 관행적으로 계속되었고 그 이후에 완전히 사라졌다. 하지만 그 악명은 지금도 남아 있기 때문에, 오늘날에도 인도의 다른 지역 사람들은 만일 누군가가 〈그런 낙후된 인간 사냥꾼들〉의 땅에 간다는 것을 알면, 눈을 크게 뜨고 믿을 수 없다는 표정을 지을 가능성이 크다.

우리는 초포에 씨의 부모님이 사는 집에도 방문했다. 그의 어머니는 98세로 현재 눈이 안 보이는 상태이고, 그의 아버지는 102세로 매우 노쇠하지만 정신은 초롱초롱한 상태로 젊은 사촌이 옆에서 시중을 들고 있었다. 두 사람 모두 플라스틱 의자에 앉아 대나무 담장 옆에서 햇볕을 쬐고 있었다. 그들은 이곳 마을 사람들이 일반적으로 두르는 검정 줄무늬가 있는 진홍색 숄을 걸치고 있었다. 「우리 아버지는 〈훌륭한〉 사냥꾼이셨죠.」 초포에 씨는 자기 아버지가 한창 때 사냥한 수많은 사슴의 두개골과 가지 친 뿔들을 우리에게 보여 주며 여러 차례 힘주어 말했다. 제2차 세계 대전 동안 일본군이 인도를 침공했을 때, 그의 아버지는 팽티에서 남서쪽으로 약 64킬로미터 떨어진 코히마에서 유혈이 낭자한 포위 전투를 벌이고 있던 영국군과 인도 군대를 위해 식량을 날랐다. (나가족 가운데 일부는 훨씬 더 직접적으로 전투에 참여했다. 따라서 나는 앞서 묘비에서 보았던 묘석에 새겨진 인간 머리 형상들 가운데 일부가 일본군 것일 수도 있다는 생각을 피할 수 없었다. 아니면 영국군 머리일 수도 있는데, 일부 나가족 사람들은 독립을 위한 길이라 생각하고 일본 제국의 편을 들었기 때문이다.) 초포에 씨는 집의 한구석에서 그의 아버지가 직접 만든 나뭇잎 모양의 끝이 뾰족하고 반짝반짝 윤이 나는 약 2.4미터 길이의 수제 창을 들고 나왔다. 아직까지도 위험할 정도로 날카로워 보였다. 그런 창은 옛날에 나가족이 〈다오dao〉라고 알려진 끝이 각진 마체테 칼과 함께 전쟁을 하거나 사냥할 때 쓰던 무기였다. 초포에 씨가 설명하는 동안 조용히 미소만 짓고 있던 그 노인은 직접 그 창을 어떻게 쓰는지 우리에게 보여 줄 때, 두 손으로 창을 꽉 잡고 있는 그의 표정이 사뭇 진지해졌다. 그리고 그의 아들이 아버지의 오른손에 난 흰 흉터를 가리키며 아주 오래전 어느 날 숲에서 그에게 달려든 호랑이와 싸우다 생긴 상처라고 설명했을 때 역시 마찬가지였다.

오늘날은 호랑이와의 그런 조우는 일어나지 않을 것이다. 지금은 나갈랜드에서 호랑이들을 볼 수 없지만, 북쪽의 아삼이나 남동쪽의 미얀마에 서식하는 안정된 개체군에서 홀로 떨어져 나온 호랑이 한 마리가 가끔 길을 헤매고 다니는 모습이 목격되기도 한다. 2016년에 그런 일이 발생했는데, 호랑이 한 마리가 아삼주 경계 지역의 구릉지에서 소 한 마리와 돼지 두 마리를 잡아먹었다. 결국 그 호랑이는 현지 주민들의 추적 끝에 총에 맞아 죽었다. 그날 저녁, 우리는 나갈랜드 야생동물 생물 다양성 보전 기금의 본부에서 바노를 만났다. 거기서 야생동물 보전 협회 소속 젊은 생물학자들과 합석했는데, 그들은 나갈랜드의 포유동물을 조사하고 있었다. 그들의 말에 따르면, 지금까지 나온 결과로 볼 때, 상황이 매우 좋지 않다고 했다. 무차별적 사냥으로 사냥감의 종류와 수가 크게 줄었다. 팽티 인근의 주민들이 조사원들에게 들려주는 말에 따르면, 문착과 소수의 코끼리가 아직 잔존하기는 하지만 호랑이 흔적은 15년이 넘도록 보지 못했다고 했다. 그러나 시대가 변하고 있다고 바노는 이야기했다. 해마다 여섯 달 동안 사냥을 금지하는 제도가 이제 자리를 잡았고, 공기총을 사용하는 것도 금지되었다. 하지만 우리가 지금까지 본 바로는 많은 아이가 고무줄 새총을 들고 다니고, 특히 마을에서 가까운 곳에서는 명금류 새들을 보기 힘들다는 사실을 부인할 수는 없다.

심지어 나갈랜드의 우거진 숲 자체도 다소 기만적인 느낌이 든다. 우리가 아삼에서 마주친 끝없이 펼쳐진 논 같은 대규모 농경지가 거의 없는 나갈랜드 지역이 인도의 다른 많은 지역과 비교할 때, 압도적으로 숲이 많다는 것은 사실이다. 그러나 우리가 나갈랜드에서 본 거의 모든 숲이 어린 관목이거나 심은 지 얼마 안 되는 나무들을 대규모로 식재한 것들임을 금방 확인할 수 있었다. 나갈랜드에서 오래되고 성숙한 나무들이 있는 숲 지대는 전혀 찾아볼 수 없었다. 거대한 자연공원과 수렵 금지 구역들이 있는 인근의 아삼과 아루나찰 프라데시Arunachal Pradesh 같은 인근 주들과 비교하더라도, 나갈랜드에서는 형식적이나마 있을 법한 자연 보호 구역 하나 찾아보기 힘들다. 오히려 나갈랜드의 숲들은 이 지역에서 여러 세대에 걸쳐 이어져 온 〈점jhum〉이라고 부르는, 소규모로 끊임없이 옮겨 다니며 농사를 짓는 화전 농법과, 멀리서 보면 숲처럼 보이지만 티크나무만 단일 식재하여 몇십 년 지난 것들만 베어 내는 수없이 많은 티크나무 조림지가 나갈랜드 산림에 어떤 폐해를 초래했는지 생생하게 보여 주었다. 바노는 점이 전통적 방식으로만 수행된다면, 즉 개간과 경작 사이의 기간을 길게 유지한다면, 지속 가능한 농사라고 믿고 있지만, 그런 휴경 기간이 점점 줄어들고 있었다. 이런 화전 농사와 티크나무 조림지 조성이 끊임없이 반복적으로 일어나는 가운데, 자연적인 생태 기능을 수행할 성숙림은 거의 남아 있지 않은 것처럼 보였다. 게다가 나가족이 움직이는 모든 것을 총으로 쏘기를 광적으로 좋아하는 부족이라는 점을 감안하면, 나갈랜드가 비둘기조롱이들의 천국이며, 지역 차원에서 그들을 보호하는 일에 성공했다는 사실은 정말 놀라운 일이 아닐 수 없다.

팽티에서 가장 경이로운 장관은 아침에 비둘기조롱이 무리가 날아오르는 모습이지만, 우리는 마지막 날 저녁에 비둘기조롱이들이 밤에 내려앉는 모습을 보고 싶어서 해 질 녘 그들의 보금자리 지역으로 찾아갔다. 하늘은 연무가 낀 듯 흐릿한 연청색으로 지평선을 따라 뭉게구름이 피어오르고 있었다. 언덕배기에서 범람하지 않은 골짜기 쪽으로 걸어 내려갔다. 검은딱새stonechat가 높다란 코끼리풀 위에 내려앉아 있었다. (검은딱새는 겨울 동안 히말라야산맥에서 남하하는 통통하게 생긴 명금류 철새로, 수컷은 겨울을 나는 동안 털갈이를 하며 얼룩덜룩한 갈색 깃털을 하고 있다.) 지빠귀사촌처럼 전체적으로 가늘고 길며 갈색 깃털로 덮인 흰눈썹시미터꼬리치레white-browed scimitar-babbler들, 꼬리 밑에 진홍색 반점이 있는 짙은 잿빛 검정 깃털의 붉은엉덩이직박구리red-vented bulbul 한 쌍, 둥근 머리와 긴 꼬리, 노란색 얼굴에 검정 복면을 쓴 것 같은 지나치게 활동적인 노랑부리공작솔딱새yellow-bellied fairy-fantail 무리들은 점점 어두워지는 골짜기를 출랑거리며 이리저리 돌아다녔다. 우리는 무성한 초목을 헤치고 지나간 길을 통과했다. 그 길은 아마도 그날 아침 호수 건너편에서 들려온 나팔 같은 울음소리의 주인공인 야생 코끼리들이 만들어 놓은 길인 것 같았다.

이번에는 다른 탐조 전망대에 올라갔다. 호수에서 뒤쪽으로 더 멀리 물러난 곳에 있는데, 평지의 대부분을 차지하는 코끼리풀과 관목들 너머로 넓게 툭 터진 전망을 제공했다. 우리 뒤에는 자그마한 어부 초막들이 있었는데, 한때 비둘기조롱이 사냥꾼들이 철새 이동 시기에 머물던 곳이었지만, 이제는 AFRAU 안내원들의 초소로 쓰였다. 해가 지고 45분쯤 지났을까, 비둘기조롱이들이 물밀듯이 몰려오기 시작했다. 처음 1분 동안은 수백 마리더니, 그다음은 수천 마리로 불어나면서 서쪽 지평선의 점점 사그라지는 주황빛과 보랏빛 띠를 배경으로 거대하게 펼쳐지는 대장관을 연출했다. 우리는 모든 것을 한군데로 끌어들이는 블랙홀처럼, 온 사방에서 몰려오는 수많은 날갯짓과 움직임이 하나의 거대한 흐름으로 합쳐지며 유입되는 곳 근처에 있었다. 비둘기조롱이들은 부드럽고 나른한 날갯짓을 하며 그들이 내려앉을 나뭇가지들 쪽으로 하강했다. 아침에 수만 마리가 날아오르며 내던 엄청난 날갯짓의 굉음은 이제 으스스한 침묵으로 대체되었다. 저 멀리 능선의 검은 윤곽은 어둠 속으로 금방 사라지고, 아득해 보이는 마을들의 불빛이 산마루 여기저기에 반짝거렸다. 아직도 계속 날고 있는 비둘기조롱이들이 많이 있었다.

이제 비둘기조롱이들은 팽티뿐 아니라, 나갈랜드 전역에 걸쳐 안전하다. 환경 보호 활동가들은 지난 몇 년 동안 비둘기조롱이가 이동할 때 그 가운데 단 한 마리도 그물로 잡았다는 이야기를 들어 보지 못했다. 비둘기조롱이에 대한 관심이 인도 북동부 지역 전체로 퍼져 나가면서, 아삼과 마니푸르 같은 이웃 주들에 있는 비둘기조롱이의 다른 주요 보금자리들에 대해서도 이야기들이 나오기 시작했다. 그러면서 그들 지역에서의 사냥 금지와 비둘기조롱이를 보호하고 기념하고자 하는 지역적 차원의 노력에 대한 논의도 수면 위로 떠올랐다. 나갈랜드의 다른 마을들은 사람들의 관심을 집중시키는 〈비둘기조롱이의 수도〉라는 명칭을 놓고 팽티와 서로 줄다리기를 하고 있다. 앞서 본 것처럼, 이곳에서 비둘기조롱이를 활용한 관광 개발은 아직도 느리게 진행되고 있다. 그러나 케빈은 이듬해 가을에 이곳의 신생 산업인 관광 부흥을 위해 한 무리의 미국인 관광단을 꾸려서 (침구용으로 매트리스도 챙겨서) 다시 올 계획을 세웠다.

어둠이 깊어지면서 비둘기조롱이들의 비행도 증가했다. 머리 위로 거의 보름달처럼 둥근 달이 걸렸다. 수없이 많은 비둘기조롱이가 밤의 휴식을 취하기 위해 보금자리로 돌아오면서 날갯짓하는 검은 그림자들이 하얗게 빛나는 둥근 달을 가로질러 흐르는 바람에 달빛이 끊임없이 깜박거리고 흔들렸다. 이제 배도 충분히 채운 상태에서, 본능적으로 지구 여행의 다음 목적지로 떠날 준비를 하고 있는 그들, 우리의 귀중한 철새들 가운데 한 종에게, 적어도 지금 이 순간 확실한 한 가지 사실은 바로 몇 년 전 그들이 느꼈던 것만큼 그런 큰 위험에 빠져 있지는 않다는 것이다.

에필로그

새벽 1시는 일반적으로 이른 시간이다. 하지만 여름철 알래스카 중부 지역에서는 적어도 한밤중처럼 보이지 않는다. 그 시간 하늘은 글을 읽을 수 있을 정도의 어슴푸레한 연회색 빛이다. 연중 이맘때 이곳의 하늘은 늘 이렇다. 디날리 국립공원을 반으로 가르며 약 140킬로미터를 달리는 자갈길의 중간쯤에 위치한 토클랫Toklat 숙소에서 눈을 비비며 일어났다. 커피를 따르고 아침을 준비하고 그날 작업을 위해 샌드위치를 싼 뒤, 친구들과 함께 방을 나설 때 바깥은 충분히 물체를 분간할 수 있을 만큼 밝았다. 그날은 2주 동안의 현장 방문 일정 가운데 8일째 되는 날이었다. 우리는 그날 방문할 장소까지 오랫동안 차를 몰고 갔다.

우리가 디날리의 철새 연구를 시작한 지 5년이 지났다. 우리 팀 동료학자인 이언 스텐하우스를 비롯한 나머지 모두가 회색곰의 갑작스러운 돌격에 공포 속에 덜덜 떨었던 때가 벌써 5년 전 일이었다. 그동안 우리는 말코손바닥사슴과 북미산 순록 카리부에서 더 많은 곰에 이르기까지 디날리의 수많은 야생동물을 길에서 마주쳤다. 그러나 그보다 우리에게 더 중요한 사실은 알래스카의 이 부분에서 퍼져 나가는 철새들이 그들의 여행을 통해서 디날리 공원과 세계의 여타 지역들과 어떻게 연결되는지,이를테면 큰멧참새는 조지아로, 검은머리솔새는 아마존 지역으로, 스웬슨지빠귀는 볼리비아로, 윌슨아메리카솔새는 중앙아메리카로 이동하는 것을 전보다 훨씬 더 잘 이해하기 시작했다는 점이다.

그러나 이번 여름은 뭔가 심상치 않은 느낌이 들었다. 우리는 어디를 가든 무기력감을 느꼈다. 창백한 눈썹에 기관총 소리처럼 짧고 날카로운 금속성 떨림으로 〈씻-씻-씻-씻-씻-씻-씻-씻!〉 하고 우는 호리호리한 몸매에 갈색빛이 도는 연녹색 깃털의 쇠솔새Arctic warbler를 다시 붙잡으려고 한 주 넘게 애쓰고 있었다. 그 새는 알래스카의 중부와 서부에서만 번식하고 동남아시아의 어딘가에서, 아마도 보르네오나 필리핀에서 겨울을 나는 구대륙 철새다. 아직까지 쇠솔새의 비번식지까지 추적 관찰하거나 그곳에서 가락지를 부착한 알래스카 철새를 재발견한 사람은 아무도 없었다. 우리가 그물을 설치하기 시작한 바로 그 첫날 아침, 지난해 여름에 지오로케이터를 달아 날려 보낸 15마리의 새 가운데 한 마리를 잡았다. 그러나 그 뒤 7일 동안, 우리는 계곡 전체를 꼼꼼히 구획으로 나누어 헤집고 다니며 그물을 설치하고 수 킬로미터에 걸쳐 100미터마다 새들을 유인하기 위해 녹음된 새 울음소리를 틀면서 쇠솔새들이 서식하는 버드나무 숲 지대를 격자망으로 완벽하게 뒤덮었지만, 결국 헛수고만 했다. 물론 쇠솔새를 수십 마리 잡기는 했지만, 그중에 우리가 찾는 가락지 달린 새는 없었다는 말이다. 쇠솔새들은 우리가 보통 명금류에 대해서 기대하는 것처럼, 특정 장소에 밀집해서 모여 있지 않고 사방에 흩어져 있었다.

아마도 기후 변화 때문인 것 같았다. 알래스카는 역사상 가장 장기간의 혹서 속에서 데워지고 있었다. 앵커리지가 처음으로 섭씨 32도까지 기온이 상승했다. 이후로도 계속해서 그 수준을 유지하면서 날마다 무더위에 시달리고 있었다. 여러 해 동안, 더위는 1년 내내 알래스카 기후가 기괴할 정도로 이상 징후를 보이는 가장 중요한 요인이었다. 지난해 겨울, 베링해와 추크치해Chukchi Sea의 온도는 정상 온도보다 약 섭씨 영하 6도가 더 높아지면서 평소보다 몇 달 앞서 바다의 얼음이 녹았다. 한 기후 전문가는 그 현상을 두고 바다가 〈구워지고 있는〉[43] 상태라고 묘사했다. 그가 한 말이 저급한 말장난이든 아니든, 그것은 누가 뭐래도 적절한 표현이었다. 우리가 해발 약 1200미터 높이에서 일하고 있던 알래스카산맥에서도 더위로 숨이 막힐 정도였다. 해마다 알래스카 전역에서 타오르는 산불에서 나는 짙은 연기 때문에 상황은 더욱 좋지 않았다. 그 가운데 페어뱅크스 외곽에서 발생한 산불은 우리 연구팀을 이끌고 있는 캐롤 매킨타이어의 집도 위협하고 있었다. 그녀와 남편은 두 주 동안 2단계 대비 경보 아래 있었는데, 그것은 대피 준비를 하고 있다가 대피 명령이 떨어지면 곧바로 집을 떠나야 한다는 것을 의미했다. 그녀와 남편 레이는 공원에서 우리와 작업을 함께하지 않고, 그들의 가재도구를 집에서 빼내어 옮기고, 썰매를 끄는 개들을 피신시킬 임시 장소를 찾고, 소방도로를 치우고, 집 주변의 덤불들을 제거하고 있었다. 그러면서 40제곱킬로미터에 이르는 산불이 그들이 사는 동네로 더 이상 접근하지 못하게 소방대원들이 방제 작업을 하고 공중에서 물을 투하하는 광경을 불안스럽게 지켜보고 있었다.

우리는 더위 때문에 우리가 계획한 야생동물의 수를 확인하지 못하고 있었다. 눈덧신토끼snowshoe hare의 수가 늘어나고 있었다. 새벽 도로에서는 약 1.6킬로미터당 수십 마리의 토끼를 볼 수 있었는데, 관광객을 태운 버스들이 지나갈 때 먼지가 일어나는 것을 막기 위해 공원 관리 공단에서 뿌려 놓은 염화칼슘을 토끼들이 먹었다. 그리고 토끼 수가 증가하면서 그들의 주요 포식자인 스라소니lynx의 수도 따라 늘었다. 그중 몇 마리는 우리와 마주쳤다. 그러나 그 밖의 다른 동물들은 거의 보지 못했다. 곰은 더더욱 보지 못했고, 산비탈 높은 곳에서 생활하는 돌산양Dall sheep 무리가 가끔씩 눈에 띄었다. 소수의 카리부 순록 수컷 무리들이 토클랫의 야영지로 몰려든 것도 더위 때문이었다. 그곳은 국립공원 관리청 직원들을 위한 관리 창고와 오두막 같은 숙소들이 모여 있는 구내의 한가운데에 있는데, 그들은 거기가 더위를 피할 수 있는 곳이라 생각한 것 같았다. 우리는 숙소의 현관을 나설 때면 늘 좌우를 살폈다. 카리부는 건물이 만든 그늘에서 어슬렁거리는 것을 좋아했기 때문에, 그들 가운데 한두 마리가 우리를 보고 깜짝 놀라 발굽을 달가닥거리며 부리나케 도망친 적이 몇 번 있었다. 그런 오지에서 빠르게 움직이는 그런 갈색의 커다란 동물과 갑자기 마주치면 정말 피가 솟구치는 희열을 느끼게 된다.

현장에 나간 첫날이었다. 무더운 열기가 번지기 직전인 선선하게 비가 내리는 아침에, 우리는 몇 미터 아래 가파른 경사지에서 버드나무 잎을 뜯어 먹고 있는 엄청나게 큰 말코손바닥사슴 수컷 한 마리를 우연히 발견했다. 그 사슴은 우리가 향해 가고 있던 바로 그곳에 있었다. 따라서 우리가 먼저 그 녀석을 발견한 것은 다행이었다. 알래스카에서 해마다 말코손바닥사슴의 공격을 받아 다친 사람이 곰의 공격으로 다친 사람보다 더 많았다. 대신에 우리는 내가 알래스카에서 일하면서 수십 년 동안 보았던 말코손바닥사슴들 가운데 가장 크다고 할 수 있는 녀석을 안전한 거리에서 지켜볼 수 있는 좋은 각도에 있었다. 매끄럽고 부드러운 털로 덮여 있었고 드문드문 가지를 친 뿔은 이미 약 1.8미터 이상 자랐다. 잿빛이 감도는 초록의 관목 버드나무들 위로 그 거대한 동물의 툭 불거진 등과 목, 머리 말고 다른 것은 보이지 않았다. 녀석이 잎사귀를 한 입씩 물어 벗겨내며 나아갈 때마다 잎사귀 밑면의 보송보송한 하얀 솜털이 살짝살짝 비치고 가지들은 정신없이 요동치며 허우적댔다. 그 모습은 마치 그 말코손바닥사슴이 초록의 바다에서 머리를 수면 위로 내놓고 등에 부서지고 떨어지는 격렬한 파도를 헤치며 헤엄쳐 가는 것처럼 보였다. 그렇게 몇 걸음 더 나아가는가 싶더니 녀석이 갑자기 눈앞에서 없어졌다. 마치 물속으로 잠수한 것처럼, 덤불이 삼켜 버린 것처럼 완전히 사라졌다. 「그렇게 큰 녀석이 어떻게 그냥 쓱 〈사라질〉 수 있는 거지?」 이번 현장 탐사에 함께한 친구 조지 그레스George Gress가 조용하게 속삭였다.

이 상황은 우리가 실제로 덤불이 우거진 수풀 속에 있을 때, 그 안에서 우리가 얼마나 작을 수 있는지를 일깨워 주었다. 「난 이런 게 정말 싫어.」 이언이 조용히 말했다. 나는 그와 함께 그 말코손바닥사슴 수컷 주위를 돌아서 우회했다. 우리는 조지와 터커의 반대쪽에서 횡단하는 그물을 치기 위해 그 방향으로 길을 잡아 나아갔다. 복잡하게 뒤얽힌 버드나무 가지들이 우리 머리 위를 덮고 있었다. 걸음을 옮길 때마다 서로 꼬이고 맞물린 버드나무 줄기에 정강이 살갗이 까지고 발목이 걸려 넘어질 뻔하기를 반복했다. 몇 미터 전진할 때마다 우리는 서로 소리를 질렀다. 말코손바닥사슴이나 곰처럼 우리보다 더 크고 위험한 동물들에게 우리가 지나가고 있다는 것을 알리기 위해서였다. 엉덩이에 찬 권총집 안의 곰 퇴치 스프레이를 우비를 입은 채 재빠르게 꺼낼 수 있는지 확인하는 것 말고, 그것은 우리가 할 수 있는 모든 것이었다.

이언은 5년 전 여름 우리가 처음으로 디날리에서 새들에게 태그를 달아 주기 시작했을 때, 자신에게 돌격해 오던 회색곰과 새끼로부터 죽을 뻔했던 순간의 충격을 전혀 떨쳐 버리지 못했다. 그는 때때로 곰이 자기를 싫어한다고 생각했다. 그럴 만한 확실한 증거는 없는데 말이다. 예컨대, 이듬해 여름, 우리는 대략 옛날에 곰들이 돌격해 왔던 그 근방에서 작업을 하다가, 그때 나타났던 곰들일 가능성이 아주 높은 그 어미 곰과 이제 거의 다 자란 새끼 곰과 다시 조우했다. 이언과 캐롤, 그리고 나는 축축한 툰드라 땅 위에 이중으로 된 방수포를 깔고 무릎을 꿇은 채로 방금 포획한 검은머리솔새에 가락지를 부착하고 있었다. 그때 캐롤이 고개를 재빠르게 돌리며 주위를 살폈다.「곰이다!」그녀가 말했다. 지금까지도 나는 그녀가 어떻게 곰이 있다는 것을 감지했는지 알지 못한다. 그녀가 30년 넘게 회색곰이 사는 땅에서 일하다 보니 본능적으로 감각이 예민해졌나 보다고 그냥 추측할 뿐이다. 왜냐하면 우리로부터 약 180미터 떨어진 곳에 있었지만, 고개를 숙인 채 바닥을 움켜쥐듯 건들건들하며 걷는 큰곰 특유의 걸음걸이로 그들이 우리 쪽으로 빠르게 이동하고 있었기 때문이다. 디날리의 곰은 토클랫회색곰으로 알려져 있는데, 담황색 금발 색깔의 털로 덮여 있는 이 두 마리 곰은 아침 햇살을 받아 황금처럼 빛났고, 얼굴과 짧은 다리는 초콜릿빛이 감도는 갈색이었다. 나는 태그를 달고 있던 검은머리솔새를 휙 던져 버렸다. 우리는 배낭이 있는 쪽으로 재빠르게 움직였다. 캐롤의 지시에 따라, 방수포 모서리들을 함께 들어 올려 마치 산타클로스의 선물 자루처럼 만든 뒤, 그 안에 장비들을 몽땅 쏟아 넣고서, 반쯤 질질 끌면서 트럭이 있는 곳으로 이동했다. 트럭은 툰드라 지대를 수백 미터 가로질러 곰이 접근해 오는 방향에서 직각으로 꺾어진 곳에 있었다.

「뛰지 마, 뛰지 마.」우리가 서둘러 수풀을 통과하고 있을 때, 캐롤이 여러 차례 말했다.

「지금 뛰고 있지 않잖아요.」신경이 곤두선 나머지, 나는 짜증난 말투로 말했다.

「나한테 하는 말이에요.」캐롤이 응답했다. 이제 곰들이 약 90미터 앞까지 다가왔다. 그들은 우리가 방향을 바꾼 산허리에 도착해서는 비스듬히 방향을 바꿔—제기랄—다시 우리와 중간에 만날 수 있는 길로 달렸다. 하지만 우리를 전혀 눈치채지 못한 것처럼 보였다. 점점 곰들과 간격이 좁혀지고 있었다. 하지만 트럭으로 서둘러 가는 수밖에 방법이 없었다. 곰들과 마주치기 직전 13~18미터를 남겨 두고 마침내 트럭이 있는 곳에 도착했다. 새끼 곰은 자갈길 한 가운데서 걸음을 멈추었다. 그리고 한 번 우리 쪽을 뒤돌아보았지만, 어미 곰은 우리를 아예 무시했다.

「그거 봤어요?」 이언이 글래스고 사람 억양으로 물었다. 「어미 곰이 나를 무섭게 노려보고 있었어요.」

이렇게 산불 연기가 자욱하고 더운 계절에 숲 근처에서 그런 일을 당한 것은 처음이었다. 이 특별난 새벽, 우리는 동쪽으로 차를 몰고 이동하다가 마침내 곰 몇 마리를 보았다. 세이블 패스Sable Pass를 지나는 도로에서 몇 미터 떨어지지 않은 곳에 어미 곰 한 마리와 거대한 새끼 곰 두 마리가 있었다. 하지만 이번에는 차 안에 안전하게 앉아서 그들의 모습을 감상할 수 있었다. 새벽 날씨는 지난주 어느 날보다 더 선선했다. 차량 계기판에 나온 온도는 섭씨 4도였다. 새벽 3시였다. 동트기 직전이었다. 우리가 도착한 그날 작업 장소는 호건 크리크Hogan Creek라는 곳으로 버드나무와 가문비나무들이 있는 좁은 골짜기를 따라 흐르는 시내였다. 축축하고 차가운 공기가 가득한 가운데 안개가 약간 끼어 있었다. 금속 그물 막대를 조립하고 관목 숲에 약 200미터 되는 새그물을 네다섯 개 펼치는 작업을 하느라 손가락이 얼어서 아팠다. 그런 다음, 새를 유인하기 위해 녹음된 새 울음소리를 틀었다. 일부 그물에는 개를 부를 때 부는 호각처럼 고음으로 떨리는 검은머리솔새의 울음소리를, 또 다른 그물에는 활기찬 플루트 음조의 회색뺨지빠귀 울음소리를 틀었다. 지난해 우리 팀은 여기서 그 두 종의 새를 여러 마리 잡아 태그를 달아 날려 보냈다. 그들이 이 지역으로 다시 돌아왔다면, 그들을 잡아서 그들의 숨겨진 이동 경로를 밝히게 될 것이다.

그것은 오래 걸리지 않았다. 우리는 30분 만에 검은머리솔새 세 마리와 회색뺨지빠귀 한 마리를 잡았다. 하지만 유감스럽게도 그들은 모두 태그가 부착되어 있지 않았다. 대부분의 명금류 철새들은 대개 해마다 자기가 전년도에 둥지를 튼 곳으로 다시 돌아오는 경우가 많지만, 그것이 절대적인 것은 아니며, 번식지를 바꿀 수도 있다. 이번에는 계속해서 행운이 따르지 않을 것처럼 보였다. 한 시간 뒤, 우리는 자리를 옮겨 더 하류 쪽으로 그물을 이동시켰다. 그리고 드디어 기다리던 행운이 찾아왔다. 이언이 와 하고 함성을 터뜨리며 흥분한 것은 그가 막 잡은 수컷 검은머리솔새의 정교하고 아름다운 무늬 때문이 아니었다. 새까만 모자를 쓴 것 같은 머리—이름 그대로 검은〈머리〉솔새—와 검정 콧수염을 한 얼굴에 옆구리와 등에 긴 V 자형 검정 줄무늬들이 흰색과 중첩되며 우아한 자태를 뽐내고 있었다. 그러나 그의 탄성은 전적으로 그 새의 등에 부착된 자그마한 검정 지오로케이터 때문에 터져 나왔다. 그리고 곧바로 같은 그물에서 지오로케이터가 부착된 또 다른 검은머리솔새 두 마리를 동시에 잡았다. 그들은 서로 앞다퉈 가다 한꺼번에 걸린 것이다. 그러고 나서 기록용 GPS 추적 장치를 부착한 회색빰지빠귀 한 마리도 그물에 걸렸다. 이 새는 나중에 특별히 중요한 새로 확인되었다. 2015년 우리가 회색곰과 마주쳤던 그 해에 처음 태그를 부착해서 날려 보냈는데, 이듬해에 다시 부착된 지오로케이터를 회수했고, 2017년에 또다시 번식지에서 재포획한 바로 그 수컷 회색빰지빠귀였다. 그다음 해 여름, 우리가 네 번째 방문했을 때, 그 새는 호건 크리크에 다시 돌아왔고, 새로운 기록용 GPS 추적 장치 가운데 하나를 그 새에게 달아 주었다. 이제 우리와 다섯 번째 만난 그 새는 자신의 여행 경로에 대한 또 다른 훨씬 더 자세한 정보를 우리에게 제공할 것이다.

그러고 나서 텅 빈 그물과 낙심 속에 1주일을 보낸 뒤, 우리는 다시 힘을 냈다. 그리고 무엇보다 에밀리가 회색빰지빠귀에게서 회수한 GPS 태그를 그녀의 컴퓨터에 연결한 그날 밤, 구글어스 화면에 나타난 지구를 가로지르며 빛을 발하는 초록의 선명한 선이 펼쳐

보인 그 새의 최근 10개월 동안의 긴 여정은 우리를 흥분에 들뜨게 했다. 그 회색빰지빠귀는 지난해 9월 초에 디날리에 있었다. 그러나 9월 중순에 날아올라 유콘의 화이트호스를 지났다. 그리고 캐나다 평원의 북쪽 가장자리를 둘러서 브리티시컬럼비아의 카세어산맥Cassair Mountains 상공을 통과한 뒤, 10월 5일에는 뭔가 생각나게 만드는 이름의 텐스크로우윙호Tenth Crow Wing Lake를 따라서 미네소타의 애클리Akley에 있었고, 열흘 뒤에는 켄튀르키에 서쪽 끄트머리에 있는 오하이오강을 따라 이어진 조림지에서 휴식을 취하고 있었다. 그로부터 사흘 뒤, 미시시피의 야주카운티Yazoo County를 흐르는 빅블랙강Big Black River의 저지대 늪지에 있었다. 1주일 넘게 걸려서 멕시코만과 카리브해 서부를 횡단한 후, 파나마의 베라과스Veraguas에 있는 열대우림에 있었다. 거기서 정동으로 방향을 틀어 지협을 따라 남아메리카로 이동한 뒤, 남동쪽으로 다시 방향을 바꿔, 11월 30일 마침내 월동지인 베네수엘라의 외딴 세라니아 데 라네블리나 국립공원Serrania De La Neblina National Park에 도착했다. 그러나 무려 약 1만 400킬로미터를 날아온 그 회색빰지빠귀는 넉 달 반 동안 약 0.5제곱킬로미터에 불과한 작은 열대우림에서 머물며 휴식을 취하다가, 다시 이듬해 4월 중순에 북쪽으로 날아간다.

그때 내가 가장 강렬하게 느낀 감정을 한마디로 표현하기는 어렵다. 오랫동안 베일에 가려져 있던 남반구와 북반구를 넘나드는 여행의 일면이 이렇게 놀랄 정도로 자세히 밝혀졌다는 사실에 대한 흥분이랄까, 그리고 5년 동안 해마다 그 종의 철새가 영겁의 세월 동안 무엇을 하고 있었는지 우리가 들여다볼 수 있는 창을 제공한 그 한 마리 새에 대한 감사랄까, 또 이렇게 작고 연약해 보이는 한 마리의 동물이 그렇게 먼 거리를 오가며 그렇게 오랜 세월에 걸쳐 지구 북단의 방대한 툰드라 황야 지대와 마찬가지로 열대의 외딴 구석에 있는 습한 우림 지대를 연결하고, 또 그 사이에 있는 그 모든 내륙과 드넓은 바다를 연결할 수 있다는 사실을 알고 난 뒤의 경외감이랄까.

아니, 어쩌면 그것은…… 추앙하는 느낌이었다고 해야 할까? 그렇다. 그것은 추앙이었다. 하나의 생물 종이 자신의 앞길에 어떤 힘든 장애물이 있다고 해도, 오로지 바람과 저 멀리 지평선과 자신의 유전자, 그리고 계절의 순환에 대한 확고한 믿음으로 자신이 가야 할 길을 계속 가고 있는, 한 생명체에 대한 무한한 추앙. 내가 거기에 맞출 수도 없고 완전히 이해할 수도 없지만, 그것을 대면했을 때 숨 막히게 하는, 지칠 줄 모르는 인내와 집념에 대한 추앙. 이 놀랄 만큼 비범한 새, 그리고 그와 유사한 수백만 마리의 새들에 대한 추앙. 그들이 태곳적부터 이어 온 자연과 생명의 리듬을 따를 때, 그들의 비행이라는 단순한 행위를 통해서 오늘날 여기저기 뿔뿔이 흩어져 사면초가에 몰린 야생의 세계가 완벽한 하나의 전체로 엮어질 수 있을 것이다. 어쩌면 그런 날이 올지도 모른다.

감사의 말

이 책은 자료를 조사하고 집필하는 데 여러 해가 걸렸지만, 그 뿌리는 나의 아주 어렸을 적 기억들, 내 평생의 삶을 지배한 새들과 철새의 이동으로 거슬러 올라간다. 당시엔 잘 알지 못했겠지만, 부모님은 적어도 내 속에 잠자고 있던 철새들에 대한 본능을 일깨워 주셨다.

어릴 적 놀라움과 두려움 속에 바라보던 철새의 이동에 대해 관심을 불러일으키게 도와주고, 훗날 내가 맹금류 철새들에 가락지를 달아 주는 자원봉사자로서 30년 전 철새 이동과 관련된 연구의 세계에 입문할 수 있게 해준 호크마운틴 야생조류 보호 구역에 늘 깊이 감사드린다. 이후로 줄곧, 작은 힘이나마 보태어 그 빚에 보답하려고 애썼다. 그곳에서 일하는 직원들은 내게 여전히 좋은 친구들일 뿐 아니라, 내가 언제 어디서 무엇을 물어보든 늘 변함없이 성실하게 답변해 주는 소중한 지식의 보고다. 또, 한 개인 작가가 기관의 도움 없이는 접근하기 어려운 학술지들을 호크마운틴 야생조류 보호 구역과 협력을 통해 온라인으로 접속해서 볼 수 있도록 허락해 준 쿠츠타운 대학교에 특별히 감사의 말씀을 드린다.

스미스소니언 철새 센터의 소장을 역임하고 지금은 조지타운 대학교의 조지타운 환경 계획Georgetown Environment Initiative의 책임자로 있는 피터 마라 박사는 오랫동안 철새의 생태와 연구의 여러 측면에 대한 영감을 제공하는 귀중한 정보 제공자로서의 역할을 해 왔다. 코넬대 조류학 연구소의 켄 로젠버그 박사와 함께 대륙의 조류 감소에 대한 연구에 새로운 관점을 제시하고, 과거 스미스소니언에서 수행한 매우 흥미진진한 커틀랜드솔새 관련 연구 결과에 계속해서 관심을 갖고 연구를 이어 갈 것을 내게 제안한 그에게도 특별히 감사드린다. 바하마 제도와 미시건주에서 대부분의 시간을 너무도 힘들게 보냈음에도 내이선 쿠퍼 박사와 그의 동료들이 베풀어 준 훌륭한 환대에 감사의 인사를 드린다.

중국에서는 내가 황해를 방문할 때 일정을 잡아 주고 도와준 베이징 사범대학교의 장정왕 교수와 웨이판레이에게 특별히 감사드린다. 난푸에서 데니스 피어스마와 국제 철새 이동 경로 네트워크 소속 그의 동료들이 보내 준 멋진 지원과 호의에 감사드린다. 장쑤성에서 각종 물자 보급과 이동을 도와준 지안빈시 박사와 로즈누이, 캐시왕, 그리고 현장에서 함께한 징리, 지유양, 장린, 첸탱기, 동밍리에게도 감사드린다. 중국의 환경 보호에 대한 현실을 알게 해 준 버딩 베이징Birding Beijing의 테리 타운센드에게도 고맙다는 인사를 드린다. 웬디와 행크 폴슨 부부는 고맙게도 귀중한 시간을 아낌없이 내주어 오랫동안 중국의 환경 보호 문제와 관련해서 노력해 온 자신들의 경험을 나누어 주었다. 특히 시간을 내서 현장에 함께 합류해 준 것에 대해 고맙다는 말씀을 드린다.

처음 나갈랜드를 방문할 때 일정을 조정하고 지원해 준, 지금은 호크마운틴 야생조류 보호 구역에서 은퇴한 케이스 빌드스타인 박사와 저명한 맹금류 전문가 빌 클라크에게 감사드린다. 봄베이 자연사학회 회장을 역임한 아사드 라마니 박사는 초기에 접촉한 매우 중요하고 도움을 많이 준 인물이었다. 비둘기조롱이 탐조 여행 계획을 받아들이고 많은 난관을 극복하고 실행에 옮길 수 있게 도와

준 내 좋은 친구 와일드사이드 네이처 투어스의 케빈 로플린에게도 고마운 마음을 전한다. 그리고 캐서린 해밀턴의 참여를 후원하고 우리 팀에 광학 장비들을 제공한 자이스 스포츠 옵틱스에도 진심으로 감사드린다. 차량과 운전기사를 비롯해 여행에 필요한 물자들을 조달해 준 아미트 샹칼라와 결코 지치지 않는 훌륭한 성격을 보유한 우리의 여행 가이드 정글 트래블스 인디아의 아비두르 라만에게도 감사드린다. 특히 따뜻한 환대와 나가족 문화를 들여다볼 수 있는 기회를 제공한 초포에 가족을 비롯한 팽티 마을 주민, 그중에서도 은추모 오듀오와 그의 가족에게 고맙다는 말씀을 드린다. 그리고 무엇보다도 2년 동안 우리의 방문 일정을 조정하느라 애쓰고, 우리가 방문했을 때 가족이 아픈 상황에서도 팽티 마을에서 우리를 만나기 위해 시간을 내준 바노 하랄루에게 진심을 다해 감사의 인사를 드린다.

맹금류 연구 재단 학회에서 콜로라도 주립대학교의 크리스 베넘을 우연히 만나서, 뷰트계곡의 황무지말똥가리의 현재 진행 상황에 대해서 알게 된 것은 정말 뜻밖의 행운이었다. 거기 있는 동안 내게 많은 도움과 환대를 베풀어 준 해밀턴 칼리지의 크리스 브릭스와 전설적인 인물 피터 블룸, 멜리사 헌트에게도 감사드린다. 그리고 20여 년 전 아르헨티나에서 살충제 살포로 황무지말똥가리가 위기에 빠졌을 때, 내가 그의 현장 작업에 합류할 수 있도록 허락해 준 브라이언 우드브릿지에게도 마찬가지로 감사드린다.

나의 훌륭한 친구인 벤 올르와인 4세는 나를 기꺼이 버드라이프 인터내셔널과 연결시켜 주었다. 거기서 만난 짐 로렌스(영국인)는 나갈랜드에서의 불법적인 철새 사냥과 비둘기조롱이 문제와 관련해서 도움을 주었다. 버드라이프 네덜란드 소속인 바렌트 반 케이머든과 빌렘 판 덴 부셰는 유럽과 지중해 지역, 중동에서 그 문제를 얼마나 소홀히 여기는지 내게 이해시키고, 내가 현장에서 활동하는 사람들, 특히 버드라이프 키프로스의 타소스 시알리스와 마틴 헬리카와 접촉할 수 있도록 도와주기 위해 기꺼이 많은 시간을 내주었다. 또한 키프로스에서 나와 동행해 준 버드라이프 키프로스 소속 〈안드레아스〉와 그들과 함께 순찰에 참여한 자원봉사자 로저 리틀, 그리고 영국령 주권 기지 영역을 순찰하는 데 동행할 수 있도록 허락해 준 데켈리아 기지 경찰서 부서장 존 워드에게 특별히 감사드린다.

오랫동안 함께해 온 스털링 로드 리터리스틱 출판 에이전시의 피터 맷슨에게 여전히 큰 빚을 지고 있다. W. W. 노턴 출판사의 부사장이자 편집장인 존 글러스맨과 함께 이 책을 작업할 수 있게 되어 영광이었다. 다른 책들에 비해 책을 구상하는 기간이 오래 걸렸음에도 불구하고 끈기 있게 기다려 준 것에 대해 감사하게 생각한다.

책을 집필하는 동안 함께 참고 견뎌 준 나의 아내 에이미에게 뭐라고 감사의 말을 전할지 모르겠다. 내게 베풀어 준 그 어떤 것보다 고맙게 생각한다는 말을 하고 싶다.

여기 등장하는 이야기들의 일부 내용은 다양한 출판물을 통해 이전에 발표한 것들이다. 서문에 나오는 내용은 『버드 와처스 다이제스트*Bird Watcher's Digest*』라는 격월간지에 먼저 발표되었고, 1, 3, 4, 7, 10장의 일부 내용은 코넬대 조류학 연구소에서 발간하는 계간지 『리빙 버드*Living Bird*』에도 실렸다. 5장을 아주 간결하게 요약한 내용이 『오듀본*Audubon*』이라는 잡지에 실렸다. 『버드 와처스 다이제스트』의 돈 휴잇과 고인이 된 좋은 친구 빌 톰슨 3세, 『리빙 버드』의 거스 액셀슨, 그리고 『오듀본』의 편집진이 베푼 아낌없는 도움과 지원에 감사드린다.

미주 및 참고 문헌

각 장마다 직접 문구를 인용하거나 사례를 든 경우는 앞부분에 미주로, 저술에 참고한 책이나 논문, 학술지, 잡지 자료들은 참고 문헌으로 처리했다.

1장 넓적부리도요의 여정

1 Nicola Crockford, Benjamin Graham, "새들에게 구세주 : 한때 간과했던 중국 갯벌이 보호를 받다A Boon for Birds: Once Overlooked, China's Mudflats Gain Protections," Mongabay.com, May 11, 2018, https://news.mongabay.com/2018/05/a-boon-for-birds-once-overlooked-chinas-mudflats-gain-protections/에서 인용.

2 BirdLife International, "넓적부리도요Calidris pygmaea (2017년 수정판)," 2017년 IUCN 지정 멸종 위기종 : e.T22693452A117520594. http://dx.doi.org/10.2305/IUCN.UK.2017-3.RLTS.T22693452A117520594.en.

3 Debbie Pain, Baz Hughes, Evgeny Syroechkovskiy, Christoph Zöckler, Sayam Chowdhury, Guy Anderson, and Nigel Clark, "넓적부리도요 구하기 : 야생동물 보호 최신 정보Saving the Spoon-billed Sandpiper: A Conservation Update," 〈British Birds〉 111 (June 2018): 333면.

Battley, Phil F., Theunis Piersma, Maurine W. Dietz, Sixian Tang, Anne Dekinga, and Kees Hulsman. "Empirical Evidence for Differential Organ Reductions During Trans-oceanic Bird Flight." *Proceedings of the Royal Society of London B: Biological Sciences* 267, no. 1439 (2000): 191-195면.

Bijleveld, Allert I., Robert B. MacCurdy, Ying-Chi Chan, Emma Penning, Rich M. Gabrielson, John Cluderay, Eric L. Spaulding 외. "Understanding Spatial Distributions: Negative Density-dependence in Prey Causes Predators to Trade- off Prey Quantity with Quality." *Proceedings of the Royal Society of London B: Biological*

Sciences 1828 (2016): 20151557.

Brown, Stephen, Cheri Gratto-Trevor, Ron Porter, Emily L. Weiser, David Mizrahi, Rebecca Bentzen, Megan Boldenow 외. "Migratory Connectivity of Semipalmated Sandpipers and Implications for Conservation." *Condor* 119, no. 2 (2017): 207-224면.

Gill, Robert E., T. Lee Tibbitts, David C. Douglas, Colleen M. Handel, Daniel M. Mulcahy, Jon C. Gottschalck, Nils Warnock, Brian J. McCaffery, Philip F. Battley, and Theunis Piersma. "Extreme Endurance Flights by Landbirds Crossing the Pacific Ocean: Ecological Corridor Rather Than Barrier?" *Proceedings of the Royal Society of London B: Biological Sciences* 276, no. 1656 (2009): 447-457면.

Gupta, Alok. "China Land Reclamation Ban Revives Migratory Birds' Habitat." Feb. 2, 2018. China Global Television Network. https://news.cgtn.com/news/3049544f30677a6333566d54/share_p.html.

International Union for the Conservation of Nature. *IUCN World Heritage Evaluations 2019*. Gland, Switzerland: IUCN, 2019.

McKinnon, John, Yvonne I. Yerkuil, and Nicholas Murray. "IUCN Situation Analysis on East and Southeast Asian Intertidal Habitats, with Particular Reference to the Yellow Sea (including the Bohai Sea)." Gland, Switzerland: International Union for the Conservation of Nature, 2012.

Melville, David S., Ying Chen, and Zhijun Ma. "Shorebirds Along the Yellow Sea Coast of China Face an Uncertain Future—A Review of Threats." *Emu-Austral Ornithology* 116, no. 2 (2016): 100-110면.

Murray, Nicholas J., Robert S. Clemens, Stuart R. Phinn, Hugh P. Possingham, and Richard A. Fuller. "Tracking the Rapid Loss of Tidal Wetlands in the Yellow Sea." *Frontiers in Ecology and the Environment* 12, no. 5 (2014): 267-272면.

Piersma, Theunis. "Why Marathon Migrants Get Away with High Metabolic Ceilings: Towards an Ecology of Physiological Restraint." *Journal of Experimental Biology* 214, no. 2 (2011): 295-302면.

Stroud, D. A., A. Baker, D. E. Blanco, N. C. Davidson, S. Delany, B. Ganter, R. Gill, P. González, L. Haanstra, R. I. G. Morrison, T. Piersma, D. A. Scott, O. Thorup, R. West, J. Wilson, and C. Zöckler. "The Conservation and Population Status of the World's Waders at the Turn of the Millennium." In *Waterbirds Around the World*, ed. G. C. Boere, C. A. Galbraith, and D. A. Stroud, 643-648면. Edinburgh, UK: The Stationery Office, 2007.

Zoeckler, Christoph, Alison E. Beresford, Gillian Bunting, Sayam U. Chowdhury, Nigel A. Clark, Vivian Wing Kan Fu, Tony Htin Hla 외. "The Winter Distribution of the Spoon-billed Sandpiper Calidris pygmaeus." *Bird Conservation International* 26, no. 4 (2016): 476-489면.

Zoeckler, Christoph, Evgeny E. Syroechkovskiy, and Philip W. Atkinson. "Rapid and Continued Population Decline in the Spoon-billed Sandpiper Eurynorhynchus pygmeus Indicates Imminent Extinction Unless Conservation Action is Taken." *Bird Conservation International* 20, no. 2 (2010): 95-111면.

2장 철새의 나침반, 양자 도약

4 Christopher G. Guglielmo, "지방산 이동 : 철새와 박쥐의 에너지원 선택과 전달 Move that Fatty Acid: Fuel Selection and Transport in Migratory Birds and Bats," *Integrated and Comparative Biology* 50 (2010): 336면.

5 Paul Bartell and Ashli Moore, "조류 이동 : 최고의 야간 비행Avian Migration: The Ultimate Red-eye Flight," *New Scientist* 101 (2013): 52면.

6 Klaus Schulten, Ed Yong, "새는 어떻게 자기장을 눈으로 보는가 : 클라우스 슐텐과의 인터뷰How Birds See Magnetic Fields: An Interview with Klaus Schulten," Nov. 24, 2010, https://www.nationalgeographic.com/science/phenomena/2010/11/24/how-birds-see-magnetic-fields-an-interview-with-klaus-schulten.html에서 인용.

7 P. J. Hore and Henrik Mouritsen, "자기수용의 라디칼 쌍 작동 방식The Radical-pair Mechanism of Magnetoreception," *Annual Review of Biophysics* 45(2016): 332면.

8 Dmitry Kishkinev, Nikita Chernetsov, Dominik Heyers, and Henrik Mouritsen, "철새 유라시안개개비는 동쪽으로 1000킬로미터를 정확하게 이동하기 위해 온전한 삼차신경이 필요하다Migratory Reed Warblers Need Intact Trigeminal Nerves to Correct for a 1,000 km Eastward Displacement," *PLoS One* 8, no. 6 (2013): e65847, 1.

9 Tyson L. Hedrick, Cécile Pichot, and Emmanuel De Margerie, "공짜 점심을 위한 활공 : 유럽칼새의 먹이사냥 비행의 생체역학Gliding for a Free Lunch: Biomechanics of Foraging Flight in Common Swifts (Apus apus)," *Journal of Experimental Biology* 221, no. 22(2018): jeb186270, 1.

Bairlein, Franz. "How to Get Fat: Nutritional Mechanisms of Seasonal Fat Accumulation in Migratory Songbirds." *Naturwissenschaften* 89, no. 1 (2002): 1-10면.

Barkan, Shay, Yoram Yom-Tov, and Anat Barnea. "Exploring the Relationship Between Brain Plasticity, Migratory Lifestyle, and Social Structure in Birds." *Frontiers in Neuroscience* 11 (2017): 139면.

______. "A Possible Relation Between New Neuronal Recruitment and Migratory Behavior in Acrocephalus Warblers." *Developmental Neurobiology* 74, no. 12 (2014): 1194-1209면.

Biebach, H. "Is Water or Energy Crucial for Trans-Sahara Migrants?" In *Proceed-*

ings International Ornithological Congress, 19 (1990): 773-779면.

Chernetsov, Nikita, Alexander Pakhomov, Dmitry Kobylkov, Dmitry Kishkinev, Richard A. Holland, and Henrik Mouritsen. "Migratory Eurasian Reed Warblers Can Use Magnetic Declination to Solve the Longitude Problem." *Current Biology* 27, no. 17 (2017): 2647-2651면.

Edelman, Nathaniel B., Tanja Fritz, Simon Nimpf, Paul Pichler, Mattias Lauwers, Robert W. Hickman, Artemis Papadaki-Anastasopoulou 외. "No Evidence for Intracellular Magnetite in Putative Vertebrate Magnetoreceptors Identified by Magnetic Screening." *Proceedings of the National Academy of Sciences* 112, no. 1(2015): 262-267면.

Einfeldt, Anthony L., and Jason A. Addison. "Anthropocene Invasion of an Ecosystem Engineer: Resolving the History of Corophium volutator (Amphipoda: Corophiidae) in the North Atlantic." *Biological Journal of the Linnean Society* 115, no.2 (2015): 288-304면.

Elbein, Asher. "Some Birds Are Better Off with Weak Immune Systems." *New York Times*, June 26, 2018, D6.

Fuchs, T., A. Haney, T. J. Jechura, Frank R. Moore, and V. P. Bingman. "Daytime Naps in Night-migrating Birds: Behavioural Adaptation to Seasonal Sleep Deprivation in the Swainson's thrush, Catharus ustulatus." *Animal Behaviour* 72, no. 4(2006): 951-958면.

Gerson, Alexander R. "Avian Osmoregulation in Flight: Unique Metabolic Adaptations Present Novel Challenges." *The FASEB Journal* 30, no. 1 supplement (2016): 976.1.

_____. "Environmental Physiology of Flight in Migratory Birds." PhD diss., University of Western Ontario, 2012.

_____. and Christopher Guglielmo. "Flight at Low Ambient Humidity Increases Protein Catabolism in Migratory Birds." *Science* 333, no. 6048 (2011): 1434-1436면.

Gill, Robert E., Jr., Theunis Piersma, Gary Hufford, Rene Servranckx, and Adrian Riegen. "Crossing the Ultimate Ecological Barrier: Evidence for an 11,000km-long Nonstop Flight from Alaska to New Zealand and Eastern Australia by Bar-tailed Godwits." *The Condor* 107, no. 1 (2005): 1-20면.

Guglielmo, Christopher G. "Obese Super Athletes: Fat-fueled Migration in Birds and Bats." *Journal of Experimental Biology* 221, Suppl. 1 (2018): jeb165753.

Hawkes, Lucy A., Sivananinthaperumal Balachandran, Nyambayar Batbayar, Patrick J. Butler, Peter B. Frappell, William K. Milsom, Natsagdorj Tseveenmyadag 외. "The trans-Himalayan Flights of Bar-headed Geese (Anser indicus)." *Proceedings of the National Academy of Sciences* 108, no. 23 (2011): 9516- 9519면.

Hawkes, Lucy A., Beverley Chua, David C. Douglas, Peter B. Frappell 외. "The

Paradox of Extreme High-altitude Migration in Bar-headed Geese Anser indicus." *Proc. Royal Society-B* 280 (2013): 20122114. http://dx.doi.org/10.1098/rspb.2012.2114.

Hedenström, Anders, Gabriel Norevik, Kajsa Warfvinge, Arne Andersson, Johan Bäckman, and Susanne Åkesson. "Annual 10-month Aerial Life Phase in the Common Swift Apus apus." *Current Biology* 26, no. 22 (2016): 3066-3070면.

Hua, Ning, Theunis Piersma, and Zhijun Ma. "Three-phase Fuel Deposition in a Long-distance Migrant, the Red Knot (Calidris canutus piersmai), Before the Flight to High Arctic Breeding Grounds." *PLoS One* 8, no. 4 (2013): e62551.

Jones, Stephanie G., Elliott M. Paletz, William H. Obermeyer, Ciaran T. Hannan, and Ruth M. Benca. "Seasonal Influences on Sleep and Executive Function in the Migratory White-crowned Sparrow (Zonotrichia leucophrys gambelii)." *BMC Neuroscience* 11 (2010).

Landys, Mëta M., Theunis Piersma, G. Henk Visser, Joop Jukema, and Arnold Wijker. "Water Balance During Real and Simulated Long-distance Migratory Flight in the Bar-tailed Godwit." *The Condor* 102, no. 3 (2000): 645-652면.

Lesku, John A., Niels C. Rattenborg, Mihai Valcu, Alexei L. Vyssotski, Sylvia Kuhn, Franz Kuemmeth, Wolfgang Heidrich, and Bart Kempenaers. "Adaptive Sleep Loss in Polygynous Pectoral Sandpipers." *Science* 337, no. 6102 (2012): 1654-1658면.

Liechti, Felix, Willem Witvliet, Roger Weber, and Erich Bächler. "First Evidence of a 200-day Non-stop Flight in a Bird." *Nature Communications* 4 (2013): 2554면.

Lockley, Ronald M. "Non-stop Flight and Migration in the Common Swift Apus apus." *Ostrich* 40, no. S1 (1969): 265-269면.

Maillet, Dominique, and Jean-Michel Weber. "Relationship Between n-3 PUFA Content and Energy Metabolism in the Flight Muscles of a Migrating Shorebird: Evidence for Natural Doping." *Journal of Experimental Biology* 210, no. 3 (2007): 413-420면.

McWilliams, Scott R., Christopher Guglielmo, Barbara Pierce, and Marcel Klaassen. "Flying, Fasting, and Feeding in Birds During Migration: A Nutritional and Physiological Ecology Perspective." *Journal of Avian Biology* 35, no. 5 (2004): 377-393면.

Nießner, Christine, Susanne Denzau, Katrin Stapput, Margaret Ahmad, Leo Peichl, Wolfgang Wiltschko, and Roswitha Wiltschko. "Magnetoreception: Activated Cryptochrome 1a Concurs with Magnetic Orientation in Birds." *Journal of The Royal Society Interface* 10, no. 88 (2013): 20130638.

O'Connor, Emily A., Charlie K. Cornwallis, Dennis Hasselquist, Jan-Åke Nilsson, and Helena Westerdahl. "The Evolution of Immunity in Relation to Colonization and

Migration." *Nature Ecology & Evolution* 2, no. 5 (2018): 841면.

Piersma, Theunis. "Phenotypic Flexibility During Migration: Optimization of Organ Size Contingent on the Risks and Rewards of Fueling and Flight?" *Journal of Avian Biology* (1998): 511-520면.

______, and Robert E. Gill, Jr. "Guts Don't Fly: Small Digestive Organs in Obese Bar-tailed Godwits." *The Auk* (1998): 196-203면.

______, Gudmundur A. Gudmundsson, and Kristján Lilliendahl. "Rapid Changes in the Size of Different Functional Organ and Muscle Groups During Refueling in a Long-distance Migrating Shorebird." *Physiological and Biochemical Zoology* 72, no. 4 (1999): 405-415면.

______, Renée van Aelst, Karin Kurk, Herman Berkhoudt, and Leo R. M. Maas. "A New Pressure Sensory Mechanism for Prey Detection in Birds: The Use of Principles of Seabed Dynamics?" *Proceedings of the Royal Society of London B: Biological Sciences* 265 (1998): 1377-1383면.

Rattenborg, Niels C. "Sleeping on the Wing." *Interface Focus* 7, no. 1 (2017): 20160082.

______, Bryson Voirin, Sebastian M. Cruz, Ryan Tisdale, Giacomo Dell'Omo, Hans-Peter Lipp, Martin Wikelski, and Alexei L. Vyssotski. "Evidence That Birds Sleep in Mid-flight." *Nature Communications* 7 (2016): 12468면.

Ritz, Thorsten, Salih Adem, and Klaus Schulten. "A Model for Photoreceptor-based Magnetoreception in Birds." *Biophysical Journal* 78 (2000): 707-718면.

Schulten, Klaus, Charles E. Swenberg, and Albert Weller. "A Biomagnetic Sensory Mechanism Based on Magnetic Field Modulated Coherent Electron Spin Motion." *Zeitschrift für Physikalische Chemie* 111, no. 1 (1978): 1-5면.

Scott, Graham R., Lucy A. Hawkes, Peter B. Frappell, Patrick J. Butler, Charles M. Bishop, and William K. Milsom. "How Bar-headed Geese Fly Over the Himalayas." *Physiology* 30, no. 2 (2015): 107-115면.

Tamaki, Masako, Ji Won Bang, Takeo Watanabe, and Yuka Sasaki. "Night Watch in One Brain Hemisphere in Sleep Associated with the First-Night Effect in Humans." *Current Biology* 26 (2016): 1190-1194면.

Treiber, Christoph Daniel, Marion Claudia Salzer, Johannes Riegler, Nathaniel Edelman, Cristina Sugar, Martin Breuss, Paul Pichler 외. "Clusters of Iron-rich Cells in the Upper Beak of Pigeons are Macrophages Not Magnetosensitive Neurons." *Nature* 484, no. 7394 (2012): 367면.

Viegas, Ivan, Pedro M. Araújo, Afonso D. Rocha, Auxiliadora Villegas, John G. Jones, Jaime A. Ramos, José A. Masero, and José A. Alves. "Metabolic Plasticity for Subcutaneous Fat Accumulation in a Long-distance Migratory Bird Traced by 2H2O." *Journal of Experimental Biology* 220, no. 6 (2017): 1072-1078면.

Wallraff, Hans G., and Meinrat O. Andreae. "Spatial Gradients in Ratios of Atmospheric Trace Gases: A Study Stimulated by Experiments on Bird Navigation." *Tellus B: Chemical and Physical Meteorology* 52, no. 4 (2000): 1138-1157면.

Weber, Jean-Michel. "The Physiology of Long-distance Migration: Extending the Limits of Endurance Metabolism." *Journal of Experimental Biology* 212, no. 5 (2009): 593-597면.

Weimerskirch, Henri, Charles Bishop, Tiphaine Jeanniard-du-Dot, Aurélien Prudor, and Gottfried Sachs. "Frigate Birds Track Atmospheric Conditions Over Months-long Transoceanic Flights." Science 353, no. 6294 (2016): 74-78면.

Wiltschko, Wolfgang, and Roswitha Wiltschko. "Magnetic Orientation in Birds." *Journal of Experimental Biology* 199, no. 1 (1996): 29-38면.

Winger, Benjamin M., F. Keith Barker, and Richard H. Ree. "Temperate Origins of Long-distance Seasonal Migration in New World Songbirds." *Proceedings of the National Academy of Sciences* 111, no. 33 (2014): 12115-12120면.

Zink, Robert M., and Aubrey S. Gardner. "Glaciation as a Migratory Switch." *Science Advances* 3, no. 9 (2017): e1603133.

3장 옛날엔 그렇게 생각하곤 했다

10 Ronald M. Lockley, "유럽칼새의 논스톱 비행과 이동Non-stop Flight and Migration in the Common Swift Apus apus," *Ostrich* 40, no. S1 (1969): 265면.

11 Christopher M. Tonra, Ben Guarino, "명금류 철새는 아주 작고 취약한 월동지를 찾는다Songbird Migration Finds a Tiny, Vulnerable Winter Range," *Washington Post*, June 21, 2019, https://www.washingtonpost.com/science/songbird-migration-study-finds-a-tiny-vulnerable-winter-range/2019/06/20/1bffa6fe-92cb-11e9-b570-6416efdc0803_story.html에서 인용.

Anders, Angela D., John Faaborg, and Frank R. Thompson III. "Postfledging Dispersal, Habitat Use, and Home-range Size of Juvenile Wood Thrushes." *The Auk* 115, no. 2 (1998): 349-358면.

Delmore, Kira E., James W. Fox, and Darren E. Irwin. "Dramatic Intraspecific Differences in Migratory Routes, Stopover Sites, and Wintering Areas, Revealed Using Light-level Geolocators." *Proceedings of the Royal Society B: Biological Sciences* 279, no. 1747 (2012): 4582-4589면.

Delmore, Kira E., and Darren E. Irwin. "Hybrid Songbirds Employ Intermediate Routes in a Migratory Divide." *Ecology Letters* 17, no. 10 (2014): 1211-1218면.

DeLuca, William V., Bradley K. Woodworth, Stuart A. Mackenzie, Amy E. M. Newman, Hilary A. Cooke, Laura M. Phillips, Nikole E. Freeman 외. "A Boreal

Songbird's 20,000 km Migration Across North America and the Atlantic Ocean." *Ecology* (2019): e02651.

Finch, Tom, Philip Saunders, Jesús Miguel Avilés, Ana Bermejo, Inês Catry, Javier de la Puente, Tamara Emmenegger 외. "A Pan-European, Multipopulation Assessment of Migratory Connectivity in a Near-threatened Migrant Bird." *Diversity and Distributions* 21, no. 9 (2015): 1051-1062면.

Haddad, Nick M., Lars A. Brudvig, Jean Clobert, Kendi F. Davies, Andrew Gonzalez, Robert D. Holt, Thomas E. Lovejoy 외. "Habitat Fragmentation and its Lasting Impact on Earth's Ecosystems." *Science Advances* 1, no. 2 (2015): e1500052.

Hahn, Steffen, Valentin Amrhein, Pavel Zehtindijev, and Felix Liechti. "Strong Migratory Connectivity and Seasonally Shifting Isotopic Niches in Geographically Separated Populations of a Long-distance Migrating Songbird." *Oecologia* 173, no. 4 (2013): 1217-1225면.

Hallworth, Michael T., and Peter P. Marra. "Miniaturized GPS Tags Identify Non-breeding Territories of a Small Breeding Migratory Songbird." *Scientific Reports* 5 (2015): 11069면.

Hallworth, Michael T., T. Scott Sillett, Steven L. Van Wilgenburg, Keith A. Hobson, and Peter P. Marra. "Migratory Connectivity of a Neotropical Migratory Songbird Revealed by Archival Light-level Geolocators." *Ecological Applications* 25, no. 2 (2015): 336-347면.

Koleček, Jaroslav, Petr Procházka, Naglaa El-Arabany, Maja Tarka, Mihaela Ilieva, Steffen Hahn, Marcel Honza, et al. "Cross-continental Migratory Connectivity and Spatiotemporal Migratory Patterns in the Great Reed Warbler." *Journal of Avian Biology* 47, no. 6 (2016): 756-767면.

Lemke, Hilger W., Maja Tarka, Raymond H. G. Klaassen, Mikael Åkesson, Staffan Bensch, Dennis Hasselquist, and Bengt Hansson. "Annual Cycle and Migration Strategies of a Trans-Saharan Migratory Songbird: A Geolocator Study in the Great Reed Warbler." *PLoS One* 8, no. 10 (2013): e79209.

Pagen, Rich W., Frank R. Thompson III, and Dirk E. Burhans. "Breeding and Post-breeding Habitat Use by Forest Migrant Songbirds in the Missouri Ozarks." *The Condor* 102, no. 4 (2000): 738-747면.

Priestley, Kent. "Virginia's Wild Coast." Nature Conservancy, Dec. 2014/Jan. 2015. https://www.nature.org/magazine/archives/virginias-wild-coast-1.xml.

Rivera, J. H. Vega, J. H. Rappole, W. J. McShea, and C. A. Haas. "Wood Thrush Postfledging Movements and Habitat Use in Northern Virginia." 〈The Condor〉 100, no. 1 (1998): 69-78면.

Rohwer, Sievert, Luke K. Butler, and D. R. Froehlich. "Ecology and Demography of East-West Differences in Molt Scheduling of Neotropical Migrant Passerines." In

Birds of Two Worlds: The Ecology and Evolution of Migration, edited by Russell Greenberg and Peter P. Marra, 87-105면. Baltimore: Johns Hopkins University Press, 2005.

Rohwer, Sievert , Keith A. Hobson, and Vanya G. Rohwer. "Migratory Double Breeding in Neotropical Migrant Birds." *Proceedings of the National Academy of Sciences* 106, no. 45 (2009): 19050-19055면.

Stanley, Calandra Q., Emily A. McKinnon, Kevin C. Fraser, Maggie P. Macpherson, Garth Casbourn, Lyle Friesen, Peter P. Marra 외. "Connectivity of Wood Thrush Breeding, Wintering, and Migration Sites Based on Range-wide Tracking." *Conservation Biology* 29, no. 1 (2015): 164-174면.

Tonra, Christopher M., Michael T. Hallworth, Than J. Boves, Jessie Reese, Lesley P. Bulluck, Matthew Johnson, Cathy Viverette 외. "Concentration of a Wide-spread Breeding Population in a Few Critically Important Nonbreeding Areas: Migratory Connectivity in the Prothonotary Warbler." *Condor* (2019). https://doi.org/10.1093/condor/duz019.

Vitz, Andrew C., and Amanda D. Rodewald. "Can Regenerating Clearcuts Benefit Mature-forest Songbirds? An Examination of Post-breeding Ecology." *Biological Conservation* 127, no. 4 (2006): 477-486면.

Watts, Bryan D., Fletcher M. Smith, and Barry R. Truitt. "Leaving Patterns of Whimbrels Using a Terminal Spring Staging Area." *Wader Study* 124 (2017): 141-146면.

Watts, Bryan D., and Barry R. Truitt. "Decline of Whimbrels Within a Mid-Atlantic Staging Area (1994-2009)." *Waterbirds* 34, no. 3 (2011): 347-351면.

4장 빅 데이터로 비로소 알게 된 것들

12 연방통신위원회보고서Federal Communications Commission Memorandum FCC-18-161 (Nov. 15, 2018), 13면.

13 Kennth V. Rosenberg, Adriaan M. Dokter, Peter J. Blancher, John R. Sauer, Adam C. Smith, Paul A. Smith, Jessica C. Stanton, Arvind Panjabi, Laura Helft, Michael Parr, and Peter P. Marra, "북아메리카 조류상의 쇠퇴Decline of the North American Avifauna," *Science* 366, no. 6461 (2019): 120-124면.

14 같은 논문.

15 Benoit Fontaine, "살충제로 인해 프랑스의 조류 개체수가 붕괴하는 '대참사' 발생'Catastrophe' as France's Bird Population Collapses Due to Pesticides," *The Guardian*, March 20, 2018, https://www.theguardian.com/world/2018/mar/21/catastrophe-as-frances-bird-population-collapses-due-to-pesticides에서 인용.

Cabrera-Cruz, Sergio A., Jaclyn A. Smolinsky, and Jeffrey J. Buler. "Light Pollution is Greatest Within Migration Passage Areas for Nocturnally-migrating Birds Around the World." *Scientific Reports* 8, no. 1 (2018): 3261면.

Cohen, Emily B., Clark R. Rushing, Frank R. Moore, Michael T. Hallworth, Jeffrey A. Hostetler, Mariamar Gutierrez Ramirez, and Peter P. Marra. "The Strength of Migratory Connectivity for Birds En Route to Breeding Through the Gulf of Mexico." *Ecography* 42, no. 4 (2019): 658-669면.

Golet, Gregory H., Candace Low, Simon Avery, Katie Andrews, Christopher J. McColl, Rheyna Laney, and Mark D. Reynolds. "Using Ricelands to Provide Temporary Shorebird Habitat During Migration." *Ecological Applications* 28, no. 2 (2018): 409-426면.

Hausheer, Justine E. "Bumper-Crop Birds: Pop-Up Wetlands Are a Success in California." *Cool Green Science*, Jan. 29, 2018. https://blog.nature .org/science/2018/01/29/bumper-crop-birds-pop-up-wetlands-are-a-success-in-california/.

Horton, Kyle G., Cecilia Nilsson, Benjamin M. Van Doren, Frank A. La Sorte, Adriaan M. Dokter, and Andrew Farnsworth. "Bright Lights in the Big Cities: Migratory Birds' Exposure to Artificial Light." *Frontiers in Ecology and the Environment* 17, no. 4 (2019): 209-214면.

Horton, Kyle G., Benjamin M. Van Doren, Frank A. La Sorte, Emily B. Cohen, Hannah L. Clipp, Jeffrey J. Buler, Daniel Fink, Jeffrey F. Kelly, and Andrew Farnsworth. "Holding Steady: Little Change in Intensity or Timing of Bird Migration Over the Gulf of Mexico." *Global Change Biology* 25, no. 3 (2019): 1106-1118면.

Inger, Richard, Richard Gregory, James P. Duffy, Iain Stott, Petr Voříšek, and Kevin J. Gaston. "Common European Birds are Declining Rapidly While Less Abundant Species' Numbers are Rising." *Ecology Letters* 18, no. 1 (2015): 28-36면.

La Sorte, Frank A., Daniel Fink, Jeffrey J. Buler, Andrew Farnsworth, and Sergio A. Cabrera-Cruz. "Seasonal Associations with Urban Light Pollution for Nocturnally Migrating Bird Populations." *Global Change Biology* 23, no. 11 (2017): 4609-4619면.

Lin, Tsung-Yu, Kevin Winner, Garrett Bernstein, Abhay Mittal, Adriaan M. Dokter, Kyle G. Horton, Cecilia Nilsson, Benjamin M. Van Doren, Andrew Farnsworth, Frank A. La Sorte 외. "MistNet: Measuring Historical Bird Migration in the U.S. Using Archived Weather Radar Data and Convolutional Neural Networks." *Methods in Ecology and Evolution* (2019): 1-15면. https://doi.org/10.1111/2041-210X.13280.

McLaren, James D., Jeffrey J. Buler, Tim Schreckengost, Jaclyn A. Smolinsky, Matthew Boone, E. Emiel van Loon, Deanna K. Dawson, and Eric L. Walters. "Artificial Light at Night Confounds Broad-scale Habitat Use by Migrating Birds."

Ecology Letters 21, no. 3 (2018): 356-364면.

Powell, Hugh. "eBird and a Hundred Million Points of Light." Living Bird no. 1 (2015). https://www.allaboutbirds.org/a-hundred-million-points-of-light/. Reif, Jiří, and Zdeněk Vermouzek. "Collapse of Farmland Bird Populations in an Eastern European Country Following its EU Accession." *Conservation Letters* 12, no. 1 (2019): e12585.

Reynolds, Mark D., Brian L. Sullivan, Eric Hallstein, Sandra Matsumoto, Steve Kelling, Matthew Merrifield, Daniel Fink 외. "Dynamic Conservation for Migratory Species." *Science Advances* 3, no. 8 (2017): e1700707.

Sullivan, Brian L., Jocelyn L. Aycrigg, Jessie H. Barry, Rick E. Bonney, Nicholas Bruns, Caren B. Cooper, Theo Damoulas 외. "The eBird Enterprise: An Integrated Approach to Development and Application of Citizen Science." *Biological Conservation* 169 (2014): 31-40면.

Sullivan, Brian L., Christopher L. Wood, Marshall J. Iliff, Rick E. Bonney, Daniel Fink, and Steve Kelling. "eBird: A Citizen-based Bird Observation Network in the Biological Sciences." *Biological Conservation* 142, no. 10 (2009): 2282-2292면.

Van Doren, Benjamin M., Kyle G. Horton, Adriaan M. Dokter, Holger Klinck, Susan B. Elbin, and Andrew Farnsworth. "High-intensity Urban Light Installation Dramatically Alters Nocturnal Bird Migration." *Proceedings of the National Academy of Sciences* 114, no. 42 (2017): 11175-11180면.

Watson, Matthew J., David R. Wilson, and Daniel J. Mennill. "Anthropogenic Light is Associated with Increased Vocal Activity by Nocturnally Migrating Birds." *Condor* 118, no. 2 (2016): 338-344면.

Zuckerberg, Benjamin, Daniel Fink, Frank A. La Sorte, Wesley M. Hochachka, and Steve Kelling. "Novel Seasonal Land Cover Associations for Eastern North American Forest Birds Identified Through Dynamic Species Distribution Modelling." *Diversity and Distributions* 22, no. 6 (2016): 717-730면.

5장 변화의 여파

Angelier, Frédéric, Christopher M. Tonra, Rebecca L. Holberton, and Peter P. Marra. "Short-term Changes in Body Condition in Relation to Habitat and Rainfall Abundance in American Redstarts Setophaga ruticilla During the Non-breeding Season." *Journal of Avian Biology* 42, no. 4 (2011): 335-341면.

Bearhop, Stuart, Geoff M. Hilton, Stephen C. Votier, and Susan Waldron. "Stable Isotope Ratios Indicate That Body Condition in Migrating Passerines is Influenced by Winter Habitat." *Proceedings of the Royal Society of London B: Biological Sciences* 271, no. Suppl 4 (2004): S215-S218.

Conklin, Jesse R., and Phil F. Battley. "Carry-over Effects and Compensation: Late Arrival on Non-breeding Grounds Affects Wing Moult But Not Plumage or Schedules of Departing Bar-tailed Godwits Limosa lapponica baueri." *Journal of Avian Biology* 43, no. 3 (2012): 252-263면.

Cooper, Nathan W., Michael T. Hallworth, and Peter P. Marra. "Light-level Geolocation Reveals Wintering Distribution, Migration Routes, and Primary Stopover Locations of an Endangered Long-distance Migratory Songbird." *Journal of Avian Biology* 48, no. 2 (2017): 209-219면.

Cooper, Nathan W., Thomas W. Sherry, and Peter P. Marra. "Experimental Reduction of Winter Food Decreases Body Condition and Delays Migration in a Long-distance Migratory Bird." *Ecology* 96, no. 7 (2015): 1933-1942면.

Finch, Tom, James W. Pearce-Higgins, D. I. Leech, and Karl L. Evans. "Carry-over Effects from Passage Regions are More Important Than Breeding Climate in Determining the Breeding Phenology and Performance of Three Avian Migrants of Conservation Concern." *Biodiversity and Conservation* 23, no. 10 (2014): 2427-2444면.

Gamble, Douglas W., and Scott Curtis. "Caribbean Precipitation: Review, Model and Prospect." *Progress in Physical Geography* 32, no. 3 (2008): 265-276면.

Gunnarsson, Tomas Grétar, Jennifer A. Gill, Jason Newton, Peter M. Potts, and William J. Sutherland. "Seasonal Matching of Habitat Quality and Fitness in a Migratory Bird." *Proceedings of the Royal Society of London B: Biological Sciences* 272 (2005): 2319-2323면.

Marra, Peter P., Keith A. Hobson, and Richard T. Holmes. "Linking Winter and Summer Events in a Migratory Bird by Using Stable-carbon Isotopes." *Science* 282, no. 5395 (1998): 1884-1886면.

Marra, Peter P., and Richard T. Holmes. "Consequences of Dominance-mediated Habitat Segregation in American Redstarts During the Nonbreeding Season." *The Auk* 118, no. 1 (2001): 92-104면.

Norris, D. Ryan, Peter P. Marra, T. Kurt Kyser, Thomas W. Sherry, and Laurene M. Ratcliffe. "Tropical Winter Habitat Limits Reproductive Success on the Temperate Breeding Grounds in a Migratory Bird." *Proceedings of the Royal Society of London B: Biological Sciences* 271, no. 1534 (2004): 59-64면.

Ockendon, Nancy, Dave Leech, and James W. Pearce-Higgins. "Climatic Effects on Breeding Grounds are More Important Drivers of Breeding Phenology in Migrant Birds than Carry-over Effects from Wintering Grounds." *Biology Letters* 9, no. 6 (2013): 20130669.

Rhiney, Kevon. "Geographies of Caribbean Vulnerability in a Changing Climate: Issues and Trends." *Geography Compass* 9, no. 3 (2015): 97-114면.

Rockwell, Sarah M., Joseph M. Wunderle, T. Scott Sillett, Carol I. Bocetti, David N. Ewert, Dave Currie, Jennifer D. White, and Peter P. Marra. "Seasonal Survival Estimation for a Long-distance Migratory Bird and the Influence of Winter Precipitation." *Oecologia* 183, no. 3 (2017): 715-726면.

Schamber, Jason L., James S. Sedinger, and David H. Ward. "Carry-over Effects of Winter Location Contribute to Variation in Timing of Nest Initiation and Clutch Size in Black Brant (Branta bernicla nigricans)." *The Auk* 129, no. 2 (2012): 205-210면.

Senner, Nathan R., Wesley M. Hochachka, James W. Fox, and Vsevolod Afanasyev. "An Exception to the Rule: Carry-over Effects Do Not Accumulate in a Long-distance Migratory Bird." *PLoS One* 9, no. 2 (2014): e86588.

Sorensen, Marjorie C., J. Mark Hipfner, T. Kurt Kyser, and D. Ryan Norris. "Carry-over Effects in a Pacific Seabird: Stable Isotope Evidence that Pre-breeding Diet Quality Influences Reproductive Success." *Journal of Animal Ecology* 78, no. 2 (2009): 460-467면.

Studds, Colin E., and Peter P. Marra. "Nonbreeding Habitat Occupancy and Population Processes: An Upgrade Experiment with a Migratory Bird." *Ecology* 86, no. 9 (2005): 2380-2385면.

Wunderle, Joseph M., Jr., and Wayne J. Arendt. "The Plight of Migrant Birds Wintering in the Caribbean: Rainfall Effects in the Annual Cycle." *Forests* 8, no. 4 (2017): 115면.

Wunderle, Joseph M., Jr., Dave Currie, Eileen H. Helmer, David N. Ewert, Jennifer D. White, Thomas S. Ruzycki, Bernard Parresol, and Charles Kwit. "Kirtland's Warblers in Anthropogenically Disturbed Early-successional Habitats on Eleuthera, the Bahamas." *Condor* 112, no. 1 (2010): 123-137면.

Wunderle, Joseph M., Jr., Patricia K. Lebow, Jennifer D. White, Dave Currie, and David N. Ewert. "Sex and Age Differences in Site Fidelity, Food Resource Tracking, and Body Condition of Wintering Kirtland's Warblers (Setophaga kirtlandii) in the Bahamas." *Ornithological Monographs* 80, no. 2014 (2014): 1-62면.

Zwarts, Leo, Rob G. Bijlsma, Jan van der Kamp, and Eddy Wymenga. *Living on the Edge: Wetlands and Birds in a Changing Sahel. Zeist*, the Netherlands: KNNV Publishing, 2009.

6장 시간표 바꾸기

16 Susan M. Haig, Sean P. Murphy, John H. Matthews, Ivan Arismendi, and Mohammad Safeeq, "기후 변화로 바뀐 습지, 건조 지대에서 물새 서식과 이동 연결성 어렵게 한다Climate-Altered Wetlands Challenge Water-bird Use and Migratory

Connectivity in Arid Landscapes," *Scientific Reports* 9, no. 1 (2019): 6면.

17 Christiaan Both and Marcel E. Visser, "기후 변화에의 순응은 장거리 이동 철새의 도착일 때문에 제약된다Adjustment to Climate Change is Constrained by Arrival Date in a Long-distance Migrant Bird," *Nature* 411, no. 6835 (2001): 296면.

Andres, Brad A., Cheri Gratto-Trevor, Peter Hicklin, David Mizrahi, RI Guy Morrison, and Paul A. Smith. "Status of the Semipalmated Sandpiper." *Waterbirds* 35, no. 1 (2012): 146-149면.

Bearhop, Stuart, Wolfgang Fiedler, Robert W. Furness, Stephen C. Votier, Susan Waldron, Jason Newton, Gabriel J. Bowen, Peter Berthold, and Keith Farnsworth. "Assortative Mating as a Mechanism for Rapid Evolution of a Migratory Divide." *Science* 310, no. 5747 (2005): 502-504면.

Bilodeau, Frédéric, Gilles Gauthier, and Dominique Berteaux. "The Effect of Snow Cover on Lemming Population Cycles in the Canadian High Arctic." *Oecologia* 172, no. 4 (2013): 1007-1016면.

Chambers, Lynda E., Res Altwegg, Christophe Barbraud, Phoebe Barnard, Linda J. Beaumont, Robert J. M. Crawford, Joel M. Durant 외. "Phenological Changes in the Southern Hemisphere." *PLoS One* 8, no. 10 (2013): e75514.

Chambers, Lynda E., Linda J. Beaumont, and Irene L. Hudson. "Continental Scale Analysis of Bird Migration Timing: Influences of Climate and Life History Traits— a Generalized Mixture Model Clustering and Discriminant Approach." *International Journal of Biometeorology* 58, no. 6 (2014): 1147-1162면.

Corkery, C. Anne, Erica Nol, and Laura Mckinnon. "No Effects of Asynchrony Between Hatching and Peak Food Availability on Chick Growth in Semipalmated lovers (Charadrius semipalmatus) near Churchill, Manitoba." *Polar Biology* 42, o. 3 (2019): 593-601면.

Cornulier, Thomas, Nigel G. Yoccoz, Vincent Bretagnolle, Jon E. Brommer, Alain Butet, Frauke Ecke, David A. Elston 외. "Europe-wide Dampening of Population Cycles in Keystone Herbivores." *Science* 340, no. 6128 (2013): 63-66면.

Eggleston, Jack, and Jason Pope. *Land Subsidence and Relative Sea-level Rise in the Southern Chesapeake Bay Region*. US Geological Survey Circular 1392. Reston, VA: US Geological Survey, 2013. http://dx.doi.org/10.3133/cir1392.

Fischer, Hubertus, Katrin J. Meissner, Alan C. Mix, Nerilie J. Abram, Jacqueline Austermann, Victor Brovkin, Emilie Capron, et al. "Palaeoclimate Constraints on the Impact of 2 C Anthropogenic Warming and Beyond." *Nature Geoscience* 11, no. 7 (2018): 474면.

Ge, Quansheng, Huanjiong Wang, This Rutishauser, and Junhu Dai. "Phenological Response to Climate Change in China: A Meta-analysis." *Global Change Biology* 21, no. 1 (2015): 265-274면.

Helm, Barbara, Benjamin M. Van Doren, Dieter Hoffmann, and Ute Hoffmann. "Evolutionary Response to Climate Change in Migratory Pied Flycatchers." *Current Biology* (2019). https://doi.org/10.1016/j.cub.2019.08.072.

Hiemer, Dieter, Volker Salewski, Wolfgang Fiedler, Steffen Hahn, and Simeon Lisovski. "First Tracks of Individual Blackcaps Suggest a Complex Migration Pattern." *Journal of Ornithology* 159, no. 1 (2018): 205-210면.

Ims, Rolf A., John-Andre Henden, and Siw T. Killengreen. "Collapsing Population Cycles." *Trends in Ecology and Evolution* 23, no. 2 (2008): 79-86면.

Iverson, Samuel A., H. Grant Gilchrist, Paul A. Smith, Anthony J. Gaston, and Mark R. Forbes. "Longer Ice-free Seasons Increase the Risk of Nest Depredation by Polar Bears for Colonial Breeding Birds in the Canadian Arctic." *Proceedings of the Royal Society B: Biological Sciences* 281, no. 1779 (2014): 20133128.

Kobori, Hiromi, Takuya Kamamoto, Hayashi Nomura, Kohei Oka, and Richard Pri-mack. "The Effects of Climate Change on the Phenology of Winter Birds in Yokohama, Japan." *Ecological Research* 27, no. 1 (2012): 173-180면.

Kwon, Eunbi, Emily L. Weiser, Richard B. Lanctot, Stephen C. Brown, H. River Gates, H. Grant Gilchrist, Steve J. Kendall 외. "Geographic Variation in the Intensity of Warming and Phenological Mismatch Between Arctic Shorebirds and Invertebrates." *Ecological Monographs* (2019): e01383.

Lameris, Thomas K., Henk P. van der Jeugd, Götz Eichhorn, Adriaan M. Dokter, Willem Bouten, Michiel P. Boom, Konstantin E. Litvin, Bruno J. Ens, and Bart A. Nolet. "Arctic Geese Tune Migration to a Warming Climate But Still Suffer From a Phenological Mismatch." *Current Biology* 28, no. 15 (2018): 2467-2473면.

Langham, Gary M., Justin G. Schuetz, Trisha Distler, Candan U. Soykan, and Chad Wilsey. "Conservation Status of North American Birds in the Face of Future Climate Change." *PLoS One* 10, no. 9 (2015): e0135350.

La Sorte, Frank A., and Daniel Fink. "Projected Changes in Prevailing Winds for Transatlantic Migratory Birds Under Global Warming." *Journal of Animal Ecology* 86, no. 2 (2017): 273-284면.

La Sorte, Frank A., Daniel Fink, Wesley M. Hochachka, Andrew Farnsworth, Amanda D. Rodewald, Kenneth V. Rosenberg, Brian L. Sullivan, David W. Winkler, Chris Wood, and Steve Kelling. "The Role of Atmospheric Conditions in the Seasonal Dynamics of North American Migration Flyways." *Journal of Biogeography* 41, no. 9 (2014): 1685-1696면.

La Sorte, Frank A., Daniel Fink, and Alison Johnston. "Time of Emergence of Novel Climates for North American Migratory Bird Populations." *Ecography* (2019).

La Sorte, Frank A., Wesley M. Hochachka, Andrew Farnsworth, André A. Dhondt, and Daniel Sheldon. "The Implications of Mid-latitude Climate Extremes for North American Migratory Bird Populations." *Ecosphere* 7, no. 3 (2016): e01261.

La Sorte, Frank A., Kyle G. Horton, Cecilia Nilsson, and Adriaan M. Dokter. "Projected Changes in Wind Assistance Under Climate Change for Nocturnally Migrating Bird Populations." *Global change biology* 25, no. 2 (2019): 589-601면.

Layton-Matthews, Kate, Brage Bremset Hansen, Vidar Grøtan, Eva Fuglei, and Maarten J. J. E. Loonen. "Contrasting Consequences of Climate Change for Migratory Geese: Predation, Density Dependence and Carryover Effects Offset Benefits of High-Arctic Warming." *Global Change Biology* (2019).

Lehikoinen, Esa, and Tim H. Sparks. "Changes in Migration." In *Effects of Climate Change on Birds*, edited by Anders Pape Møller, Wolfgang Fiedler, and Peter Berthold, 89-112면. Oxford and New York: Oxford University Press, 2010.

Lewis, Kristy, and Carlo Buontempo. "Climate Impacts in the Sahel and West Africa: The Role of Climate Science in Policy Making." *West African Papers* no. 2. Paris: OECD Publishing, 2016. http://dx.doi.org/10.1787/5jlsmktwjcd0-en .

Marra, Peter P., Charles M. Francis, Robert S. Mulvihill, and Frank R. Moore. "The Influence of Climate on the Timing and Rate of Spring Bird Migration." *Oecologia* 142, no. 2 (2005): 307-315면.

Mettler, Raeann, H. Martin Schaefer, Nikita Chernetsov, Wolfgang Fiedler, Keith A. Hobson, Mihaela Ilieva, Elisabeth Imhof 외. "Contrasting Patterns of Genetic Differentiation Among Blackcaps (Sylvia atricapilla) with Divergent Migratory Orientations in Europe." *PLoS One* 8, no. 11 (2013): e81365.

Møller, Anders Pape, Diego Rubolini, and Esa Lehikoinen. "Populations of Migratory Bird Species That Did Not Show a Phenological Response to Climate Change are Declining." *Proceedings of the National Academy of Sciences* 105, no. 42 (2008): 16195-16200면.

Monerie, Paul-Arthur, Michela Biasutti, and Pascal Roucou. "On the Projected Increase of Sahel Rainfall During the Late Rainy Season." *International Journal of Climatology* 36, no. 13 (2016): 4373-4383면.

Newson, Stuart E., Nick J. Moran, Andy J. Musgrove, James W. Pearce-Higgins, Simon Gillings, Philip W. Atkinson, Ryan Miller, Mark J. Grantham, and Stephen R. Baillie. "Long-term Changes in the Migration Phenology of U.K. Breeding Birds Detected by Large-scale Citizen Science Recording Schemes." *Ibis* 158, no. 3 (2016): 481-495면.

Prop, Jouke, Jon Aars, Bård- Jørgen Bårdsen, Sveinn A. Hanssen, Claus Bech, Sophie Bourgeon, Jimmy de Fouw 외. "Climate Change and the Increasing Impact of Polar Bears on Bird Populations." *Frontiers in Ecology and Evolution* 3 (2015): 33면.

Samplonius, Jelmer M., and Christiaan Both. "Climate Change May Affect Fatal

Competition Between Two Bird Species." *Current Biology* 29, no. 2 (2019): 327-331면.

Senner, Nathan R. "One Species But Two Patterns: Populations of the Hudsonian Godwit (Limosa haemastica) Differ in Spring Migration Timing." *The Auk* 129, no. 4 (2012): 670-682면.

______, Maria Stager, and Brett K. Sandercock. "Ecological Mismatches Are Moderated by Local Conditions for Two Populations of a Long-distance Migratory Bird." *Oikos* 126, no. 1 (2017): 61-72면.

______, Mo A. Verhoeven, José M. Abad-Gómez, José A. Alves, Jos CEW Hooijmeijer, Ruth A. Howison, Rosemarie Kentie et al. "High Migratory Survival and Highly Variable Migratory Behavior in Black-Tailed Godwits." *Frontiers in Ecology and Evolution* 7 (2019): 96면.

______, Mo A. Verhoeven, José M. Abad-Gómez, Jorge S. Gutiérrez, Jos CEW Hooijmeijer, Rosemarie Kentie, José A. Masero, T. Lee Tibbitts, and Theunis Piersma. "When Siberia Came to the Netherlands: The Response of Continental Black-tailed Godwits to a Rare Spring Weather Event." *Journal of Animal Ecology* 84, no. 5 (2015): 1164-1176면.

Stange, Erik E., Matthew P. Ayres, and James A. Bess. "Concordant Population Dynamics of Lepidoptera Herbivores in a Forest Ecosystem." *Ecography* 34, no. 5 (2011): 772-779면.

Tarka, Maja, Bengt Hansson, and Dennis Hasselquist. "Selection and Evolutionary Potential of Spring Arrival Phenology in Males and Females of a Migratory Songbird." *Journal of Evolutionary Biology* 28, no. 5 (2015): 1024-1038면.

van Gils, Jan A., Simeon Lisovski, Tamar Lok, Włodzimierz Meissner, Agnieszka Ożarowska, Jimmy de Fouw, Eldar Rakhimberdiev, Mikhail Y. Soloviev, Theunis Piersma, and Marcel Klaassen. "Body Shrinkage Due to Arctic Warming Reduces Red Knot Fitness in Tropical Wintering Range." *Science* 352, no. 6287 (2016): 819-821면.

Weeks, Brian C., David E. Willard, Aspen A. Ellis, Max L. Witynski, Mary Hennen, and Benjamin M. Winger. "Shared Morphological Consequences of Global Warming in North American Migratory Birds." *Ecology Letters* (2019). https://doi.org/10 .1111/ele.13434.

7장 황무지말똥가리, 돌아오다

Anderson, Dick, Roxie Anderson, Mike Bradbury, Calvin Chun, Julie Dinsdale, Jim Estep, Kristio Fien, and Ron Schlorff. *California Swainson's Hawk Inventory: 2005-2006, 2005 Progress Report*. Sacramento: California Department of Fish and

Game, 2005.

Battistone, Carrie, Jenny Marr, Todd Gardner, and Dan Gifford. *Status Review: Swainson's Hawk (Buteo swainsoni) in California*. Sacramento: California Department of Fish and Wildlife, 2016.

Bechard, M. J., C. S. Houston, J. H. Saransola, and A. S. England. "Swainson's Hawk (Buteo swainsoni), version 2.0." In *The Birds of North America*, edited by A. F. Poole. Cornell Lab of Ornithology, Ithaca, NY, 2010. https://doi.org/10.2173/bna.265.

Bedsworth, Louise, Dan Cayan, Guido Franco, Leah Fisher, and Sonya Ziaja. *State-wide Summary Report, California's Fourth Climate Change Assessment*. Sacramento: California Governor's Office of Planning and Research, Scripps Institution of Oceanography, California Energy Commission, and California Public Utilities Commission, 2018. Publication number SUM-CCCA4-2018-013.

Bloom, Peter H. *The Status of the Swainson's Hawk in California, 1979*. Federal Aid in Wildlife Restoration, Project W-54-R-12, Nongame Wildlife. Investment Job Final Report 11-8.0. Sacramento: California Department of Fish and Game, 1980.

Huning, Laurie S., and Amir AghaKouchak. "Mountain Snowpack Response to Different Levels of Warming." *Proceedings of the National Academy of Sciences* 115.43 (2018): 10932-10937면.

Snyder, Robin E., and Stephen P. Ellner. "Pluck or Luck: Does Trait Variation or Chance Drive Variation in Lifetime Reproductive Success?" *American Naturalist* 191, no. 4 (2018): E90-E107.

Whisson, D. A., S. B. Orloff, and D. L. Lancaster. "Alfalfa Yield Loss from Belding's Ground Squirrels." *Wildlife Society Bulletin* 27 (1999): 178-183면.

8장 대륙붕 너머

18 Scott A. Shaffer, Yann Tremblay, Henri Weimerskirch, Darren Scott, David R. Thompson, Paul M. Sagar, Henrik Moller, Graeme A. Taylor, David G. Foley, Barbara A. Block, and Daniel P. Costa, "회색슴새 철새는 끝없는 여름에 태평양을 가로지르며 해양 자원을 통합한다Migratory Shearwaters Integrate Oceanic Resources Across the Pacific Ocean in an Endless Summer," *PNAS* 103, no. 34 (2006): 12799-12802, pg. 12799.

Bolton, Mark, Andrea L. Smith, Elena Gómez-Díaz, Vicki L. Friesen, Renata Medeiros, Joël Bried, Jose L. Roscales, and Robert W. Furness. "Monteiro's Storm-petrel Oceanodroma monteiroi: A New Species from the Azores." 〈Ibis〉 150, no. 4 (2008): 717-727면.

Brown, S., C. Duncan, J. Chardine, and M. Howe. "Red-necked Phalarope Research, Monitoring, and Conservation Plan for the Northeastern U.S. and Maritimes Canada." Manomet Center for Conservation Sciences, Manomet, MA. Version 1 (2005). https://whsrn.org/wp-content/uploads/2019/02/conservationplan_rnph_v1.1_2010.pdf.

Caravaggi, Anthony, Richard J. Cuthbert, Peter G. Ryan, John Cooper, and Alexander L. Bond. "The Impacts of Introduced House Mice on the Breeding Success of Nesting Seabirds on Gough Island." *Ibis* 161, no. 3 (2019): 648-661면.

Dias, Maria P., José P. Granadeiro, and Paulo Catry. "Do Seabirds Differ from Other Migrants in Their Travel Arrangements? On Route Strategies of Cory's Shearwater During its Trans-equatorial Journey." *PLoS One* 7, no. 11 (2012): e49376.

Dilley, Ben J., Delia Davies, Alexander L. Bond, and Peter G. Ryan. "Effects of Mouse Predation on Burrowing Petrel Chicks at Gough Island." *Antarctic Science* 27, no. 6 (2015): 543-553면.

Duncan, Charles D. "The Migration of Red-necked Phalaropes: Ecological Mysteries and Conservation Concerns." *Bird Observer* 23, no. 4 (1996): 200-207면.

Ebersole, Rene. "How Intrepid Biologists Brought Balance Back to the Aleutian Islands." Atlas Obscura, Aug. 6, 2019. https://www.atlasobscura .com/articles/fox-extermination-aleutian-islands-alaska.

Friesen, V. L., A. L. Smith, E. Gomez-Diaz, M. Bolton, R. W. Furness, J. González-Solís, and L. R. Monteiro. "Sympatric Speciation by Allochrony in a Seabird." *Proceedings of the National Academy of Sciences* 104, no. 47 (2007): 18589-18594면.

Getz, J. E., J. H. Norris, and J. A. Wheeler. Conservation Action Plan for the Black-capped Petrel (Pterodroma hasitata). International Black-capped Petrel Conservation Group, 2011. https://www.fws.gov/migratorybirds/pdf/management/focal-species/Black-cappedpetrel.pdf.

Hedd, April, William A. Montevecchi, Helen Otley, Richard A. Phillips, and David A. Fifield. "Trans-equatorial Migration and Habitat Use by Sooty Shearwaters Puffinus griseus from the South Atlantic During the Nonbreeding Season." *Marine Ecology Progress Serie*〉 449 (2012): 277-290면.

Holmes, Nick D., Dena R. Spatz, Steffen Oppel, Bernie Tershy, Donald A. Croll, Brad Keitt, Piero Genovesi 외. "Globally Important Islands Where Eradicating Invasive Mammals Will Benefit Highly Threatened Vertebrates." *PLoS One* 14, no. 3 (2019): e0212128.

Howell, Steve N. G. Petrels, *Albatrosses and Storm-Petrels of North America*. Princeton, NJ, and Oxford: Princeton University Press, 2012.

______, Ian Lewington, and Will Russell. *Rare Birds of North America*. Princeton,

NJ, and Oxford: Princeton University Press, 2014.

Hunnewell, Robin W., Antony W. Diamond, and Stephen C. Brown. "Estimating the Migratory Stopover Abundance of Phalaropes in the Outer Bay of Fundy, Canada." *Avian Conservation and Ecology* 11, no. 2 (2016): 11면.

Marris, Emma. "Large Island Declared Rat-free in Biggest Removal Success." National Geographic Online, May 9, 2018. https://news.nationalgeographic.com/2018/05/south-georgia-island-rat-free-animals-spd/.

Newman, Jamie, Darren Scott, Corey Bragg, Sam McKechnie, Henrik Moller, and David Fletcher. "Estimating Regional Population Size and Annual Harvest Intensity of the Sooty Shearwater in New Zealand." *New Zealand Journal of Zoology* 36, no. 3 (2009): 307-323면.

Nisbet, Ian C. T., and Richard R. Veit. "An Explanation for the Population Crash of Red-necked Phalaropes Phalaropus lobatus Staging in the Bay of Fundy in the 1980s." 〈Marine Ornithology〉 43 (2015): 119-121면.

Pollet, Ingrid L., April Hedd, Philip D. Taylor, William A. Montevecchi, and Dave Shutler. "Migratory Movements and Wintering Areas of Leach's Storm-Petrels Tracked Using Geolocators." *Journal of Field Ornithology* 85, no. 3 (2014): 321-328면.

Reynolds, John D. "Mating System and Nesting Biology of the Red-necked Phalarope Phalaropus lobatus: What Constrains Polyandry?" *Ibis* 129 (1987): 225-242면.

Rubega, M. A., D. Schamel, and D. M. Tracy. Red-necked Phalarope (Phalaropus lobatus), ver. 2.0. In *The Birds of North America*, edited by A. F. Poole and F. B. Gill. Cornell Lab of Ornithology, Ithaca, NY, 2000. https://doi.org/10 .2173/bna.538.

Ryan, Peter G., Karen Bourgeois, Sylvain Dromzée, and Ben J. Dilley. "The Occurrence of Two Bill Morphs of Prions Pachyptila vittata on Gough Island." *Polar Biology* 37, no. 5 (2014): 727-735면.

Silva, Mauro F., Andrea L. Smith, Vicki L. Friesen, Joël Bried, Osamu Hasegawa, M. Manuela Coelho, and Mónica C. Silva. "Mechanisms of Global Diversification in the Marine Species Madeiran Storm-petrel Oceanodroma castro and Monteiro's Storm-petrel O. monteiroi: Insights From a Multi-locus Approach." *Molecular Phylogenetics and Evolution* 98 (2016): 314-323면.

Silva, Mónica C., Rafael Matias, Vânia Ferreira, Paulo Catry, and José P. Granadeiro. "Searching for a Breeding Population of Swinhoe's Storm-petrel at Selvagem Grande, NE Atlantic, with a Molecular Characterization of Occurring Birds and Relationships within the Hydrobatinae." *Journal of Ornithology* 157, no. 1 (2016): 117-123면.

Smith, Malcolm, Mark Bolton, David J. Okill, Ron W. Summers, Pete Ellis, Felix

Liechti, and Jeremy D. Wilson. "Geolocator Tagging Reveals Pacific Migration of Red-necked Phalarope Phalaropus lobatus Breeding in Scotland." *Ibis* 156, no. 4 (2014): 870-873면.

Weimerskirch, Henri, Karine Delord, Audrey Guitteaud, Richard A. Phillips, and Patrick Pinet. "Extreme Variation in Migration Strategies Between and Within Wandering Albatross Populations During their Sabbatical Year, and Their Fitness Consequences." *Scientific Reports* 5 (2015): 8853면.

Wong, Sarah N. P., Robert A. Ronconi, and Carina Gjerdrum. "Autumn At-sea Distribution and Abundance of Phalaropes Phalaropus and Other Seabirds in the Lower Bay of Fundy, Canada." *Marine Ornithology* 46 (2018): 1-10면.

9장 수난 시대

19 Anthony Bourdain, 『중간 날것*Medium Raw*』 (New York: HarperCollins, 2010), xiii면.

20 같은 책, xv면.

21 Thomas F. De Voe, 『시장 조력자*The Market Assistant*』 (New York: Hurd and Houghton, 1867), 168면.

22 같은 책, 175-176면.

23 같은 책, 175면.

24 같은 책.

25 같은 책, 176면.

26 같은 책.

27 같은 책, 178면.

28 같은 책.

29 같은 책.

30 같은 책, 178면.

31 같은 책, 146면.

32 같은 책, 176면.

33 같은 책, 176면.

34 같은 책, 175면.

35 같은 책, 177면.

36 같은 책, 175면.

37 같은 책.

38 P. P. Claxton, T. Gilbert Pearson, "울새The Robin," *Bird-Lore* 11, no. 5 (Oct. 1, 1910): 208면 인용.

39 Edward Howe Forbush, 『매사추세츠와 다른 뉴잉글랜드 지역의 조류*Birds of Massachusetts and Other New England States*』, vol. 2 (Norwood, MA: Norwood Press,

1927), 417면.

40 *New York Times*, Aug. 18, 1918, 14면.

41 라르나카 선언Larnaca Declaration, July 7, 2011, http://www.moi.gov.cy/moi/wildlife/wildlife_new .nsf/web22_gr/F5BC37B27C945EBCC22578410043F43F/$file/Larnaca%20%20Declaration.pdf.

Andreou, Eva. "Cypriot and Bases Authorities Slammed by Anti-poaching NGOs." 〈Cyprus Mail〉, July 7, 2017. https://cyprus-mail.com/2017/07/20/cypriot -bases-authorities-slammed-anti-poaching-ngos/?hilite=%27poaching%27.

Anon. "Explosion Outside Dhekelia Police Station." *Cyprus Mail*, June 13, 2017. https://cyprus-mail.com/2017/06/13/explosion-outside-dhekelia-police-station/#disqus_thread.

______. "Illegal Bird Trapping Begins to Fall. *KNEWS*, March 6, 2018. https://knews.kathimerini.com.cy/en/news/illegal-bird-trapping-begins-to-fall.

______. "The New Protection of Birds Act." *British Birds* no. 12 (Dec. 1954): 409-413면.

Bicha, Karel D. "Spring Shooting: An Issue in the Mississippi Flyway, 1887-1913." *Journal of Sport History* 5 (Summer 1978): 65-74면.

BirdLife International. *A Best Practice Guide for Monitoring Illegal Killing and Taking of Birds*. Cambridge, UK: BirdLife International, 2015.

Brochet, Anne-Laure, Willem Van den Bossche, Sharif Jbour, P. Kariuki Ndang'ang'a, Victoria R. Jones, Wed Abdel Latif Ibrahim Abdou, Abdel Razzaq Al-Hmoud 외. "Preliminary Assessment of the Scope and Scale of Illegal Killing and Taking of Birds in the Mediterranean." *Bird Conservation International* 26, no. 1 (2016): 1-28면.

Brochet, Anne-Laure, Willem Van Den Bossche, Victoria R. Jones, Holmfridur Arnardottir, Dorin Damoc, Miroslav Demko, Gerald Driessens 외. "Illegal Killing and Taking of Birds in Europe Outside the Mediterranean: Assessing the Scope and Scale of a Complex Issue." *Bird Conservation International* (2017): 1-31면.

Day, Albert M. *North American Waterfowl*. New York and Harrisburg, PA: Stackpole and Heck, 1949.

Eason, Perri, Basem Rabia, and Omar Attum. "Hunting of Migratory Birds in North Sinai, Egypt." *Bird Conservation International* 26, no. 1 (2016): 39-51면.

European Union. "Directive 2009/147/EC Of the European Parliament and of the Council of 30 November 2009 on the Conservation of Wild Birds." *Official Journal L20* 26.1.2010 (2010): 7-25면.

Franzen, Jonathan. "Emptying the Skies." *The New Yorker*, July 26, 2010. https://www.newyorker.com/magazine/2010/07/26/emptying-the-skies .

Greenberg, Joel. *A Feathered River Across the Sky*. New York: Bloomsbury, 2014.

Grinnell, Joseph, Harold Child Bryant, and Tracy Irwin Storer. *The Game Birds of California*. Berkeley: University of California Press, 1918.

Hajiloizis, Mario. "Up to 300 British Soldiers 'Trapped' by Xylofagou Residents." *SigmaLive*, Oct. 20, 2016. https://www.sigmalive.com/en/news/local/149580/up-to-300-british-soldiers-trapped-by-xylofagou-residents.

Jenkins, Heather M., Christos Mammides, and Aidan Keane. "Exploring Differences in Stakeholders' Perceptions of Illegal Bird Trapping in Cyprus." *Journal of Ethnobiology and Ethnomedicine* 13, no. 1 (2017): 67-77면.

Jiguet, Frédéric, Alexandre Robert, Romain Lorrillière, Keith A. Hobson, Kevin J. Kardynal, Raphaël Arlettaz, Franz Bairlein 외. "Unravelling Migration Connectivity Reveals Unsustainable Hunting of the Declining Ortolan Bunting." *Science Advances* 5, no. 5 (2019): eaau2642.

Kamp, Johannes, Steffen Oppel, Alexandr A. Ananin, Yurii A. Durnev, Sergey N. Gashev, Norbert Hölzel, Alexandr L. Mishchenko 외. "Global Population Collapse in a Superabundant Migratory Bird and Illegal Trapping in China." *Conservation Biology* 29, no. 6 (2015): 1684-1694면.

Mark, Philip. "Xylofagou Residents Stop British Soldiers from Cutting Trees." *Cyprus Mail*, Oct. 20, 2016. https://cyprus-mail.com/old/2016/10/20/stop-soldiers-from-cutting-trees/.

McLaughlin, Kelly. "Police Officer Injured in Explosion at British Military Base in Cyprus as Police Open Criminal Investigation." *Daily Mail*, June 13, 2017. https://www.dailymail.co.uk/news/article-4598670/Small-blast-British-station-Cyprus-criminal-motive-seen.html.

Paterniti, Michael. "The Last Meal." *Esquire* 129, May 1998, 112-117면.

Psyllides, George. "Cyprus a Bird 'Trapper's Treasure Island,' According to Survey." *Cyprus Mail*, Aug. 21, 2015. https://cyprus-mail.com/old/2015/08/21/cyprus-a-bird-trappers-treasure-island-according-to-survey/.

Shialis, Tassos. "Update on Illegal Bird Trapping Activity in Cyprus." *BirdLife Cyprus* (March 2018). https://www.impel-esix.eu/wp-content/uploads/sites/2/2018/07/BirdLife-Cyprus_Spring-2017-trapping-report_Final_for-public-use.pdf.

United States Entomological Commission, Alpheus Spring Packard, Charles Valentine Riley, and Cyrus Thomas. *First Annual Report of the United States Entomological Commission for the Year 1877: Relating to the Rocky Mountain Locust and the Best Methods of Preventing Its Injuries and of Guarding Against Its Invasions, in Pursuance of an Appropriation Made by Congress for this Purpose*. Washington, DC: US Government Printing Office, 1878.

10장 사랑스러운 단짝, 비둘기조롱이

42 Richard M. Eaton, "세계사로서의 비교역사학 : 현대 인도의 종교 개종 Comparative History as World History: Religious Conversion in Modern India," *Journal of World History* 8 (1997): 245면.

Anderson, R. Charles. "Do Dragonflies Migrate Across the Western Indian Ocean?" *Journal of Tropical Ecology* 25, no. 4 (2009): 347-358면.

Anon. "From Slaughter to Spectacle—Education Inspires Locals to Love Amur Falcon." *BirdLife International*, Jan. 29, 2018. https://www.birdlife.org/worldwide/news/slaughter-spectacle-education-inspires-locals-love-amur-falcon.

Banerjee, Ananda. "The Flight of the Amur Falcon." *LiveMINT*, Oct. 29, 2013. https://www.livemint.com/Politics/34X8t639wdF1PPhlOuhBlJ/The-flight-of-the-Amur-Falcon.html.

Barpujari, S. K. "Survey Operations in the Naga Hills in the Nineteenth Century and Naga Opposition Towards Survey." *Proceedings of the Indian History Congress* 39 (1978): 660-670면.

Baruth, Sanjib. "Confronting Constructionism: Ending India's Naga War." *Journal of Peace Research* 40 (2003): 321-338면.

Chaise, Charles. "Nagaland in Transition." *India International Centre Quarterly* 32 (2005): 253-264면.

Das, N. K. "Naga Peace Parlays: Sociological Reflections and a Plea for Pragmatism." *Economic and Political Weekly* 46 (2011): 70-77면.

Dixon, Andrew, Nyambayar Batbayar, and Gankhuyag Purev-Ochir. "Autumn Migration of an Amur Falcon Falco amurensis from Mongolia to the Indian Ocean Tracked by Satellite." *Forktail* 27 (2011): 86-89면.

Glancey, Jonathan. *Nagaland*. London: Faber and Faber, 2011.

Kumar, Braj Bihari. *Naga Identity*. New Delhi: Concept Publishing, 2005.

Parr, N., S. Bearhop, D. Douglas, J. Y. Takekawa, D. J. Prosser, S. H. Newman, W. M. Perry, S. Balachandran, M. J. Witt, Y. Hou, Z. Luo, and L. A. Hawkes. "High Altitude Flights by Ruddy Shelduck Tadorna ferruginea During Trans-Himalayan Migrations." *Journal of Avian Biology* 48 (2017): 1310-1315면.

Sinha, Neha. "A Hunting Community in Nagaland Takes Steps Toward Conservation." *New York Times*, Jan. 3, 2014. https://india.blogs.nytimes.com/2014/01/03/a-hunting-community-in-nagaland-takes-steps-toward-conservation/.

Symes, Craig T., and Stephan Woodborne. "Migratory Connectivity and Conservation of the Amur Falcon Falco amurensis: A Stable Isotope Perspective." *Bird Conservation International* 20 (2010): 134-148면.

Thomas, John. *Evangelizing the Nation*. London and New York: Routledge, 2016.

후기

43 Rick Thoman, Susie Cagle, "구워진 알래스카Baked Alaska," *The Guardian*, July 3,2019, https://www.theguardian.com/us-news/2019/jul/02/alaska-heat-wildfires-climate-change에서 인용.

감수자의 말

새들은 가장 다양한 육상 척추동물로서, 언제나 우리 주변에서 가장 쉽게 만나 볼 수 있는 야생동물이며, 특히 서로 다른 두 곳 이상의 서식지를 계절별에 따라 주기적으로 옮겨 다니며 사는 새들을 철새라고 한다. 흔히 우리는, 새들은 날개가 있어 어디로든 자유롭게 날아갈 수 있을 것이라고 생각한다. 하지만 이런 믿음과 달리, 이들의 분포와 서식지, 이동 경로는 각 종별로 생태적인 특성에 의해 제한되어 있고, 철새들 역시 우리가 생각하는 만큼 자유로운 삶을 누리지는 못한다.

이 책은 저자의 생생한 경험을 바탕으로 우리가 미처 알지 못했던 철새들의 삶과 이들이 처한 현실을 알려 주고 있다. 실제로 저자는 철새의 다리에 금속 가락지 또는 기타 표식을 부착하여 이를 재관찰하는, 가장 전통적으로 철새를 이해하고 연구하는 방식부터, 인공위성 추적 장치와 자동화된 무선추적 네트워크 등 최첨단 기술에 이르기까지 다양한 연구 방식을 소개하고 있다. 특히 넓적부리도요부터 시작해서 비둘기조롱이에 대한 학살에 이르기까지 전 세계에서 일어나고 있는 철새의 이동을 추적해 나가며, 우리가 미처 알지 못했던, 이들의 서식지 선택과 이동 경로, 주요 위협 요인 등에 대한 새로운 정보들을 제공해 준다.

저자도 밝힌 바와 같이, 철새들은 육상 척추동물이 보여줄 수 있는 가장 극한의 운동을 통해 〈여름을 쫓아간다〉. 이들의 유전자에 각인된 이런 본능적인 이동 행동은 수많은 세대와 오랜 시간에 걸쳐 변해 가면서 환경의 변화에 적응해 온 결과물이다. 그러나 인간에 의한 서식지 소실과 밀렵은 철새들이 다음 세대를 이어가며 적응할 수 없을 정도로 빠르고 광범위하게 일어나고 있고, 이는 철새들의 생존과 적응의 잠재성을 위협하고 있다.

우리나라는 동아시아-대양주 철새 이동 경로의 중간에 위치하고 있고, 이러한 철새들의 생존을 위협하는 많은 요인으로부터 자유롭지 않다. 이 책의 출간을 통해 우리가 미처 알지 못했던 숨겨진 철새의 삶을 이해하고 그 생명이 지속될 수 있는 계기가 마련되기를 기대한다.

2023년5월
최창용

찾아보기

ㅂ

ㅇ

ㅈ

ㅊ

ㅋ

ㅍ

ㅎ

옮긴이 **김병순** 전문번역가로 활동하며 다양한 분야의 책을 우리말로 옮기고 있다. 『케이프코드』, 『두 발의 고독』, 『성장의 한계』, 『음식과 자유』, 『훔쳐보고 싶은 과학자의 노트』, 『왜 가난한 사람들은 부자를 위해 투표하는가』, 『달팽이 안단테』 등 다수의 책을 번역했다.

감수 **최창용** 서울대학교 자연과학대학에서 해양학(해양생물학)을 전공했으며, 동대학원에서 산림자원학(야생동물생태학) 전공으로 박사 학위를 받았다. 국립공원 철새연구센터 연구원, 동아시아-대양주 철새 이동 경로 파트너십 사무국의 과학담당관을 거쳐, 현재 서울대학교 농림생물자원학부의 산림환경학 교수로 근무하며, 철새의 생태와 이동, 보전 등에 대해 연구하고 있다.

날개 위의 세계

발행일 2023년 5월 15일 초판 1쇄
2023년 6월 15일 초판 2쇄

지은이 스콧 와이덴솔
옮긴이 김병순
발행인 홍예빈 · 홍유진
발행처 주식회사 열린책들

경기도 파주시 문발로 253 파주출판도시
전화 031-955-4000 팩스 031-955-4004
www.openbooks.co.kr

ISBN 978-89-329-2334-5 03490